DCPVEZQ Ⅴ Ⅴ

PENDRAGON

9
L'Avènement du corbeau

DANS LA MÊME SÉRIE
DÉJÀ PARUS

D. J. MACHALE

BOBBY
PENDRAGON

9

L'Avènement du corbeau

Traduit de l'américain par Thomas Bauduret

Jeunesse
éditions du
ROCHER

Titre original : *Pendragon 9. Raven Rise.*

La présente édition est publiée en accord avec l'auteur, représenté par Baror International Inc., Armonk, New York, USA.

ISBN : 978 2 268 06800 8

Pour Gene et Theresa Gregory

PRÉFACE

Ce livre est la pénultième aventure de Bobby Pendragon.

Ça en jette, non ? Si vous ignorez ce que signifie « pénultième », allez donc regarder dans le dictionnaire. Là, tout de suite. Allez-y. Non, je ne plaisante pas. Ce bouquin sera toujours là à votre retour. Promis.

Pour ceux qui savent déjà ce que signifie « pénultième », bravo !

Pour ceux qui sont effectivement allés vérifier, bien joué.

Pour les autres qui l'ignoraient et, malgré cela, ne se sont pas donné la peine de chercher (fainéants !), je vais vous le dire.

Pénultième : l'avant-dernier épisode d'une série.

Oui. Nous y voilà. C'est l'avant-dernier chapitre de la saga de Bobby Pendragon et des Voyageurs. Ça fait bizarre, non ? Lorsque j'ai commencé à écrire *Le Marchand de peur* il y a bien longtemps, la fin de la série semblait être un but lointain et inaccessible. Et maintenant, nous sommes sur le point d'arriver au bout du voyage. Je peux entrevoir la lumière au bout du tunnel. Bien sûr, ce tunnel est un flume et la lumière est la force venue de l'autre bout de Halla pour s'emparer de nous et nous propulser dans l'avant-dernier chapitre.

La fin est proche, mais tout est encore loin d'être terminé.

On pourrait croire que je suis le seul à travailler pour ajouter un autre livre de la saga sur l'étagère. Eh bien non. Pas du tout. Comme à chaque fois, j'aimerais remercier en quelques mots ceux qui m'ont aidé à donner vie aux aventures de Pendragon. Certains sont là depuis le tout début. D'autres sont de nouveaux venus. Et, chacun à sa façon, tous ont œuvré pour que vous puissiez lire ce volume.

Mes amis du département jeunesse de Simon & Schuster n'ont cessé de me soutenir moralement. Toute ma gratitude va à Rick Richter, Rubin Pfeffer, Justin Chanda, Ellen Krieger, Paul Crichton et bien d'autres personnes formidables et talentueuses, que ce soit dans les sections marketing, promotion ou ventes. Merci à tous.

Il y a une nouvelle éditrice en ville : Lisa Abrams. Elle a pris les rênes de la saga Pendragon avec tant de joie et d'enthousiasme que je sais que la série sera en de bonnes mains jusqu'au dernier chapitre du dernier volume. Merci, Lisa.

Remerciements particuliers à Matt Schwartz, qui s'est chargé d'épousseter et de rendre plus attrayant le site internet de Pendragon. Merci, Matt.

Nous avons également une nouvelle dessinatrice et une conceptrice chargées des couvertures. Respectivement Lucy Cummins et Dawn Austin. Lorsque j'ai vu ce qu'elles avaient concocté pour *L'Avènement du corbeau*, j'en suis resté bouche bée. D'admi-ration ! Je pense que cette illustration représente à merveille l'évolution du récit et du personnage de Bobby. Bravo !

Heidi Hellmich, correctrice émérite, a encore fait un excellent travail en corrigeant mes fautes d'anglais. Heidi a souligné de son stylo-laser vert chaque mot de chaque livre, et ce depuis le tout début. Si elle se fait renverser par un autobus avant la fin du tome 10, nous sommes dans le pétrin. Merci mille fois, Heidi. N'oublie pas de regarder des deux côtés avant de traverser la rue.

Comme toujours, mon excellent ami Richard Curtis m'a offert la sagesse et les bons conseils qui permettent de me consacrer à la dissection de l'univers de Pendragon sans trop devoir me soucier de la vraie vie. Merci, Richard.

Peter Nelson a toujours été un ami fidèle. Mark Wertzein et lui défient toute logique : ce sont des avocats d'élite et, en même temps, des types super. Incroyable. Il faut croire que tout est possible dans Halla.

Merci une fois de plus à Danny Baror, qui continue à œuvrer pour répandre la saga de Pendragon dans le monde entier ; également à Eileen Hutton, au talentueux Bill Dufris et à tous ceux de Brilliance Audio qui produisent d'excellentes adaptations audio des *Pendragon*. Et je témoigne toute ma gratitude aux éditeurs étrangers qui publient ces textes. J'aime voir sur mes étagères les différentes versions. Bien sûr, je ne peux pas les lire, mais les couvertures sont magnifiques !

Lorsque j'écris un de ces romans, le meilleur moment est toujours celui où je donne ce que j'ai écrit ce jour-là à mon épouse, Evangeline. Elle est la première critique à lire l'histoire de Bobby, et ses commentaires ont une valeur inestimable. Elle met le doigt sur ce qui ne fonctionne pas, ne tient pas debout ou, plus simplement, ce qui n'est pas vraiment bon. Le lendemain, la première chose que je fais, c'est revenir sur ce que j'ai écrit le jour précédent en tenant compte de ses remarques. C'est un excellent mode de fonctionnement. Même si, je l'avoue, de tous ses commentaires, mon préféré, c'est lorsqu'elle finit le manuscrit du jour, le repose, me regarde et s'exclame : « Encore ! » Alors je sais que je suis sur la bonne voie. Merci, chérie.

Je n'ai toujours pas fait lire mes livres à ma fille, Keaton. Après tout, elle n'a que quatre ans et demi. Elle s'intéresse plutôt aux princesses et à la magie. Chaque soir, elle me demande de lui inventer une histoire dont elle est le personnage principal. En général, ça parle de princesses. Et de magie. Mais il y a quelque temps, elle m'a dit : « Papa, raconte-moi une histoire qui fait peur. » J'ai levé un sourcil surpris et j'ai répondu : « Tu es sûre ? » Elle a acquiescé. « D'accord. » J'ai haussé les épaules et concocté une histoire qui, je crois, lui a fichu une telle frousse qu'elle est bonne pour quelques séances de psychothérapie. Oups ! Bon, ce n'était pas si terrifiant que ça, mais, sur le coup, j'ai eu peur de l'avoir traumatisée à vie. Du moins jusqu'à ce que, peu après, elle commence à me raconter des histoires de son cru parlant de monstres, de courses effrénées dans des cavernes sombres et de serpents jaunes qui se déguisent en spaghettis. C'est bien la fille de son père. J'espère continuer encore longtemps à lui écrire des histoires qui font peur et à écouter les siennes. On forme une bonne équipe, tous les deux.

Je suis reconnaissant à tous les libraires, bibliothécaires, professeurs et parents d'avoir recommandé mes livres. Je sais que le choix est vaste et qu'il y a beaucoup d'excellents romans sur le marché, mais je suis honoré qu'ils aient pensé que les miens méritaient de toucher leurs jeunes lecteurs. Merci !

Bien sûr, *Pendragon* ne serait pas *Pendragon* sans vous, mes amis. Pour ceux qui sont là depuis le début, merci d'être restés pour voir ce qui allait arriver. À tous ceux qui m'ont écrit, merci pour vos idées, commentaires et questions. C'est bon de savoir que mes histoires ont une telle importance pour vous. Je ne saurais vous dire à quel point cela me réjouit. Ou peut-être que si. Je vous en suis reconnaissant. Très.

Je n'ai oublié personne, non ? Non ? Ah oui. On est là pour parler de *L'Avènement du corbeau*. J'ai failli oublier. Bien, où en étais-je ? Ah oui…

La Convergence.

Vous pouvez chercher ce mot dans le dictionnaire, mais je vais vous épargner cette peine (toujours aussi fainéants !).

Convergence : un rassemblement provenant de directions différentes, visant surtout l'unification d'un groupe ou de tendances habituellement opposées ou très différentes.

Quand nous avons quitté Bobby, il venait d'effectuer un sacrifice immense, mais qui, croyait-il, mettrait fin une bonne fois pour toutes à cette guerre contre Saint Dane. Il avait détruit l'entrée du flume d'Ibara, s'emprisonnant lui-même sur Veelox – et Saint Dane avec lui. Bobby savait que cette manœuvre audacieuse signifiait qu'il ne reverrait plus ses amis et qu'il ne rentrerait jamais chez lui, pourtant il sentait que c'était nécessaire pour mettre fin à la quête maléfique de Saint Dane. Il n'y avait qu'un seul problème.

La Convergence avait déjà commencé.

La guerre n'est pas finie. L'histoire non plus. Ni pour Bobby ni pour Saint Dane.

Ni pour nous.

Vous pensiez vraiment qu'il en serait autrement ?

Comme je l'ai dit, ce n'est pas encore la fin.

C'est la *pénultième* aventure de Pendragon.

Hobie-ho, c'est parti !

D. J. MacHale

DENDURON

– *Ibara !*

Le tunnel resta inanimé. Seul l'écho se répercuta entre les parois de pierre sombre.

– *Ibara !* cria une fois de plus le grand chevalier, plus fort cette fois, comme si cela pouvait changer quelque chose.

Malheureusement, il savait que c'était inutile. Le tunnel vers l'infini ignorait ses appels. Cela faisait longtemps qu'il redoutait un événement de ce genre. Cette idée l'avait frappé la dernière fois qu'il s'était entretenu avec Bobby Pendragon. Et pourtant, il ne s'attendait pas à ce que le flume tombe en panne.

Alder, le Voyageur de Denduron, se tenait seul dans l'embouchure du flume du territoire de Quillan, à se demander ce qui avait bien pu se passer. Pourquoi le tunnel refusait-il de s'animer ? Qu'avait donc pu faire son ami ? Lorsqu'il avait laissé Pendragon sur Ibara, il avait senti que le Voyageur en chef lui cachait quelque chose. Pendragon avait une idée en tête. Comme toujours. Mais, pour une raison ou pour une autre, il n'avait pas voulu lui en faire part. Sur le moment, Alder n'avait pas insisté. Il le regrettait maintenant. Au fond de lui, il savait que Bobby Pendragon avait agi pour l'empêcher de retourner sur Ibara. Pourquoi ? Seul Pendragon connaissait la réponse à cette question, et il était sur Ibara. Seul. Inaccessible.

– Qu'as-tu fait, mon ami ? marmonna Alder pour lui-même.

Il ne lui restait plus qu'une chose à faire : rentrer chez lui. Si Pendragon avait besoin de son aide, c'est là qu'il irait le chercher. S'il avait besoin de lui.

– *Denduron !* cria Alder dans le tunnel.

Il retint son souffle, craignant que le flume continue d'ignorer ses appels et le laisse prisonnier sur un territoire inconnu.

Il n'aurait pas dû s'inquiéter. Le tunnel s'anima dans un grondement d'outre-tombe. Le couloir commença à se tortiller comme un monstrueux serpent s'étirant après un long sommeil. Alder entendit le craquement réconfortant des pierres râpant les unes contre les autres. Même si le chemin d'Ibara était barré, le flume était toujours opérationnel. Un point lumineux apparut dans le lointain, et les roches grises devinrent claires comme du cristal. Alder se crispa, sachant qu'il serait bientôt en route pour chez lui. La lumière devint éblouissante. Les notes musicales désordonnées qui accompagnaient toujours les voyages en flume se firent assourdissantes. Alder se sentit alors aspiré en douceur par l'énergie qui allait l'entraîner dans ce couloir entre les mondes.

Sa mission sur Quillan était simple : rapporter quatre armes sur leur territoire d'origine. C'étaient des barres de métal de deux mètres. Des engins anti-dados. Bobby ne voulait pas qu'ils restent sur Ibara. Il voulait purger cette île de toute technologie étrangère. Alder s'acquitta de sa tâche sans rencontrer le moindre problème.

À ce moment précis, si quelqu'un lui avait demandé pourquoi il avait changé d'avis, il n'aurait su quoi répondre. Peut-être était-ce l'instinct du guerrier. Peut-être la peur de l'inconnu. Peut-être l'effet de son trouble en constatant qu'une fois de plus les choses ne se passaient pas de la façon dont il s'y attendait. Peut-être tout cela à la fois. Qu'importe. Au moment même où il allait être aspiré dans le flume, Alder se pencha et ramassa les quatre armes anti-dados. Il voulait les garder à portée de la main sur Denduron. Au cas où.

Une seconde plus tard, il était en route.

Alors qu'il sillonnait le flume, il regarda au-delà des parois de cristal. Les images spectrales de Halla qui étaient apparues au milieu du champ d'étoiles étaient désormais si denses qu'il était impossible de les distinguer les unes des autres. Alder entrevit des fusées hurlantes, des armées en marche et des immeubles en ruine. D'immenses requins aux crocs énormes traversaient une meute de bêtes féroces en surimpression sur d'immenses pyramides battues par les vents de sable. Alder ne reconnut ni ne comprit la plupart de ces visions surprenantes. C'était un simple chevalier issu d'un petit village de fermiers. Mais il comprenait ce qu'était le chaos. Le sentiment de bruit et de fureur qui se dégageait de ces impressions suspendues dans l'espace lui faisait redouter que, malgré les nombreuses victoires remportées par les Voyageurs, la bataille pour sauver Halla ne soit pas terminée. Loin de là.

Sur Ibara, ils avaient pris un gros risque. Ils savaient qu'entremêler les territoires était contraire aux lois naturelles qu'ils se devaient de respecter, mais ils ne voyaient pas d'autre moyen pour sauver l'île. Saint Dane avait rassemblé toute une armée de dados venue de Quillan pour attaquer le village de Rayne. Si les Voyageurs n'étaient pas intervenus, ç'aurait été un massacre. Ibara aurait été écrasée, et tout espoir de faire renaître Veelox aurait péri avec elle. Pendragon et les Voyageurs avaient choisi de faire face. Ibara n'avait ni les ressources ni les armes nécessaires pour arrêter les troupes de Saint Dane. C'est pourquoi ils étaient venus sur Denduron. Chez Alder[1].

Ils appelaient ça du tak. C'était un minerai rougeâtre ressemblant à de l'argile qu'on extrayait des profondeurs du sol. C'était également un explosif des plus redoutables. Pendragon, Alder et Siry, le Voyageur d'Ibara, avaient déterré une quantité de ce produit instable pour s'en servir comme arme, avec des résultats aussi efficaces qu'effrayants. L'armée des dados avait été rayée de la carte, et une bonne partie du village d'Ibara avec elle. Cependant, les Voyageurs avaient gagné. Ibara était sauvée. Une fois de plus, ils avaient déjoué les plans de Saint Dane. Pendragon et les Voyageurs conclurent qu'ils avaient pris la bonne décision, puisque la tentative de Saint Dane pour conquérir Halla était stoppée.

---

1. Voir Pendragon n° 8 : *Les Pèlerins de Rayne*.

Et pourtant, les images étaient toujours là, flottant dans l'espace. Face à ces visions chaotiques, Alder se demanda s'ils avaient vraiment bien agi. Avaient-ils effectivement gagné la bataille d'Ibara ? Et si oui, à quel prix ? Il tenta de chasser ces idées noires. Alder se vantait d'être capable de résoudre n'importe quel problème, et s'inquiéter ne résolvait rien. Il savait qu'il devait prendre sur lui et se préparer à combattre si l'occasion se présentait à nouveau. *Quand* l'occasion se présenterait à nouveau. C'était encore ce qui lui réussissait le mieux. Il préféra penser à ce qu'il ferait une fois chez lui. Sur Denduron. Le premier territoire où Pendragon et les Voyageurs avaient affronté Saint Dane[1]. Leur première victoire. Après les horreurs de la guerre qu'il avait connues sur Ibara, il avait hâte de se retrouver sur son territoire, maintenant pacifique.

Les douces notes musicales gagnèrent en intensité comme pour l'avertir qu'il arriverait bientôt à destination. Tout en flottant sur son coussin d'air chaud, il se retourna, prêt à être déposé aux portes de Denduron. Alder sourit. Il avait besoin de calme et, bien que ses devoirs de chevalier bedoowan passent en premier, il espérait pouvoir prendre quelques jours de repos.

C'est alors qu'il remarqua une dernière image flottant dans cet océan immatériel. Elle représentait un groupe d'hommes à la peau noire qui brandissait des lances d'un air furieux. Cette vision avait quelque chose de familier. Les hommes étaient grands et minces. Tous étaient chauves et portaient des armures de cuir épais d'un violet saisissant. Alder les reconnut aussitôt : c'étaient les membres d'une tribu primitive de Denduron qui vivaient de l'autre côté de la montagne au pied de laquelle s'élevait son village. Mais ces gens étaient pacifiques. Les voir en armure, brandissant des armes de guerre, était profondément dérangeant. Qu'est-ce que cela pouvait bien vouloir dire ? Mais à peine avait-il enregistré cette image qu'elle avait disparu, avalée par l'image d'un dygo argenté de

---

1. Voir Pendragon n° 1 : *Le Marchand de peur*.

Zadaa. La vision de ces guerriers furieux resta néanmoins incrustée dans l'esprit d'Alder. Cela ne lui disait rien qui vaille.

Quelques secondes plus tard, Alder se retrouvait dans la caverne familière qui abritait l'entrée du flume de Denduron. Il se mit à claquer des dents. Il faisait un froid de canard, ce qui n'avait rien d'étonnant : la porte se trouvait au sommet d'une montagne enneigée, et Alder portait toujours ses vêtements tropicaux d'Ibara. Il s'empressa de poser les bâtons anti-dados pour enfiler l'uniforme de cuir bien chaud d'un chevalier bedoowan. C'était bon de rentrer chez soi. À l'embouchure de la caverne, il trouva le petit traîneau qui lui permettrait de dévaler les pentes enneigées pour regagner son village. Il le tira hors de la caverne et le posa sur la couche de neige, plissant les yeux face aux rayons éblouissants des trois soleils de Denduron. Il attendit un instant que ses pupilles s'accoutument à la lumière et emplit ses poumons d'air glacé. Un délice. Ibara était trop chaude à son goût. Après quelques secondes d'extase, il put rouvrir les yeux et voir ce qui l'entourait.

Il aurait mieux fait de s'abstenir. Son sang se figea et cela n'avait rien à voir avec la température. Devant lui s'étendait un manteau neigeux immaculé. Plusieurs pointes jaunes saillaient de cette couche blanche. On aurait dit des bouts de roche déchiquetés, évasés à leur base pour finir en pointe. Mais Alder savait ce que c'était. Certainement pas de la pierre.

– Non, hoqueta-t-il.

Les quigs étaient revenus. Ils étaient là, cachés sous la neige, gardant le flume. Ces saillies étaient les crêtes hérissant leurs échines. Alder ne craignait pas de devoir les affronter : il l'avait déjà fait. C'était leur présence en soi qui le terrifiait. Les quigs n'apparaissaient que sur les territoires où Saint Dane était en activité. Lorsque les Voyageurs l'avaient vaincu sur Denduron, ces mêmes quigs avaient disparu.

Jusqu'à présent.

Alder ne prit pas le temps de se demander ce que tout cela signifiait. Il n'avait qu'une seule idée en tête : filer d'ici le plus vite possible. Sans hésiter, il prit une des luges et sortit en courant. Il choisit un itinéraire dépourvu de crêtes, posa le traîneau et sauta dessus, à plat ventre, la tête en avant. Le petit traîneau de bois était grossier mais rapide, avec des patins capables de fendre la neige comme les meilleurs skis. En un rien de temps, il prit de la vitesse et dévala le manteau neigeux escarpé. Il jeta un coup d'œil en arrière pour voir s'il avait réveillé un ou deux quigs, mais ceux-ci n'avaient pas bronché. Maigre consolation. Pourquoi étaient-ils revenus ? Que se passait-il sur Denduron ?

Alder slaloma avec brio le long de la pente pour éviter les énormes pans de roche ou de glace. Au fur et à mesure de sa descente, la neige se raréfia. Il ne tarda pas à zigzaguer autour de plaques de terre et d'herbe. Il resta en selle le plus longtemps possible avant que ses patins n'aillent racler la roche, l'obligeant à abandonner le traîneau. Il freina alors des deux pieds, descendit de son véhicule et se leva pour regarder le village qui s'étendait au bas de la montagne.

Ce qu'il vit lui causa un tel choc qu'il tomba à genoux. Il ne put rien y faire : ses jambes s'étaient transformées en caoutchouc. Là, tout en bas, sur le grand champ d'herbes qui séparait le village milago du château des Bedoowans, s'était rassemblée toute une armée de chevaliers, en armure lourde, rangée en formation.

En formation de combat.

Les chevaliers bedoowans se préparaient à partir en guerre.

Le territoire avait changé.

– Qu'est-ce qui se passe ? fit-il d'une voix tremblante.

Ce n'était pas sur Denduron qu'il trouverait le repos, même s'il en avait bien besoin.

Comme il aurait voulu que Pendragon soit là, à ses côtés ! Mais Bobby Pendragon était toujours sur le territoire d'Ibara.

Seul. Isolé.

Inaccessible.

TROISIÈME TERRE

Avant même d'ouvrir les yeux, par ce matin de mai en l'an de grâce 5014, Patrick Mac sut qu'il y avait quelque chose d'anormal.

C'est son nez qui l'en avertit. Cette odeur... Il était incapable de la reconnaître, parce qu'il n'avait jamais rien senti de tel. On aurait dit un mélange de produits toxiques et de résidus organiques pourrissants – un cocktail qu'on n'avait guère l'occasion de respirer sur la verte Troisième Terre. Quelle que soit cette substance, ça ne présageait rien de bon. Ce n'était pas naturel. Il ouvrit les yeux pour inspecter la chambre de son petit appartement. À part cette odeur singulière, tout semblait normal.

Patrick habitait le village souterrain de New York connu sous le nom de Chelsea. C'était le premier complexe troglodytique bâti en dessous de Manhattan, et il avait servi de modèle pour les suivants. La surface de New York, jadis un désastre écologique surpeuplé, était devenue une magnifique communauté champêtre. Chelsea comprenait cinquante niveaux où l'on trouvait aussi bien des appartements, des boutiques, des musées, des théâtres et tout ce qui était nécessaire pour vivre sous la surface de la Terre. Il y avait même un grand lac tout au fond, où l'on pouvait nager ou faire du bateau une bonne partie de l'année, sauf de novembre à janvier, où on le faisait geler volontairement pour le consacrer au patinage et au hockey sur glace. Cette petite communauté comptait plusieurs milliers d'habitants qui, pour la plupart, y travaillaient également. Ils n'avaient aucune raison de remonter à la surface, sinon pour admirer le paysage et sentir la chaleur du soleil sur leur peau.

Pour Patrick, Chelsea se rapprochait de la perfection, à l'exception bien sûr de ce drôle de relent qui l'avait réveillé. Il se retourna dans son lit, tous les sens en éveil. Y avait-il un danger ? Un incendie ? Non, ce n'était pas une odeur de brûlé. D'ailleurs, le système de communication desservant l'ensemble du village l'aurait aussitôt averti. En cas d'urgence, les habitants étaient immédiatement prévenus. Patrick avait vécu à Chelsea presque toutes ses trente années d'existence et n'avait connu qu'une seule alerte. Une conduite d'eau s'était brisée non loin de son appartement. Les trois secteurs adjacents avaient été évacués en quelques minutes. Une heure plus tard, la conduite était réparée et ils retournaient chez eux. Chelsea était efficace. S'il y avait le moindre danger, Patrick le saurait déjà.

En ce cas, d'où venait cette puanteur ?

On était mardi. Patrick devait se présenter au travail à 8 heures. Il était professeur et bibliothécaire au lycée de Chelsea, cinq niveaux en dessous de son appartement. Une fois réveillé, il pouvait être à pied d'œuvre en un quart d'heure, dix minutes s'il mettait le turbo. Il était encore tôt. Il avait tout son temps. Plus qu'il ne lui en fallait pour découvrir d'où venait cette odeur. Il s'assit sur son lit, inspira profondément et se mit à tousser. Ce relent lui chatouillait le gosier. Il passa les mains dans ses longs cheveux et fronça les sourcils. Quelque chose lui disait que cette histoire était bien plus sérieuse qu'une quinte de toux.

Patrick était le Voyageur de Troisième Terre. Il avait déjà vu son pays se modifier sous ses yeux, ou presque. C'était assez traumatisant pour qu'il préfère que cela ne se reproduise jamais. Le passé avait été altéré, entraînant une réaction en chaîne qui avait traversé le temps pour présider à la création d'une race d'automates à visage humain, les dados. Un jour, tout était normal, et le lendemain, à son réveil, Patrick avait constaté que ces robots faisaient désormais partie intégrante de la vie en Troisième Terre. Ils fonctionnaient comme des abeilles ouvrières servant les peuples des territoires. Les dados étaient bien utiles, sauf qu'ils n'auraient jamais dû exister. Ce n'était pas ce qui était écrit. Bobby Pendragon et son Acolyte Courtney Chetwynde étaient repartis en Première Terre pour prévenir les événements qui avaient entraîné leur création. Avaient-ils réussi ? Cette étrange odeur signalait-elle une nouvelle modification du passé ? Était-ce bon signe ? Il en doutait fort.

– Hello ! lança-t-il timidement.

Il vivait seul, mais sur cette « nouvelle » Troisième Terre, il avait un serviteur dado qui lui préparait son petit déjeuner et faisait sa lessive. Pour Patrick, c'était à la fois pratique et angoissant. Certes, les dados ne devraient même pas exister, mais il fallait bien admettre que c'était agréable d'avoir une machine pour s'occuper des tâches quotidiennes.

Pas de réponse. Était-ce parce qu'il n'y avait plus de dados ?

Patrick décida d'appeler son école pour voir si quelqu'un avait une idée de ce qu'était cette odeur. Il tendit la main vers la table de nuit où reposait son télémoniteur, mais interrompit son geste. L'appareil n'était plus là. Patrick s'empressa de regarder par terre. L'avait-il renversé dans son sommeil ? Non. Il avait… disparu. Les poils de sa nuque se hérissèrent. Son pouls s'accéléra. Pas de doute, il s'était passé quelque chose.

C'est alors qu'il remarqua un bruit étouffé. Il n'était pas assez distinct ou reconnaissable pour qu'il puisse l'identifier. C'était comme un grondement lointain ou un bruit blanc. Inoffensif, sauf qu'à Chelsea l'environnement sonore était également contrôlé. Chez lui, comme dans n'importe quel autre endroit de Troisième Terre, il n'existait rien d'aussi intrusif ou irritant que du bruit blanc. La seule fois où il avait entendu quelque chose comme ça, c'était un enregistrement historique stocké dans les immenses banques de données informatiques de l'an 5014.

Patrick se força à se lever. Il avança vers la porte de sa chambre en traînant les pieds, redoutant ce qu'il allait découvrir de l'autre côté. Il tendit la main vers la poignée argentée, la serra, inspira profondément et ouvrit la porte pour voir…

Ce n'était pas son appartement. Du moins pas celui qu'il connaissait. Cet endroit n'avait rien de particulièrement sinistre ou d'inhabituel. Sauf que ce n'était pas chez lui. Les meubles étaient différents. Tout comme les tableaux accrochés au mur. Et les ustensiles dans la cuisine. Un instant, il se demanda s'il ne s'était pas trompé d'appartement le soir précédent, mais c'était irréaliste en plus d'être idiot. Il y avait tellement peu de chances que cela se produise qu'il préférait croire que Pendragon et les Voyageurs avaient changé l'histoire une fois de plus. C'est dire si son existence était devenue bizarre.

Patrick lutta contre un accès de panique. Ce n'est pas évident de se réveiller pour constater que votre univers familier a été totalement chamboulé. Une fois de plus. Mais paniquer ne ferait qu'empirer les choses. Patrick était quelqu'un d'ordonné. Il savait ce qu'il avait à faire. Il devait déterminer ce qui avait changé. Ensuite, il contacterait Pendragon, l'informerait des modifications et chercherait quel événement du passé pouvait les avoir provoquées. Oui, voilà. Une chose à la fois. Tant qu'il ne laissait pas s'enflammer son imagination, tout irait bien. Du moins c'est ce qu'il se dit. Il était le Voyageur de Troisième Terre, un territoire que Saint Dane n'avait pas encore pris pour cible. Il réalisa que son tour était peut-être venu. Bien sûr, courir se cacher dans son placard était bien tentant, mais cela ne changerait rien. Il était temps pour lui d'entrer en scène.

Sur le mur de son salon, il y avait deux grandes fenêtres recouvertes par des stores horizontaux blancs. Elles n'étaient pas si différentes de celles de son appartement habituel, sauf que les stores étaient verticaux. La belle affaire. Horizontaux, verticaux, quelle importance ? Si c'était là le pire auquel il devait s'attendre, il pourrait s'y faire. Normalement, ses fenêtres donnaient sur l'atrium central de Chelsea. Il disposait d'un balcon où il avait passé plus d'un après-midi à bouquiner en entendant les bruits joyeux de ceux qui nageaient dans les eaux chaudes du lac en contrebas. Il mourait d'envie d'ouvrir ces stores et de contempler ce spectacle familier.

Ces bruits, ces odeurs étrangères lui dirent qu'il ne fallait pas trop espérer.

Il se dirigea vers les fenêtres d'un pas lent. Le carrelage était froid sous ses pieds nus. Ce n'était pas si grave, sauf que le sol de son appartement tel qu'il le connaissait était recouvert de moquette. Les dalles blanches sous ses pieds étaient craquelées et crasseuses. Il se demanda pourquoi celles qui étaient cassées n'avaient pas été remplacées, ou nettoyées. Dans cette nouvelle Troisième Terre, était-il devenu fainéant ? D'une certaine façon, c'était plus dérangeant que de savoir que le monde entier avait changé.

Il s'arrêta devant la fenêtre, le nez à quelques centimètres des stores baissés. Une fois levés, il verrait un monde différent. Oui, mais à quel point ? Il savait déjà qu'il sentait mauvais. Peut-être que les changements s'arrêteraient là ?

Il n'y croyait pas plus qu'il ne s'imaginait que les stores verticaux seraient les seules modifications.

Patrick trouva la cordelette qui actionnait l'ouverture des lattes. Il s'arrêta le temps de reprendre son souffle. Jusque-là, il pouvait s'accommoder des quelques changements qu'il avait constatés. Il ne pouvait en dire autant à propos de ce qu'il allait découvrir en dehors de son appartement. Il savoura les derniers instants de son ancienne vie. Une fois qu'il aurait ouvert ces stores, tout recommencerait. Ou tout serait terminé.

Et s'il ne tirait pas sur la cordelette ? À la place, il pouvait contacter Pendragon pour lui demander ce qui était arrivé dans le passé. Oui. Excellente idée. Ainsi, il serait mieux préparé à affronter ce qui l'attendait là-dehors. Il regarda sa main, qui s'apprêtait à lâcher la cordelette. Son anneau de Voyageur était passé à son doigt. Il savait ce que Pendragon avait enduré dans son combat contre Saint Dane. On lui avait tout raconté. Il savait quels sacrifices devaient faire les Voyageurs. Plusieurs d'entre eux étaient morts en tentant d'empêcher ce démon de contrôler Halla. Lui-même s'en tirait plutôt bien. Soudain, ses craintes lui semblèrent bien insignifiantes. Il ressentit une pointe de culpabilité et de honte. Maintenant, son tour était venu. C'était le moment.

Il tira sur la cordelette.

Les lattes se rétractèrent et, face au spectacle qui se dévoila sous ses yeux, Patrick eut un mouvement de recul, comme si cette vision incroyable avait eu sur lui un impact physique. Il poussa un grand cri. Il ne put s'en empêcher. Ce fut à peine conscient.

Devant lui s'étendait un œil. Immense. Son esprit n'arrivait pas à assimiler ce qu'il voyait. Des géants avaient-ils envahi la Terre ? Ou avait-il lui-même rapetissé, comme dans *Alice au pays des merveilles* ? Son cœur battit la chamade. Son souffle se coinça dans sa gorge. Qu'allait faire ce géant ? Le dévorer ? Et d'abord, comment avait-il pu accéder à ce monde souterrain ?

L'œil ne bougeait pas. Il restait là, à regarder Patrick, sans ciller. Le Voyageur sentit refluer sa terreur, remplacée par de l'incompréhension. Cet œil était entièrement vert. Le blanc, la pupille, même la peau qui l'entourait. Patrick mit plusieurs secondes à comprendre que ce n'était pas – et n'avait jamais été – une créature vivante. C'était une sculpture. Si immense qu'il ne pouvait la voir en entier, mais, apparemment, elle représentait une tête couchée sur une joue. Et qui le regardait.

Patrick se releva sur ses jambes tremblantes. Il n'avait plus peur de se faire dévorer par un cyclope titanesque, mais l'idée qu'une sculpture aussi vaste puisse se trouver face à sa fenêtre, dans l'atrium de Chelsea, le laissait sans voix.

À moins que...

Une idée le frappa, une idée particulièrement désagréable. Son esprit eut du mal à l'accepter, mais cela semblait être la seule explication logique. Il savait comment en avoir le cœur net. Il devait sortir d'ici. Faire face à ce visage. Peu importe s'il était encore pieds nus et en pyjama. Il ne pourrait jamais voir cette sculpture dans son intégralité de sa fenêtre. Patrick se dirigea vers la porte d'entrée, qui s'ouvrait sur son balcon au quinzième niveau du village souterrain de Chelsea, sous New York, en l'an de grâce 5014. Convoquant la moindre parcelle de courage qu'il avait en lui, Patrick tourna la poignée et tira. Le bruit blanc se fit plus sonore. L'étrange odeur plus présente. À l'intérieur de l'appartement, le pire lui était épargné. Maintenant, Patrick comprenait pourquoi. Il n'avait pas besoin de ses yeux pour lui confirmer ce que son nez et ses oreilles lui apprenaient.

Il ne vivait plus dans un habitat souterrain. Jusque-là, il n'avait connu un tel bruit que sur des hologrammes stockés dans les banques de données des ordinateurs de la bibliothèque. Et cette odeur était celle d'une ville terrestre. Une ville qui n'avait pas résolu le problème de la pollution. Ou de l'habitat urbain. Ou de la surpopulation. Toutes ces avancées scientifiques qui avaient permis aux peuples de sauver leur planète n'avaient jamais eu lieu. Patrick resta planté là, sous le choc. Voilà la nouvelle Terre de 5014. Il n'avait fait que l'entrevoir, mais il savait ce qu'il allait découvrir. Non, il *redoutait* ce qu'il allait découvrir. Il lui faudrait explorer cette ville. Comprendre ce qui s'était passé. Ce qui avait changé. Empiré. Comment Saint Dane avait-il bien pu faire tomber la Troisième Terre sans seulement poser le pied sur ce territoire ?

Un vent mauvais balayait la rue, soulevant ses cheveux et un nuage de papiers gras qui tourbillonnèrent autour de lui. Il se tenait sur un balcon au quatrième étage, face à une cité transformée. Il comprit que ce relent pestilentiel n'avait rien d'inhabituel dans ce nouvel écosystème. C'était simplement l'odeur de la ville. Idem pour ce bruit blanc – c'était son nouvel environnement sonore ordinaire. Finis le calme, la tranquillité, l'odeur des citronniers, les prairies verdoyantes. Le ciel était gris. Nuageux ? Ou quelque chose de bien plus sinistre ? Peut-être que cette voûte basse était ce qui emplissait ses poumons et lui irritait le gosier.

Plus rien n'était comme avant. Patrick aurait pu se croire transporté dans une ville étrangère située à n'importe quel endroit de Halla, si ce n'était l'indéniable réalité de ce qu'il avait sous les yeux. C'était la sculpture verte. Maintenant, il voyait ce qu'elle était vraiment. Il avait raison : le visage reposait sur une joue. Elle était si imposante que son œil arrivait à la hauteur du quatrième étage. Le reste s'étendait sur le trottoir fendillé de l'avenue devant sa nouvelle demeure. Il était presque assez près pour pouvoir lui toucher le nez. À travers sa patine d'un vert terne, il vit des traces de rouille et de corrosion piquetant sa surface.

Patrick restait sous le choc. Ce qui était peut-être un bien. Sinon, il serait certainement tombé raide, foudroyé par la réalité qu'il se prenait en pleine face. Il avait du mal à respirer. Il n'aurait su dire si c'était à cause de la pollution ou parce que cette vision lui coupait le souffle. Il eut un accès de faiblesse et dut s'adosser au mur pour ne pas tomber.

Il tenta d'avaler sa salive, en vain. Sa bouche était trop sèche.

– Alors ? dit-il d'une voix rauque, s'adressant à la statue inerte. Qu'est-ce qui s'est passé ?

Bien sûr, le visage ne répondit pas. Il n'était pas vivant et ne l'avait jamais été, même s'il n'avait jamais semblé aussi mort qu'aujourd'hui. Patrick était bien obligé d'admettre la vérité, aussi déplaisante fût-elle. Il se trouvait bel et bien à New York, même si cette ville n'avait plus grand-chose à voir avec celle qu'il avait connue. Et il regardait la statue de la Liberté droit dans les yeux.

PREMIÈRE TERRE

– Vous devez bien comprendre que cette entreprise vous rendra riches, vous et votre associé, dit le grand homme aux grandes dents avec un sourire entendu.

– Andy Mitchell n'est *pas* mon associé, s'empressa de rétorquer Mark Dimond.

Il avait envie de sauter de son fauteuil en cuir confortable pour secouer ce type comme un prunier afin de l'en convaincre une bonne fois pour toutes. En fait, il se pencha en avant, prêt à bondir, mais une main impérieuse le retint.

– Du calme, mon grand, dit Courtney Chetwynde d'une voix apaisante. Je crois qu'il a pigé.

Pour une fois, c'était Courtney qui jouait la voix de la raison et Mark qui était prêt à foncer dans le tas.

– Je ne suis pas sûr de tout « piger », corrigea l'homme en soulevant un coin de sa bouche.

Mark se demandait si c'était un demi-sourire, un rictus ou s'il avait juste respiré une mauvaise odeur. L'homme brandit une feuille de papier que, pour son malheur, Mark ne connaissait que trop.

– C'est bien votre signature, non ?

Mark retomba dans son fauteuil. Défait.

– Oui.

– Dans ce cas, quoi qui ait pu se passer de fâcheux entre vous et cet Andy Mitchell, ça n'a aucune importance en ce qui nous concerne. Vous avez signé ce contrat tous les deux, ce qui vous lie à tout jamais en tant que directeurs de... (Il regarda la feuille à travers ses verres en demi-lunes.) Comment vous appelez-vous ? Ah oui, la Dimond Alpha Digital Organisa-tion. (Il lorgna Mark par-dessus la feuille et continua :) J'ignore ce que cela signifie, et ça n'a aucune espèce d'importance. Tout ce que je sais, c'est que vous avez signé cette lettre et touché une avance. Ainsi, votre compagnie a donné à Keaton Electrical Marvels l'exclusivité pour développer cette techno-logie que vous avez créée et baptisée Forge.

Mark avait envie de hurler, mais il savait que c'était inutile. Il ne réussirait qu'à passer pour un idiot. Courtney et lui se trouvaient dans le vaste bureau de M. Ian Paterson, président de KEM Limited. La compagnie qui allait entraîner la destruc-tion de Halla. Bien sûr, M. Paterson n'en savait rien. Pour autant qu'il sache, tout ce qu'il avait fait, c'était breveter une nouvelle technologie révolutionnaire conçue par deux gamins américains qui, il l'espérait, allaient changer la face de l'industrie électronique. Il ne pouvait pas savoir qu'un de ces adolescents était en fait un démon qui avait manipulé Mark afin qu'il donne le jour à une invention qui modifierait l'avenir de la Terre, de Quillan et d'Ibara. Ce n'était pas ce qui était écrit. Mais M. Paterson ne pouvait pas savoir tout ça. Mark aurait aimé trouver les mots pour le lui expliquer. Alors, peut-être choisirait-il de détruire Forge. Quoique, pensa Mark, il était plus probable qu'il le fasse interner dans un asile de fous.

– J'avoue ne pas comprendre votre position, continua Paterson.

Mark le trouvait plutôt arrogant. L'homme portait un costume de tweed sombre avec un gilet comprenant une chaîne de montre pendant de sa poche. Il se tenait la tête droite en désignant du menton la personne à qui il s'adressait.

– Pourquoi tant de réticence, tout d'un coup ? Vous n'avez pas envie de changer l'avenir du monde entier ?

Mark jeta un coup d'œil à Courtney. Paterson ne savait pas à quel point il touchait juste.

– Ou de quatre mondes, marmonna Mark.

– Pardon ?

– Écoutez… Ian… mon vieux, intervint Courtney.

Paterson se raidit. Il n'avait pas l'habitude de se voir traiter de façon si cavalière, encore moins par une jeune fille.

– Si vous développez la technologie inventée par Mark, il vous fera un procès. C'est aussi simple que ça. Vous voulez vraiment en passer par là ? Hmm ?

Paterson eut un rictus moqueur. Ce fut au tour de Courtney de se raidir. Elle avait horreur des railleries, surtout à ses dépens.

– Il est regrettable que M. Dimond voie les choses de cette façon, mais soyez sûrs que notre position commerciale reste la même. Nous avons une lettre d'intention signée. De l'argent a changé de mains.

– On vous le rendra, votre argent ! s'exclama Mark.

Paterson eut une moue méprisante. Une fois de plus. Courtney se raidit. Une fois de plus.

– Gardez-le, reprit l'homme. Tout ce que nous voulons, c'est Forge.

Mark décida de jouer le tout pour le tout :

– Eh bien, j'ai une mauvaise nouvelle pour vous. Vous avez peut-être les plans de ce machin, mais c'est moi qui l'ai fabriqué, et j'ai détruit le prototype. Je doute que vous puissiez le reproduire. Vous n'avez pas le savoir-faire nécessaire.

Mark se tourna vers Courtney. Tout d'un coup, il reprenait espoir.

– C'est vrai ! s'exclama-t-il. Ils ne pourront jamais le reconstruire !

Paterson eut un nouveau rictus.

– Arrêtez de vous payer notre fiole ! ordonna Courtney.

– Si vous voulez bien me suivre.

Paterson se leva de derrière son immense bureau en chêne. Il traversa d'un pas vif la pièce mal ventilée, ouvrit la lourde porte de bois et leur fit signe de l'accompagner.

– Je ne sais pas ce qu'il veut nous montrer, chuchota Courtney à Mark, mais mon petit doigt me dit que ça ne va pas me plaire.

Ils se levèrent tous les deux et suivirent Paterson le long de l'immense vestibule du QG de KEM Limited. De chaque côté, le couloir était flanqué de vitrines remplies d'étranges appareils exposés comme dans un musée.

– Ce sont quelques-uns des projets que nous avons développés chez KEM, expliqua Paterson.

Sur l'une des étagères, il y avait six tasses de couleurs vives.

– C'est du plastique, reprit Paterson. Léger, durable et bon marché. Bientôt, la plupart des objets de la vie courante seront faits de ce matériau.

Mark et Courtney se regardèrent sans rien dire. Ils continuèrent leur chemin jusqu'à ce qu'ils tombent sur une vitrine contenant une surface de verre rond ressemblant à un écran télé antique. L'image montrait un personnage de dessin animé gesticulant qui, pour Mark, évoquait un Bugs Bunny en noir et blanc.

– Un jour, commenta Paterson, on diffusera des images animées dans votre salon, comme on le fait aujourd'hui avec la radio.

– Ce n'est pas exactement un écran plasma, remarqua Courtney, méprisante.

– Plasma ? répéta Paterson intrigué.

Mark fit la grimace. Il craignait que Courtney ne donne à Paterson une idée un peu trop moderne pour 1937. Il changea de sujet en demandant :

– Et ça ?

Dans la vitrine suivante, il y avait une autre machine ressemblant à un petit tourne-disque rétro avec même un disque vinyle de trois centimètres de diamètre.

– Nous pensons que la miniaturisation est la clé des technologies futures, reprit Paterson. Ce petit phonographe peut être mis dans une valise et transporté n'importe où. Dans l'avenir, les loisirs ne seront pas confinés à votre salon ou au théâtre.

Courtney éclata de rire.

– Super. Accrochez ce machin à une chaîne, passez-la autour de votre cou et vous pourrez courir avec.

– Pourquoi diable voudrait-on écouter de la musique en courant ? demanda Paterson, à nouveau intrigué.

– Que vouliez-vous nous montrer ? interrompit Mark, changeant une fois de plus de sujet.

– Vous pensez que nous sommes incapables de déchiffrer vos plans pour reproduire votre travail ? Eh bien regardez.

Paterson désigna la dernière vitrine de la rangée. En voyant ce qui s'y trouvait, Mark et Courtney sentirent leur moral chuter. Là, alignés sur un coussin violet, il y avait six petits objets tous identiques ressemblant à des œufs bleus.

– C'est vraiment ce que je crois ? demanda Mark, bien qu'il connaisse déjà la réponse.

– Testez-les par vous-même, répondit Paterson.

Mark cria d'une voix claire :

– Carré !

Aussitôt, les six « œufs » se transformèrent en six cubes. Aucun doute possible. C'était bien Forge. Les techniciens de KEM avaient réussi à reproduire le prototype de Mark. Six fois. Ils disposaient donc de tout le savoir-faire nécessaire.

Mark et Courtney avaient sous les yeux les ancêtres des dados.

– Vous voyez, jeune homme, dit Paterson, très fier de lui, nous sommes tout à fait capables de lire et de dupliquer vos plans. Si je puis vous faire une suggestion, profitez des bénéfices que vous rapportera cette invention extraordinaire. Vous devriez être fier de vous. Vous êtes le père d'une technologie qui va révolutionner le monde.

Mark se sentait tiraillé par des émotions contradictoires. De la peur, de la colère, de la gêne, de la frustration, de la confusion et, surtout, une forte envie de vomir. Oui, cette sensation nauséeuse oblitérait toutes les autres. En tout cas, pas la moindre fierté à l'horizon.

Mark et Courtney laissèrent M. Paterson pour prendre l'ascenseur qui les mena à la réception de l'immeuble de bureaux. Lorsqu'ils en sortirent, ils tombèrent sur un petit groupe qui les attendait : les parents de Mark et Douglas « Dodger » Curtis, le groom pittoresque du Manhattan Tower Hotel de New York qui avait aidé Courtney à retrouver Mark. Dodger était devenu leur guide sur ce territoire, aidant les étrangers de Seconde Terre à manœuvrer dans ce drôle de monde de 1937.

– Alors ? demanda-t-il avec enthousiasme dès qu'il vit Mark et Courtney.

Leur expression lui fournit la réponse.

– J'aurais dû m'en douter, dit Mark, vaincu. On savait que détruire le prototype ne servirait à rien. Et moi qui ai cru pouvoir les convaincre de ne pas développer Forge ! Quel idiot ! Mais je fais n'importe quoi ces derniers temps.

– Oh, arrête, reprit Mme Dimond. Tu ne pouvais pas prévoir tout ce qui allait arriver.

– Je me suis laissé manipuler, maman, rétorqua Mark. J'ai fait tout ce que voulait Saint Dane.

– Et ça s'est retourné contre lui, ajouta M. Dimond. Les Voyageurs ont vaincu son armée sur Ibara, et maintenant il est piégé sur ce territoire.

– Oui, reprit Mark, de plus en plus déprimé. Et Bobby avec lui.

Ils se turent tous les cinq, gênés.

– Et maintenant, qu'est-ce qu'on fait ? finit par demander Courtney.

Personne ne sut quoi répondre jusqu'à ce que Mark prenne la parole :

– Je pense qu'on doit rentrer chez nous. À New York. C'est là que se trouve le flume.

– Le *Queen Mary* repart dans deux jours, proposa Dodger. Je peux réserver des billets.

– On ne peut pas plutôt y aller par les airs ? demanda Courtney.

– Comment ? reprit Dodger. Tu sais voler ?

– Je doute qu'il y ait des lignes régulières au-dessus de l'Atlantique en 1937, observa M. Dimond.

– Vous voulez dire qu'en Seconde Terre on traverse l'océan en avion ? s'étonna Dodger. Comme on prend le train ?

– Oui, répondit Courtney. Ils te servent même des repas.

Dodger eut un sifflement admiratif. Courtney ne savait pas ce qui l'impressionnait le plus : l'idée de vols intercontinentaux réguliers ou la promesse de casse-croûte gratuits.

– Vas-y, affirma Mark. Il faut qu'on rentre.

– Je suis sur le coup, répondit Dodger en se dirigeant vers la porte. On se retrouve à l'hôtel.

Le petit groom toucha le bord de sa casquette et s'en alla.

– Nous sommes tous fatigués, dit Mme Dimond, toujours dans son rôle de mère poule. On devrait prendre un peu de repos.

– Allez-y, répondit Mark. J'ai besoin de marcher un peu.

– Je viens avec toi, décida Courtney.

Quelques minutes plus tard, Mark et Courtney se promenaient le long des barrières de Hyde Park, l'immense parc qui s'étendait au cœur même de Londres. Ils ressemblaient à n'importe quel autre couple de 1937. Mark portait un costume gris sombre et un borsalino, plus un manteau de laine pour se protéger du froid de novembre. Courtney, elle, était vêtue d'une robe et d'un pardessus crème. Elle s'était même affublée de bas et de talons hauts. À ses yeux, c'était un déguisement qu'elle avait endossé en vue de leur entretien avec Paterson. Elle doutait qu'un homme d'affaires anglais guindé la prenne au sérieux si elle se présentait devant lui vêtue du pantalon et du chapeau de laine achetés chez Macy's, à New York. Mais au final, cela n'avait pas fait la moindre différence.

Ils avaient bien changé depuis le jour où Bobby Pendragon avait quitté sa maison pour voyager entre les territoires. C'est à ce moment qu'ils avaient entamé leur propre aventure, ensemble. Maintenant, ils avaient dix-sept ans… et l'impression d'en avoir cent. Ils marchèrent côte à côte sur le trottoir, leur esprit à des millions de kilomètres de là. Pendant bien longtemps, aucun d'eux ne dit un mot. Ils dépassèrent Buckingham Palace puis Westminster Abbey et continuèrent vers les deux Maisons du Parlement, là où se trouvait la fameuse horloge et sa cloche connue sous le nom de Big Ben. Il s'arrêtèrent tous les deux pour contempler ce monument célèbre.

– Dis donc ! s'exclama Courtney, je n'aurais jamais cru qu'il était si haute ! Ils devraient l'appeler le *très grand* Big Ben !

Ils continuèrent leur promenade le long de la Tamise jusqu'à Westminster Bridge. Mais ils ne se contentaient pas d'admirer le paysage : ils voulaient surtout prendre le temps de réfléchir. Finalement, alors qu'ils repartaient vers Hyde Park, Courtney rompit le silence :

– En fin de compte, c'est peut-être une bonne chose qu'on n'ait pas pu arrêter KEM. Au moins, maintenant, on sait ce qui va se passer. Avec la création des dados, la technologie terrienne va être radicalement modifiée. Et Bobby va les vaincre sur Ibara. C'est plutôt une bonne chose, non ? Si on avait bel et bien empêché Paterson et ses crânes d'œuf de chez KEM de développer Forge, qui sait ce qui serait arrivé ? On aurait pu déclencher une nouvelle réaction en chaîne et Saint Dane serait peut-être toujours en activité.

– Et Bobby ne serait pas prisonnier avec lui sur Ibara, marmonna Mark.

– Oui, ça aussi, chuchota Courtney. Mais c'est son choix, Mark. Il a mis fin à cette guerre. Halla est hors de danger. Qui sait ? C'est peut-être ce qui était écrit.

– Tout est de ma faute.

– Oh, arrête ! Tu ne savais pas qu'il te manipulait. Ce n'est pas comme si tu avais délibérément voulu inventer quelque chose qui allait changer le cours de Halla, non ?

– J'aurais dû le voir venir, murmura Mark.

– Et pourtant non ! Comme beaucoup d'autres avant toi dans tout Halla. Et moi, alors ? Moi aussi, je me suis fait avoir, non ? Whitney Wilcox ? Allô ![1]

– Sauf que, dans ton cas, tu n'as pas déclenché une réaction en chaîne qui a modifié l'avenir de plusieurs territoires et entraîné une guerre.

– Simple détail, s'empressa de dire Courtney.

– Mais qui a son importance, non ?

– Bon, d'accord, ça a entraîné une guerre, mais une guerre que Saint Dane a perdue ! D'une certaine façon, c'est peut-être lui qui s'est pris à son propre piège. En t'aidant à inventer Forge, Saint Dane a provoqué sa propre défaite sur Ibara. Et

---

1. Voir Pendragon n° 6 : *Les Rivières de Zadaa*.

maintenant, il y est prisonnier. Mark, toutes ses manigances se sont retournées contre lui. Au fond, c'est peut-être toi le héros de cette histoire !

Mark s'arrêta et regarda Courtney droit dans les yeux :

– Tu le crois vraiment ?

Courtney aurait voulu crier « oui ! », mais elle préféra s'abstenir.

– Je ne sais pas, admit-elle. Mais c'est une possibilité, non ?

– Rentrons chez nous, proposa Mark. On aura tout le temps d'y réfléchir sur le bateau.

– Et dire qu'on va encore se retrouver sur ce rafiot ! râla Courtney. J'y crois pas. Bon, c'est un paquebot de luxe, d'accord, mais ce n'est jamais qu'un hôtel flottant. Mieux vaut ne pas être claustrophobe !

Ils avaient atteint le Royal Albert Hall, l'immense salle de concert de forme circulaire. Derrière le bâtiment se trouvait le petit hôtel où Dodger leur avait trouvé des chambres.

– Je voudrais marcher encore un peu, dit Mark. Seul, de préférence.

Courtney acquiesça.

– Ne traîne pas trop longtemps. Le soleil ne va pas tarder à se coucher, et il commence à faire froid.

Les deux amis s'étreignirent chaleureusement.

– On s'en est bien tirés, affirma Courtney. Bobby serait fier de nous.

Mark ne répondit pas. Il n'en était pas si sûr. Courtney le laissa pour regagner l'hôtel. Il partit dans la direction opposée et entra dans Hyde Park par la partie connue sous le nom de Kensington Gardens. Les arbres avaient déjà pris leurs couleurs automnales. Sur les pelouses, des enfants jouaient au foot. L'air se faisait glacial, et Mark dut boutonner son manteau. C'était une belle journée. Il marcha jusqu'au milieu d'une grande pelouse et effectua un tour complet pour embrasser le paysage.

Alors, seulement, il se permit une bouffée d'optimisme. Brève, mais bien réelle. Son meilleur ami s'était toujours sacrifié en détruisant le flume d'Ibara, il avait encore honte de s'être laissé embobiner par Saint Dane, mais, pour un bref

35

instant, Mark osa penser que tout ce qu'ils avaient enduré en valait peut-être la peine. Que la quête maléfique de Saint Dane avait bien été stoppée pour de bon. Que Halla était en sécurité. Il en vint même à espérer qu'ils puissent reprendre quelque chose qui ressemble à une vie normale.

C'était un moment délicieux.

Qui ne dura pas.

– Salut, Mark ! lança une voix familière.

Il se retourna d'un bond pour voir une femme postée à côté d'un chêne au tronc épais, les mains dans les poches de son long manteau de laine, les jambes écartées d'un air de défi.

Mark se figea. Son moment de bonheur se dissipa instantanément.

– Tu n'as pas l'air surpris de me voir, remarqua Nevva Winter.

À vrai dire, non, Mark n'était pas étonné du tout.

Au fond de son cœur, il savait qu'il se berçait d'illusions.

Cette histoire était loin d'être terminée.

PREMIÈRE TERRE
(suite)

Nevva et Mark restèrent plantés là, face à face. Il n'avait rien à lui dire. Nevva était une traîtresse. Elle avait choisi le camp de l'ennemi. Mieux valait tourner les talons et s'enfuir à toutes jambes. Sauf qu'il ne le fit pas. Il ne voulait pas montrer le moindre signe de faiblesse.

– C'est fini, Nevva, affirma-t-il avec une assurance qu'il était loin de ressentir.

– Vraiment ? répondit-elle en levant un sourcil.

Mark se dit qu'elle était vraiment très belle. Ses cheveux étaient d'un noir de jais, sa peau immaculée. Quel pouvait être son âge ? Une vingtaine d'années peut-être. Comme Courtney, elle portait une robe et un pardessus à la mode des années 1930. La première fois qu'il avait posé les yeux sur elle, Mark en était resté bouche bée. Il n'avait pas l'habitude de s'adresser à des femmes d'une telle beauté, surtout lorsqu'elles projetaient de provoquer la destruction de tout ce qui existe.

– Où est Saint Dane ? demanda Mark.

Bien sûr, il connaissait déjà la réponse. Ce démon était sur Ibara. Avec Bobby. Prisonnier. Mark ignorait si Nevva était au courant, et il préféra ne pas se mouiller.

– Tu n'es pas au courant ? répondit Nevva en s'approchant de lui. Il est prisonnier sur Ibara.

Bon. Au temps pour les petits secrets.

– Tu devrais le savoir, continua Nevva en lorgnant l'anneau de Voyageur de Mark. Bobby t'a certainement dit qu'il a enterré le flume d'Ibara sous des tonnes de roches volcaniques.

– Oui, il a dû en parler, reprit Mark d'un ton tout naturel.

– Marchons un peu, Mark, reprit Nevva avec un petit sourire.

Elle tourna les talons et fit quelques pas. Mark resta sur place. Elle se retourna et le regarda :

– Il faut qu'on parle.

– Je n'ai rien à vous dire, aboya Mark avec colère, abandonnant son air nonchalant. Tout ce que vous avez fait, c'est me manipuler et m'attirer des ennuis !

– Je comprends, répondit Nevva avec compassion. Mais ce n'est rien à côté de ce qui va t'arriver si tu refuses de m'écouter !

Mark sentit un frisson lui courir le long de l'échine. Cette femme n'avait pas de cœur.

– Tu viens ? demanda Nevva, tout sourire, en reprenant sa marche.

Mark n'avait aucune envie de la suivre, mais il se força. Tous deux partirent dans l'allée comme s'ils étaient un couple tout à fait normal qui se promenait dans le parc par cette belle fin d'après-midi. Mark se demanda si elle pouvait sentir son trouble. Chaque muscle de son corps était si tendu qu'il avait peur de tomber en morceaux.

– Ce parc est vraiment magnifique, tu ne trouves pas ? demanda Nevva.

– C'est vraiment tout ce que vous avez à me d-d-dire ? rétorqua Mark.

Il fit la grimace. Voilà qu'il bégayait à nouveau.

– Nerveux ? demanda Nevva avec un petit rire.

Mark avait horreur que son tic le trahisse. Il croyait en être débarrassé, mais il revenait toujours aux pires moments.

– Non, répondit Mark.

– Vraiment ? Tu devrais.

Mark fit de son mieux pour rester de marbre. Il fallait qu'il garde son calme. Quoi que Nevva puisse lui balancer, il voulait faire bonne figure. Ou du moins en donner l'impression. Jusque-là, il ne s'en tirait pas si bien que ça.

– Rentre chez toi ! Mark, ordonna Nevva. Profite un peu de la vie. Tu ne peux plus rien faire pour Pendragon. Il a choisi de rester sur Ibara. Il ne veut plus entendre parler des malheurs de Halla, et tu devrais en faire autant.

– C'est tout ? répondit Mark d'un ton sarcastique. C'est tout ce que vous aviez à me dire ? Vous voulez que je rentre chez moi et que je fasse comme s'il ne s'était rien passé ?

– En gros, oui.

– C'est curieux, mais j'ai du mal à y croire.

Nevva eut un sourire dépourvu de chaleur. Il savait qu'elle se moquait de ses efforts pour avoir l'air calme.

– Il y a encore une toute petite chose, reprit-elle.

– Je m'en doutais un peu, rétorqua Mark.

– Je veux ton anneau.

Sans réfléchir, Mark posa sa main sur la pierre magique. Il ne s'en était séparé qu'une fois, lorsqu'il l'avait donnée à Courtney pour qu'elle reste une Acolyte pendant que lui partait avec Nevva pour la Première Terre afin de tenter de sauver ses parents. Courtney lui avait rendu l'anneau lorsqu'ils s'étaient retrouvés. Sa place était au doigt de Mark, elle le savait très bien. La simple idée de le perdre le faisait frémir.

– Quoi ! s'exclama-t-il. Pas question ! Pourquoi ?

– Pour donner à Pendragon ce qu'il veut.

Mark la dévisagea sans comprendre.

– Hein, quoi ? marmonna-t-il.

– Pendragon a détruit le flume d'Ibara, fit Nevva d'un ton glacial. Son but était de s'isoler du reste de Halla. Je veux lui rendre service en coupant les derniers liens qui lui restent.

– Pourquoi ? Par vengeance ?

– On peut dire ça comme ça.

Mark fit tourner l'anneau sur son doigt.

– Pas question ! cracha-t-il. C'est le seul contact qu'il me reste avec mon meilleur ami. Pourquoi voulez-vous que j'y renonce ?

Nevva plongea son regard dans celui de Mark comme pour lire ses pensées. Ce qui le mit sur les nerfs. S'il avait tenté de parler, il aurait certainement bégayé. Il savait qu'elle ne voulait pas seulement isoler Bobby. Il y avait autre chose.

– Saint Dane m'a beaucoup appris, expliqua Nevva. Il évolue à un niveau bien plus élevé que les autres Voyageurs et m'a fait part de quelques-unes de ses capacités singulières.

– Je suis bien content pour vous, mais qu'est-ce que vous voulez que ça me fasse ?

– Parce que, contrairement aux autres Voyageurs, je peux contrôler les flumes, s'empressa de répondre Nevva. Non seulement je peux voyager entre les territoires, mais également déterminer le moment de mon arrivée.

Mark sentit sa gorge se serrer. Cela ne pouvait rien présager de bon.

– Et alors ? demanda-t-il d'un ton glacial.

– J'ai empêché tes parents de monter dans un avion qui s'est écrasé par la suite. Tu le sais. Et si je te dis que je pourrais retourner en Seconde Terre pour arriver *avant* le départ de l'avion et, cette fois, les regarder présenter leurs billets et embarquer sans rien dire ?

Mark sentit le parc tournoyer autour de lui. Il avait déjà perdu ses parents une fois… ou du moins il l'avait cru. C'était pour cette raison qu'il avait accepté de venir en Première Terre. Nevva lui avait dit qu'en partant dans le passé, il pouvait changer l'avenir et empêcher la mort de ses parents. Sauf qu'elle mentait. Nevva les avait déjà sauvés. C'est pour cette raison que Saint Dane voulait qu'il aille en Première Terre : afin qu'il vende Forge à KEM, déclenchant la réaction en chaîne qui mènerait à la création des dados. Ses parents n'avaient aucune importance. Ils n'en avaient jamais eu.

Jusqu'à présent.

– P-p-pourquoi ? bégaya Mark sans se soucier de paraître calme et attentif. Pourquoi feriez-vous une chose pareille ?

– Crois-moi, je n'en ai aucune envie.

Nevva tentait d'avoir l'air sincère, mais elle n'était pas douée pour ça. Elle était froide, efficace, calculatrice.

– J'aime bien tes parents. Je ne veux pas qu'ils meurent.

– Alors pourquoi ? s'écria Mark. J'ai fait ce que vous attendiez de moi. KEM est en possession de Forge. Qu'est-ce que vous voulez de plus ?

Nevva regarda son anneau de Voyageur.

– C'est ça que je veux.

Mark s'empressa de fourrer la main dans sa poche.

– Alors Bobby n'a rien à voir avec tout ça.

– Non, en effet. Mettons que c'est un test.

– Un test ? Pourquoi ?

– Pour toi. Pour les gens. Pour la Terre. Saint Dane et moi partageons la même vision. Nous voulons créer un Halla parfait.

– Oui, en le détruisant ! lança Mark.

– Non : en le rasant pour mieux le reconstruire ! reprit Nevva avec passion. Halla doit être débarrassé de ses impuretés avant de pouvoir atteindre son potentiel maximal. Malheureusement, les Voyageurs pensent tout autrement. Et c'est bien là l'origine de ce conflit, Mark. La vision de Saint Dane, celle d'un Halla porté à sa perfection, contre cette existence imparfaite que les Voyageurs tentent de préserver.

– Et quel est ce test ?

– Je te donne le choix, reprit Nevva, redevenue froide comme un glaçon. Donne-moi cet anneau et je ne viendrai plus jamais t'embêter.

– Je ne vous crois pas ! Si vous voulez absolument vous emparer de cet anneau, c'est qu'il doit vous être d'une utilité quelconque. Et si je vous le donne, c'est comme si j'aidais Saint Dane !

– C'est là que réside le test. Es-tu vraiment sûr de tes convictions ? Jusqu'où es-tu prêt à aller pour continuer d'aider les Voyageurs ? Et Pendragon ? Qu'est-ce qui est le plus important ? Ta quête futile pour arrêter Saint Dane... ou tes parents ? Réfléchis, Mark. Réfléchis bien et fais le bon choix. Parce que si tu choisis les Voyageurs, tes parents vont mourir, je te le promets.

Mark sentit ses jambes se transformer en coton. Et ce n'était pas qu'une figure de style. Il tomba à genoux et resta là, tentant de reprendre son souffle. La tête lui tournait. Qu'est-ce qu'elle voulait dire ? Pourquoi cet anneau avait-il une telle importance pour Nevva ? Et pour Saint Dane ? Mark n'arrivait

41

pas à respirer. Certes, il regrettait de s'être laissé duper pour inventer Forge, mais, à ce moment-là, il ignorait qu'il faisait exactement ce que Saint Dane attendait de lui. Or, maintenant, il se trouvait face à un choix encore plus cornélien. Ses parents étaient à nouveau en danger. S'il voulait les sauver, il devait accepter d'aider ce démon. Une fois de plus. Et cette fois, il n'aurait pas d'excuse.

– C'est ça, le test ? demanda-t-il. Halla ou mes parents ?

– Quelque chose comme ça, répondit Nevva sans une once de compassion.

– Pourquoi est-ce si important ? Quel est le but d'une telle épreuve ?

– C'est essentiel, Mark. Si tu choisis tes parents, tu démontreras une fois de plus à quel point le peuple de Halla est égoïste et corrompu.

– Parce que c'est égoïste de vouloir protéger ceux qu'on aime ?

– Il est égoïste de mettre ses considérations personnelles avant celles de millions, non, de milliards d'autres êtres humains.

Mark plongea son regard dans les yeux de glace de Nevva. Jusqu'à présent, il n'avait jamais connu la haine à l'état pur. Il n'était pas du genre rancunier : il avait le pardon facile et voyait toujours ce qu'il y avait de meilleur chez ses contemporains. Andy Mitchell avait beau avoir fait de sa vie un enfer, il ne le haïssait pas pour autant.

Mais, à ce moment précis, il brûlait de haine. Envers Nevva Winter.

– Vous ne valez pas mieux que Saint Dane, siffla-t-il.

– Merci du compliment, répondit-elle avec un sourire fat.

Mark eut envie de la gifler. Il se força à détourner les yeux en attendant que sa rage reflue. Il devait réfléchir. Il lui était impossible de faire un tel choix. Il fallait gagner du temps dans l'espoir qu'une idée géniale lui vienne en cours de route.

– Comment puis-je vous croire ? demanda-t-il. Même si je vous donne mon anneau, qu'est-ce qui me dit que vous ne ferez pas de mal à mes parents ?

– Rien du tout, répondit abruptement Nevva. Tu devras me croire sur parole. Mais je peux en tout cas te promettre une chose : si tu ne me donnes pas ton anneau, ils sont condamnés.

Mark eut l'impression de recevoir un coup de poing dans l'estomac. Il avait besoin d'aide. Il fallait qu'il en parle avec Courtney. Il ne pouvait pas prendre seul une telle décision.

C'est alors qu'il eut une idée. Une idée toute simple, mais qui lui offrit une lueur d'espoir.

– Vous voulez que Bobby soit complètement isolé, non ? Vous voulez qu'il ne puisse plus me contacter ?

En guise de réponse, Nevva se contenta de le regarder sans rien dire. La lueur d'espoir devint éblouissante. Il se leva.

– Vous croyez vraiment qu'en empêchant Bobby de m'envoyer ses journaux, vous aiderez Saint Dane ?

Une fois de plus, Nevva ne répondit pas.

C'était inutile. Il était déjà convaincu d'avoir mis le doigt sur la réalité. Ce qu'il commençait à réaliser, et à espérer, c'est que lui donner cet anneau ne changerait rien. Il y en avait bien d'autres éparpillés dans tout Halla. Dodger était l'Acolyte de Gunny et, à ce titre, il avait le sien ! Si Bobby voulait le contacter, ou s'ils devaient contacter Bobby, Mark pouvait utiliser l'anneau de Dodger. Nevva était-elle vraiment si bête ? Il devait s'assurer que le petit groom avait toujours le sien.

– Vous pouvez bien attendre demain pour avoir ma réponse ? demanda Mark.

– Non. Tu dois me donner ton anneau tout de suite.

Mark se décida en un instant. Accéder à sa requête serait gênant, mais pas désastreux. Il serra le lourd anneau et le retira. Il le tint dans sa paume pour mieux le soupeser, puis le prit entre deux doigts et le regarda de près. Cela faisait longtemps qu'il ne l'avait pas examiné. Au centre, il y avait une pierre gris sombre enchâssée dans un cercle d'argent. Tout autour, dix symboles étaient gravés. Chacun représentait un des territoires de Halla. En un éclair, il revit ce moment, il y avait des années, où Osa, la mère de Loor, l'avait réveillé en pleine nuit. Elle lui avait donné l'anneau en disant qu'il venait de Bobby. Depuis, à l'exception de cette fois où il l'avait laissé à Courtney, il ne l'avait pas quitté durant presque quatre ans. Il savait que s'il le donnait à Nevva, il ne le reverrait plus jamais. Mais ce nétait pas si grave. Il pouvait toujours employer un autre anneau. Cela ne valait pas le coup de mettre en danger la vie de ses parents pour sauver celui-ci. Tant pis s'il devait échouer à cette espèce de test.

Il inspira profondément et lui tendit son anneau.

– Si vous m'avez menti, je vous jure que vous le regretterez.

Nevva ne s'en empara pas immédiatement. Elle se contenta de regarder Mark droit dans les yeux. Un instant, elle parut se radoucir. Mark eut l'impression qu'elle était déçue.

– Saint Dane a raison, dit-elle doucement. Vous êtes tous égoïstes et aveugles, tous autant que vous êtes.

Mark faillit reprendre son anneau. Mais avant qu'il ait pu retirer sa main, Nevva le lui arracha d'un geste sec.

– Jurez-moi que mes parents sont hors de danger, dit-il.

– Ils ne mourront pas dans cet accident d'avion, Mark, répondit Nevva. Je te donne ma parole. Tu peux me faire confiance, même si je n'en dirais pas autant de toi.

Mark fit la grimace. Que voulait-elle dire par là ?

– Maintenant, ordonna-t-elle, rentre chez toi. Ou fais ce que bon te semble. Va !

Mark tourna les talons pour regagner l'hôtel. Il ne voulait plus voir Nevva, mais il était perplexe. La réaction de la Voyageuse n'avait rien de logique. Il fit quelques pas, puis s'arrêta et se retourna d'un geste vif.

– Je ne comprends pas. C'est bien ce que vous vouliez, non ?

Nevva avait disparu. Il entendit un *croa* perçant et leva les yeux. Au-dessus de lui, il vit s'envoler un grand oiseau noir – un corbeau. L'oiseau fit un tour complet, puis, d'un coup d'ailes, partit à toute allure. Au passage, le soleil fit scintiller quelque chose.

Dans son bec, il tenait un anneau.

Première Terre
(suite)

Dodger leur avait réservé trois chambres dans un petit hôtel discret sur Brompton Place, près de l'immense magasin connu sous le nom de Harrods. Mais quelle importance : personne n'avait à cœur de faire les boutiques. Les Dimond occupaient une chambre, Courtney avait la sienne, Dodger et Mark partageaient la troisième. Elles étaient loin d'être bon marché, mais c'était Mark qui payait la note, et il se moquait pas mal du tarif.

– Pourquoi pas ? s'était-il exclamé en arrivant à l'hôtel. Maintenant, je suis un riche inventeur, non ? Si je dois toucher un max de thunes pour changer le cours de l'humanité, autant être bien installés.

Personne ne trouva ça drôle – Mark compris. Pour lui, l'argent ne signifiait rien. Il aurait volontiers restitué toute la fortune qui l'attendait pour reprendre Forge.

Ils n'étaient à Londres que depuis vingt-quatre heures et, déjà, tous planifiaient leur retour à New York, puisqu'ils n'avaient pas pu convaincre KEM de leur rendre sa technologie. Ils s'installèrent tous les cinq dans le salon de l'hôtel pour boire du thé en mangeant des scones. Il était 17 heures. L'heure du thé. Une vieille tradition anglaise. Mark n'était pas très thé. Ni scones, d'ailleurs. Ce dont il avait vraiment envie, c'était de frites de chez Garden Poultry accompagnées d'un bon soda.

– On dirait de la sciure de bois ! s'exclama Dodger en mâchant les pâtisseries feuilletées.

45

Il plissa les lèvres et tenta de siffler, mais ne réussit qu'à postillonner des miettes sèches.

– Maintenant, je comprends pourquoi ils boivent autant de thé. Il faut faire descendre tout ça avant de s'étouffer. (Il avala une grande gorgée de thé et ajouta :) Je préfère un bon vieux beignet bien graisseux !

M. et Mme Dimond eurent un petit rire. En fait, ils semblaient apprécier cette collation. Courtney également. Elle était si affamée qu'elle aurait mangé n'importe quoi, mais c'était Courtney. Mark se contenta de regarder par la fenêtre, plongé dans ses pensées.

– Bois ton thé, il va refroidir, lui dit Mme Dimond.

Mark prit sa tasse, but une gorgée, puis s'empressa de la reposer sur sa soucoupe avec un claquement sonore, faisant tomber la cuillère.

– Hé là, doucement ! fit Dodger.

Pour les autres, c'était juste un geste maladroit. Pas pour Courtney. Elle regarda Mark, mal à l'aise.

– Ça va ? demanda-t-elle avec inquiétude.

– Ouais, ouais, s'empressa de répondre Mark.

Il évita de croiser le regard de son amie. Il ne voulait pas qu'elle devine son trouble. Il gardait la main droite dans sa poche pour que personne ne remarque qu'il lui manquait quelque chose.

– Bien, les gars, voici ce qu'on va faire, annonça Dodger en époussetant les miettes de son pantalon. (Il passa la main dans la poche de sa veste et en tira trois billets noir et rouge.) On a trois billets en classe cabine pour le voyage de retour, dans quarante-huit heures. Ce n'est pas vraiment la classe économique, mais comme c'est dado qui régale…

– Ne dis pas ça, rétorqua Mark.

Tout le monde se tourna vers lui. Ils n'avaient pas l'habitude de le voir si cassant.

– Pardon, mon gars, s'excusa Dodger. Je ne voulais pas te blesser.

Mark regarda ses chaussures. Courtney le regarda *lui* en fronçant les sourcils.

– On part à midi, continua Dodger, alors si vous voulez faire du tourisme, c'est demain ou jamais.

Personne ne releva.

– Même si j'imagine que personne n'a la tête à ça, ajouta Dodger.

Ce silence inconfortable se prolongea.

– C'est ce que vous vouliez, non ? demanda Dodger, troublé. Je veux dire, je n'ai pas fait quelque chose de mal sans m'en rendre compte ?

– Non, tu as bien agi, répondit Courtney. Je crois qu'on est tous un peu fatigués. Merci d'avoir pris ces billets.

– Tout ira mieux une fois qu'on sera à la maison, proposa Dodger, plein d'espoir. Dans un décor familier, tout ça…

– Je ne sais pas s'il y a encore un chez-nous, dit Mark d'une voix douce.

Mme Dimond jeta un regard navré à son fils. En quatre ans, il avait beaucoup changé. Plus qu'il n'aurait dû.

Dodger se leva et tenta d'alléger l'atmosphère :

– Juste à côté, j'ai repéré un petit restaurant qui a l'air sympa. Je peux réserver une table pour le dîner ?

– Bonne idée, répondit M. Dimond.

Dodger acquiesça. Comme il ne savait pas quoi ajouter, il s'en alla. Courtney et les Dimond continuèrent de fixer Mark en attendant qu'il dise quelque chose. Finalement, il inspira profondément et les regarda :

– Il a raison ! s'exclama-t-il. Tout ira mieux quand on sera rentrés chez nous. Ne restons pas là à déprimer. J'ai faim, et ce ne sont pas ces saletés qui me rempliront l'estomac !

Malgré l'atmosphère lugubre, tout le monde éclata de rire. Une heure plus tard, ils se retrouvaient tous dans un restaurant nommé « Le Sanglier sauvage », juste à côté de l'hôtel, à se régaler de tourtes, de gâteaux au haddock et de rosbif. Il y avait également du sanglier au menu, mais, sauvage ou pas, personne n'osa en commander. Ils parlèrent de l'Angleterre… Et de ce qu'ils pourraient voir ou apercevoir le lendemain. Ils discutèrent du *Queen Mary* et de ce qu'ils attendaient de leur voyage de retour. Incroyable mais vrai, ils parlèrent même de la pluie et du beau temps. Si quelqu'un les avait écoutés, il les aurait pris pour une famille d'Américains ordinaires en vacances. Et pourtant, c'était loin d'être le cas, si ce n'est que, pendant quelques heures, ils firent comme si tout était normal. De toute évidence, personne n'avait envie de parler de quoi que ce soit qui ait un rapport avec Forge, KEM ou Saint Dane. C'était comme des vacances, aussi brèves fussent-elles. Très brèves. Dès 22 heures, tout le monde était dans sa chambre et dormait du sommeil du juste.

Sauf Mark. Il resta là, bien éveillé, à fixer le plafond en écoutant Dodger ronfler comme un Concorde au décollage. Pendant des heures. Par moments, le bruit était tel qu'il s'attendait à ce qu'il fasse trembler les vitres. Mais ce n'était pas ça qui l'empêchait de trouver le sommeil. Mark ne cessait de repenser à sa rencontre avec Nevva. Il s'était lui-même persuadé qu'elle disait la vérité. Elle voulait mettre la main sur l'anneau afin de s'assurer que Bobby soit totalement coupé du monde et du reste de Halla. Pouvait-il la croire ? Elle devait certainement savoir qu'il y avait d'autres anneaux comme le sien. Ou avait-elle également réussi à se les approprier ?

Mark tourna la tête pour regarder l'autre lit.

– Dodger ? chuchota-t-il.

Celui-ci ne répondit que par un ronflement encore plus bruyant. Il était complètement *out*. Mark ne le connaissait pas depuis bien longtemps, mais cet Acolyte pittoresque lui plaisait bien. Et pourquoi pas ? Si Gunny avait confiance en lui, c'est qu'il devait en être digne. Il leur avait été bien utile lorsqu'il avait fallu s'acclimater à la Première Terre. Une fois de retour à New York, lorsqu'ils décideraient de la suite des opérations, il leur serait également d'un grand secours. Pas de doute, Dodger était un ami.

Et en plus, il détenait un moyen infaillible qui permettrait à Mark de savoir s'il avait ou non commis l'erreur de sa vie. Sur la table de nuit séparant les deux lits, il y avait une lampe, un téléphone, un rouleau de billets de banque en monnaie anglaise... et l'anneau de Voyageur de Dodger. Il était là, à quelques dizaines de centimètres de sa tête. Mark s'assit lentement. Les vieux ressorts grincèrent. Il se figea et jeta un autre coup d'œil à Dodger. Allait-il se réveiller ? Le groom se retourna dans son lit et marmonna quelque chose qui ressemblait à « cloche à fourrure partie ». Mark en conclut que cela n'appelait aucune réponse. Il inspira profondément et se leva. Le lit grinça. Dodger ne réagit pas. Mark ramassa son anneau sur la table et se précipita vers la porte. Furtif comme un cambrioleur, il sortit et la referma sans troubler le sommeil de son nouvel ami.

Tout au bout du couloir, une horloge de grand-père sonna 2 heures du matin. Tous les gens dormaient. Mark descendit sur la pointe des pieds les escaliers recouverts de tapis pour s'installer dans le petit salon où ils avaient pris le thé. L'endroit était désert. Le seul bruit était le tic-tac des horloges disséminées dans l'hôtel. Une lampe de chevet solitaire était restée allumée. Il y avait assez de lumière pour voir, à défaut de lire. Mark espérait qu'une clarté intense ne tarderait pas à illuminer la pièce.

Il posa avec révérence son anneau sur l'épais tapis, s'agenouilla et se pencha jusqu'à ce que son nez ne soit plus qu'à un centimètre du bijou.

– *Ibara*, chuchota-t-il.

L'anneau ne broncha pas. Ne remua pas. Ne grandit pas.

– *Ibara*, répéta Mark, d'une voix normale cette fois-ci.

La réponse fut la même : inexistante. L'anneau restait inerte.

– *Ibara !* reprit Mark en criant presque.

En vain. L'anneau ne l'écoutait pas.

Mais quelqu'un d'autre si.

– Mark ! fit une voix derrière lui. Qu'est-ce qui se passe ?

Il se retourna si brutalement qu'il tomba assis sur le fauteuil. Courtney était là, dans l'entrée.

– Ça ne marche p-p-pas, bafouilla nerveusement Mark.

Courtney s'avança précipitamment. Elle portait la chemise blanche qu'elle avait achetée à New York, et rien d'autre. Elle pouvait servir également de chemise de nuit.

– Qu'est-ce qui ne marche pas ? reprit-elle en bâillant.

– L'anneau de Voyageur. Il est mort.

49

– Tu cherches à envoyer quelque chose ?

– Non.

– C'est peut-être à cause de ça, reprit-elle, pleine d'espoir. Peut-être qu'il ne se déclenche que lorsqu'il faut envoyer quelque chose.

– Comment verrait-il la différence ? contra Mark.

– Comment veux-tu que je le sache ? Je ne sais pas comment ça fonctionne !

– Je te dis qu'il ne marche pas !

Courtney regarda l'anneau posé sur le tapis, s'éclaircit la voix et lança :

– *Ibara !*

Rien ne se produisit.

– *Zadaa !* cria-t-elle.

Aussitôt, l'anneau se tortilla et se mit à grandir. Mark et Courtney se regardèrent. Des éclairs de lumière jaillirent de l'ouverture qui ne cessait de croître. Courtney courut refermer la porte du salon afin d'éviter de déranger qui que ce soit dans l'hôtel. Puis elle s'empressa de rejoindre Mark et s'assit pour voir l'anneau atteindre la taille d'un frisbee, ouvrant l'étroit passage entre les dimensions. Des lumières scintillantes illuminèrent la pièce. L'amas de notes musicales continua de croître en volume, venant en Première Terre pour retirer un hypothétique message. Mais il n'y en avait pas. C'était une fausse alerte. Rien ne passerait par le tunnel.

L'anneau leur sembla rester ouvert quelques secondes de plus que d'habitude, attendant sa cargaison. Puis il se referma rapidement, comme furieux d'avoir été ainsi dupé. La musique se tut. Les lumières s'éteignirent. Une fois de plus, Mark et Courtney se retrouvèrent seuls avec le tic-tac des horloges pour toute compagnie. Ils restèrent là plusieurs secondes, à fixer le bijou d'apparence innocente.

– Ton anneau marche toujours, Mark, déclara Courtney.

– Ce n'est pas le mien.

Courtney lui jeta un drôle de regard. Mark se leva d'un bond et se mit à faire les cent pas nerveusement.

50

– Toute la soirée, tu as évité de croiser nos regards, remarqua Courtney. Il se passe quelque chose, et tu le gardes pour toi.

Mark décida de vider son sac. Il raconta à Courtney tout ce qui s'était passé. Que Nevva était en Première Terre, qu'elle voulait mettre la main sur son anneau et que, s'il refusait de le lui donner, elle retournerait en Seconde Terre pour s'assurer que ses parents prennent bel et bien l'avion qui leur serait fatal. Il n'oublia rien.

Lorsqu'il eut terminé, Courtney haussa les épaules.

– J'ai bien vu que tu n'avais plus ton anneau. J'ai cru que tu l'avais retiré parce que tu étais en colère contre Bobby. Parce qu'il nous a laissé tomber.

– Si seulement.

– Oui, je te comprends.

– Que voulais-tu que je fasse, Courtney ? s'écria Mark. Je ne pouvais tout de même pas sacrifier mes parents ! Je me suis dit que si elle voulait isoler Bobby en prenant mon anneau, quel mal à ça ? Il y en a d'autres. Mais maintenant…

Il ne termina pas sa phrase. Courtney ramassa l'objet de métal et le regarda fixement, comme si elle attendait qu'il lui révèle ses secrets.

– Maintenant, compléta Courtney, plus un seul de ces anneaux n'est relié à Ibara. Ça ne peut pas avoir de rapport avec la destruction du flume : Bobby nous a envoyé son dernier journal *après* l'explosion. Il a dû se passer quelque chose entre-temps, mais *quoi* ?

Mark poussa un gros soupir.

– Je crains que ça ne soit pas la seule question.

Courtney le regarda. Elle vit ses yeux remplis de larmes.

– Si Bobby est déjà coupé du reste du monde, dit-il d'une voix tremblante, pourquoi Nevva voulait-elle mon anneau ?

PREMIÈRE TERRE
(suite)

Le jeune garçon se mourait.

Tout le monde en était convaincu. Les infirmières comme les docteurs. Et aussi tous les autres jeunes patients de la clinique où on les avait mis en quarantaine pour éviter que la maladie qui les dévorait ne se répande à l'extérieur. La seule question qui se posait, c'était de savoir quand le rideau tomberait sur sa courte existence. Les infirmières n'oubliaient jamais de mettre un masque avant de venir essuyer son front avec des linges mouillés d'eau froide pour faire baisser la température. Ou au moins pour qu'il se sente un peu mieux. Il était en plein délire. Lorsque ses yeux s'ouvraient, ils semblaient incapables de se fixer. Ils avaient cet aspect liquide et distant que les infirmières ne connaissaient que trop. Sa souffrance les navrait. Elles l'aimaient bien.

Il n'avait que sept ans, à quelques semaines près. Il était difficile de déterminer avec précision sa date de naissance : il n'était qu'un bébé lorsqu'on l'avait trouvé sur les marches de l'hospice pour enfants trouvés de Redhill, non loin de Londres. Ç'aurait pu être pire. On aurait pu l'abandonner en ville, n'importe où.

On lui avait donné le nom d'Alexandre, d'après le grand général grec, dans l'espoir qu'il vainque l'adversité et survive pour mener une existence normale. Même s'il était plus petit que ses camarades et souvent malade, il semblait devoir s'en sortir. Alexandre n'avait peur de rien. Mieux encore, il était intelligent. Là où les autres garçons le dominaient physiquement, Alexandre pouvait se sortir de tous les faux pas par la simple puissance de ses raisonnements. Il n'avait jamais donné ni reçu le moindre coup de poing. Jamais. Alors que les autres se chamaillaient sans cesse, si bien que les nez ensanglantés étaient monnaie courante, nul ne touchait jamais à Alexandre. Il n'insultait jamais personne, et les invectives des autres lui étaient indifférentes. Des garçons plus âgés que lui venaient lui demander conseil. Les maîtres et maîtresses qui s'occupaient des orphelins s'émerveillaient de sa sagesse et de sa confiance en lui. Ils avaient de grands espoirs pour leur jeune héros.

Du moins jusqu'à l'automne 1937, lorsqu'il tomba malade. Le diagnostic restait incertain. Au départ, ce n'était qu'un simple rhume, mais il prit vite possession du frêle Alexandre. Les docteurs de la clinique redoutaient une pneumonie. Ou pire, la grippe. Ils n'avaient pas oublié la terrible épidémie de 1918. Ç'avait été un désastre mondial qui avait tué entre vingt et quarante millions d'individus. Vingt ans plus tard, il n'y avait toujours pas de vaccin contre cette maladie redoutée. Les docteurs de l'hospice craignaient que la vie d'Alexandre ne soit en danger, mais plus encore ce qui risquait d'arriver si jamais la maladie se propageait. Ils placèrent le garçon là où il pourrait recevoir les meilleurs soins, mais le gardèrent en quarantaine. Ils n'avaient que peu de moyens pour lutter contre cette maladie. Ils savaient qu'Alexandre devrait guérir tout seul.

Mais c'était une bataille qu'il était en train de perdre.

Sa température descendait rarement en dessous de quarante-quatre degrés. Il perdit du poids. Les infirmières serraient les poings en entendant cette terrible toux, comme si chaque quinte leur faisait aussi mal qu'à ce pauvre garçon. Tout le monde était d'accord pour dire que s'il avait été physiquement fort, il aurait eu une chance de vaincre la maladie. Mais Alexandre était chétif. Même en pleine santé, il avait l'air malade.

Après trois semaines de déclin, ils pouvaient juste espérer que sa fin soit rapide et indolore. Ils ne voulaient pas voir leur pensionnaire préféré souffrir inutilement.

Il était minuit passé en ce jour de novembre. Alexandre gisait dans son lit d'hôpital, entouré de draps blancs tendus qui devaient servir d'écrans pour éviter que des particules aériennes infectées n'atteignent d'autres poumons en bonne santé. Une précaution un peu excessive : on avait même déplacé les autres enfants pour les installer dans le dortoir d'à côté. Alexandre était seul. Il avait peur. Il voulait qu'une des infirmières vienne à son chevet, mais n'osait pas le demander. Il espérait qu'elle viendrait d'elle-même. En vain. Il savait pourquoi. Elles avaient peur de ce qu'il portait en lui.

Alexandre était en colère. Il ne comprenait pas pourquoi les docteurs ne pouvaient rien faire pour lui. Il n'aimait pas que les infirmières le laissent seul. Pourquoi, alors qu'ils étaient si savants, faisaient tous ces beaux discours et avaient tous ces instruments brillants et fascinants, pourquoi ne pouvaient-ils pas réparer ce qui n'allait pas chez lui ? Il aurait voulu qu'ils soient plus forts que la maladie. Il en avait désespérément besoin. Et pourtant, ils restaient dans le flou.

Il réussit à repousser un des draps afin de pouvoir regarder par la fenêtre, près du plafond. Il vit des étoiles de l'autre côté de la vitre. Comme il aurait voulu être dehors ! Il aurait volontiers inspiré une bonne goulée d'air pur et frais. Cette simple idée le fit tousser. Et tousser était douloureux. Il voulait tellement ne plus avoir mal. Peu lui importait comment. Plus maintenant. Il en avait assez de lutter.

Il vit un éclair passer devant la vitre. Il attira son attention, ne serait-ce que pour le distraire de ses idées noires. Il se demanda ce que cela pouvait bien être. Un oiseau ? Une branche ? Un avion ? L'ange de la mort ? Il continua de scruter son bout de ciel dans l'espoir de le voir à nouveau. Au moins, cela lui donnait quelque chose à faire. L'ombre ne revint pas et Alexandre perdit patience. Il avait envie de dormir. Sa poitrine était douloureuse. Il savait qu'il avait un nouvel accès de fièvre, parce qu'il s'était remis à frissonner. Il se crispa pour maîtriser les tremblements, mais ses muscles devinrent encore plus douloureux.

Il appela – « Hé ? » – ce qui déclencha une nouvelle quinte de toux. La douleur déchira sa poitrine et son estomac. Il cessa d'appeler les infirmières. Lorsqu'il avait une poussée de fièvre, elles le mettaient dans une baignoire remplie d'eau froide. Il n'avait jamais compris pourquoi il grelottait alors que sa température était censée être trop élevée. Être plongé dans l'eau glacée lorsqu'on a déjà froid était un cauchemar, et il ne voulait pas passer par là une fois de plus. Tout ce qu'il voulait, c'était dormir en paix. Il serra sa mince couverture et se concentra. Il se força à se détendre et à se vider l'esprit. Il ne voulait plus être éveillé. Il ne voulait plus se torturer. Il voulait juste s'assoupir… et ne plus jamais se réveiller. Heureusement, le sommeil vint enfin le prendre.

Lorsqu'il devait repenser à cette nuit, ce qu'il fit bien des fois, Alexandre ne se rappelait pas s'il avait rêvé ou non. Il se souvenait d'avoir été totalement détendu. Un tel soulagement méritait de rester inscrit dans sa mémoire. Il s'était dit qu'il devait être mort. C'était la seule explication, sinon pourquoi se sentait-il si bien tout à coup ? Cela faisait si longtemps qu'il avait presque oublié ce que c'était de ne plus avoir mal. Il ressentit de la lumière et de la chaleur sur son visage. Était-il au ciel ? Il devait jeter un coup d'œil. Alexandre ouvrit prudemment les paupières en s'attendant à voir les portes du paradis.

À la place, il aperçut les mêmes fenêtres du dortoir de l'hôpital. La seule différence, c'est qu'on était le matin. Le soleil brillait, réchauffant son visage. Il se sentait… bien. Apaisé. Mais ça ne collait pas. Il se demanda même s'il n'était pas toujours endormi, en train de rêver. Il ne se passait rien qui sorte de l'ordinaire, sauf qu'il était en forme. Si c'était vraiment un rêve, autant en profiter à fond. Il ferma les yeux et inspira lentement, longuement, par le nez. Ses poumons se dilatèrent. Il se crispa, prêt à se voir secoué par une terrible quinte de toux.

Mais rien de tel ne se produisit. Alexandre expira et inspira une fois de plus, par la bouche cette fois. Il remplit ses poumons jusqu'à ce qu'il les sente prêts à exploser. Il expira et inspira de nouveau, si vite qu'il en eut le vertige. Mais ce n'était pas le genre d'étourdissement qu'engendre la fièvre.

Plutôt une overdose d'oxygène dans un système habitué à se contenter de peu.

Alexandre éclata de rire. Il ne put s'en empêcher. De tous ses rêves, c'était certainement le plus beau. Ou alors il était mort et monté au paradis. L'un et l'autre lui convenaient. Tout ce qui importait, c'est que sa tête et ses poumons lui soient revenus.

– Alexandre ? fit la voix soucieuse d'une infirmière. Alexandre, mon garçon, qu'est-ce qui te fait rire comme ça ?

Elle passa prudemment la tête par le rideau, comme si elle ne voulait pas exposer le reste de son corps à cet environnement infesté de germes. Elle portait un grand masque blanc sur la bouche et le nez. Elle s'approcha du lit, hésita, puis leva la main pour toucher son front. Elle la retira aussitôt comme si elle avait reçu un choc électrique.

– Alexandre ! chuchota-t-elle avec stupéfaction. Ta fièvre est tombée.

– C'est pas moi qui l'aie renversée, m'man, je te promets !

L'infirmière ne retira pas son masque, mais Alexandre sut qu'elle souriait.

– Eh bien, peut-être que oui, peut-être que non, mais une chose est sûre : c'est un miracle.

Elle recula, retirant enfin son masque. Son sourire était aussi grand que l'avait prédit Alexandre. Elle le fit sourire à son tour.

– C'est un miracle ! répéta-t-elle, avant de partir en courant. Docteur ! Docteur ! Venez vite !

Alexandre resta là, tout joyeux. Il ne savait pas trop pourquoi. Il se sentait bien, c'était sûr, mais après tout, ce n'était qu'un rêve. Il se dit qu'il ne tarderait pas à se réveiller, et il se retrouverait à son point de départ, à frissonner comme un malheureux en attendant le pire. Son seul espoir était que ce beau rêve dure encore un peu plus longtemps.

Il se tourna pour mieux voir la fenêtre au-dessus de lui. C'est là qu'il le sentit. Il y avait quelque chose dans sa main. S'il ne l'avait pas encore remarqué, c'est parce qu'il n'avait pas beaucoup bougé. Il le serra entre ses doigts. C'était dur, comme une petite pierre. Ou une bille. Une agate. Mais il ne se rappelait pas avoir emporté une bille dans son lit, et de toute façon, les infirmières ne l'auraient pas autorisé. Sa curiosité éveillée, Alexandre repoussa la mince couverture recouvrant sa main gauche. Il n'en avait plus besoin. Il avait bien assez chaud. Ensuite, il leva la main pour voir ce qu'était ce mystérieux objet.

Sa première pensée fut qu'il était magnifique. Il n'avait jamais rien vu de tel. Ce n'était pas une bille ou une pierre, non. Loin de là. Ce trésor avait été gravé avec le plus grand soin. Il devait certainement avoir de la valeur. Appartenait-il à un des docteurs ? Mais pourquoi le lui aurait-il donné ? Il leva l'objet pour mieux l'examiner.

C'était un anneau argenté avec une grosse pierre grise en son centre. Tout autour, il y avait des gravures – dix en tout. On aurait dit des lettres, mais rédigées dans un alphabet qu'il n'avait jamais vu. Cela ressemblait plutôt aux caractères d'une langue antique. Il tourna l'anneau entre ses doigts et fixa la pierre grise. Elle ne ressemblait pas à une gemme précieuse. Elle était taillée et polie, mais la pierre elle-même était grise et terne.

Cependant pas pour longtemps. Sous ses yeux, elle se mit à scintiller. Cela ne l'effraya pas. Il ne fut même pas surpris. La pierre se transforma en un cristal brillant. La lumière qui brillait à l'intérieur semblait vivante. Alexandre scruta les profondeurs de cette gemme magique et sourit.

– C'est peut-être bien un miracle, dit-il.

Il aurait continué de fixer les lumières scintillantes si quelque chose d'autre n'avait pas attiré son attention. Une autre ombre passa devant la fenêtre. Mais cette fois, elle ne s'en alla pas. Alexandre leva les yeux pour voir ce qui s'était posé sur une branche devant la fenêtre. C'était un grand oiseau noir. Un corbeau. Alexandre ne pouvait pas en être sûr, mais on aurait dit que l'animal le regardait *lui*.

– C'est un rêve, non ? dit-il dans sa direction.

En guise de réponse, le corbeau émit un *croa* sec et s'en alla.

DENDURON

Alder s'empressa de regagner le village milago, faisant de son mieux pour ne pas être repéré par une connaissance. Il devait comprendre ce qui se passait avant de s'en mêler. À vrai dire, il s'en serait bien passé, mais il était toujours un chevalier bedoowan, et ses collègues se préparaient au combat. On attendrait de lui qu'il rejoigne les troupes. Pire encore, on risquait de le punir pour ne pas l'avoir déjà fait. Il ne pouvait pas se le permettre. Il devait garder sa mobilité. Quoi qui puisse se passer, il était sûr que cela avait un rapport avec Saint Dane et la bataille pour Halla. La réapparition des quigs au sommet de la montagne le lui avait confirmé. Maintenant, il lui fallait penser en Voyageur, pas en chevalier bedoowan. Et pour cela, il devait éviter ses compagnons d'armes.

Alder trouva une cachette dans un bosquet non loin de la forêt qui menait aux montagnes. De là, il avait une vue imprenable sur ce qui se passait en contrebas. Des centaines de chevaliers se massaient dans le vaste champ séparant le village milago et les ruines du château bedoowan. Ils marchaient par formation de quarante avec un parfait ensemble. Certains portaient des lances et des boucliers, d'autres des arcs avec des carquois remplis de flèches dans leur dos. Deux phalanges à cheval apparurent et prirent position de chaque côté de l'armée en cours de constitution. Suivit une longue ligne de ce qui ressemblait à des canons que l'on faisait rouler pour les positionner à l'arrière. C'était certainement le plus choquant. Il ne devrait pas y avoir de canons sur Denduron. On n'y utilisait que des armes primitives. Des lances, des arcs, des flèches, des pierres, des casse-tête de bois – c'était l'armement usuel des chevaliers bedoowans. Les canons n'en faisaient pas partie.

Que s'était-il passé depuis qu'il avait laissé Pendragon sur Ibara ? Combien de temps s'était-il absenté ? Selon son horloge interne, Alder n'était parti que quelques jours. Mais lorsqu'il avait fait le grand saut, il n'y avait pas tant de chevaliers bedoowans sur Denduron. À présent, leur nombre semblait avoir triplé. Alder crut voir quelques fermiers milagos en uniforme ainsi que des Novans à la peau blanche qui, apparemment, avaient aussi été recrutés. Et il y avait ces canons. On ne fabriquait pas de telles armes en quelques jours à partir de rien. Non, Alder commençait à croire qu'il était retourné sur Denduron quelque part dans l'avenir. Mais combien de temps après son départ ? Pourquoi le flume avait-il fait ça ? Pourquoi les siens se préparaient-ils à faire la guerre, et contre qui ?

Il se souvint de la dernière image qu'il avait vue flotter dans l'espace avant que le flume le repose. Celle d'une armée en train de se rassembler. La tribu primitive qui habitait de l'autre côté de la montagne s'appelait les Lowsees. Il n'y avait jamais eu de dispute entre eux et les Bedoowans ou les Milagos, et pourtant cette vision des Lowsees en armure brandissant des lances lui faisait redouter le pire. Étaient-ils sur le point d'attaquer ? Ou les chevaliers bedoowans s'apprêtaient-ils à escalader la montagne pour les envahir ? Tant de questions qui ne pouvaient avoir qu'une seule réponse.

Alder était sûr de la connaître.

Boum !

Le son d'une explosion lointaine le fit sursauter. La bataille avait-elle commencé ? Il regarda le rassemblement de chevaliers. Personne ne semblait s'inquiéter. Ils restaient alignés sans bouger. La première explosion fut suivie d'une deuxième, puis d'une troisième. Alder comprit que ces bruits provenaient du terrain d'entraînement, là où les Milagos s'étaient préparés à affronter les Bedoowans il y avait bien longtemps. Ce n'était donc apparemment qu'un entraînement. Mais ces explosions confirmaient les pires craintes d'Alder. Il ignorait pourquoi les Bedoowans se préparaient à la guerre, mais il savait ce qui avait allumé la mèche.

Le tak.

Il avait aidé Pendragon et Siry à se servir de cette incroyable foreuse venue de Zadaa pour trouver une nouvelle veine de tak explosif sous la surface de Denduron[1]. Il s'agissait de vaincre l'armée de dados de Saint Dane – le seul moyen de sauver Ibara. Leur stratagème avait réussi : Ibara l'avait emporté. Mais qu'en était-il de Denduron ? Le tak était aussi tentant que puissant. Lorsque les fermiers milagos l'avaient découvert, ils avaient voulu l'utiliser contre les Bedoowans afin de recouvrer leur liberté. Mais ils ne comptaient pas s'arrêter là. Rellin, le chef des mineurs, voyait dans le tak le moyen de bâtir un puissant empire. Pendant des générations entières, les Milagos avaient vécu en esclaves. Ils étaient en colère et avaient toutes les raisons de l'être. Une telle rage ne se dissiperait pas avec la défaite des Bedoowans. Ils comptaient marcher sur le reste de Denduron afin de conquérir les autres tribus et de les asservir. Mais ils n'en avaient jamais eu l'occasion : les Voyageurs avaient fini par comprendre que la découverte du tak était le moment de vérité de Denduron. Saint Dane voulait que les Milagos s'en servent. Pas les Voyageurs.

Ces derniers l'avaient emporté. Pendragon avait fait sauter la mine de tak de façon si spectaculaire qu'il avait détruit non seulement le château des Bedoowans, mais également le village des Milagos. Voyant leurs mondes respectifs en ruine, les Milagos et les Bedoowans avaient bien dû oublier leurs griefs afin de tout reconstruire, ensemble cette fois-ci. Plus important encore, l'explosion avait enterré les veines de tak si profondément que plus personne ne serait tenté de lever une armée pour exploiter sa puissance destructrice. Ce matériau était désormais inaccessible, du moins selon les moyens disponibles sur Denduron.

---

1. Voir Pendragon n° 8 : *Les Pèlerins de Rayne*.

Jusqu'à ce que Pendragon et Siry n'y débarquent dans un dygo venu de Zadaa.

Était-il possible que le fait de déterrer le tak ait engendré un nouveau moment de vérité pour Denduron ? Tout ce qu'ils avaient accompli, tout ce qu'ils avaient fait pour réconcilier les deux peuples, n'aurait-il servi à rien ? Saint Dane avait-il saisi une seconde occasion ? D'après ce que voyait Alder, c'était malheureusement bien possible.

Il se rapprocha lentement du champ en prenant soin de rester dans l'ombre protectrice des arbres. Il vit arriver deux cavaliers venus s'adresser aux troupes. Il reconnut instantanément le premier d'entre eux : c'était Rellin, le chef des mineurs milagos qui avait dirigé la révolution contre les Bedoowans. Vu ses capacités de meneur, Rellin avait été élu pour être le leader des Milagos durant la reconstruction. À la grande surprise d'Alder, il portait désormais l'armure d'un chevalier bedoowan décorée par des bandes jaune vif sous chaque bras. Coincé sous son coude gauche, il tenait un casque de cuir garni de plumes jaunes. Rellin avait toujours son allure de baroudeur mal dégrossi, mais maintenant ses cheveux étaient soigneusement peignés en arrière. Il montait un cheval magnifique et son armure luisait au soleil. Rellin ressemblait à un fier général portant une tenue d'apparat plus que de protection.

Sur le cheval d'à côté se tenait une femme qu'Alder ne reconnut pas. Il s'approcha pour mieux voir et s'arrêta net, incrédule. Elle portait une robe blanche bouffante et une couronne de fleurs jaunes dans les cheveux. Celles-ci recouvraient une autre couronne, en métal. C'était Kagan, la reine des Bedoowans. Mais ce qui étonna Alder, c'était son apparence. La Kagan que connaissait Alder était grotesque, il n'y avait pas d'autre mot. Tout en elle était démesuré. Ses yeux, son nez, ses mains et ses pieds – tout était incroyablement grand. Mais plus maintenant. La reine avait perdu pas mal de kilos. À vue de nez, la moitié de son poids d'avant. Elle n'était certainement pas devenue jolie, mais n'était plus monstrueuse. Le simple fait que ses vêtements ne soient plus couverts de taches de sauce ou de graisse la rendait déjà plus humaine. Sans compter qu'elle n'était pas constamment en train de s'empiffrer de viandes diverses. Sur son cheval, l'air serein, elle regardait Rellin haranguer ses troupes.

Alder se remit en mouvement et vit qu'une autre surprise l'attendait. Rellin avait une bonne raison de porter son casque sous le bras : sur sa tête, il y avait une petite couronne. Hein ? Avait-il épousé Kagan ? Était-il désormais le roi des Bedoowans en plus d'être le chef des Milagos ? Tout cela ne lui disait rien qui vaille. Il était encore trop loin pour entendre ce que disait Rellin, mais, de temps à autre, les troupes l'acclamaient. Rellin discourait. Mais pourquoi ?

– Alder ! cria une voix surprise.

L'interpellé fléchit les jambes pour préparer sa défense. Il se retourna pour voir un chevalier bedoowan courir dans sa direction le long de la lisière des arbres. Pourquoi n'avait-il pas deviné qu'il pouvait y avoir des gardes dans les bois ? Il aurait été plus prudent. Mais il était trop tard. Il s'accroupit, prêt au combat… Jusqu'à ce qu'il voie que le chevalier n'avait nullement l'intention de l'attaquer. En fait, il avait plutôt l'air content de le voir. Il affichait un grand sourire. Alder se détendit. Un peu.

– Où étais-tu passé ? demanda le chevalier tout guilleret.

Alder le reconnut. Il s'appelait Graviot. C'était un des chevaliers du régiment d'Alder, et un ami, même s'il ignorait qu'Alder avait trouvé une nouvelle vocation en devenant Voyageur. Graviot lui rappelait le chevalier qu'il était autrefois. Il était de quelques années son cadet. Il était également grand, maladroit et d'une honnêteté sans faille, tout comme Alder il y avait bien longtemps. Avec une certaine tristesse, Alder reconnut que lui-même n'était plus si franc ou si naïf. Il en avait trop vu pour demeurer le même homme. Un moment, il porta le deuil de son ancienne existence, mais il se ressaisit aussitôt. Alder savait que, ami ou pas, il devait se montrer prudent avec ce chevalier. Depuis son départ, il s'était passé bien trop de choses pour qu'il puisse prendre quoi que ce soit pour argent comptant.

– J'ai voyagé avec Pendragon et Siry, répondit-il. Tu te souviens ? On a déterré le tak pour aider une tribu lointaine.

– Bien sûr que je me rappelle, reprit Graviot. Mais on ne pensait pas que tu serais parti si longtemps. Tout a changé en ton absence. Bientôt, nous serons en guerre.

– Pourquoi ? s'exclama Alder. Que s'est-il passé ? On nous a attaqués ?

– D'une certaine façon, oui.

– Les Lowsees nous ont agressés ?

Graviot écarquilla les yeux.

– Comment le sais-tu si tu étais loin d'ici ?

Alder pouvait difficilement avouer qu'il avait vu des images des Lowsees en train de se préparer au combat pendant qu'il voyageait à travers le temps et l'espace. Il devait trouver une réponse plausible pour ne pas éveiller la méfiance de Graviot.

– Je n'ai jamais eu confiance en eux, déclara-t-il. Ce n'était qu'une hypothèse.

C'était aussi un mensonge éhonté, mais Alder était disposé à se montrer un peu moins honnête qu'à l'accoutumée.

– Tu avais raison de te méfier d'eux, acquiesça Graviot.

Apparemment, il le croyait sur parole.

– Et pourtant, reprit Alder, je n'aurais jamais cru qu'ils nous attaqueraient. Ils sont pacifiques.

– Oh, ils ne sont pas passés à l'assaut avec des armes. Néanmoins, ils font de leur mieux pour nous défaire.

– Comment ?

– En gardant leur triptyte pour eux.

La triptyte. C'était le minerai dont les Bedoowans se servaient pour éclairer leur château. Avant sa destruction, un réseau complexe de tubes sillonnait ses plafonds. Lorsque la nuit tombait, la triptyte se mettait à luire. C'était une source de lumière bien moins dangereuse que le feu. C'était aussi une source de discorde, car les Bedoowans n'avaient pas jugé bon de partager cette technologie avec les Milagos. Ils les gardaient dans le noir. Littéralement. Lorsque le château bedoowan s'était écroulé et qu'on avait reconstruit le village milago, ils changèrent tout ça. Le village fut doté d'un éclairage à la triptyte. Ce fut un véritable bond en avant, permettant au village de s'éclairer sans crainte d'un incendie. Beaucoup disaient que c'était la triptyte qui avait permis de faire progresser les Milagos.

Alder savait également que la triptyte était extraite de mines situées sur le territoire des Lowsees.

– Pourquoi refuseraient-ils de nous fournir en triptyte ? demanda Alder.

– Parce qu'on a arrêté d'extraire l'azur, et c'est avec ça qu'on les payait. Dès que les Milagos ont fermé les mines, ils n'ont plus pu commercer avec les Lowsees et…

– Et maintenant, on part en guerre pour prendre par la force ce qu'on ne peut plus acheter, conclut Alder.

– C'est une chance à saisir ! reprit Graviot avec enthousiasme.

– Comment une guerre peut-elle être une chance ?

– Quand on aura vaincu les Lowsees, on ne s'arrêtera pas en si bon chemin ! On a découvert de l'azur dans des terres situées au-delà du territoire des Lowsees. Il nous suffit de les prendre et il sera à nous !

Alder lui jeta un regard peu amène.

– Tu veux dire qu'on souhaite à nouveau chercher de l'azur ? Comment est-ce possible ? Ce minerai ne nous a rien apporté de bon. Vous avez donc tout oublié ?

– Bien sûr que non ! Mais ce n'est pas nous qui allons l'extraire. Les Lowsees s'en chargeront… Dès qu'on les aura vaincus.

– Et qui a concocté ce plan ?

– Le roi Rellin, bien sûr ! répondit Graviot comme si c'était la plus idiote des questions.

Alder fit la grimace. La boucle était bouclée. Un jour, Rellin avait mené une révolution pour lutter contre des pratiques barbares qui poussaient son peuple à creuser et mourir dans les mines d'azur toxiques. Et maintenant qu'il avait pris le pouvoir, il était prêt à partir en guerre pour obliger un *autre* groupe de pauvres bougres à faire de même.

Alder regarda Graviot et dit tristement :

– Donc, mourir pour extraire l'azur est acceptable du moment que ce sont d'autres qui souffrent ?

Graviot haussa les épaules.

– Seuls les forts survivent, Alder.

Il avait envie de se taper la tête contre le tronc d'arbre le plus proche. Ce combat qu'ils avaient mené ne leur avait donc rien appris ?

– Pourquoi as-tu l'air malheureux ? demanda Graviot. Tu devrais être fier ! Sans toi et Pendragon, rien de tout ça n'aurait été possible !

Alder lui décocha un regard noir.

– Ne fais pas le modeste ! ironisa Graviot. Toi et Pendragon, vous nous avez apporté cette machine fabuleuse qui nous a permis de déterrer le tak. Sans lui, rien de tout ça ne serait arrivé. En plus, ça peut te sauver la vie.

– Me sauver la vie ? répéta Alder, stupéfait.

– On est sur le point de partir en guerre, annonça Graviot. On t'a taxé de déserteur. Je crains que tu ne passes en jugement pour trahison, mon ami. Il est même possible que tu sois exécuté… ou peut-être envoyé aux nouvelles mines d'azur. Mais comme, sans toi, on n'aurait jamais déterré le tak, espérons que Rellin se montrera clément.

Alder ne prit pas le temps de réfléchir. Graviot ne vit jamais venir le coup de poing qu'il lui décocha. Le chevalier n'eut sans doute pas le temps de réaliser ce qui l'avait frappé. Il perdit conscience avant même d'avoir touché le sol. Alder ressentit aussitôt une pointe de regret. Pas d'avoir mis Graviot K.-O., mais d'avoir agi de façon aussi impulsive. Ce n'était pas digne d'un professionnel. Il ne se laisserait plus dominer par ses émotions. Trop de choses étaient en jeu. Et il avait du pain sur la planche.

Il tira le chevalier inconscient sous les arbres, loin des regards curieux. Puis il le débarrassa de sa nouvelle armure moderne, qu'il échangea contre la sienne. Heureusement, ils étaient de la même taille. Maintenant, Alder pouvait rejoindre les Bedoowans sans s'attirer des regards indésirables. Soudain, ne pas être reconnu était devenu plus important qu'il ne l'avait prévu. Il était parti bien longtemps... trop longtemps. Assez pour se voir accusé de désertion et de trahison. Il ne pouvait pas se permettre d'être arrêté. Ce serait un désastre. Il avait une mission à accomplir et il ne devait pas échouer.

Le chevalier Voyageur s'arrêta un instant et inspira profondément. Il était fatigué. Il sortait tout juste d'une guerre contre une armée de dados. Il n'avait qu'une seule envie : s'allonger, dormir et récupérer. Alder était fort. Il savait qu'il pourrait tenir le coup physiquement. Il se préoccupait davantage de son état mental. Pourrait-il se résoudre à faire ce qui était nécessaire pour sauver ce territoire ? Il fallait détruire la mine de tak. Mais, s'il y arrivait, il risquait fort de ravager une seconde fois le village milago. Serait-il capable de s'y résoudre ?

Il n'avait pas le choix. L'avenir de Denduron en dépendait. Et celui de Halla. Il devait combattre une fois de plus. Il ramassa le long casse-tête de bois qui était l'arme préférée des chevaliers bedoowans, le fit tourner entre ses doigts et le tint contre son flanc. Il était désormais en terrain familier. Il quitta le couvert des arbres et se dirigea vers le village, prêt à détruire tout ce qui avait forgé son ancienne existence.

Comme il aurait voulu avoir Pendragon à ses côtés !

DENDURON
(suite)

La première partie du plan d'Alder était des plus simples : il devait trouver un moyen d'entrer dans la mine de tak. Il se doutait bien qu'elle serait sous bonne garde, mais ce n'était pas ça qui l'inquiétait. La surprise jouerait en sa faveur. Ils ne s'attendraient pas à être attaqués par un autre chevalier bedoowan.

La seconde partie de son plan était loin d'être aussi simple. Il devait détruire la mine. Faire exploser le tak ne serait pas un problème, mais éviter de sauter avec lui… eh bien, c'était une autre paire de manches. En outre, il n'avait pas beaucoup de temps devant lui. Il le comprit en dépassant rangée après rangée des chevaliers qui, tous, écoutaient le discours de Rellin. Le *roi* Rellin. Maintenant qu'il était plus près, il put entendre une partie de ce qu'il leur disait. Il débitait les vantardises pontifiantes habituelles, promettant une « victoire éclatante », d'« étendre l'empire » et « le triomphe de la tribu supérieure aux autres ».

L'empire ? Depuis quand le petit monde des Milagos et des Bedoowans était-il devenu un empire ? Avec un frisson de dégoût, Alder comprit que la puissance du tak avait corrompu Rellin. Un jour, ç'avait été quelqu'un de bien. Il avait lutté pour son peuple et pour qu'on lui rende justice. Maintenant, il voulait partir en guerre pour la gloire et le pouvoir.

Alder réalisa que la prophétie de Saint Dane allait effective-ment devenir réalité. Le premier domino à tomber serait bien Denduron, comme il l'avait prédit il y avait plusieurs années

67

déjà. Tout ne s'était peut-être pas déroulé exactement comme Saint Dane l'avait prévu, mais au final, quelle importance ? Ou peut-être était-ce précisément ce qu'il désirait. Peut-être était-ce comme ça que devait se dérouler son incroyable plan pour conquérir Halla, et que les Voyageurs se contentaient de suivre le mouvement ? Impossible de le savoir. Mais, pour le moment, seule sa mission comptait. Alder devait empêcher cette guerre. Et pour y parvenir, il devait détruire le tak.

Alors qu'il s'empressait de passer devant les chevaliers rassemblés, il put sentir la tension qu'ils irradiaient. Leurs visages endurcis lui apprirent qu'ils étaient prêts au combat. Il connaissait ce sentiment. Ils avaient soif de sang. Ce n'était pas un exercice. Ils s'apprêtaient à marcher sur les Lowsees. D'après ses souvenirs, il leur faudrait cheminer le reste de la journée et toute la nuit s'ils voulaient franchir la montagne pour se mettre en position – et il leur faudrait également déplacer les canons. Ils profiteraient sans doute du couvert des ténèbres pour manœuvrer et attaqueraient aux premières lueurs de l'aube. Alder savait qu'il n'y avait pas une seconde à perdre. S'il voulait les arrêter, il devait agir avant le départ des troupes. Non seulement il devait sceller la mine, mais également détruire les stocks de tak qu'ils avaient déjà déterrés. Et ce qu'il vit ne fit rien pour soulager ses inquiétudes.

Il jeta un coup d'œil par-dessus une butte de terre servant à se protéger des éclats. À sa droite, Alder vit plusieurs canons avec trois chevaliers bedoowans pour servants. Ils semblaient s'entraîner au tir. Un chevalier prélevait une petite quantité de tak et le déposait délicatement dans la gueule du canon, qui mesurait bien deux mètres. Le deuxième y ajoutait un obus rond. Le troisième se chargeait de viser. Leur cible était un mur de ballots de coton à une cinquantaine de mètres devant eux. Enfin, maintenant, il ne restait plus qu'une masse de débris embrasés entourée de cratères forés par les obus. Le tak était un explosif très efficace.

Lorsque tout fut prêt, le troisième chevalier gratta un petit appareil de métal qui produisit une étincelle. Il le tint près d'une cordelette qui pendait à l'arrière du canon. À la seconde tentative, celle-ci prit feu. Pendant que les trois chevaliers reculaient en se bouchant les oreilles, la mèche se consuma et atteignit le fût du canon. Une seconde plus tard… *Boum !* Un nuage de fumée s'échappa du canon, puis l'obus frappa sa cible pour exploser à son tour, libérant un nouveau jet de fumée. L'explosion fit trembler le sol et faillit déséquilibrer Alder. Il se retrouva à moitié sourd. Alder se dit que l'obus lui-même devait contenir du tak. Un simple bout de métal n'aurait pas produit un tel impact.

Les canons chargés au tak étaient mortels… et d'une précision diabolique. Les Lowsees n'avaient pas une chance, et le reste de Denduron ne pourrait guère plus se défendre. Alder en avait assez vu. Il s'éloigna du terrain d'entraînement et se dirigea vers la zone éloignée où Siry et Pendragon s'étaient servis du dygo pour déterrer une nouvelle veine de tak. Pour d'évidentes raisons de sécurité, ils avaient délibérément creusé le plus loin possible du village milago. Tant mieux, se dit-il. Peut-être que, lorsque la mine exploserait, cela n'endommagerait pas trop les maisons. Tout dépendrait de la configuration de la veine de tak. Il s'empressa de traverser la forêt en s'efforçant de se concentrer uniquement sur la prochaine étape. *Une chose à la fois. Continue. Ne t'arrête pas. Ne te fais pas prendre.* Lorsqu'il atteignit l'autre bout de la forêt, non loin de la clairière marquant l'entrée de la mine de tak…

Il s'arrêta net. Il ne s'attendait pas à voir un tel spectacle. Lorsqu'il avait quitté Denduron il y avait quelques jours à peine, la mine n'était guère qu'un trou dans le sol. À présent, un bâtiment entier s'élevait à cet emplacement. Grand, fait entièrement en bois, avec un toit plat, il s'élevait beaucoup plus haut que toutes les autres constructions du village milago. On aurait dit un immense hangar. Alder s'inquiétait de ce qui pouvait y être entreposé.

À l'avant, il y avait deux grandes portes fermées et gardées par deux chevaliers bedoowans. Si Alder voulait pénétrer dans le bâtiment, il devrait d'abord trouver un moyen de s'en débarrasser. Le spectacle allait commencer pour de bon. Tout le monde ne tarderait pas à savoir qu'Alder était de retour. Il se redressa, tint le casse-tête de bois contre son flanc et se dirigea droit vers l'entrepôt. C'était une manœuvre audacieuse. En le voyant, les gardes se crispèrent.

– Qu'est-ce que tu veux ? gronda l'un d'entre eux.

Alder ne ralentit même pas.

– J'ai des nouvelles du roi Rellin, dit-il d'une voix pleine d'autorité. On doit tous se rassembler sur le terrain pour qu'il nous fasse part de ses dernières instructions.

Les chevaliers échangèrent un regard aussi rapide que circonspect.

– Ça contredit nos ordres, reprit le premier. On ne doit pas quitter notre poste.

Alder ne reconnut aucun des deux chevaliers. C'était mieux ainsi. Il préférait ne pas s'en prendre à ses amis.

– Ils viennent d'être modifiés, dit-il en se rapprochant des deux hommes. Vous devez vous rendre immédiatement à...

Il ne finit pas sa phrase. Il leva soudain son casse-tête et l'envoya dans l'estomac du premier garde. L'effet de surprise fut tel que le second hésita avant de réagir. Ce qui lui coûta cher. Alder fit tournoyer son arme et l'atteignit juste sous le menton. L'homme tomba en arrière, les pieds quittant le sol, pour s'étaler avec un bruit mou écœurant. Il n'avait pas encore touché terre qu'Alder se tournait à nouveau vers le premier chevalier pour le frapper à la tempe. Ce dernier s'effondra contre le mur du bâtiment. Au même moment, Alder pivota pour cueillir le second d'un bon coup sous la mâchoire. Le combat n'avait pas duré plus de quatre secondes, et déjà les deux chevaliers gisaient à ses pieds.

Alder les toisa sans sourciller, comme s'il avait juste écrasé deux mouches. Après avoir vaincu toute une armée de dados, se débarrasser de deux chevaliers bedoowans semblait presque facile. Alder enjamba ses camarades anéantis et poussa la grande porte qui donnait sur l'intérieur du bâtiment. Celui-ci était plongé dans les ténèbres. Alder dut cligner des yeux pour s'accoutumer à l'obscurité. Il resta là, dos à la porte, tous ses sens en alerte. Bien qu'il ne puisse pas encore distinguer les détails, il était évident que cet entrepôt était constitué d'une seule salle. Juste en dessous du plafond, des fenêtres laissaient entrer la lumière des soleils de Denduron. Alder attendit avec impatience que ses yeux s'habituent à la pénombre. Au bout de quelques secondes, il put discerner des silhouettes.

Son moral descendit de plusieurs crans. Il venait d'entrer dans un arsenal. L'essentiel de la surface libre était occupé par des rangées de canons flambant neufs. À l'arrière, il y avait une niche contenant des centaines de milliers de boulets lestés de tak. L'immense salle était entourée de balcons débordant de flèches à tak, d'arcs et d'arbalètes. Un autre balcon était consacré à ce qui ressemblait à des pains de cette même matière explosive. Ces espèces de briques étaient plutôt grossières, mais chacune d'entre elles avait le potentiel pour détruire une maison. Ou huit. Les pires craintes d'Alder étaient devenues réalité. Le peuple de Denduron n'était pas resté inactif. Ils étaient prêts à partir en guerre. La mine de tak leur avait fourni une bonne quantité d'explosifs. Avec des armes comme celles-ci, les Bedoowans n'auraient aucun mal à vaincre les Lowsees ou toute autre tribu qu'ils prendraient pour cible. La conquête de Denduron allait commencer, et avec elle la chute de Halla.

Alder s'avança, comme dans le brouillard, fixant les engins de mort et de destruction qui le dominaient de toute leur masse. Il faillit ne pas voir le trou qui s'ouvrait à ses pieds. Il s'arrêta juste avant d'y tomber et scruta ses profondeurs.

– La mine, murmura-t-il.

C'était bien le trou qu'ils avaient foré avec le dygo, Pendragon et lui. Sauf que maintenant, des rails s'y enfonçaient et des wagonnets à minerai y circulaient. La pente était raide, mais pas à pic. On pouvait la descendre. C'était une mine opérationnelle. Et, à voir cet arsenal, elle était productive. Alder savait ce qu'il avait à faire. C'est alors qu'il réalisa la triste vérité. Il n'avait pas le temps de trouver un moyen de faire exploser le tak à distance.

C'était une mission suicide.

71

Ça ne lui disait rien qui vaille, mais si, sur Ibara, Pendragon avait été prêt à se sacrifier pour détruire l'armée des dados, il pouvait peut-être en faire autant sur son propre territoire. Sa seule consolation était ce que Pendragon lui avait affirmé : la vie d'un Voyageur ne se terminait pas avec sa mort. Il y croyait dur comme fer. Était-ce possible ? Les Voyageurs étaient-ils de simples illusions, comme Saint Dane l'avait dit à Pendragon ? Alors qu'il se tenait là, dans cet immense arsenal plongé dans la pénombre, il n'était sûr que d'une chose : il n'allait pas tarder à le savoir.

Il lâcha son casse-tête, courut vers le mur du bâtiment et s'empara de deux pains de tak. Puis il repartit vers le puits de mine et allait s'y engouffrer lorsqu'il vit quelque chose du coin de l'œil. Là, le long du mur opposé à celui des mines de tak, il y avait des rouleaux de cordes. Des mèches. Des centaines, sagement enroulées, prêtes à l'usage. Le cœur d'Alder bondit dans sa poitrine. Il avait une idée. Après avoir déposé délicatement une des petites bombes à tak sur le sol, il alla prendre un rouleau. Regardant autour de lui, il remarqua un de ces petits briquets de métal grâce auquel les chevaliers allumaient les mèches. On aurait dit une bande circulaire étroite faite de deux fils épais. Alder s'en empara et la serra entre ses doigts. Lorsqu'une partie de l'anneau gratta la plaque de métal, des étincelles jaillirent.

Maintenant, il savait comment enflammer la mèche.

Il fourra le briquet dans sa poche, retourna à l'entrée de la mine pour ramasser le second pain de tak, puis descendit dans le tunnel. Il n'eut pas à aller bien loin. La triptyte illuminait les parois du tunnel, éclairant un spectacle à la fois superbe et terrifiant. Des milliers de pains de tak rougeâtre étaient empilés le long des deux cloisons. La quantité d'explosifs qu'on avait extraite de la mine était sidérante. Alder posa soigneusement les deux briques qu'il avait apportées. En fin de compte, il n'en aurait pas besoin. Tout ce qu'il lui fallait, c'était la mèche. Il se dit même qu'il avait peut-être une chance non seulement de détruire la mine, mais aussi de s'en sortir vivant. Certes, mourir ne lui faisait pas peur, mais il n'était pas non plus pressé d'y passer. De plus, Pendragon devait être mis au courant de ce qui se tramait. Tout comme les autres Voyageurs. Ils n'en avaient pas fini avec Saint Dane, loin de là. Et pour qu'ils le sachent, Alder devait survivre.

Il s'empressa de se mettre au travail. Il s'agenouilla et déroula la mèche. Elle était sèche, ce qui lui permettait de s'enflammer très facilement. Cela la rendait également plus facile à mesurer. Alder dévida quatre longueurs de deux mètres. Il ne savait pas combien de temps elles mettraient à se consumer. Il voulait disposer d'un délai suffisant pour sortir de la mine, mais pas plus : sinon, quelqu'un risquait de trouver les mèches et de les éteindre.

Cependant, même en procédant ainsi, il n'était pas certain de limiter le danger. Bien sûr, il pourrait sortir de l'armurerie avant le grand boum, mais à quelle distance devrait-il se trouver lorsque cet énorme stock de tak exploserait ? Dans quelle direction devait-il aller ? Il pouvait tout aussi bien courir le long de la veine souterraine.

Il décida de ne pas s'en soucier. Après tout, il ne pouvait rien y changer. Il prit trois longueurs de mèche et enfouit le bout de chacune d'entre elles dans le tak friable bordant les murs : deux face à face et une troisième quelques mètres plus loin. Il garda la dernière pour le wagonnet posé sur les rails. Il était rempli de minerai fraîchement extrait, prêt à être moulé pour former une brique. Il y plongea sa dernière mèche. Il était prêt. Il jeta un coup d'œil autour de lui et, contre toute attente, eut un petit rire.

– Ça risque d'être spectaculaire, dit-il à voix haute.

Sans hésiter une seconde, il tira la boucle de métal, la tint contre le bout de mèche planté dans le minerai du wagonnet et fit jaillir des étincelles. La mèche s'embrasa. Le compte à rebours était lancé. Il poussa le wagonnet, l'envoyant dans les profondeurs de la mine. Il tourna les talons et alla allumer les trois autres mèches. Puis ce fut le moment d'aller voir ailleurs s'il y était.

Tout en courant vers l'entrée du tunnel, Alder étudia la suite des événements. Dans quelle direction devait-il aller

pour limiter les risques ? Il n'en avait pas la moindre idée.
Tout ce qu'il pouvait faire, c'était s'éloigner le plus loin
possible de la mine en espérant que la veine de tak ne
s'étende pas trop loin. Il craignait qu'il y ait encore des
mineurs dans les souterrains. Et que l'explosion n'endom-
mage le village milago. Y aurait-il des pertes humaines ? Mais
il redoutait bien plus ce que ce territoire était devenu, et ce
qu'il risquait de devenir. Il avait agi pour le mieux. Son
prochain défi était de survivre assez longtemps pour prévenir
les autres Voyageurs que Saint Dane était de nouveau en
selle. Il était presque arrivé à l'embouchure de la mine...

Lorsqu'il vit qu'il n'était pas seul. Graviot se tenait là, dans
l'entrée, entouré de quatre autres chevaliers bedoowans.
Alder s'arrêta net. Soudain, ses chances de survie venaient de
chuter.

– Qu'est-ce qu'il t'arrive, Alder ? déclara tristement Graviot.
Tu as perdu la raison ?

Alder ne répondit pas. Il devait gagner du temps. Savaient-
ils que des mèches se consumaient dans le tunnel à une
centaine de mètres de là ?

– C'est vrai, répondit-il d'une voix qui se voulait tremblante.
Je ne sais pas ce qui m'a pris. Peut-être que je redoute plus la
guerre que je ne le croyais. Il va falloir que je m'en remette à
la clémence du roi Rellin.

– Quelle est cette odeur ? demanda Graviot, intrigué.

Les cinq chevaliers étaient sur le qui-vive. S'ils ne comprenaient pas ce qui se passait, cela ne tarderait pas. Alder ne
réagit pas. Il les laissa faire.

– Il y a le feu dans la mine ! s'écria un des chevaliers,
horrifié.

– Qu'est-ce que tu as fait ? renchérit Graviot.

Les cinq chevaliers partirent en courant – vers l'intérieur de
la mine. Alder se dit, brièvement, que c'étaient des types bien.
Leur première impulsion n'avait pas été de se sauver, mais
d'aller éteindre l'incendie. Il les respectait pour ça.

Mais cela ne l'empêcha pas de passer à l'attaque. Ces chevaliers n'étaient pas aussi expérimentés qu'Alder. Il bondit sur

les deux premiers, les envoyant bouler à terre. Il ne s'arrêta pas en si bon chemin : il fonça aussitôt sur les autres pour leur décocher une grêle de coups de pied et de poing, les empêchant d'avancer. Graviot tenta de s'enfoncer plus profondément dans la mine, mais Alder se jeta sur lui avant même qu'il ait pu se relever. Il souleva le jeune chevalier de terre et le projeta sur les autres avec une force prodigieuse. Il était comme possédé. Il savait que tout l'avenir de Halla dépendait peut-être de ce combat aussi bref que brutal. Il ne les retiendrait pas bien longtemps. Il pouvait juste espérer que cela soit suffisant.

L'un des chevaliers se rua sur lui. Alder lui tourna le dos et tendit les bras afin que l'autre ne puisse pas l'immobiliser. Son assaillant rebondit contre lui ; au même moment, Alder fit volte-face et le mit K.-O. d'un coup de pied chassé qui l'atteignit en pleine mâchoire. Ce fut le dernier coup qu'il porta.

Soudain, il reçut un coup sur la nuque, si violent qu'il s'effondra vers l'avant. Tout se mit à tourner. Ce qui l'avait frappé était trop dur pour être un poing ou un pied. Or les chevaliers ne portaient pas d'armes. Alors quoi ? Alder tomba et roula sur le sol. Il perdait déjà conscience. Il leva les yeux pour voir si ses adversaires se précipitaient dans le tunnel. Mais non. Il espérait apercevoir un éclair blanc signalant la destruction de la mine de tak. En vain. À la place, il vit un sixième homme planté au milieu du tunnel – un mineur. D'une main, il tenait une pioche servant à creuser la roche. Au moins, Alder savait ce qui l'avait frappé. Mais c'est ce qu'il tenait dans son autre main qui mit Alder au désespoir.

C'étaient quatre longueurs de corde partiellement consumées. Il n'y aurait pas d'explosion. Le tak ne risquait rien.

La guerre aurait bien lieu.

Alder ouvrit prudemment les yeux. Où était-il ? Il avait mal à la tête, ce qui n'avait rien d'étonnant. Après tout, il s'était pris un coup de pioche sur le crâne. Il plissa les yeux : une lumière blanche l'éblouissait. Bien que chaque geste lui soit douloureux, il leva la main pour s'en protéger. Maintenant que sa vision s'éclaircissait, il vit que la lumière provenait d'une petite fenêtre au milieu du mur. En y regardant de plus près, il comprit. La fenêtre comportait des barreaux. Il était en prison. Enfermé. Évidemment. Il avait tenté de détruire la mine, le village et le rêve de Rellin : conquérir Denduron. Normal qu'on le jette en prison. Il était même surprenant qu'ils ne l'aient pas exécuté séance tenante.

Il était seul dans sa cellule, allongé à même le sol. Un sol couvert de poussière, et il en avait pas mal avalé. Il s'essuya la bouche... et vit son anneau. Son anneau de Voyageur. Son moral remonta d'un cran. Il avait encore une chance. Il pouvait toujours contacter Pendragon par ce biais. Pourquoi n'y avait-il pas pensé plus tôt ? S'il arrivait à faire parvenir un message à Pendragon pour lui dire ce qui se passait, le chef des Voyageurs pourrait continuer le combat. Ils reviendraient sur ce territoire, Siry et lui. Et Loor. Ils pourraient rejouer la bataille pour Denduron. Pour ça, ils devaient d'abord être informés de ce qui s'était passé. Mais comment ? Alder n'avait pas de papier pour écrire un message et doutait que les gardes lui en donnent. Non, il devait envoyer un signe à Pendragon. Quelque chose. N'importe quoi qui puisse lui mettre la puce à l'oreille. Il fixa l'anneau, cherchant désespérément une idée.

La réponse était là, sous ses yeux. Sa manche était couverte de sang. Il n'aurait su dire si c'était le sien ou celui d'un autre chevalier, mais cela n'avait aucune importance. Il virait déjà au brun, signe qu'il commençait à coaguler. On aurait dit que quelqu'un était gravement blessé. C'était juste ce qu'il lui fallait.

La tête lui tournait. Il dut s'obliger à se concentrer. Il prit la manche de son autre main et tira, cherchant à la déchirer. Mais il n'en avait pas la force. Il la porta à sa bouche et mordit dans le tissu. Le goût âcre du sang emplit sa bouche. Après avoir mâchouillé le tissu peu ragoûtant pendant plusieurs minutes, il finit par en prélever un tout petit morceau. Cela suffirait. Une fois le tissu entamé, il put agrandir la déchirure jusqu'à obtenir un fragment de six centimètres de long.

Parfait. Il le roula pour former un tube et le posa sur le sol tout près de son visage. Il n'avait aucun moyen de dissimuler le son et la lumière que produirait l'anneau. Mais peu lui importait si un garde était témoin de ce qui allait se passer.

– *Ibara !* lança-t-il.

L'anneau ne réagit pas.

– *Ibara !* répéta-t-il d'une voix plus forte.

Toujours rien.

Alder se souvint alors que le flume avait ignoré ses injonctions lorsqu'il avait tenté de rejoindre Bobby sur Ibara. Et, pour la première fois de sa vie d'adulte, il se mit à pleurer. Des larmes de rage impuissante coulèrent le long de ses joues sales, ravivant ses coupures. Il ne pourrait pas envoyer de message au Voyageur en chef.

– Que t'est-il arrivé, Pendragon ? gémit-il. Que s'est-il passé ?

TROISIÈME TERRE

Patrick Mac aurait donné n'importe quoi pour voir quelque chose qui lui soit familier. Quelque chose à quoi se raccrocher pour commencer à recouvrer sa santé mentale. Il choisit de se rendre à la bibliothèque – son refuge. Sa forteresse de solitude. Lorsqu'il était dans une bibliothèque, tout devenait plus clair. Les bibliothèques étaient des lieux ordonnés, structurés et imprégnés de la sagesse des temps révolus. C'est là qu'il trouvait toujours réponse à ses questions. Pourvu qu'il n'en soit pas autrement sur cette nouvelle Troisième Terre.

Si toutefois cette bibliothèque existait toujours.

Il traversa les rues ravagées de New York avec l'impression d'évoluer dans un cauchemar. Pour Patrick, les gens qu'il croisait ressemblaient surtout à des rats. Ils grouillaient au milieu des bâtiments en ruine, fouillaient les poubelles dans l'espoir de trouver quelque chose à manger ou se tenaient accroupis pour aspirer bruyamment l'eau qui s'écoulait de tuyaux rouillés qui fuyaient de partout. Oui, on se serait bien cru dans un rêve – ou plutôt dans un cauchemar. Son monde avait cessé d'exister. Et Patrick n'était pas sûr de vouloir connaître le nouveau.

Comme plus rien n'était comme avant, il ne tarda pas à se perdre. Où était la bibliothèque ? Il savait que son refuge préféré s'élevait toujours au même endroit depuis le XIXe siècle. Sur la Troisième Terre qu'il connaissait, elle se trouvait de l'autre côté d'un petit plan d'herbe, au-delà d'un pont dominant un ruisseau, puis à quelques centaines de mètres le long d'un chemin constellé de morceaux de quartz luisant.

Maintenant, il ne voyait plus qu'une longue barre d'immeubles décrépits. Il n'était même pas sûr de savoir d'où il était parti. Habitait-il toujours Chelsea, même si ce quartier n'était plus sous terre ? Il regardait sans cesse autour de lui dans l'espoir de trouver un point de repère. C'était toujours la ville de New York. Quelque chose s'était produit, quelque chose qui l'avait envoyée sur un chemin bien différent de son histoire telle qu'il la connaissait, mais c'était toujours la même ville. Il devait bien y avoir un élément reconnaissable. Après tout, Patrick était historien.

Il passa devant plusieurs devantures de boutiques. La plupart d'entre elles étaient fermées, mais il en restait encore quelques-unes pour vendre des boîtes de conserve et de l'eau en bouteille. Pour Patrick, on aurait dit une ville tentant de se relever d'une guerre. Cette idée lui donna le frisson.

Il fit encore quelques pas mal assurés, tourna à l'angle d'un immeuble et sourit. Ce qu'il vit était si évident qu'il ne put s'empêcher d'éclater de rire. Pourquoi n'y avait-il pas pensé plus tôt ? Devant lui s'étendait un immense gratte-ciel. Sur l'ancienne Troisième Terre, il arborait des parois argentées brillantes. Dans ce nouveau monde, il ressemblait plutôt à l'ancienne version historique qu'il connaissait d'après les hologrammes. C'était l'Empire State Building. Cette vaste structure majestueuse était un des rares bâtiments historiques qu'on avait conservés tels quels au moment de l'exode sous terre. Mais il ne ressemblait guère au bâtiment qu'il avait connu : il semblait terne et délabré. D'énormes trous constellaient ses parois comme si des mites géantes s'en étaient rassasiées. L'antenne majestueuse qui couronnait son toit avait disparu. Patrick craignait qu'une bourrasque de vent plus forte que les autres ne fasse s'écrouler l'édifice comme un arbre mort. C'était un triste spectacle, qui lui remonta pourtant le moral. Il avait repris ses esprits. Sa bibliothèque chérie n'était normalement pas loin.

Plus il se rapprochait de l'Empire State Building, plus les rues étaient peuplées. Certains passants marchaient d'un pas décidé comme s'ils avaient effectivement un but, des gens à voir et des choses à faire. Un jour, ç'avait été le cœur financier de la ville. Patrick se demanda si ces gens allaient au travail ou s'ils en revenaient. La plupart portaient des vêtements ternes et anodins qui semblaient vieux et élimés. Cependant, d'autres arboraient des costumes à l'ancienne, cravate comprise. Mais ceux-ci également étaient usés. Vieux et tristes. Néanmoins, ils marchaient la tête haute. Quoi qui ait pu leur arriver, ils ne baissaient pas les bras. Cette idée le fit sourire.

« Ce sont bien des New-Yorkais », se dit-il.

Tout en avançant, il examinait les immeubles pour déterminer où pouvait être la bibliothèque. Ce n'était pas facile. Le trottoir était constellé de trous. Bien des rues étaient condamnées, soit parce que des bâtiments s'y étaient écroulés, soit parce qu'ils étaient sur le point de le faire. C'était frustrant. À peine avait-il l'impression de se rapprocher qu'il devait contourner des amas de débris qui l'écartaient du bon chemin. Finalement, Patrick vit un monument qui lui tira des larmes. C'était une statue représentant un lion. Ce lion et son frère jumeau gardaient toujours les marches de la bibliothèque publique de New York, tant dans sa Troisième Terre que par le passé. Il était chez lui.

Et pourtant, la bibliothèque n'avait pas grand-chose à voir avec celle qu'il connaissait. L'autre lion gisait à terre, non loin du premier, et seule sa face était identifiable. Les marches menaient à un bâtiment austère qui, à l'époque de Patrick, n'était plus qu'une façade. L'intérieur de l'ancienne bibliothèque avait été démoli pour faire place à la structure high-tech abritant les puissants ordinateurs qui contenaient toute l'histoire de la Terre. En montant ces escaliers familiers, Patrick constata que l'ancienne bibliothèque était toujours debout. Que devait-il en penser ? Il était heureux d'être arrivé, mais il espérait avoir accès à ces ordinateurs pour qu'ils lui apprennent ce qui était arrivé à cette planète. En voyant ces murs anciens à moitié éboulés, il comprit qu'il se berçait d'illusions. Il se demanda s'il y avait encore des livres derrière cette façade.

En passant la grande porte, Patrick se retrouva face à un spectacle totalement inédit. La bibliothèque. Ou plutôt *l'ancienne* bibliothèque. Il entra dans une grande salle pourvue d'immenses fenêtres aux sommets incurvés. Mais ce n'était que le vestibule : il n'y avait pas un seul livre à l'horizon. Il se dirigea vers la gauche, le long d'un grand couloir qui débouchait sur une vaste salle. En la voyant, il ne put s'empêcher de sourire. Patrick était professeur, historien et bibliothécaire. Entrer dans cette salle équivalait à plonger dans le passé de la Terre. Ce n'était pas un hologramme, mais la réalité. Pour la première fois, Patrick pouvait voir de ses yeux ce qu'était une vraie bibliothèque à l'ancienne.

De longs bancs de bois étaient disposés au hasard devant des étagères remplies de livres, rangée après rangée. Patrick n'en avait jamais vu autant. En fait, il en avait rarement vu en vrai. Sur sa Troisième Terre, le savoir accumulé au fil des âges était enregistré sur ordinateur. On avait plus de chances de voir des livres dans un musée que dans une bibliothèque. Au passage, il se dit que s'il n'était pas mort de frousse, il pourrait apprécier ce retour en arrière. L'ennui, c'est qu'il ne se trouvait pas dans le passé, mais dans le présent, et que celui-ci n'était pas tel qu'il aurait dû être.

Soudain, il remarqua quelque chose d'autre. La bibliothèque était déserte. Les gens ne lisaient donc plus ? Patrick ressentait un mélange d'horreur et de fascination. Il ne savait plus par où commencer. Comment apprendre ce qui était arrivé à la Terre ?

– Je peux vous aider ? fit une voix cassante.

Patrick se retourna pour voir un homme entre deux âges entrer d'un pas traînant dans la salle par cette même porte qu'il venait de franchir. Le nouveau venu soulevait des nuages de poussière virevoltant dans la lumière filtrée. Il se tenait courbé, comme s'il ployait sous le poids des années, et portait d'énormes lunettes qui lui faisaient des yeux deux fois plus grands qu'ils ne l'étaient.

– J'ai dit : je peux vous aider ? répéta l'homme d'un ton pressant.

81

Patrick ne devait pas se laisser déconcerter. Il avait besoin de réponses, et se mettre à discuter en déplorant les changements que la Terre avait subis ne l'avancerait guère.

– Où est tout le monde ? demanda-t-il.

– Qui ? répondit l'inconnu.

– Les lecteurs. Les habitués de la bibliothèque. Je veux dire, il n'y a personne.

Le vieil homme gloussa.

– Vous êtes mon premier visiteur de la journée. Pourquoi, ça vous surprend ?

Patrick ne savait trop comment répondre à cela.

– Je ne sais pas. C'est une grande bibliothèque, dans une ville importante. On peut croire qu'il y aurait des gens.

Le vieil homme haussa les épaules avec une résignation qui ne pouvait venir que d'une longue expérience.

– La vie est courte, soupira-t-il. Et personne ne veut savoir pourquoi.

– Je m'appelle Patrick, et je suis professeur.

Patrick tendit la main. Le vieil homme la serra. Patrick eut l'impression de tenir la patte d'un oiseau fragile.

– Moi, c'est Richard. Je suis un dinosaure.

Patrick éclata de rire. Ce type avait le sens de l'humour.

– Je présume que vous êtes bibliothécaire ?

– Je suis *le* bibliothécaire, s'empressa de répondre Richard. Le seul de toute la ville. Peut-être de l'État tout entier. Au fur et à mesure qu'on ferme les bibliothèques, c'est à moi qu'on envoie les livres. Pour eux, c'est le terminus. Quand cette baraque retournera à la poussière…

Il haussa tristement les épaules sans finir sa phrase.

– Pourriez-vous m'aider ? demanda Patrick. J'ai des recherches à effectuer, et je ne sais pas trop comment fonctionne cette bibliothèque.

Les yeux du vieil homme s'illuminèrent, comme si cela faisait très, très longtemps que personne n'avait eu besoin de son assistance. Patrick eut l'impression qu'il se redressait légèrement.

– Vous voulez préparer un cours ? demanda-t-il, très professionnel. Ou est-ce par intérêt personnel ?

– Pour un cours, répondit Patrick, sautant sur l'occasion. J'ai besoin de détails sur une période historique bien particulière, et je ne veux pas commettre la moindre erreur.

Richard partit d'un pas traînant, s'enfonçant dans la pièce remplie de livres en faisant signe à Patrick de le suivre.

– Quelle période vous intéresse ?

Patrick ne savait pas quoi répondre. Il voulait voir ce qui avait mal tourné. Qu'est-ce qui avait bien pu changer le destin de la Terre ? Quand cela avait-il commencé ? Et où ? Il aurait dû y réfléchir avant de s'adresser au vieil homme. Que devait-il dire ? Mais à peine y avait-il réfléchi que la réponse s'imposa d'elle-même.

– Le début du XXIe siècle, déclara-t-il, puis il décida de prendre le taureau par les cornes et ajouta : Je veux savoir comment tout ça a dérapé.

Le vieil homme s'arrêta et le foudroya du regard.

– Comment ça ?

Patrick aurait voulu lui dire que, quoi qui ait pu se passer, c'était forcément arrivé en Seconde Terre. La Troisième Terre était en pleine décomposition, et cela ne s'était pas fait en un jour. Ce devait être le résultat d'un processus graduel. D'après ce que Patrick savait de la quête de Saint Dane pour conquérir Halla, elle pouvait tout aussi bien avoir commencé en Seconde Terre. Chaque territoire avait un moment de vérité. Patrick comprit alors qu'il y avait de fortes chances que la Terre ait connu le sien… et qu'il ait mal tourné. C'était une hypothèse qui en valait une autre. Mais, bien sûr, il ne pouvait pas lui dire ça. Il se contenta de hausser les épaules :

– Une idée comme ça.

Richard le dévisageait toujours. Patrick sentit que quelque chose avait changé. Comme si un mur était tombé. Avait-il dit une bêtise ?

– Quelque chose ne va pas ? finit-il par demander.

– Je ne sais pas, répondit Richard d'un ton glacial. À vous de me le dire. Est-ce que quelqu'un m'observe ?

– Je ne vois pas de quoi vous voulez parler, répondit Patrick, intrigué.

– Vous me mettez encore à l'épreuve, hein ? rétorqua le vieil homme. J'en ai marre de vous voir me soupçonner de Dieu sait quoi simplement parce que je suis bibliothécaire. Je suis trop vieux pour supporter ça sans rien dire.

– Mais de quoi parlez-vous ? demanda Patrick, qui n'y comprenait goutte.

– Montrez-moi votre bras ! aboya Richard.

– Pardon ?

– Vous m'avez entendu. Montrez-moi votre bras !

Patrick ne voyait pas pourquoi ce vieil homme se montait la tête comme ça. Avant qu'il ait pu lui reposer la question, Richard s'empara de son poignet droit. Le vieil homme n'était pas aussi frêle qu'il en avait l'air. De son autre main, il souleva la manche de chemise de Patrick jusqu'au coude, dévoilant son avant-bras. Le bibliothécaire tira sur le poignet pour mieux examiner sa peau. Patrick ne résista pas. Il était trop stupéfait pour faire quoi que ce soit, sinon dévisager ce vieil homme au comportement incompréhensible.

– Qu'est-ce que vous cherchez ? finit-il par marmonner.

– Oh, arrêtez ! rétorqua Richard. Vous le savez aussi bien que moi !

– Euh… non, répondit Patrick.

– Des cicatrices ! s'écria le vieil homme. On ne me trompe pas si facilement ! Je peux dire si on l'a effacée !

Patrick retira son bras. Il en avait assez d'être traité comme une marchandise.

– Je ne cherche pas à vous mentir. Qu'est-ce que vous croyez qu'on m'a effacé ?

Richard toisa Patrick à travers ses grosses lunettes.

– Vous savez comme moi que toutes les archives relatives à cette époque ont été détruites. Vous pensez vraiment qu'il vous suffit de demander à les voir pour que je me trahisse ? Je ne suis pas si bête !

– Écoutez, Richard, commença patiemment Patrick, je ne sais pas pour qui vous me prenez, mais je ne cherche ni à vous trahir ni à vous espionner. Tout ce que je veux, c'est consulter des archives traitant d'une certaine période de l'histoire. C'est tout. Il n'y a rien de plus.

Richard sembla se radoucir.

– Je peux voir à nouveau votre bras ? S'il vous plaît ?

Patrick leva les yeux au ciel, mais tendit néanmoins le bras. Le vieil homme l'examina à nouveau tout en passant son pouce sur la peau, à l'affût de la moindre cicatrice.

– Je vous crois, fiston, finit-il par déclarer. Il n'y a rien là-dessus. Il n'y a jamais rien eu.

Patrick retira son bras et rabaissa sa manche.

– Qu'est-ce que vous pensiez trouver ?

Richard lui jeta un drôle de regard.

– Alors, vous dites vrai ? Vous ne le savez pas ?

– Je suis désolé. Peut-être que je devrais être au courant, mais ce n'est pas le cas.

– C'est peut-être mieux comme ça.

Patrick était entièrement d'accord. Peut-être valait-il mieux qu'il reste dans l'ignorance. Mais il n'avait pas le choix.

– Alors c'est vrai ? Toutes les archives relatives au début du XXIe siècle ont été détruites ?

Richard eut un soupir las.

– Excusez ma prudence excessive, mais la détention de documents de cette époque est un crime puni de mort. Il y a des espions partout, et ils cherchent ce qui manque. Ils sont déjà venus ici et m'ont posé les mêmes questions. Mais ils portaient la marque. Elle fait partie d'eux-mêmes. En général, ils ne font rien pour la cacher, à moins qu'ils ne cherchent la bagarre.

– Quel genre de marque ?

Richard releva ses lunettes pour se frotter les yeux. Il avait l'air bien las.

– Venez, dit-il, et il tourna les talons.

Patrick remarqua que le vieil homme était à nouveau voûté. L'espoir de pouvoir enfin se rendre utile en aidant quelqu'un dans ses recherches s'était évaporé. Richard le guida au milieu des rangées de livres moisis pour s'arrêter devant une porte en bois, qu'il déverrouilla à l'aide d'une clé antique. Patrick décida de ne plus lui poser la moindre question jusqu'à ce qu'ils aient atteint leur destination. Il était trop occupé à assimiler le fait que les archives relatives à la Seconde Terre puissent être prohibées. Pourquoi ? Par qui ? Qui étaient ces mystérieux hommes aux bras marqués, espionnant les gens pour s'assurer qu'ils ne conservaient pas de textes interdits permettant d'apprendre la vérité ?

La porte pivota avec un grincement indiquant qu'il y avait bien longtemps qu'on ne l'avait pas ouverte. À l'intérieur, dans une salle mal éclairée, Patrick vit des tables surchargées de papiers anciens. La salle semblait dans le plus grand désordre. Les murs étaient tapissés de livres. Malgré tout ce qu'il avait vu au cours de cette drôle de matinée, une telle quantité de bouquins restait surprenante.

— Fermez la porte, ordonna Richard en examinant une étagère. Je ne devrais plus m'en soucier. Je suis fatigué. Tout le monde s'en fiche. Pourquoi pas moi ?

Le vieil homme trouva ce qu'il cherchait. Il tira un lourd volume relié en cuir perdu au milieu des autres et le posa sur la table. Patrick s'attendait à ce qu'il l'ouvre, mais non. Il se contenta de tendre le bras vers l'espace vide qu'il avait occupé. Sous les yeux fascinés du Voyageur, le vieil homme ouvrit un compartiment secret situé derrière le livre et en tira un objet enveloppé d'un tissu rouge.

— Voilà tout ce qu'il reste, expliqua Richard. Enfin, pour autant que je sache. J'imagine qu'il doit y avoir d'autres petits bouts par-ci par-là, mais c'est tout ce que je peux vous montrer.

Le vieil homme se dirigea vers Patrick, le mystérieux paquet en main.

— Je ne sais pas qui vous êtes ni pourquoi vous voulez savoir ce qui s'est passé, reprit-il. C'est peut-être le moment de le redécouvrir.

Patrick retira le couvercle rouge, dévoilant ce qui ressemblait à un livre. Sauf qu'il n'y avait que la couverture. L'un des rebords était corné, comme si on l'avait déchiré.

– Ils ont détruit toutes les preuves, continua Richard. Ils ont effacé l'histoire. Ça fait si longtemps maintenant que les gens se demandent si c'est vraiment arrivé. Quelques-uns ont tenté de préserver le souvenir de ce qui s'était passé, ne serait-ce que pour s'assurer que ça ne se reproduirait pas. Mais c'est trop tard à présent. Leur œuvre se poursuit. Ils n'ont jamais renoncé. C'est pour ça que j'ai peur. C'est pour ça que j'ai regardé votre bras. Je devais voir si vous portiez la marque, si vous étiez l'un d'eux.

– Qui sont-ils ? demanda Patrick sidéré.

En guise de réponse, Richard lui montra la couverture du livre.

– Prenez-le, dit-il. Caché ici, il ne sert à rien.

C'était bien la couverture d'un volume à l'aspect ancien. Patrick n'aurait su évaluer son âge. Elle était faite de cuir brun craquelé avec deux impressions dorées aux couleurs passées. Sur la tranche, il y avait un seul mot écrit à l'horizontale.

– Ravinia, lut Patrick à voix basse.

Cela ne lui disait rigoureusement rien. Mais ce n'était pas ça qui attira son attention. C'était le symbole gravé juste à côté. Il lui était familier. Il lui donna le vertige.

– Méfiez-vous de ceux qui portent ce symbole, professeur, avertit Richard. Même après toutes ces années, ils sont toujours en activité. Ils n'ont pas abandonné. Je ne sais pas quel est leur but ultime, mais ça ne me dit rien qui vaille. S'ils apprenaient l'existence de cette couverture, ils la détruiraient. Et vous avec.

Le symbole faisait cinq centimètres de haut. Un jour, il avait dû briller d'une belle couleur dorée, mais il n'en restait plus que quelques paillettes. Patrick passa ses doigts sur la gravure, cherchant l'inspiration. En vain. Il n'y comprenait toujours rien.

Le symbole représentait une étoile à cinq branches. Celle qui désignait la porte menant aux flumes.

Un peu plus tard, Patrick alla s'asseoir dans le parc mal entretenu qui s'étendait derrière la bibliothèque. Il y eut un temps où celui-ci s'appelait Bryant Park, mais maintenant « Dépotoir Park » aurait été plus approprié. Les bancs étaient cassés, le sol jonché de détritus et des mauvaises herbes étouffaient tout ce qui passait à leur portée. Patrick serrait contre sa poitrine la couverture du livre glissé sous sa chemise. Il regarda le ciel gris, sinistre. Il avait envie de pleurer. Qu'était-il arrivé à son monde ? Qu'est-ce qui avait bien pu le mettre dans cet état ? Il était seul. Il avait besoin d'aide. Il avait besoin de se reprendre.

Il devait agir en Voyageur.

Il tira son anneau et le posa sur le sol. Peu lui importait si quelqu'un le voyait. Il voulait envoyer la couverture à Bobby Pendragon. Lui saurait ce qu'il convenait de faire.

– *Ibara*, déclara-t-il.

L'anneau ne réagit pas. Patrick le toucha du pied, comme pour le réveiller.

– *Ibara !* répéta-t-il.

Toujours rien. Patrick sentit l'angoisse l'envahir. En désespoir de cause, il cria :

– *Première Terre !*

En vain. Le monde de Patrick se refermait sur lui, sauf que ce n'était même pas son monde. Plus maintenant. Il ne s'était jamais senti aussi seul.

– Qu'as-tu fait, Pendragon ? chuchota-t-il en ravalant ses larmes. Où es-tu ?

PREMIÈRE TERRE

Le voyage de retour à New York à bord du *Queen Mary* leur prit six jours. Pour Mark, le trajet sembla durer six semaines. Il ne quitta guère la cabine qu'il partageait avec Dodger, même si celui-ci lui conseillait sans cesse d'aller prendre l'air. Ou d'aller faire un peu d'exercice. Enfin, de sortir. Mais Mark s'en fichait. Il passait la majeure partie de son temps allongé sur son lit ou à regarder défiler l'Atlantique à travers le hublot.

Dodger s'en tira mieux avec Courtney et les Dimond. Il réussit à les convaincre de tirer le meilleur parti de la situation. Ils jouèrent au tennis, profitèrent de la piscine et se régalèrent au restaurant. Cela dit, c'était surtout parce qu'ils n'avaient rien d'autre à faire. On ne peut pas dire qu'ils s'amusaient. Ils se contentaient de passer le temps. C'était toujours mieux que de devenir fou.

Nul ne parvenait à oublier que, une fois arrivés à destination, ils devraient décider de la conduite à tenir. Courtney promit à Mark de ne pas révéler à ses parents ce qui était arrivé avec Nevva Winter et à son anneau de Voyageur. Lorsqu'il se sentirait prêt, Mark prendrait sur lui de leur raconter toute l'histoire. Les quelques fois où elle lui demanda ce qu'il avait en tête, Mark répondit d'un grognement et d'un haussement d'épaules. Courtney craignait qu'il ne sombre dans la déprime et ne voyait pas comment l'en empêcher. Elle était passée par là et savait qu'il était inutile de vouloir discuter ou de compatir. Il faudrait qu'il s'en sorte tout seul. Tout ce qu'elle pouvait faire, c'était être là lorsqu'il aurait besoin de soutien. Plus d'une fois, elle avait empêché Dodger de rentrer dans la chambre pour secouer

Mark. C'était bien la dernière chose à faire. Il avait besoin de temps. De temps et de réponses.

Ce n'est qu'au dernier soir de leur voyage que Mark sortit de sa réclusion pour aller frapper à la porte de la suite de ses parents.

– Je suis désolé, dit-il, baissant la tête en voyant son père et sa mère. Pour tout.

Mme Dimond serra son fils dans ses bras avec force, comme si elle ne voulait plus jamais le lâcher.

– Mark, déclara M. Dimond, je ne comprends pas grand-chose à ce qui se passe, mais s'il y a une chose dont je suis sûr, c'est que tu n'as pas à t'inquiéter.

– On est fiers de toi, renchérit Mme Dimond en ravalant ses larmes. Quand je pense à ce que tu as dû endurer ! Ça dépasse l'imagination. Mon petit garçon… À quel moment as-tu grandi si vite ?

Mark ne savait pas trop ce qui s'était passé. Il aurait préféré ne pas le savoir. Son ancienne vie lui plaisait bien comme elle était. Au départ, l'idée que Bobby ne cesse de passer d'un monde à l'autre pour défendre la cause du bien lui semblait excitante et romantique. Et, pour être totalement honnête, il devait bien admettre qu'en ce temps-là il mourait d'envie d'être de l'aventure. Même s'il avait peur que Saint Dane ne choisisse de débarquer en Seconde Terre, d'une certaine manière, il avait hâte que ça se produise. Il avait soif d'action. Mais tout cela avait bien changé à présent. Saint Dane était le mal personnifié, et le mal n'a rien de romantique ou d'aventureux. Il avait détruit sa vie et avait bien failli tuer Courtney et ses parents… Sans oublier le fait que c'était son invention à lui, Mark Dimond, qui avait aidé Saint Dane à mettre en branle un mécanisme infernal affectant plusieurs territoires. Près de quatre ans s'étaient écoulés depuis le jour où il avait reçu le premier journal de Bobby. Désormais, il n'était plus le même. Et son ancienne personnalité lui manquait.

Mark rendit son étreinte à sa mère, puis se dégagea. Il n'était pas là pour s'excuser. Il avait à faire. C'était le moment de tenir un conseil de famille.

– On s'inquiète à ton sujet, commença M. Dimond.

– Moi, je m'inquiète pour tout, rétorqua Mark.

– C'est bien pour ça qu'on se fait un sang d'encre, ajouta M. Dimond. Tu ne peux pas résoudre à toi tout seul les problèmes de Halla, et tu ne peux pas non plus t'en rendre responsable.

Mark leva les yeux. Il n'était pas sûr d'être d'accord.

– Je ne sais pas comment vous le dire, fit-il en changeant de sujet, alors je vais y aller franco. Vous ne pouvez pas rentrer chez nous.

Les Dimond échangèrent un regard troublé.

– En Seconde Terre, je veux dire, précisa Mark. J'ai bien peur que si vous y retourniez, vous signiez votre arrêt de mort.

– Parce qu'on devrait prendre le flume avec un Voyageur ? demanda M. Dimond.

– Entre autres, répondit Mark. Mais aussi parce que Nevva Winter a menacé de vous tuer.

Les Dimond regardèrent longuement leur fils. Mme Dimond réussit à peine à émettre un faible « Oh ! ». Ils ouvrirent de grands yeux pendant qu'il leur expliquait le marché qu'il avait conclu avec Nevva. Son anneau en échange de leur vie. En entendant son récit, tous deux frémirent.

– Je ne voulais pas vous le dire, s'empressa d'ajouter Mark, mais ce serait mal. J'ai pris une décision, et il va bien falloir que je vive avec.

– Tu n'aurais pas dû faire ça, déclara sèchement M. Dimond.

– Vous vouliez que je fasse quoi ? s'écria Mark. Je pensais que Nevva avait commis une erreur. Elle a prétendu vouloir isoler Bobby, mais comme Dodger a lui-même un anneau, je me suis dit que ça n'avait aucune importance. Je me trompais.

– En ce cas, pourquoi voulait-elle s'en emparer ? demanda Mme Dimond.

– Je ne sais pas, et c'est bien ce qui me ronge, répondit Mark. J'ai déjà fait une bêtise en créant Forge, et j'ai bien peur d'avoir recommencé.

– Cette femme n'est pas humaine, murmura Mme Dimond.

91

– Oui, on peut dire ça, reprit Mark, résigné. J'ai en tête quelques autres qualificatifs à son sujet.

M. Dimond se leva et se mit à tourner comme un lion en cage.

– Il faut qu'on y retourne, affirma-t-il. Pas question de la laisser se servir de nous pour te nuire. À toi et à Halla.

– Il est trop tard, répondit Mark d'une voix douce.

– Mark ! cria son père. Là, on parle de l'avenir de l'humanité, pas uniquement de ta mère et moi !

– Je sais, p'pa, dit patiemment Mark, Mais le mal est fait.

Tous trois restèrent là, à se dévisager. Mark avait raison. Le mal était fait. Nevva avait l'anneau.

On frappa doucement à la porte.

– Entrez ! lança M. Dimond.

Courtney passa la tête par l'ouverture et les vit tendus comme des cordes de violon.

– Oups, pardon, dit-elle. Je vous laisse à vos affaires de famille.

Elle allait refermer la porte lorsque Mark lui dit :

– Non, entre. Ça te regarde aussi.

Courtney entra dans la chambre et regarda les Dimond d'un air penaud.

– J'imagine qu'on peut faire une croix sur la partie de tennis ?

Elle leur adressa un grand sourire plein d'espoir afin d'alléger l'atmosphère. Les trois Dimond la dévisagèrent fixement.

– C'est bon, j'ai compris, ajouta-t-elle. Je ne vais pas taper l'incruste.

– Je leur ai tout raconté, déclara Mark. Ils savent pour Nevva et l'anneau.

Courtney se détendit, heureuse que la vérité ait fini par sortir. Elle se laissa tomber dans un fauteuil.

– C'est nul, non ? Et maintenant, qu'est-ce qu'on fait ?

Mark se dirigea vers le hublot. De toute évidence, il avait quelque chose à dire, et les autres préférèrent garder leur opinion pour eux. Si toutefois ils en avaient une.

– J'y ai pas mal réfléchi, commença-t-il. À vrai dire, c'est à peu près tout ce que j'ai fait depuis que j'ai abandonné mon anneau. Après avoir lu le dernier journal de Bobby en provenance d'Ibara, on a conclu que tout était terminé. Sauf qu'on se trompait. Bobby est prisonnier. Saint Dane aussi. Mais de doute évidence, pas Nevva. Elle est libre de ses mouvements, et quoi qu'elle veuille faire avec cet anneau, ça ne peut rien présager de bon.

– Tu crois qu'elle peut vouloir s'en servir pour faire échapper Saint Dane d'Ibara ? s'étrangla Courtney.

– Peut-être. Je ne sais pas.

– Comment pourrait-elle y arriver ? demanda Mme Dimond.

– *Maman !* fit Mark avec une pointe d'impatience. À t'entendre, on dirait qu'on sait comment fonctionne tout ça.

– C'est vrai, s'empressa-t-elle de répondre. Pardon, pardon.

– Je crois savoir ce qu'il faut faire, reprit Mark. On doit rester en Première terre. Tous.

– Même si on le voulait, ajouta Courtney, on ne pourrait pas voyager. Au cas où vous l'auriez oublié, on n'est pas des Voyageurs, et je doute que cette chère Nevva veuille bien nous accompagner.

– Même si on pouvait changer de territoire, je crois qu'il vaut mieux qu'on reste ici.

– Je t'ai dit de ne pas te soucier de nous, intervint M. Dimond.

– Et pourtant je m'inquiète quand même, rétorqua Mark. D'après moi, tant que vous serez là, vous ne risquerez rien. Je n'ai aucune confiance en Nevva. Si vous rentrez chez nous, Dieu sait ce qui peut arriver.

– Mais pourquoi ? demanda Courtney. Ce n'est pas Saint Dane. Elle ne ferait pas quelque chose d'aussi horrible par plaisir. Non ?

– Je ne veux pas courir ce risque, répondit Mark d'un ton qui ne supportait pas la réplique.

– Mais, Mark…, protesta M. Dimond.

– P'pa ! aboya Mark. On doit rester ici. Maintenant, c'est ce qu'il y a de mieux à faire !

M. Dimond regarda son épouse. Mark ne leur avait encore jamais parlé sur ce ton. Ce n'était plus un petit garçon timide.

– D'accord, fiston, reprit calmement M. Dimond. C'est toi qui décides.

– Et que veux-tu qu'on fasse en 1937 ? demanda Mme Dimond. Qu'on entame une nouvelle vie ?

– S'il le faut, répondit Mark. On peut s'en sortir. L'argent de KEM nous y aidera. C'est même ma seconde raison de vouloir rester. Ça me fait mal de l'admettre, mais je suis en affaires avec KEM. Les dados sont une réalité. Peut-être que si on l'admet et qu'on accepte de prendre part au processus, on pourra trouver un moyen de saboter Forge. On est toujours en Première Terre. En 1937. On a encore une chance de changer l'histoire.

– C'est vrai ! renchérit gaiement Courtney. On n'en a pas fini avec ce territoire. On peut encore saborder la création des dados !

– N'oubliez pas Nevva, ajouta Mark. Il faut qu'on découvre pourquoi elle voulait s'emparer de mon anneau. Si elle apprend qu'on cherche à mettre des bâtons dans les roues de KEM, elle reviendra vers nous. Et je veux être prêt à l'accueillir.

– Ça me plaît bien, acquiesça Courtney avec une lueur mauvaise dans l'œil. Qu'elle vienne ! Je l'attends de pied ferme !

Tout le monde se regarda en hochant la tête. Ce que Mark disait était sensé. Mieux encore, il leur offrait une bouffée d'espoir. Une denrée rare ces derniers temps.

– Alors c'est donc ça, conclut Mme Dimond. On va vivre dans le passé.

– Les téléphones portables ne me manqueront pas trop, reprit M. Dimond en souriant. Pas plus que les fours à micro-ondes, les ordinateurs ou les sushis.

– Moi, j'aimais bien mon micro-ondes, dit Mme Dimond, malicieuse.

Ce qui leur arracha un petit rire. Ils formaient une famille à eux tous, Courtney comprise. Ils savaient que le lien qui les unissait les aiderait à s'en sortir et, mieux encore, à limiter les dégâts.

On frappa une fois de plus à la porte. Sans attendre la réponse, Dodger passa la tête par l'ouverture.

– Tiens donc ! Tout le monde est là ! C'est notre dernière soirée à bord. J'ai réservé pour le dîner. Qui veut venir avec moi ?

Tout le monde se tourna vers Mark, qui haussa les épaules et déclara :

– Pourquoi pas ? Autant célébrer le commencement de notre nouvelle existence.

Ce fut une excellente soirée. Ils dînèrent dans le même salon luxueux où Dodger et Courtney s'étaient confrontés à Mark lors de leur voyage vers l'Angleterre[1]. Mais, cette fois, ils étaient bien plus détendus. Dodger se comporta en hôte parfait et commanda pour tout le monde. Mme Dimond put danser avec son mari sur la musique de l'orchestre de swing. Elle réussit même à attirer Mark sur la piste. Courtney offrit une danse à M. Dimond, mais Dodger les interrompit pour la faire virevolter d'une main experte. Depuis l'âge de douze ans, Courtney avait pris des dizaines de cours de danse, mais toujours contrainte et forcée, pensant que c'était nul et que cela ne lui servirait jamais à rien. Bien sûr, elle ne s'était jamais dit qu'un jour elle se rendrait dans le passé pour embarquer dans un paquebot de luxe, où un orchestre jouerait du jazz entraînant rien que pour elle.

Ils firent de leur mieux pour oublier leurs inquiétudes, du moins pour un temps, et pour profiter de leurs dernières heures à bord du paquebot le plus luxueux de son époque. Ils passèrent toute la soirée dans ce restaurant. Ils avaient tout leur temps. Ils n'avaient nulle part où aller. À un moment donné, Courtney prit Mark par la main. Avant qu'il ait pu protester, elle l'entraîna sur la piste. Le morceau que jouait l'orchestre était lent – une ballade.

– Incroyable mais vrai, je commence à me faire à cette musique, fit Courtney en riant.

---

1. Voir Pendragon n° 8 : *Les Pèlerins de Rayne*.

– Oui, et moi, je commence même à l'apprécier, ajouta Mark.

– Je n'irais pas jusque-là.

Tous deux ondulèrent au rythme de l'orchestre. Mark fit un pas en arrière, prit la main de Courtney et la fit tournoyer avec une élégance surprenante. Une seconde plus tard, elle se retrouvait dans ses bras.

– Où est-ce que tu as appris à faire ça ? demanda-t-elle, surprise.

– Voyons, Courtney, on a suivi les mêmes cours de danse pendant deux ans, répondit sèchement Mark.

– Oh ! Vraiment ?

– À ce moment-là, tu ne savais même pas que j'existais.

– Mais pas du tout ! C'est que, je pensais, je veux dire... Bon, d'accord, tu as raison. Je ne savais pas que tu existais. Est-ce qu'on a déjà dansé tous les deux ?

– Non. Tu m'impressionnais trop.

– C'était il y a bien longtemps, reprit Courtney avec une pointe de tristesse.

– Il s'est passé beaucoup de choses depuis.

– C'est le moins qu'on puisse dire.

– Au moins, je n'ai plus peur de toi.

Courtney éclata de rire et serra Mark encore plus fort.

– Tu sais, dit Courtney, tu es mon meilleur ami.

– Je suis ton *seul* ami, répondit Mark avec un sourire moqueur. C'est dur de maintenir une vie sociale digne de ce nom lorsqu'on voyage dans tout Halla. Ces derniers temps, je n'ai pas trop eu l'occasion de faire la fête.

– C'est vrai, soupira Courtney. Quoique, même avant tout ça, tu ne sortais pas beaucoup.

– Merci de me le rappeler, répondit Mark avec un petit rire.

– Si ça peut te réconforter, je trouve que tu t'en sors comme un chef.

Jamais une fille ne lui avait fait un tel compliment. En fait, en général, elles ne lui adressaient même pas la parole. Il était en territoire inconnu. Il ne sut pas quoi répondre.

Courtney s'en chargea à sa place :

– Tu es censé dire : « Merci ! Moi aussi, je te trouve super ! »

– C'est vrai.

Ils dansèrent encore un peu, puis Courtney demanda d'un ton lugubre :

– Tu crois vraiment qu'on va devoir vivre le reste de notre existence dans le passé ?

– Je ne sais pas. Mais s'il le faut, je suis content de t'avoir à mes côtés.

Ils s'étreignirent encore plus fort et s'immergèrent dans la mélodie afin d'oublier ne serait-ce que quelques instants leurs inquiétudes. Et, durant ce bref moment de magie, Courtney aussi apprécia cette musique.

Le lendemain, ils ne surent où donner de la tête tant ils avaient à faire. Le *Queen Mary* avait accosté à New York et, pour les deux mille cinq cents passagers, l'attrait de la nouveauté s'était émoussé. Tous firent leurs bagages, pressés de quitter le paquebot. C'était un véritable chaos organisé.

Courtney, Dodger et les Dimond se réunirent dans la cabine de ces derniers en attendant que le plus gros de la foule ait débarqué. Leurs bagages étaient déjà en partance pour le Manhattan Tower Hotel. Dodger s'en était chargé.

– Je vous ai réservé des chambres, dit-il. Et à un bon prix. Vous n'aurez qu'à y rester en attendant de trouver un logement. Courtney pourra toujours prendre l'appartement de Gunny. Les Dimond auront des suites communicantes. Vous serez comme des coqs en pâte.

– Qui t'a nommé directeur de l'hôtel ? demanda Courtney.

– Je te l'ai dit, c'est nous, les grooms, qui faisons tourner la boutique. On sait dans quels placards se trouvent les squelettes.

– D'après ce que j'ai entendu dire de cet hôtel, ironisa Courtney, ce n'est pas qu'une figure de style.

– Ouais, très drôle. Tout le monde est prêt ?

Ils échangèrent un regard. Mark rompit le silence :

– Rentrons chez nous.

Ils traversèrent les coursives jusqu'au pont-promenade, où ils trouvèrent la passerelle permettant de descendre à terre.

C'est ainsi qu'ils quittèrent le paquebot qui leur avait plus ou moins servi de demeure pendant tant de jours. Personne ne le regretterait. Dodger héla un taxi, et ils se massèrent sur la banquette arrière.

– Le Manhattan Tower Hotel, annonça Dodger, puis il ajouta : Attendez un instant.

Il passa la main par la cloison séparant les passagers du conducteur, saisit le menton du type derrière le volant et le tourna vers lui.

– Hé là ! protesta le chauffeur.

– Te fais pas de bile, dit Dodger, avant de se tourner vers les autres : Ce type vous rappelle quelqu'un ?

Tout le monde secoua la tête. Dodger lâcha le pauvre bougre.

– C'est bon. Allons-y.

Courtney éclata de rire. Elle savait très bien ce que le groom voulait dire. La dernière fois qu'ils avaient pris un taxi, le chauffeur s'était révélé être Saint Dane, et ils avaient bien failli y rester[1]. Dodger ne voulait pas prendre de risque.

Le trafic était fluide, et ils furent bien vite arrivés au Manhattan Tower Hotel. Le taxi aborda Park Avenue, passa le rond-point et s'arrêta devant les marches de l'hôtel.

– Tout le monde à terre ! annonça Dodger.

Il se chargea de payer la course et ajouta :

– Merci, mon gars. J'ai ajouté un bon pourliche pour la peine.

Le chauffeur prit les billets en fixant Dodger d'un air furieux. Il n'aimait pas ce gamin un peu trop crâneur, mais ne crachait pas sur son argent.

Alors que tout le monde descendait de voiture, Dodger dit :

– Je vais voir où sont nos sacs. On se retrouve dans le salon.

Il bondit le long des escaliers sans attendre de réponse, saluant au passage tous ses collègues. Dodger était à nouveau en terrain familier. M. et Mme Dimond le suivirent de près, cette dernière grommelant qu'elle devait aller aux toilettes.

_____

1. Voir Pendragon n° 8 : *Les Pèlerins de Rayne.*

Le taxi s'en alla à toute allure, laissant Mark et Courtney plantés sur le trottoir. Mark regarda d'un œil admiratif l'immense façade rose de l'hôtel.

– Exactement comme Bobby l'a décrit, non ? demanda Courtney.

– C'est comme si nous entrions dans les pages d'un livre, dit doucement Mark. Ou d'un journal.

– Il est plutôt cool. Vieux, mais cool. Je vais te faire faire le tour du propriétaire.

Ils allaient gravir l'escalier lorsqu'une voix d'homme s'éleva derrière eux :

– Courtney ?

Ils entendirent cet appel, mais ni l'un ni l'autre ne crurent qu'il s'adressait à eux. En 1937, personne ne connaissait Courtney. Ce devait être un homonyme. Ils ne s'arrêtèrent même pas.

– Courtney Chetwynde ? insista la voix.

Tous deux se figèrent, puis se retournèrent lentement.

L'homme se trouvait dans le jardin au-delà du rond-point, face aux portes de l'hôtel. La première idée qui vint à l'esprit de Mark, c'est qu'il avait vu un fantôme. Il se tenait là, raide comme la justice. Ses vêtements étaient fripés et déchirés, comme s'il s'était bagarré. Son visage ne présentait guère un meilleur aspect. Il avait une estafilade à la joue, couverte de sang séché. Plus étrange encore, on aurait dit que ses vêtements ne venaient pas de Première Terre. Il portait une simple chemise noire à manches longues et un jean. Ses cheveux noirs désordonnés tombaient sur ses oreilles. Ses yeux étaient enfoncés dans leurs orbites, comme s'il n'avait pas dormi depuis des lustres.

Ni Mark ni Courtney ne le reconnurent. Ils ne l'avaient jamais vu de leur vie.

– Je ne savais pas où aller, balbutia l'inconnu, toujours figé sur place.

Il semblait près de s'effondrer. En tout cas, il était au bout du rouleau.

– J'ai attendu, dans l'espoir que vous reveniez. Désolé. Je n'avais personne d'autre à qui m'adresser.

Bien que ce type ne la rassure pas, Courtney se dirigea vers lui. Mark lui prit le bras :

– Hé, attends !

– C'est bon, répondit-elle calmement.

Elle s'approcha de l'inconnu. Mark lui emboîta le pas.

– Je suis désolée, dit-elle d'une voix rassurante, mais je ne crois pas vous connaître.

L'homme eut un petit rire sans joie.

– Ça ne m'étonne pas, dit-il. Ces derniers temps, je ne suis plus que l'ombre de moi-même. Je ne sais même pas si je me reconnaîtrais *moi*.

– Qui êtes-vous ? demanda Mark.

– Tout a changé, Courtney, répondit l'inconnu. Plus rien n'est comme avant. Et il faut qu'on découvre pourquoi.

Ils ne surent quoi répondre.

– Voilà qui vous rappellera des souvenirs, déclara-t-il en levant sa main droite.

À son majeur était passé un anneau. Un anneau de Voyageur.

Courtney comprit aussitôt. Elle le dévisagea, stupéfaite.

– Patrick ?

Celui-ci sourit. Il avait réussi à les contacter. Une bouffée de soulagement monta en lui, si forte qu'il ne put la supporter. Le Voyageur de Troisième Terre s'effondra, inconscient, devant le Manhattan Tower Hotel.

PREMIÈRE TERRE
(suite)

Patrick ouvrit lentement les yeux. Il était plongé dans le noir
– des ténèbres trop profondes pour qu'il puisse voir où il se
trouvait. Pendant un instant, il se demanda si tout ce qu'il avait
vécu n'était pas un rêve. Et s'il se trouvait dans son lit, loin en
dessous des prairies de Manhattan ? Et s'il n'y avait pas de
statue verte de l'autre côté de la fenêtre, à le fixer de son
regard minéral ? Tout était-il redevenu normal ?

Non.

– Hé, ça va ? lui demanda Courtney.

Patrick revint aussitôt à la réalité.

– Ça allait… enfin, jusqu'à ce que j'entende ta voix !

– Merci bien, répondit-elle, sarcastique. Alors tu ne veux
pas non plus du verre d'eau que je t'ai apporté ?

Patrick lutta pour se redresser. La tête lui tournait, il avait
une migraine de tous les diables, et tout allait de travers.

– Non, je meurs de soif.

Courtney l'aida à se redresser et lui offrit un grand verre d'eau.

– Vas-y doucement.

Patrick but une gorgée. Cette eau avait bon goût. C'était
bien la seule bonne chose qui lui soit arrivé depuis le
commencement de cette journée de malheur.

– Vous êtes dans l'appartement de Gunny van Dyke au
Manhattan Tower Hotel, lui annonça Mark.

Patrick battit des paupières et vit Mark assis dans un
fauteuil de l'autre côté du studio en sous-sol qui appartenait
au Voyageur de Première Terre.

101

– Je suis Mark Dimond, un des Acolytes de Bobby.

Patrick ouvrit de grands yeux.

– Les dados avaient ton visage !

– Quoi ? s'écria Mark, atterré.

– Trop cool, fit Courtney avec un petit rire. Les dados de Troisième Terre sont bâtis sur ton modèle. Après tout, tu es leur père.

Mark fronça les sourcils.

– Je ne trouve pas ça « cool » du tout.

– C'est vrai, s'empressa d'ajouter Courtney. Mais la ressemblance est vraiment surprenante.

– Arrête ! trancha Mark.

– Heureux de te rencontrer, Mark, dit Patrick avec chaleur. On m'a beaucoup parlé de toi. Content que tu ne sois pas mort.

– Oui, je n'en suis pas mécontent, moi non plus, répondit Mark.

Patrick but une autre gorgée d'eau et scruta des yeux la pièce, témoignage de la vie de Gunny en Première Terre.

– C'est bizarre, non ? dit Courtney comme si elle lisait ses pensées. Tu avais déjà quitté la Troisième Terre ?

Patrick acquiesça.

– Je suis déjà venu ici. Avec Gunny. Mais ça reste déconcertant.

– Oui, on peut le dire comme ça, ajouta Courtney.

Mark et Courtney regardèrent Patrick avec curiosité. Mark se dit qu'il avait l'air sous le choc. De toute évidence, il avait vécu une expérience traumatisante. Mais ils ne le bombardèrent pas de questions. Ils préféraient attendre qu'il ait repris ses esprits. Finalement, Patrick but une dernière gorgée, s'essuya la bouche de sa manche et regarda Mark et Courtney.

– L'avenir n'est plus ce qu'il était, déclara-t-il solennellement.

Courtney et Mark se regardèrent.

– Je n'ai pas la moindre idée de ce que ça veut dire, répliqua Mark.

– Ça veut dire que la Troisième Terre a changé.

– Oui, il est au courant pour tous ces dados à son image, dit Courtney.

Patrick eut un rire chargé d'ironie.

– J'aimerais bien que ce soit la seule différence !

Il entreprit de leur expliquer en détail ce qui lui était arrivé depuis son réveil. Il tira de sous sa chemise la mystérieuse couverture de livre déchirée frappée de l'étoile à cinq branches. Il l'avait gardée contre son cœur afin de mieux la protéger. Mark et Courtney la contemplèrent avec stupéfaction.

– C'est le symbole qui désigne les portes ! s'exclama Mark.

Patrick acquiesça.

– En voyant que je n'arrivais pas à contacter Pendragon, je suis retourné dans la bibliothèque. Je voulais en savoir davantage. Richard, le bibliothécaire, était mon seul lien avec la réalité, si c'est le nom qu'on peut lui donner.

Patrick s'essuya nerveusement les yeux. Mark et Courtney comprirent que son histoire risquait de ne pas bien se terminer.

– J'ai entendu des cris provenant de la pièce où Richard m'avait donné cette couverture. J'ai couru le long du couloir et je me suis arrêté devant la porte en entendant un bruit. Comme si on avait renversé quelque chose.

Patrick se tut, ce souvenir était sans doute douloureux. Mark et Courtney attendirent patiemment. Ils savaient que Patrick raconterait ce qui s'était passé du mieux qu'il pouvait.

– Quand j'ai regardé à l'intérieur, reprit-il, j'ai vu que la plupart des livres avaient été renversés. Ils jonchaient le sol. Il y avait quatre hommes vêtus de rouge dans la pièce. Impossible de vous dire à quoi ils ressemblaient, sinon qu'ils avaient tous des cheveux coupés très court. Ils avaient... (Patrick se tut le temps de prendre une gorgée d'eau avant de poursuivre :) Ils brutalisaient Richard, ils le balançaient contre les étagères, chacun leur tour. C'est un vieil homme. Il ne pouvait pas se défendre. J'allais lui venir en aide quand l'un d'entre eux lui a crié en pleine face :

– Où est-elle ?

Mark tendit la couverture.

– C'est ça qu'ils cherchaient ?

Patrick acquiesça.

103

– Le panneau secret où Richard l'avait cachée était ouvert. Je ne sais pas comment ils ont appris son existence, mais ils savaient. Ce qu'ils ignoraient, par contre, c'est que le compartiment était vide. Richard m'avait donné la couverture. Et il ne risquait pas de leur dire, même au prix d'un tabassage en règle. Je n'avais jamais rien vu de tel. Lui qui est si frêle ! L'un des hommes l'a frappé du plat de la main. Il lui a arraché ses lunettes et son nez s'est mis à saigner, mais il n'a rien dit. Je... Je voulais le secourir, mais...

– Mais dans ce cas, termina Courtney, ils se seraient emparés de la couverture.

– C'est vrai, c'est ce que je me suis dit, confirma Patrick. Cette couverture était mon seul lien physique avec le passé. Ils ne devaient pas mettre la main dessus. J'espère que j'ai eu raison, parce que ce pauvre homme a payé le prix fort.

– Alors tu t'es enfui ? demanda Mark.

– Non ! répondit Patrick. Je n'aurais jamais pu faire une chose pareille ! Je suis resté là, paralysé. Je ne savais pas quoi faire. Je ne suis pas un lâche, mais... Je n'avais jamais rien vu de tel. J'étais... sous le choc.

– On te comprend, dit Courtney, rassurante.

– Tu crois ? C'était horrible ! Ils ont jeté Richard contre le mur, et il s'est effondré comme une poupée de chiffon. Quand il a touché le sol, il a levé les yeux et il m'a vu. L'un des hommes l'a remarqué et a suivi son regard. Il m'a repéré, je suis resté planté là comme un crétin, mais il n'a rien fait. Les autres m'ont regardé, eux aussi. Ils n'ont pas réagi non plus. C'était angoissant.

– C'étaient des dados ? demanda Courtney.

– Je ne crois pas. Ils n'étaient pas tous semblables. Celui qui m'a vu a désigné Richard et a dit : « Cet homme est un criminel. Il est illégal de posséder des documents interdits. » (Patrick avala sa salive et reprit :) Quand ce type a montré Richard du doigt, j'ai vu quelque chose sur son avant-bras. On aurait dit un tatouage vert de deux centimètres.

– Un tatouage qui représentait quoi ? demanda Courtney, les yeux écarquillés.

Patrick désigna la couverture du livre.

– L'étoile ? bafouilla Mark. Il avait cette étoile tatouée sur le bras ? Celle des p-p-portes ?

Patrick hocha la tête.

– Ce doit être ça que Richard cherchait quand il a examiné ton bras ! s'exclama Courtney. Il voulait savoir si tu étais l'un d'entre eux…

– Il savait qu'ils le surveillaient, et il voulait protéger la couverture, continua Patrick. Préserver l'histoire de ce monde. Je ne sais pas qui sont ces brutes, mais c'est ce qu'ils cherchent à effacer. Je ne pouvais pas les laisser faire. Alors je me suis enfui.

– Où ? demanda Courtney.

– Peu importe. Loin. Tout ce qui comptait, c'était qu'ils ne mettent pas la main sur la couverture. J'ai couru dans les profondeurs de la bibliothèque, évitant des tables cassées et des livres éparpillés. Je ne savais pas où j'allais, mais je ne pouvais pas m'arrêter, parce qu'ils étaient à mes trousses. J'ai dévalé un escalier et je suis passé par une sortie de secours qui m'a mené au parc délabré qui s'étend derrière la bibliothèque. J'ai frôlé des statues en piteux état et des portions entières de mur éboulées, en jouant au chat et à la souris avec mes pour-suivants. Ils n'étaient pas très malins. Ils ne se sont même pas séparés pour mieux me coincer. Finalement, je les ai semés dans ce labyrinthe et je me suis caché sous une dalle de béton à demi effondrée. J'ai bien dû y rester une heure. Je crois que j'y serais encore s'il ne s'était pas passé quelque chose.

– Quoi ? demanda Mark.

– Quand j'ai enfin osé jeter un œil hors de ma cachette, j'ai vu un nuage de fumée noire s'élever de la bibliothèque.

– Un incendie, hoqueta Courtney.

– Il provenait du secteur où j'avais laissé Richard. Ça m'a mis hors de moi. Tout à coup, cette couverture ne me semblait plus si importante. Je devais y retourner. J'ai refait le même chemin en sens inverse jusqu'à la bibliothèque et j'ai regagné le couloir central. Il y avait de la fumée partout. Je n'y voyais pas grand-chose, mais j'ai réussi à retrouver la pièce.

Les quatre hommes étaient repartis. Pas Richard. Il gisait là, assommé, entouré de livres en flammes. Ils l'avaient laissé pour mort. Je l'ai traîné hors de la salle incendiée et je l'ai pris sur mon dos. Ce n'était pas bien difficile : il était léger comme une plume. J'ai réussi à gagner l'entrée et j'ai descendu l'escalier. Une petite foule s'était rassemblée, mais personne n'a fait un geste pour m'aider. Le bâtiment en flammes les intéressait bien davantage. Je m'attendais à voir arriver un camion de pompiers toutes sirènes hurlantes. Tu parles ! Je ne suis même pas sûr qu'il y ait encore des pompiers en Troisième Terre.

– Et Richard ? demanda Mark, impatient.

– Il était mal en point, mais toujours vivant. Je me suis assis sous le lion de pierre et j'ai posé sa tête sur mes genoux. Il m'a regardé avec des yeux troubles et m'a souri. Oui, il a souri et m'a dit : « Découvrez la vérité, professeur. C'est ce qu'ils redoutent le plus. »

Patrick fit de son mieux pour garder le contrôle de ses émotions.

– Il a regardé la bibliothèque, reprit-il. Des flammes jaillissaient de toutes les fenêtres. Ce spectacle a eu l'air de le navrer, plus encore que les coups qu'il avait reçus. Il a détourné les yeux, comme s'il ne voulait pas en voir davantage, et a ajouté : « Notre histoire est tout ce qu'il nous reste. Ne les laissez pas la détruire. »

Patrick se tut, les laissant mesurer toute l'horreur de son histoire. Ou peut-être lui était-il pénible de la revivre.

– Enfin, des gens sont arrivés et ont dit qu'ils allaient transporter Richard à l'hôpital, mais je n'avais pas confiance. Qui sait à quoi peuvent ressembler les hôpitaux de Troisième Terre ? Et pourtant, je n'avais pas le choix, parce que je ne pouvais pas emmener Richard avec moi. Pas pour ce que j'avais à faire.

– C'est-à-dire ? demanda Courtney.

Patrick s'assit sur le lit et la regarda droit dans les yeux.

– Je devais trouver Pendragon. Il fallait qu'il sache ce qui était arrivé. Or je n'y suis pas arrivé. Aux dernières nouvelles, il était sur Ibara, mais quand j'ai voulu le contacter par le biais de mon anneau, ça n'a pas marché. J'ai laissé Richard et je suis allé à l'entrée du flume pour tenter de me rendre en personne sur Ibara, mais il n'a pas voulu m'y déposer. Je n'avais qu'une seule possibilité : venir ici. (Patrick commençait à s'échauffer.) C'est là que vous étiez allés en quittant la Troisième Terre, et c'était le seul endroit où je pouvais me rendre. Qu'est-il donc arrivé au flume ? Pourquoi ne peut-on plus contacter Ibara ? Où est Pendragon ?

Courtney inspira profondément. Ce qu'elle allait dire à Patrick ne lui remonterait certainement pas le moral, mais il le fallait. Elle lui résuma rapidement ce qui était arrivé sur Ibara et la bataille pour Rayne. Pour Veelox. Elle lui raconta l'origine des dados en Première Terre et la technologie inventée par Mark, qu'il avait baptisée Forge. Elle termina par la façon dont Bobby avait détruit le flume d'Ibara, se prenant lui-même au piège avec Saint Dane... Ce qui expliquait probablement pourquoi Ibara était inaccessible.

Mark écouta le tout sans rien ajouter, sinon à la fin, lorsqu'il apprit à Patrick qu'il avait donné son anneau de Voyageur à Nevva Winter en échange de la vie de ses parents. Il précisa qu'à ce moment-là, il pensait que cela ne changerait rien, puisqu'il pourrait toujours communiquer avec Bobby grâce à l'anneau de Dodger, mais celui-ci ne fonctionnait pas plus que celui de Patrick.

Ce dernier écouta attentivement. À chaque nouvelle révélation, ses épaules s'affaissaient davantage.

– Pourquoi les anneaux refusent-ils de fonctionner ? demanda-t-il.

– Oh, ils fonctionnent, affirma Courtney. Mais le contact avec Ibara est rompu.

– Le vrai mystère, insista Mark, c'est pourquoi Nevva voulait mettre la main sur l'anneau. Je ne peux m'empêcher de penser que ça doit avoir un rapport avec les événements qui ont entraîné tous ces changements en Troisième Terre.

– Non, tu crois ? fit Courtney, ironique.

– Je vais te dire ce que je crois, annonça Mark en se levant. Je crois que le moment est venu.

– Quel moment ? demanda Courtney.

– L'événement qu'on redoutait depuis le début. Tous les signes sont là.

– Quels signes ? Quel événement ? demanda Patrick, troublé.

– La Troisième Terre a été modifiée. Une fois de plus. Patrick, tu es tombé sur des gens qui tentaient de détruire les dernières archives relatives aux événements qui se sont produits pendant la première partie du XXIᵉ siècle. Autrement dit, la Seconde Terre. Ça ne peut pas être une coïncidence.

– Mon Dieu…, murmura Courtney, qui venait de comprendre les implications.

– Oui, reprit Mark. Ce qui s'est passé en Seconde Terre doit avoir entraîné des conséquences dramatiques en Troisième Terre.

– Alors c'est enfin arrivé, lâcha Courtney.

– Oui, acquiesça Mark. La bataille pour la Seconde Terre a déjà commencé, ajouta-t-il avec fermeté. Il faut qu'on rentre chez nous.

– Mais on ne peut pas prendre le flume sans un Voyageur pour nous accompagner, contra Courtney.

Mark se tourna vers Patrick.

– C'est une chance qu'on en ait un sous la main.

Mark convoqua un nouveau conseil de famille à l'hôtel même, dans la suite de ses parents. La « famille » comprenait Courtney et Dodger. Courtney et Mark leur expliquèrent tout ce que Patrick avait raconté. Mark ne leur épargna pas les détails les plus inquiétants. Il dit qu'il tenait à ce que ses parents restent en Première Terre, non seulement à cause de la menace que constituait Nevva, mais aussi pour garder un œil sur KEM. Il restait toujours un espoir de pouvoir empêcher la création des dados. Dodger serait leur guide dans ce monde du passé. Mark ajouta qu'ils allaient passer une bonne nuit, autant que faire se peut, et partir pour le flume à la première heure. Mark avait tout planifié, à un détail près : malgré tout ce qu'ils avaient vécu, aux yeux de sa mère, il restait un petit garçon. Savoir qu'il allait se fourrer dans un tel pétrin, aussi nécessaire que cela puisse être, était trop pour elle. Elle fondit en larmes.

– Pourquoi ? demanda-t-elle. Pourquoi est-ce que tout ça nous tombe dessus, et pourquoi est-ce vous qui devez tout arranger ? On ne peut pas se contenter d'appeler la police ? Ou le président ? Ou… Ou… quelqu'un ?

Mark alla s'asseoir à côté de sa mère et passa son bras autour de ses épaules. C'était le genre de démonstration d'affection que sa mère lui avait prodigué bien des fois par le passé. Mais maintenant, tout était différent. C'était Mark qui devait se montrer fort.

– Je ne sais pas, m'man, dit-il sincèrement. Je ne sais plus rien. Seulement que notre devoir est d'aider les Voyageurs à combattre Saint Dane. On n'a pas vraiment le choix.

– Mais je veux quand même venir avec vous, ajouta le père de Mark.

– Je sais, p'pa, répondit Mark. Sauf que c'est impossible.

M. Dimond finit par se résigner. Il en était bien conscient.

Cette nuit-là, personne ne dormit bien longtemps. Patrick partagea avec Mark la chambre de Gunny, où il s'installa dans le fauteuil. Ils se racontèrent des histoires qui avaient principalement trait à Bobby Pendragon. Lorsqu'ils finirent par s'assoupir, Patrick eut l'impression d'avoir une idée plus précise du Voyageur en chef. Mark, lui, avait l'impression de s'être fait un ami et un allié. Et ils auraient besoin de toutes les bonnes volontés disponibles.

Le lendemain matin, tout le monde se retrouva dans la suite des Dimond pour partager le petit déjeuner royal que Dodger avait commandé aux cuisines de l'hôtel. Il y avait des montagnes de plats remplis d'œufs brouillés, de pâtisseries, de bacon, de pommes de terre, de crêpes et de fruits. « Ce n'est pas bon de voyager à travers le temps et l'espace l'estomac vide », dit-il en guise d'explication. Mark savait qu'il avait raison. Ils ignoraient ce qui les attendait en Seconde Terre, et quand ils auraient à nouveau l'occasion de se restaurer. Bien qu'ils n'aient pas beaucoup d'appétit, ils firent honneur au repas. Mais ce n'était pas un festin de célébration comme celui qu'ils avaient fait lors de leur dernière soirée à bord du *Queen Mary*. Pour Courtney, cela évoquait plutôt un déjeuner avant une compétition. Tout le monde était tendu. Ils ne dirent pas grand-chose, l'esprit ailleurs.

Lorsqu'ils eurent terminé, Dodger s'excusa sous prétexte de les laisser faire leurs adieux. Il serra la main de Patrick, puis celle de Mark en disant : « Je prendrai bien soin de tes parents. » Mark se contenta de hocher la tête.

Dodger se posta alors face à Courtney et lui tendit les bras avec un sourire malicieux.

– Tu sais quoi ? T'es pas trop mal pour une nana.

– Pour une *dame*, tu veux dire, répondit Courtney.

Tous deux éclatèrent de rire et s'étreignirent.

– Merci, Dodger, lui chuchota Courtney à l'oreille. Gunny a bien choisi. Tu es formidable.

– Oui, hein ?

Il écarta Courtney en écrasant rapidement une larme.

– Fais bien attention à toi, hein, frangine ? ajouta-t-il. Si jamais tu reviens par ici, tu sais où me trouver.

– Je suis sûre que d'ici là, tu auras pris la direction de l'hôtel, répondit Courtney en souriant.

– Hé, je le dirige déjà !

Le groom inclina sa casquette, recula et s'en alla après un dernier « Bonne chance ! ».

– On devrait y aller, dit Mark.

Patrick serra la main des Dimond en disant :

– Un jour, vous saurez tout ce que ces enfants ont dû endurer.

– Je ne sais pas si je le veux vraiment, répondit M. Dimond.

Courtney les serra tous les deux contre son cœur.

– Ne vous en faites pas pour nous. Essayez plutôt de déjouer les plans de KEM !

Mark se retrouva face à ses parents. Personne ne savait quoi dire.

– Tu ne devrais pas emmener des affaires ? demanda Mme Dimond.

– Non, m'man. On ne doit pas passer d'objets d'un territoire à l'autre, tu te souviens ?

Mme Dimond hocha la tête. Elle avait oublié.

– J'ai l'impression de voir mon fils unique partir à la guerre, remarqua M. Dimond.

Mark haussa les épaules, mais ne dit rien. En fait, c'était exactement ce qui se passait.

– On essaiera de vous contacter dès qu'on le pourra. Essayez de ne pas trop vous inquiéter. Et restez sur vos gardes. On ne sait toujours pas ce que mijote Nevva.

– C'est noté, fiston, répondit M. Dimond en serrant son fils dans ses bras.

Mark étreignit sa mère. Elle était en larmes. Tout ce qu'elle put lui dire fut :

– Je veux te revoir.

– Bientôt, affirma Mark. Je te le promets.

Le trajet se fit en silence. Ils prirent un taxi pour se rendre à la station de métro abritant le flume, puis descendirent l'escalier jusqu'au quai et marchèrent rapidement vers son extrémité. Heureusement, il n'y avait pas grand monde, si bien qu'ils n'eurent pas à s'inquiéter d'être vus alors qu'ils descendaient sur les rails. Mais avant qu'ils ne s'y engagent, Patrick s'arrêta le temps de contempler cette station de métro de Première Terre.

– Il y a quelque chose de bizarre, déclara-t-il. En Troisième Terre, je veux dire.

– Plus bizarre que tout ce que tu nous as déjà décrit ? remarqua Courtney.

Patrick regarda autour de lui en essayant de faire revenir cette pensée fugitive.

– C'était la porte menant au flume. Je savais qu'elle serait bien différente de celle que je connaissais, puisqu'en Troisième Terre tout était modifié. Mais ces changements étaient… bizarres.

– Comment ça ? demanda Mark.

– J'ai mis presque toute une journée pour la retrouver, expliqua Patrick. Je n'avais que mes souvenirs de Première et Seconde Terre comme points de repère. Je me suis dit qu'elle devait ressembler à ça, en plus délabré, comme tout le reste de la Troisième Terre.

– Et ce n'était pas le cas ? demanda Courtney.

– Non. Sans mon anneau pour me guider, je ne l'aurais jamais trouvé. Le flume se situait sous un immeuble éboulé. Il n'était pas si bien caché.

– Tu veux dire qu'il était là, à ciel ouvert ? insista Courtney, incrédule.

– Non, mais on aurait dit qu'à un moment ou à un autre on l'avait déterré, et que seuls les débris de l'immeuble étaient là pour le dissimuler.

– D'après toi, qu'est-ce que ça veut dire ? renchérit Mark.

Patrick haussa les épaules.

– Je n'en sais rien. Mais je pense qu'il va falloir le découvrir.

Quelques minutes plus tard, le trio se retrouva face au flume situé sous les rues du Bronx. Ils restèrent là, épaule contre épaule, à fixer le tunnel sombre.

– Une pensée profonde ? demanda Mark.

Il regarda Courtney, qui haussa les épaules et dit :

– Ça nous pendait au nez depuis un bon bout de temps. Au moins, notre attente touche à sa fin.

Mark se tourna vers Patrick, qui scrutait les profondeurs du flume. Il le trouva bien pâle.

– Ça va ? demanda-t-il.

– C'est peut-être moi le Voyageur officiel, dit-il d'une voix tremblante, mais à vous deux, vous en avez vu bien plus que moi.

Courtney lui donna une tape amicale sur le bras.

– Ne t'en fais pas, on t'aidera à te débrouiller.

– Et nous, ajouta Mark, qui nous aidera ?

– Je vais y réfléchir, répondit Courtney. Rentrons chez nous.

Patrick se redressa et cria :

– *Seconde Terre !*

Le flume prit vie. Tous trois restèrent plantés là, à attendre qu'il les emporte.

– Comme j'aimerais que Bobby soit là, murmura Courtney à Mark.

Et ils étaient partis.

Journal n° 33

IBARA

J'espère qu'un jour, tu pourras lire ceci, Mark.

Et toi aussi, Courtney. Bien sûr.

Je sais que c'est probablement impossible. Et pourtant, je vais continuer à écrire ces journaux comme s'ils vous étaient destinés. Ça m'aide à croire que nous ne sommes pas si éloignés. Même si je sais que c'est faux. C'est dur d'admettre qu'on ne se reverra jamais, même s'il est encore plus difficile de chercher un moyen d'être réunis. La porte du flume est enterrée sous des tonnes de roches volcaniques. La seconde porte, celle de Rubic City, est tout aussi inaccessible, obstruée par les débris d'un immeuble écroulé. Je ne risque pas de quitter ce territoire de sitôt.

Mais Saint Dane non plus.

Je ne sais pas si c'est ce qui était écrit, mais c'est comme ça. Halla est hors de danger, et grâce à ça je ne regrette rien.

Inutile de s'apitoyer sur mon sort, parce que je vais bien. Non, c'est vrai. Je suis heureux. Peut-être plus que je ne l'ai jamais été depuis que je suis parti de chez moi avec l'oncle Press. Je vais vous raconter l'essentiel de ce qui m'est arrivé depuis que j'ai scellé le flume. Et je peux vous dire que les nouvelles sont plutôt bonnes.

Enfin, la plupart d'entre elles. Il me reste un problème de taille, mais je vous l'exposerai le moment venu. Tout d'abord, je tiens à vous dire que tout se passe bien.

Comme je l'ai déjà précisé, la bataille contre les dados a dévasté le village. Ou peut-être devrais-je dire que le tak l'a détruit. En voyant le carnage, je me suis demandé si c'était vraiment une

113

bonne idée. D'un seul coup, on avait perdu des maisons, des bâtiments communaux et les réserves de nourriture. Certains ont dû dormir à la belle étoile. En plus, quelques tempêtes tropicales sont venues noircir le tableau. Ç'a été une période difficile à passer.

Et pourtant, le village avait survécu. Ibara tenait toujours debout. C'était tout ce qui comptait. Non, ce qui comptait par-dessus tout, c'était que Saint Dane avait perdu ce territoire. Il nous avait balancé tout ce qu'il avait sous la main, et on l'avait stoppé. Son plan pour créer les dados, qui avait commencé lorsqu'il s'était infiltré dans ta vie, Mark, n'avait servi à rien. Je ne suis pas fier de ce que nous avons dû faire pour l'emporter. On a couru un sacré risque en entremêlant les territoires comme on l'a fait, mais je ne voyais pas d'autre moyen. Et je pense que le résultat m'a donné raison. Non seulement on a repoussé l'assaut sur Ibara, mais j'ai pu également y piéger Saint Dane. Il est hors de combat. Fin de l'histoire. C'est la conclusion de sa quête pour conquérir Halla. Si le prix à payer est la destruction de Rayne, je pense que ce n'est pas si terrible.

Bien sûr, le peuple de Rayne pouvait difficilement évaluer l'importance de sa victoire. Tout ce qu'ils voyaient, c'était un village en ruine et pas mal de travail en prévision. Il ne s'agissait pas seulement de rebâtir Rayne, mais aussi de réactiver toute une culture et, il fallait l'espérer, tout un monde. Pour moi, il s'agissait également de reconstruire un territoire. Celui de Veelox. Oui, j'ambitionne de réaliser la vision d'Aja Killian. Lorsque Saint Dane a poussé les Utos à détruire les bateaux des pèlerins, il croyait venir à bout de ce monde une bonne fois pour toutes. Il se trompait. La volonté de le remettre sur les rails est plus présente que jamais. Et je suis fier de dire que j'en fais partie.

Reconstruire un monde ne se fait pas en un jour. Il faut y aller pas à pas, et le premier fut de reprendre possession d'Ibara et du village de Rayne. Quand la poussière (et le sable) de la bataille est retombée, c'est la joie qui l'a emporté. J'imagine que c'est normal lorsque, contre toute attente, on a défait une armée entière. Il y a eu des moments d'euphorie. Ou peut-être était-ce juste du soulagement, qui sait ? Il y a eu des sourires, des cris et des étreintes. Ç'a été encore mieux quand les anciens et les plus jeunes sont revenus de l'autre côté de l'île, où on les avait mis à l'abri avant la bataille.

Mais tout n'a pas été que rires et chansons. Bien des gens étaient morts en défendant Rayne. Quand l'exaltation de la victoire a fini par passer, la réalité a repris ses droits. L'enterrement des victimes a marqué le début du processus de deuil. N'oubliez pas que, jusqu'à la destruction de la flotte des pèlerins, la plupart de ces gens ignoraient tout de l'histoire d'Ibara. Ils ne connaissaient pas l'existence de Rubic City ou d'Utopias, ni le fait qu'au départ leur île était un avant-poste isolé protégé de cette technologie qui avait décimé la planète. Veelox. Cela faisait beaucoup à assimiler en un minimum de temps. La joie d'avoir survécu à l'assaut a vite été remplacée par la peur de l'inconnu. Et maintenant, qu'allait-il se passer ?

C'est au tribunal, puisque c'est ainsi qu'on nommait les chefs du village de Rayne, qu'est revenue la tâche d'organiser le processus de reconstruction. Je suis très honoré de vous dire que Genj, le ministre en chef du tribunal de Rayne, m'a demandé de les aider. Moi. Étonnant, non ? Bon, je me dis que ce n'est pas si invraisemblable. Alder, Siry et moi avions mené le village à la victoire. Pour être franc, Alder en a fait plus que moi, mais il n'est plus là. Siry non plus.

Voilà qui nécessite quelques explications. Je ne pouvais pas vraiment dire au tribunal que j'avais envoyé Alder sur Quillan pour qu'il rapporte quelques armes anti-dados, et Siry sur Zadaa pour qu'il restitue la foreuse dygo, puis que j'avais scellé le flume à l'aide du tak restant pour m'assurer que deux autres Voyageurs ne resteraient pas définitivement sur ce territoire. Je doute qu'ils l'aient bien pris. J'ai préféré faire comme si je ne savais pas ce qui leur était arrivé. Ils sont devenus des victimes de la guerre. Des héros. Surtout Siry, puisque c'était le fils de Remudi, un ancien membre du tribunal. L'idée qu'il ait été un hors-la-loi rebelle à toute autorité, mais qu'il ait fini par changer du tout au tout pour aider à sauver son monde a fait de lui une légende. Dommage qu'il ne soit pas là pour en profiter, mais un seul Voyageur exilé est amplement suffisant. J'espère qu'il me pardonnera un jour.

Si vous l'avez oublié, le tribunal se composait de Genj, le vieil homme aux cheveux courts grisonnants, si hâlé qu'il me faisait penser à un capitaine de vaisseau ; Moman, une femme sérieuse à la peau sombre qui choisissait ses mots avec le plus grand soin et s'exprimait toujours avec une sagesse ; et Drea, pleine de joie et d'enthousiasme. Elle était probablement plus âgée que ma mère, mais sa peau claire, ses taches de rousseur et ses longs cheveux roux et bouclés lui donnaient l'allure d'une gamine. Voilà, sommairement décrits, ceux qui avaient pour tâche de rebâtir Rayne.

Eux… et moi. Un étranger à cette île qui faisait tout son possible pour que personne ne puisse exhumer son passé. Ces gens avaient bien assez de problèmes comme ça. Ils n'avaient pas besoin d'entendre parler des Voyageurs, de Saint Dane et de notre combat pour Halla. Et pourtant, ils ont fini par se poser des questions. Ils voulaient savoir ce qu'étaient Rubic City et Utopias. J'ai joué à l'idiot du village. Les éduquer sur leur propre histoire était la tâche du tribunal. Quand on m'a interrogé à propos des dados, j'ai lancé l'idée qu'il s'agissait juste du produit dévoyé d'une technologie inconnue. Leur assaut était le dernier sursaut d'un ancien ordre cherchant à abattre Veelox. Pour les gens d'Ibara, ça faisait beaucoup d'informations à digérer. Je ne pense pas qu'ils aient eu envie d'en apprendre davantage.

La première tâche a été de nettoyer le village. Or ils n'avaient pas d'équipements de terrassiers. Il a donc fallu tout faire à la main. Un vrai travail de forçat. On m'a placé à la tête d'un groupe de trente hommes et femmes chargés de déblayer les débris, tous jusqu'au dernier. Et il y en avait, croyez-moi. On a charrié des tonnes de bambous cassés et de bois, conservant tout ce qui pouvait encore servir, et on a empilé le reste sur la plage. Le plus pénible a encore été les arbres abattus. Je ne savais pas que des palmiers pouvaient être si lourds. Il fallait plusieurs dos solides pour transporter un seul arbre jusqu'à la plage. Mais ce n'était pas le pire.

Il y avait des millions de pièces de dados éparpillées. Partout. On a ramassé des bras, des mains, des jambes, des têtes – vous voyez le tableau. Il y en avait plus que je n'aurais pu en compter.

Tout d'abord, l'impression était assez répugnante, mais on a vite compris que ce n'était jamais que des machines. Certes, ça ressemblait à des membres humains, mais c'était seulement des bouts de métal et de plastique. Bientôt, une montagne de pièces mécaniques s'est élevée face à la mer.

Il a aussi fallu s'occuper des milliers de skimmers que les dados avaient utilisés pour venir depuis Rubic City. Ce qui posait un dilemme intéressant. La plupart d'entre eux étaient intacts. Ces petits véhicules aquatiques auraient pu nous être très utiles. Sauf qu'ils venaient de Cloral. Ils représentaient une technologie issue d'un autre territoire. Ils n'avaient donc rien à faire ici. Bien sûr, je ne l'ai dit à personne. À ma grande satisfaction, le tribunal a fini par décider de s'en débarrasser. Ce qui était tout à fait dans l'esprit d'Ibara. Pour eux, les skimmers évoquaient une technologie issue d'un passé éloigné. C'était cette même technologie qui avait provoqué la chute de Veelox, et ils ne voulaient pas que l'histoire se répète. Leur objectif était de repartir à zéro.

On s'en est donc remis à la flotte de pêche. Au fur et à mesure qu'on empilait les débris des dados et des skimmers sur la plage, les pêcheurs ont chargé toute cette ferraille à bord de leurs bateaux et l'ont emportée au large de la baie de Rayne pour la jeter à l'eau.

Ma tâche était d'organiser les travailleurs. Ce qui n'était pas bien difficile. Ces gens me respectaient. Ils savaient que je les avais aidés. Pour être franc, j'en ai bien profité. J'aimais bien le processus assez simple consistant à organiser des groupes de travailleurs, distribuer les missions, établir des emplois du temps, et faire aussi une partie du boulot moi-même. Tout ça me permettait de... comment dire ?... guérir. Bon, je ne veux pas me la jouer cosmique, mais en lisant mes derniers journaux vous avez dû comprendre que j'avais la tête quelque peu à l'envers. Affronter Saint Dane m'avait changé. Tout me semblait si... futile. Qui plus est, pour le vaincre, j'avais dû entremêler les territoires, et donc aller à l'encontre de tout ce que l'oncle Press m'avait appris. Maintenant, avec le recul, je ne regrette pas d'avoir agi ainsi. Il n'y avait pas d'autre moyen. Et pourtant, j'avais tout de même tort. Ce n'était pas ce qui devait arriver. En bouleversant l'ordre naturel, je m'étais rabaissé au niveau de Saint Dane.

Il était temps de mettre fin à ce combat. Et c'est ce que j'ai fait en détruisant le flume.

Depuis, j'ai pensé de moins en moins aux problèmes de Halla : j'étais trop occupé à ramasser des pièces de dados pour les balancer sur la plage. Un travail simple, ne nécessitant pas une grande réflexion, mais aussi très satisfaisant, puisqu'il s'agissait de hâter le processus de reconstruction. Je ne saurais dire combien de temps ça a duré, puisque je n'avais aucun moyen de le mesurer, mais à vue de nez cela a pris des mois. Ce n'était pas très important au fond. À chaque jour qui passait, Rayne retrouvait un peu de sa beauté. Maintenant, je crois savoir ce que ressent un sculpteur lorsqu'il se trouve face à un bloc de granit qu'il taille patiemment pour dévoiler le chef-d'œuvre qui se cache dessous. Déblayer Rayne représentait un peu la même chose. Ce qui était une zone de guerre dévastée redevenait peu à peu une plage tropicale paisible. Et tout ça à la force du poignet ! Je ne saurais pas vous dire à quel point c'était satisfaisant.

On s'était organisés pour dormir dans la montagne du tribunal. Les familles avec de jeunes enfants et les anciens avaient priorité. Lorsque chaque centimètre d'espace disponible était occupé, le reste des villageois dormait dehors dans des cabanes improvisées ou à la belle étoile. Dans mon cas, je n'ai pas passé une seule nuit dans cette montagne. Je préférais contempler le ciel. Pourquoi pas ? Il faisait bien assez chaud. Les averses étaient plutôt féroces, mais elles étaient rares. Ça me donnait l'occasion de lever les yeux et de me demander ce qui pouvait bien se passer dans le reste de Halla. C'était bon de savoir que tout allait bien sur Ibara. Un village entier œuvrait ensemble pour rebâtir son monde. C'était un bon point. Et c'était exactement ce à quoi je voulais prendre part.

Vous n'imaginez pas à quel point vous me manquez, tous les deux. Je n'arrive pas à m'y faire. Mais ne vous inquiétez pas pour moi, parce que je ne suis pas seul. Les villageois m'ont adopté comme si j'étais l'un des leurs. Et, d'une certaine façon, Genj aussi. Il a été un père pour moi. Pour une fois, c'était bon d'avoir un adulte pour me dire ce que je devais faire. Je sais, c'est bizarre, mais après avoir été le Voyageur en chef pendant si longtemps et avoir toujours dû arranger les affaires des autres, c'était agréable de laisser quelqu'un prendre les décisions à ma place.

Quatre survivants parmi les Jakills étaient avec moi. La fille nommée Twig et le type que j'avais surnommé la Fouine. J'avais fini par apprendre son nom : Krayven. Je crois que je préférais la Fouine. Mais je ne risquais pas de lui dire : il avait déjà assez souffert comme ça. Plusieurs Jakills étaient morts à Rubic City. C'était d'autant plus tragique qu'ils ne faisaient rien de mal, juste chercher la vérité. Malheureusement, ils l'avaient trouvée. J'avais tout fait pour convaincre les survivants que leur sacrifice avait contribué à sauver Rayne. Je pense que ça leur a remonté le moral. Enfin un peu. Ils ont travaillé d'arrache-pied à mes côtés pour reconstruire leur village. On aurait pu croire qu'ils faisaient ça en mémoire de leurs camarades défunts. Et, d'une certaine façon, moi aussi.

En ce moment, la personne qui compte le plus pour moi est certainement Telleo, la fille de Genj. Elle est devenue ma meilleure amie sur Ibara. Vous auriez dû la voir après la bataille. Elle n'a pas arrêté de s'affairer auprès des blessés. Je crois qu'elle a passé plusieurs jours sans fermer l'œil. C'était incroyable. On aurait dit qu'elle était partout à la fois. Et, avec toutes les responsabilités qu'elle endossait, elle trouvait encore le temps de me demander comment je m'en sortais. Pas un seul instant ces étonnants yeux verts n'ont perdu de leur éclat. Elle est devenue mon guide sur ce territoire. On pourrait même dire qu'elle est mon Acolyte. Bien sûr, depuis que j'ai cessé d'être un Voyageur, je n'en ai pas besoin, mais dans d'autres circonstances elle ferait une candidate parfaite. Elle a des opinions bien arrêtées, mais elle écoute les autres. Elle a du charisme. On lui fait naturellement confiance, et je comprends pourquoi. C'est comme si elle pouvait guérir par simple imposition des mains.

On a passé bien des soirées tous les deux, perchés sur une corniche secrète tout en haut de la montagne du tribunal. Dans la journée, elle nouait ses longs cheveux roux pour qu'ils ne la gênent pas pendant qu'elle s'occupait des malades et des blessés, mais le soir elle les laissait libres. C'était son seul moment de détente. Personne ne savait qu'on était là-haut. C'était comme si on survolait Rayne dans notre propre nuage. Pas de pression, juste des possibilités. On regardait la mer et les étoiles et on imaginait un avenir meilleur pour Ibara. Bien sûr, on n'avait pas vraiment notre mot à dire là-dessus, mais c'était exaltant de se retrouver dans un pays obligé de repartir à zéro. Tout le monde pouvait décider de son propre destin. Telleo et moi ferions de notre mieux pour que cet avenir soit le plus rose possible... Enthousiasmant, non ?

Tout semble si parfait que je préférerais ne pas écrire ce qui va suivre, mais comme je dois raconter tout ce qui m'arrive dans ces journaux, je ne peux pas me dégonfler. Telleo est aussi éveillée, ouverte et amicale qu'il est possible de l'être, sauf sur un sujet : sa mère. La première fois que j'ai voulu en parler, on était assis sur cette corniche par une nuit chaude et claire. Son père, Genj, avait travaillé assez dur, et je m'inquiétais pour lui. Il n'est plus tout jeune, et il ne ménageait pas sa peine. Un peu trop, peut-être.

— Comment va ton père ? ai-je demandé d'un ton badin pour qu'elle ne se fasse pas de souci.

— Il est heureux, a-t-elle répondu. Je crois qu'il a enfin réussi à surmonter la perte des pèlerins. Au fait, il a une très haute opinion de toi.

Ce qui a fait des merveilles sur mon moral.

— Il travaille dur.

— Il y a tant à faire, a-t-elle répondu, confiante. Pourquoi, tu penses qu'il a tort de ne pas ménager sa peine ?

— Non, me suis-je empressé de répondre. Je me disais juste qu'il devrait ne pas trop forcer, puisqu'il est plus âgé que nous.

Telleo y a réfléchi un instant, puis a déclaré :

— J'irai le voir demain matin. S'il me semble trop fatigué, je lui dirai d'y aller un peu plus doucement.

— Et il t'obéira ?

Telleo a eu un sourire rusé.

— Il ne peut rien me refuser. Je suis sa fille unique.

J'ai eu un petit rire.

— C'est vrai. Hé, tu ne m'as jamais parlé de ta mère.

À peine avais-je prononcé ces mots que j'ai compris que j'avais fait une boulette. Les yeux verts de Telleo se sont assombris. Bizarre. Tout à coup, elle m'a paru comme déconnectée. Jusque-là, on n'avait jamais abordé des thèmes plus personnels. Je veux dire, d'où on venait et tout ça. C'est un sujet que, pour des raisons évidentes, je cherche à éviter à tout prix. Les quelques fois où j'ai eu envie de lui poser des questions sur sa famille, je me suis arrêté net, parce que je ne voulais pas qu'elle m'interroge en retour. Ce soir-là, je n'ai pas réfléchi. C'est sorti comme ça. Quand j'ai réalisé mon erreur, il était trop tard, alors je n'ai plus rien dit. Telleo est restée longtemps silencieuse. De toute évidence, ses pensées avaient pris un tour déplaisant. Je ne savais pas si elle ignorait la question ou si elle cherchait les bons termes pour me répondre. Lorsqu'elle a repris la parole, on aurait dit que quelqu'un d'autre parlait par sa voix. Quelqu'un de moins joyeux. Quelqu'un qui portait de lourds secrets.

— Je ne parle jamais d'elle, a-t-elle déclaré d'une voix si basse que je l'ai à peine entendue.

J'ai failli demander « Pourquoi ? », mais j'ai ravalé ce mot avant qu'il ne quitte ma gorge.

— Je suis désolée, a-t-elle repris d'un ton radouci, mais ça m'est… pénible. Ma mère et moi ne nous entendions pas vraiment bien. Et je préfère en rester là, d'accord ?

— Oui, pardon, pas de problème, ai-je bafouillé, tentant de limiter les dégâts.

— Ne t'excuse pas. Mais je ne veux plus que tu parles de cette femme. À qui que ce soit.

Cette femme… Quoi qui ait pu se passer entre elles, ça ne présageait rien de bon. La curiosité me titillait, mais je devais respecter son choix et me forcer à oublier jusqu'à l'existence de sa mère. C'était la chose à faire, pour bien des raisons.

Au fil du temps, alors que Rayne poursuivait sa reconstruction, j'ai à nouveau vu plus grand. C'était inévitable. Si j'avais détruit le flume, c'était bien pour que Saint Dane ne puisse plus quitter Ibara. Je ne pouvais qu'espérer cette réussite, puisque je n'en avais pas la moindre preuve. Depuis la bataille, on n'avait pas vu l'ombre d'un Uto. Et pourtant, on avait posté des sentinelles tout

121

autour de l'île. C'était un des changements qui avaient suivi l'attaque des dados. Or pas un seul Uto n'avait tenté d'accoster. D'une certaine façon, c'était plus inquiétant qu'autre chose. Comme Saint Dane était coincé ici, on aurait pu s'attendre à ce qu'il rassemble ses forces pour tenter à nouveau de conquérir Ibara. Pourquoi pas ? Il n'avait rien d'autre à faire. Alors comment passait-il son temps ? Se baladait-il dans Rubic City en regardant les immeubles tomber en poussière ? D'une certaine façon, l'absence des Utos me rendait nerveux.

Quelquefois, je suis allé sur la plage pour inspecter l'éboulement, cherchant un moyen d'accéder au flume. Sans succès. Je présume qu'un dygo pourrait se frayer un chemin jusqu'à la porte, mais, sur Ibara, il n'y avait rien qui soit capable de percer un tel amas de roches. Un jour, j'ai essayé de creuser. Ça n'a pas duré plus d'une minute. J'ai déplacé deux rochers, mais j'ai tout de suite compris que je perdais mon temps. Le flume était inaccessible. Cependant, je n'avais toujours pas la moindre preuve que Saint Dane était pris au piège.

Du moins jusqu'à un après-midi que je n'oublierai sans doute jamais.

Je travaillais avec Twig et Krayven, emportant ce qui devait être la millionième pièce de dado à la décharge sur la plage. Je venais de poser le pied (oui, c'était un pied) sur la pile lorsque j'ai entendu quelque chose au-dessus de moi. Personne d'autre ne l'aurait remarqué. En fait, Twig et Krayven n'ont même pas levé les yeux. Moi si. C'était le croassement d'un corbeau. Un seul cri sec. En regardant en l'air, j'ai vu cet énorme oiseau tourner autour de la décharge. Je me suis figé. Était-ce possible ?

– Qu'est-ce qu'il est gros ! a remarqué Twig.

Il m'a fait penser au grand benêt tout jaune de *1, rue Sésame*. Ça aurait dû me faire rire, mais non. L'oiseau noir a fait encore un tour, puis s'en est allé le long de la plage… en direction du flume enfoui. Ce n'était pas un hasard. On aurait plutôt dit qu'il avait attendu que je le remarque avant de partir.

J'en avais la nausée.

– Je vous retrouve au village, ai-je dit aux autres. Je voudrais vérifier quelque chose.

– Quoi ? a demandé Krayven. Je peux t'aider ?

– Non ! ai-je rétorqué un peu trop brusquement, les faisant tous sursauter. Je veux dire, ce n'est pas important. J'arrive tout de suite.

Je ne suis pas resté pour en discuter : je suis parti au pas de course le long de la plage. Mon cœur battait la chamade. Qu'est-ce que ça pouvait bien signifier ? Est-ce que je suivais juste un simple oiseau qui passait par là ? Est-ce que je devenais parano ? Ou se passait-il bel et bien quelque chose ? Je savais où trouver la réponse.

C'était la cinquième fois que je me rendais au tombeau du flume et, à chaque fois, j'en tirais la même conclusion. Il était inaccessible, enterré sous des tonnes de pierre. Pas de problème. Puis, au fil du temps, je commençais à me poser des questions. Alors j'y retournais pour vérifier. Encore et encore. Que voulez-vous que je vous dise ? Je deviens parano. Mais cette fois ce n'était pas la même chose. Mes doutes étaient justifiés. J'ai suivi le rivage jusqu'à atteindre l'amas de roches volcaniques, puis j'ai entrepris de l'escalader. Normalement, une fois au sommet, à une centaine de mètres de haut, je farfouillais dans le coin pour voir s'il y avait un moyen quelconque d'accéder au flume. Cette fois, je pressentais que les choses allaient être différentes.

Tout en grimpant, je ne savais pas ce que je m'attendais à découvrir. Je n'avais aucune envie de me retrouver face à Saint Dane. Vraiment. Et qui pourrait m'en blâmer ? J'aurais nettement préféré ne plus jamais entendre parler de ce démon. Mais s'il était bien là, au moins, je saurais que mon plan avait marché. Je voulais m'assurer que je n'étais pas le seul à être resté coincé sur ce territoire. Sa présence le confirmerait. Une fois au sommet, j'ai passé ma jambe par-dessus le rebord, je me suis glissé de l'autre côté et j'ai aussitôt eu la réponse à ma question.

– Bonjour, Pendragon, a dit Saint Dane avec un sourire tout naturel. C'est une belle journée pour aller à la plage, non ?

Journal n° 33
(suite)

IBARA

Il se tenait assis sur un bout de roche, l'air naturel et détendu, les pieds posés sur une pierre plus petite. Si je ne le connaissais pas comme je le connais, j'aurais dit qu'il prenait ses aises pour profiter du soleil et rien de plus.

Ben voyons.

Il avait repris son apparence habituelle, avec son costard noir boutonné jusque sous le menton. La clarté du soleil faisait luire d'une lueur blanche son crâne chauve où ses cicatrices écarlates se détachaient comme des zébrures sanglantes. Le terme de « vampire » m'est venu à l'esprit. En fait, bien des mots m'ont traversé l'esprit. Des termes peu flatteurs. Je suis resté là, à le dévisager. C'est lui qui m'avait attiré ici, c'était à lui de jouer. J'ai attendu qu'il prenne la parole. Mais rien. Il s'est contenté de me regarder de ses yeux d'un bleu de glace assez angoissant. Qu'est-ce qui pouvait bien traverser ce cerveau retors ? Ce n'était certainement pas une visite de courtoisie. Saint Dane avait toujours un but précis.

J'ai fini par craquer.

– J'espère que vous avez mis de la crème solaire sur votre tête de mort. Vous allez cramer.

Il a eu un petit rire.

– Alors comme ça, tu t'inquiètes pour moi ?

– Pas vraiment.

Il s'est redressé de toute sa taille. Il ne faisait que quelques centimètres de plus que moi. J'ai repensé au temps où il me

124

dominait, imposant comme un géant. Depuis, j'avais grandi. Maintenant, ce n'était plus qu'un type de taille normale, mais toujours aussi menaçant. Il a fait les cent pas tranquillement en donnant de petits coups de pied dans les cailloux.

— En scellant le flume, tu as fait un choix assez radical, a-t-il commencé. Je l'avoue, tu m'as surpris. Pas en utilisant du tak de Denduron, non : ça, je l'avais prévu. Mais je ne pensais pas que tu agirais de façon aussi extrême. Bravo, c'était très altruiste de ta part. Désespéré, mais altruiste.

— Désespéré ? ai-je répété. Je vous ai flanqué une déculottée !

— Ç'a été une sacrée bataille, non ? a-t-il déclaré avec joie, comme si c'était un souvenir agréable. Les dados n'ont même pas compris ce qui leur tombait dessus. Certes, ils ne pensent pas beaucoup. Ce ne sont que des automates.

— Et maintenant, ils sont bons pour la décharge.

— Ne fais pas le fanfaron, Pendragon. Ça ne te ressemble pas.

— Hé, je l'ai bien mérité, ai-je rétorqué. Ce n'est pas moi qui ai déclenché la bataille, mais c'est moi qui l'ai terminée. Vous êtes fini.

Saint Dane m'a dévisagé de ses yeux froids.

— Qu'est-ce que vous voulez ? ai-je demandé.

— Te féliciter, a-t-il répondu d'un ton jovial. Je dois dire que tout ne s'est pas passé exactement comme je l'avais prévu. Tu t'es révélé un formidable adversaire. Je croyais que ce conflit se terminerait bien plus tôt. C'est tout à ton honneur. (Il a salué bien bas avant de reprendre :) Félicitations.

— C'est tout ? C'est pour ça que vous êtes venu jusqu'ici ? Vous vous ennuyiez dans les ruines de Rubic City, alors vous avez volé à tire-d'aile jusqu'ici rien que pour me dire que j'ai fait du bon boulot ? C'est pathétique.

— Ce n'est pas tout, a-t-il répliqué sèchement.

Oh. Comme toujours. Il s'est rassis, a regardé au loin vers l'océan, puis ses yeux se sont reportés sur l'île comme s'ils embrassaient toute la beauté de ce paysage tropical. À ce moment, il avait l'air presque humain. Presque.

— On a fait du chemin, toi et moi, a-t-il continué. Je me plais à penser qu'on a appris l'un de l'autre. Maintenant, j'ai une meilleure idée de la résistance et de la force d'âme des peuples des territoires. Ils sont pleins de fougue et de passion, et, à cause de ça, j'ai fini par avoir un certain... respect pour eux.

– Mais pas assez pour leur ficher la paix, ai-je souligné.

– Ah ! s'est-il exclamé. C'est précisément là où je veux en venir. Tu vois, mon ami, nous sommes...

– Je ne suis pas votre ami.

– Oui, bien sûr. Mais j'espère qu'à ce stade, tu as compris en quoi nous sommes différents.

– Oui. J'essaie de protéger les territoires et vous, vous essayez de massacrer tout le monde. Ça fait un bail que j'ai pigé.

Il a souri et secoué la tête comme si je n'étais qu'un gamin ennuyeux incapable de comprendre ce qui aurait dû être évident. Ça me donnait envie de le frapper.

– Tu parles de méthode, a-t-il dit patiemment. Moi, je parle de philosophie.

– Méthode ! ai-je répété. Vous êtes prêt à commettre un génocide comme si ce n'était qu'un... un outil de jardinage, et je suis censé trouver ça normal ?

– Es-tu vraiment si différent ? Ce n'est pas toi qui as laissé exploser le *Hindenburg*[1], par hasard ? Il y a eu des morts, Pendragon, mais comme c'était pour le plus grand bien de tous, tu as fermé les yeux. En quoi tes « outils » sont-ils meilleurs ou plus vertueux que les miens ?

Je voulais rétorquer, mais j'ai compris qu'on ne se contentait pas de discuter du passé. Il y avait plus que ça.

– Je t'en prie, a-t-il continué, pour une fois dans toute ta futile existence, ouvre ton esprit borné et ôte tes œillères.

Je me suis tourné pour regarder l'océan en inspirant profondément. Je devais me calmer. Saint Dane n'était peut-être pas humain, mais ses émotions l'étaient. Plus d'une fois, j'avais pu m'en servir contre lui. Oui, j'avais pas mal appris ces dernières années, entre autres qu'il valait mieux laisser Saint Dane dire ce qu'il avait sur le cœur plutôt que de l'entraîner dans une intermi-

_____

1. Voir Pendragon n° 3 : *La guerre qui n'existait pas.*

nable discussion. Et cela ne servait à rien de s'énerver. Je me suis forcé à me calmer.

– Je vous écoute, ai-je dit entre mes dents.

– Merci. Je te parlais donc de nos différences. Si j'osais parler à ta place, je dirais que tu penses que la liberté est un droit inaliénable de chaque occupant de Halla. C'est à chacun de choisir son propre chemin, qu'il soit bon ou mauvais. Je simplifie à outrance, mais c'est bien ça ?

Je me suis tourné vers lui.

– Et vous, vous pensez qu'on ne peut ni faire confiance aux peuples de Halla, ni les laisser prendre en main leur destin, mais que vous devez les prendre par la main pour qu'ils mènent le genre de vie qui vous convient à *vous*.

Saint Dane a haussé les sourcils.

– En effet, a-t-il répondu avec une pointe de surprise. C'est assez simplificateur, là aussi, mais en résumé, c'est bien ça. Tout compte fait, peut-être m'as-tu mieux écouté que je ne le croyais.

– Ce n'est pas sorcier, ai-je rétorqué.

– Tu vois, Pendragon, a-t-il continué, cette différence de philosophie est au cœur même de notre affrontement. Les peuples des territoires ne sont que des enfants égocentriques à la vision étroite. Tu dis qu'ils doivent contrôler leur propre destin, mais ils ont démontré maintes et maintes fois qu'ils en sont incapables. Tu m'accuses de génocide. Crois-moi, le conflit que j'ai provoqué n'est qu'une goutte dans l'océan de sang que les peuples des territoires ont versé. Quoi que tu puisses en penser, je ne suis pas à l'origine de toutes les guerres qui ont existé. On ne peut pas me rendre responsable de la haine, du crime, des conflits religieux, des guerres territoriales – la liste est infinie. Tu connais assez bien l'histoire de ton monde pour savoir que j'ai raison. Et ce n'est pas différent sur les autres territoires. Veelox, Cloral, Quillan – c'est partout pareil. L'histoire s'écrit dans le sang des peuples. Et je veux y mettre un terme.

J'ai pris quelques secondes pour assimiler ce discours. Je préférais ne pas parler de peur de me laisser emporter par mes émotions.

– C'est vrai, ai-je dit en pesant mes mots, présenté comme ça, ça a l'air sensé. Vous êtes comme un parent qui veut que ses enfants arrêtent de se chamailler. Mettre fin à tous les conflits humains. Ça sonne plutôt bien. Il n'y a qu'un problème.

– Éclaire ma lanterne.

– Vous pensez que vous, et vous seul, devez représenter la voix de la raison. Juge, jury et exécuteur. Vous êtes le seul à savoir ce qui est bon pour le reste du monde. Si ce que vous m'avez dit par le passé tient toujours, votre plan est de dresser les peuples des territoires les uns contre les autres jusqu'à ce que tout Halla soit sens dessus dessous. Et puis, quand tout semblera perdu, vous apparaîtrez tel le messie pour tout remettre en ordre. C'est comme ça que c'est censé marcher ?

Saint Dane a gloussé. J'ai horreur de ça – l'ai-je déjà précisé ?

– Quelque chose comme ça.

– Mais qui dit que vous savez tout mieux que les autres ? Et pourquoi une seule personne aurait-elle réponse à tout ?

– Partout, on choisit des chefs…

– Exact ! C'est précisément là où *moi*, je veux en venir ! On choisit des chefs. On les *choisit*. C'est une question de liberté. Les gens peuvent élire ceux en qui ils ont confiance, que ce soit le Conseil de Faar ou le vice-roi de Lyandra. C'est le peuple qui décide. Et si ce leader faillit à sa tâche, il ne garde pas longtemps sa position. L'histoire le démontre. Personne ne peut avoir le pouvoir absolu parce que personne n'est infaillible, et surtout pas un leader qui prend le pouvoir en manipulant ces mêmes peuples qu'il prétend aimer. Les dictateurs ne restent jamais en place bien longtemps, or vous espérez devenir le dictateur de tout ce qui est et a toujours été. Et vous voulez me faire croire que c'est une bonne chose ? Oh, arrêtez ! Vous vous fichez pas mal des peuples de Halla. Ce n'est qu'une excuse. Tout ce qui vous intéresse, c'est le pouvoir.

– Sous ma direction, Halla peut atteindre des sommets que tu ne peux même pas concevoir, a-t-il dit.

Manifestement, il commençait à s'échauffer.

– Comment ? En jouant avec les pires instincts humains ? C'est ça qui vous obsède : ce qu'il y a de pire en l'homme. C'est

128

là que vous puisez votre pouvoir. Et vous voulez être leur chef ? Halla n'est pas parfait et ne le sera jamais. Mais c'est très bien comme ça. C'est ce qui est écrit. Les gens ont le droit de choisir leur destin, qu'il soit bon ou mauvais.

— Et c'est là que nos avis diffèrent.

— Qui êtes-vous ? ai-je crié.

Oui, je craquais. Il y a longtemps que j'aurais dû le faire, d'ailleurs.

— D'où venez-vous ? Comment pouvez-vous faire ce que vous faites ? Et pourquoi ? Comment est-ce possible ? Vous m'avez dit que les Voyageurs étaient des illusions. Qu'est-ce que ça signifie ? Vous n'arrêtez pas de répéter que ce combat est surtout entre nous deux, mais j'ai toujours un train de retard. Vous savez tout, et moi, je ne sais rien. Qui êtes-vous ? Et moi… qui suis-je vraiment ?

Saint Dane a reculé pour s'éloigner de moi. C'était bizarre. On aurait dit qu'il s'était dégonflé. Son énergie l'avait quitté.

— Je ne peux pas répondre à ces questions, Pendragon. Sinon, nous aurions fait tout ce chemin pour rien.

— Quoi ! ai-je crié, malade de frustration. Qu'est-ce que ça veut dire ?

— Tu le sauras bien assez tôt, lorsque tout ça sera terminé.

— C'est *déjà* terminé !

— Bientôt, Pendragon, répéta-t-il. Tu n'as plus à attendre bien longtemps avant de savoir ce qu'il en est. Je regrette que tu n'aies pas l'esprit assez ouvert pour voir les choses de mon point de vue. C'était ta dernière chance.

— J'ai l'esprit ouvert, ai-je craché au visage de ce démon. Désolé, mais je ne vous crois toujours pas. Peu importe la façon dont vous présentez les choses, Saint Dane, ce que vous faites est mal. Tout ce que vous avez fait est mal. Vous ne me ferez jamais croire un seul instant que vos actes sont justifiés parce que vous avez manigancé tout ça pour créer un monde meilleur.

— Et pourtant, *toi*, tu as fait de mauvais choix, et tu le savais.

— Pas comme vous, ai-je rétorqué. Ça n'avait rien à voir.

— Continue de le croire, a-t-il repris, très calmement. Garde ta bonne conscience. C'est bien tout ce qu'il te reste.

Il a fait un pas en arrière et a sauté de la falaise. Ça ne m'a même pas surprise. Je n'ai pas bougé, parce que je savais ce qui allait suivre. En effet, un instant plus tard, un corbeau d'un noir de jais s'est envolé pour partir au-dessus de l'océan en direction de Rubic City. J'ai poussé un grand cri de colère et de frustration. Je n'ai pas pu m'en empêcher. Qu'essayait-il de me dire ? Pourquoi ne vidait-il pas son sac une bonne fois pour toutes ? Comment pouvait-il croire que tout le malheur, tous les dégâts qu'il avait provoqués étaient justifiés ? Et pourquoi refusait-il de me dévoiler l'ultime vérité ? C'était comme si on jouait une partie d'échecs cosmique dont j'ignorais les règles. Et même si je les connaissais, le résultat resterait écrit à l'avance. Ça faisait maintenant quatre ans que je le pourchassais, et je n'en savais pas plus que lorsque j'étais parti de chez moi avec l'oncle Press.

J'ai hurlé à nouveau. C'est vous dire l'état dans lequel j'étais. Ça n'était pas censé se passer de cette façon. J'avais fait mon choix. J'avais mis fin à ce combat. Je n'étais plus un Voyageur. J'avais stoppé Saint Dane. Alors pourquoi venait-il me torturer ? Était-ce par vengeance, parce que j'avais ruiné ses espoirs de conquête ? Était-il aussi furieux que moi ? Peut-être qu'il le cachait mieux. Un instant, je me suis dit qu'on était condamnés à jouer ce petit jeu, là, sur cette île, jusqu'à la fin de nos jours. Je n'aurais su dire ce qu'il y avait de pire : affronter Saint Dane d'un bout à l'autre de Halla ou se retrouver prisonnier avec lui dans la cage qu'était devenue Ibara.

J'ai dû me forcer à ne plus y penser. La guerre était terminée. Ou du moins je l'avais conclue sur un match nul. On était coincés sur ce territoire. Tous les deux. C'était la meilleure chose qui soit sortie de ma rencontre avec ce démon. C'était désormais officiel : il était dans le même bain que moi. Tant mieux. Je ne devrais pas l'oublier s'il cherchait encore à me faire sortir de mes gonds. Je me suis juré qu'à notre prochaine rencontre je serais prêt. En fait, j'avais hâte de le revoir. Notre débat sur la liberté et la dictature pourrait reprendre.

Je me suis assis là, sur ce tas de rochers, et j'ai éclaté de rire. Je nous ai imaginés tous les deux en train de nous lancer dans une discussion philosophique qui pourrait durer plusieurs dizaines d'années. Comme deux vétérans de la dernière guerre qui auraient combattu chacun du côté opposé et défendraient leurs positions. Mais ça n'était pas si grave. Un débat n'a jamais tué personne. Pas plus qu'une partie d'échecs. Du moins jusqu'à présent.

Bien du temps s'est écoulé depuis cette rencontre avec Saint Dane. Des semaines. J'ai essayé de ne plus y penser, mais ça n'a pas été facile. Non seulement ce qu'il m'a dit me reste en mémoire, mais ce qui me dérange, c'est qu'il refuse d'admettre la fin de la guerre. Il a dit que l'issue était proche. *Proche.* Cela voulait-il dire qu'il y avait encore un dernier acte dont j'ignorais tout ? J'ai fait de mon mieux pour reléguer toutes ces incertitudes dans un recoin de ma tête, mais elles m'empêchent encore de dormir.

Avant de mettre fin à ce journal, j'ai encore une chose à raconter. Comme je l'ai précisé au début, malgré les grands progrès qu'a faits Ibara, un grave problème demeure – à part ma dernière confrontation avec Saint Dane, bien sûr. C'est ce qui m'est arrivé de pire depuis la bataille contre les dados. Pire que ma joute verbale avec ce démon. Pire que d'apprendre que Telleo et sa mère ne s'entendaient pas. Pire que notre labeur pénible ou les tempêtes dévastatrices. Comme je ne sais pas comment le dire, je ne vais pas tourner autour du pot.

J'ai perdu mon anneau de Voyageur.

Je ne sais ni où ni quand c'est arrivé. Ce que je redoute par-dessus tout, c'est qu'il ait glissé de mon doigt pendant que je travaillais, se soit mélangé à des débris de dados, et se trouve maintenant au fond de l'océan. Mais je n'ai pas abandonné tout espoir de le retrouver. Je le cherche toujours, et j'ai demandé à tout le monde d'ouvrir l'œil. Perdre cet anneau a rendu mon exil sur Ibara encore plus définitif. C'est pour ça, Mark, Courtney, que je suis dans l'incapacité de vous envoyer ce journal. Vous ne lirez peut-être jamais ces mots. Quand j'ai pris la décision de sceller le flume, je pensais que, même si je ne quittais plus jamais ce monde, je pourrais au moins communiquer avec vous. Maintenant que j'en suis incapable, je n'ai toujours pas de regrets, mais, du coup, je me sens encore plus seul.

En attendant que je le retrouve – et je le retrouverai –, je vais continuer d'écrire mes journaux dans l'espoir qu'un jour vous puissiez les lire. Ici, ma vie va continuer de la même façon. Maintenant que le village a été déblayé, il va falloir reconstruire les maisons. J'ai hâte de m'y mettre. Qui sait ? Peut-être que, lorsque le chantier sera bien avancé, on pourra construire de nouveaux bateaux pour envoyer d'autres pèlerins repeupler le reste de Veelox, comme l'avait prévu Aja.

À part ça, j'ai aussi un autre but, peut-être aussi important que tout ce que j'ai pu accomplir ici. Je dois débarrasser Ibara de tout ce qui vient d'un autre territoire. Cela équivaut peut-être à fermer la porte de l'écurie après que les chevaux se sont échappés, mais malgré tout ce qu'on a dû faire pour protéger cette île, il ne faut pas entremêler les territoires. Maintenant que Saint Dane est hors d'état de nuire, j'espère que la même chose pourra se produire sur tous les mondes de Halla. C'est ce qui est écrit. C'est ce que voulait l'oncle Press. Je vais faire tout ce que je peux pour qu'Ibara reparte sur de bonnes bases.

Et nous voilà partis.

Ou peut-être devrais-je dire : « Et me voilà parti. »

Fin du journal n° 33

SECONDE TERRE

Mark, Courtney et Patrick sortirent du flume pour se retrouver dans la cave du manoir abandonné de Sherwood, à Stony Brook.

Dans le Connecticut.

En Seconde Terre.

Le tapis de sons et de lumière reflua dans le flume, les laissant seuls.

Chez eux.

Dans le noir.

Courtney fut la première à remarquer que quelque chose ne collait pas.

– Il n'y a rien, annonça-t-elle.

– Bien sûr que non, répondit Mark. On est sous terre.

– Je veux dire qu'il n'y a pas de vêtements de Seconde Terre. Quand on est partis, Bobby et moi, on a déposé quelques petits trucs. Des chaussures, des chemises, des pantalons. Ils ne sont plus là.

Tous trois scrutèrent la cave en vain.

– Quelqu'un a peut-être découvert cet endroit ? suggéra Patrick.

– C'est peu probable, répondit Courtney. On est dans la cave d'un manoir inhabité depuis des dizaines d'années. Qui viendrait fouiller ici ?

– Pas grave, reprit Mark. Si la pire chose qu'on doive faire, c'est porter des vêtements de Première Terre, on survivra.

– Ça ne me plaît pas, grommela Courtney. Ce n'est pas bon signe.

– Que doit-on faire ?

C'était Patrick. Mark et Courtney sentirent sa nervosité.

– C'est bon, Patrick, dit Mark d'une voix calme. Tu peux te détendre.

– Me détendre ? répéta Patrick. Vous n'avez pas idée de ce que j'ai enduré.

Mark et Courtney se regardèrent.

– C'est ça, reprit Courtney d'un ton sarcastique, pour nous, tout est allé comme sur des roulettes.

Patrick réalisa aussitôt son erreur.

– Désolé. Je ne voulais pas dire ça. On en a tous bavé.

– C'est bon, répondit Mark. On est tous un peu sur les nerfs. Sortons de là et allons chez moi. Une fois là-bas, nous pourrons réfléchir à ce qu'il faut faire.

Courtney passa la première, franchissant les quelques pas qui la séparaient de l'ancienne porte en bois protégeant la cave abandonnée depuis des lustres. Elle poussa lentement le panneau, et il coulissa sur ses gonds rouillés dans un grincement d'outre-tombe qui résonna dans la cave.

– Faudra mettre de l'huile, dit-elle d'un ton tout naturel en s'avançant dans le sous-sol sombre.

Mark était sur ses talons.

– On dirait qu'il fait nuit, remarqua-t-il.

Patrick les suivait de près. Courtney referma le panneau grinçant derrière eux.

– Regarde, dit-elle à Patrick en passant ses doigts sur la surface de bois. On a vu cette étoile apparaître sur la porte, comme gravée par une main invisible. C'était incroyable.

Dans la pénombre, Patrick eut bien du mal à distinguer le symbole. Il passa ses mains sur le panneau, sentant les contours de l'étoile de cinq centimètres marquant l'entrée du flume.

– Qu'est-ce que ça signifie ? murmura-t-il.

– Ben, qu'il y a un flume derrière ! répondit Courtney.

– Non, je veux dire, la couverture du livre. Ravinia. Et les tatouages sur le bras de ces brutes. Quel est le rapport ?

Mark s'interposa entre ses deux amis.

– C'est ce qu'on doit découvrir.

Tous trois se tournèrent vers le sous-sol désert.

– Attendez que vos yeux s'accoutument à la pénombre, suggéra Mark. Ça ne prendra pas bien longtemps. Un peu de lumière filtre de la rue et…

Mark s'étrangla avant de finir sa phrase. Il scruta le sous-sol… qui, tout compte fait, était loin d'être désert.

– Aïe ! hoqueta Courtney.

– Qu'est-ce qu'il y a ? demanda Patrick, soudain nerveux.

Alors que leurs yeux s'ajustaient à l'obscurité, ils purent apercevoir les contours des caisses jonchant le sol.

– Qu'est-ce qu'il y a ? insista Patrick. Qu'est-ce que c'est ?

– Aucune importance, répondit Mark. Le truc, c'est que ça ne devrait pas être là. Cette baraque est censée être abandonnée.

– Plus maintenant, déclara Courtney.

Grrrrrrr.

Ce grondement provenait de l'étage supérieur. Mark et Courtney se raidirent.

– Oh, misère, marmonna Courtney.

– Vous avez entendu ? reprit Patrick. Cette maison n'a pas l'air si déserte que ça.

– Quelqu'un a-t-il vu une bombe argentée près du flume ? demanda Courtney à voix basse. Un petit truc de… oh, trois centimètres à tout casser ?

– Non, répondit Patrick. Qu'est-ce que c'est ?

– Une arme.

– Une arme ! s'exclama Patrick.

– Chut ! le rabroua Mark.

– Une arme ? répéta Patrick à voix basse. Contre qui ?

Courtney répondit de façon simple et directe :

– Contre les quigs.

Bang ! Tout en haut de l'escalier, la porte du sous-sol s'ouvrit d'un coup brusque, puis des aboiements furieux et le crissement des griffes sur les marches se firent entendre.

– La p-p-porte ! s'écria Mark.

Il partit en courant vers la sortie qui, il le savait, donnait sur l'extérieur. Il s'en souvenait, bien qu'il n'ait encore jamais eu à s'en servir. Jusqu'à présent.

– Aïe !

Mark venait de percuter un amas de caisses qui s'éparpillèrent sur le sol, faisant trébucher Patrick. Courtney le retint avant qu'il ne s'étale sur le sol.

– Ne t'arrête pas ! ordonna-t-elle.

– Trouvez la porte ! lança Mark en se redressant tant bien que mal.

La bête fonça au bas de l'escalier sans cesser d'aboyer et de gronder. Mark aperçut sa silhouette noire. Elle avait l'air bien grosse, mais, au moins, il n'y en avait qu'une. Courtney fut la première à atteindre le mur et se retrouva face à une barrière de caisses empilées au hasard, bloquant leur seule voie d'évasion. La porte était inaccessible.

Les aboiements de la bête féroce, qui venait d'atteindre le bas des marches, retentirent dans le sous-sol. Le quig fondit aussitôt sur ses proies.

– Il y a une autre sortie ? cria Patrick.

– En haut de l'escalier, répondit Courtney. Derrière cette bestiole.

Tous se retournèrent et foncèrent vers l'animal qui se précipitait à leur rencontre. Ils savaient qu'ils ne pouvaient pas affronter un quig assoiffé de sang : ce serait du suicide. Du moins Mark et Courtney le savaient. Patrick ne tarderait pas à le découvrir.

– Il va forcément foncer sur l'un d'entre nous ! cria Mark. Les deux autres doivent absolument s'en sortir !

Il fit un pas en avant. Un mouvement calculé : il voulait que ce soit lui que le quig attaque en premier. Courtney comprit sa manœuvre, l'attrapa par le col de sa veste et le tira en arrière.

– Oh que non, dit-elle.

Le chien était presque sur eux. Ses aboiements étaient assourdissants. Impossible de dire qui il attaquerait en premier. C'est Mark qu'il choisit. D'une détente foudroyante, il se jeta sur lui et posa les pattes de devant sur ses épaules. Le choc envoya Mark bouler au milieu des caisses. Il tomba, les caisses s'effondrèrent, et la bête fut sur lui, aspergeant son visage de bave.

– Fichez le camp ! cria Mark.

Il repoussa la bête du mieux qu'il put, s'attendant à ressentir une terrible douleur lorsque ses crocs se planteraient dans sa chair.

Patrick et Courtney se figèrent. Que faire ? Ils baissèrent les yeux pour voir...

Un grand labrador noir était affalé sur la poitrine de Mark et le débarbouillait à grands coups de langue.

– C'est ça, un quig ? demanda Patrick, stupéfait.

– Heu... je... hem..., fut tout ce que Courtney réussit à répondre.

– Retirez-moi ça ! brailla Mark.

Courtney prit le gros chien sous les pattes et le tira. L'animal virevolta et lui donna un grand coup de langue sur la bouche.

– Beurk, arrête ! Assis !

Le chien obéit, plein de bonne volonté. Il avait cessé d'aboyer. Il leva la patte dans l'espoir que quelqu'un la prenne. Mark s'assit, regarda le gros toutou, puis lui flatta la poitrine.

– Heu... gentil.

– Je... je ne comprends pas, bafouilla Patrick.

Mark s'efforça de calmer les battements de son cœur par la seule force de sa volonté. La peur de connaître une mort aussi brutale que douloureuse l'avait ébranlé.

– De toute évidence, comme chien de garde, il ne vaut pas un clou, remarqua Courtney en serrant dans ses bras la grosse boule de poils. Et si on avait été des cambrioleurs ?

Soudain, ils se crispèrent tous les trois. Ils n'avaient plus à redouter les quigs, mais leur soulagement avait été de courte durée.

– La maison est habitée, annonça Mark, abasourdi.

– On est en train de commettre une violation de domicile, ajouta Courtney.

137

– Est-ce que ça veut dire que tout a changé aussi en Seconde Terre ? demanda Patrick.

– Il faut qu'on sorte d'ici, conclut Mark.

Il se tourna vers le mur, repoussant quelques cartons pour atteindre la sortie. Mais il ne trouva que des briques.

– La porte a été murée.

– Je n'y comprends rien, fit Courtney avec stupéfaction. Combien de temps est-on parti exactement ?

– Bien assez longtemps, annonça Mark en se dirigeant vers les marches. Il va falloir traverser la maison.

Les autres le suivirent. Le chien leur emboîta le pas en agitant gaiement la queue.

– J'espère que tout le monde dort, chuchota Mark.

– Pourvu qu'ils ne soient pas armés, ajouta Courtney sur le même ton.

Ils montèrent rapidement l'escalier, silencieux comme des ombres. Courtney et Mark avaient déjà visité maintes et maintes fois les différentes pièces du manoir, et pourtant, cette fois-ci, ils ne savaient pas à quoi s'attendre. Patrick n'en avait pas la moindre idée. Le chien, lui, savait forcément quelque chose, mais il ne risquait pas de les renseigner. Grâce au labrador, la porte était restée ouverte. Mark fut le premier à atteindre le haut des marches et s'arrêta pour jeter un œil.

– Si ses aboiements n'ont pas ameuté toute la maison, c'est peut-être qu'il n'y a personne, dit-il, plein d'espoir.

– Ou peut-être que la police est déjà là, à nous attendre, rétorqua Courtney.

Mark lui jeta un regard noir, puis se tourna vers Patrick. Le Voyageur avait l'air sur le point de tomber dans les pommes. Mark lui fit un sourire rassurant. Mais il aurait bien aimé que quelqu'un lui remonte le moral, à lui aussi. Il tourna les talons et entra dans la maison sur la pointe des pieds. Le décor était exactement semblable à ce que Mark et Courtney connaissaient…

Sauf que tout était entièrement meublé. La porte du sous-sol débouchait dans le grand vestibule. De là, un escalier en spirale menait au premier étage. Mark contempla l'aménagement luxueux, se tourna vers Courtney et écarquilla les yeux d'un air éloquent.

En effet, ce spectacle méritait bien qu'on ouvre de grands yeux. Quelle que soit la personne qui puisse habiter cette baraque, songea Mark, il devait être riche. Une douce lumière émanant du salon éclairait le décor. Un énorme chandelier de cristal ouvragé pendait du plafond. D'épais tapis orientaux ornaient le parquet poli. Des peintures à l'huile représentant des paysages de campagne idéalisés étaient accrochés un peu partout. Mark jeta un œil dans une des pièces pour découvrir des meubles anciens et très luxueux, et assez de sculptures pour remplir un musée. La peinture n'était plus écaillée : les murs étaient couverts de boiseries élaborées. L'escalier menant au second étage semblait fait de marbre poli. Un vrai décor de cinéma.

Mais, pour l'instant, le seul détail qui leur importait vraiment était la porte d'entrée à l'autre bout du vestibule. La liberté n'était plus qu'à quelques mètres. Le chien dépassa Mark pour franchir une arche donnant sur le salon, puis il disparut dans les profondeurs de la maison. Mark fit signe aux autres de le suivre vers la porte. Ils progressèrent rapidement, en silence, jusqu'à ce que Courtney s'arrête si brusquement que Patrick lui rentra dedans. Personne ne dit rien, personne ne ronchonna. Patrick se contenta de lui jeter un regard impatient. Courtney ne le remarqua même pas. Elle n'avait d'yeux que pour l'arche où le chien avait disparu. Ou plutôt ce qui se trouvait derrière.

Mark tira sur sa manche pour la faire avancer. Courtney l'ignora. Elle continuait de regarder fixement la pièce. Lorsque Mark tira à nouveau, elle désigna quelque chose du doigt. Patrick et Mark le suivirent des yeux… et eurent un hoquet de surprise.

Là, dans la pièce qui s'étendait au-delà de l'arche, une grosse flambée brûlait dans la cheminée. C'était la source de la lumière dansante qui guidait leurs pas. Mais ce n'était pas ça qu'ils fixaient. Pas plus le chien, qui s'était couché devant le feu pour profiter de sa chaleur. Non, c'était ce qui était accroché au-dessus de la cheminée. La clarté était trop faible pour qu'on puisse dire si c'était un tableau, une sculpture ou même une photo, mais ça n'avait aucune importance.

Là, au-dessus de l'âtre, se trouvait une grande étoile à cinq branches mesurant environ un mètre cinquante de diamètre – le symbole qui désignait les portes des flumes. Et elle était là, à la place d'honneur, telle une icône.

Mark sentit ses jambes se transformer en coton. Cela faisait beaucoup d'informations à assimiler en si peu de temps. Il n'y avait plus de doute possible. Tout avait changé, et pas seulement parce que quelqu'un s'était installé dans le manoir Sherwood. Maintenant, en Seconde Terre, ce symbole en forme d'étoile était connu de tous. Cela signifiait-il qu'on avait découvert les flumes ? Mark se força à détourner les yeux. Il devait se concentrer. Cet endroit ne lui disait rien qui vaille. Ils ne risquaient pas de trouver les réponses à leurs questions s'ils finissaient en cellule pour violation de domicile. Cette idée lui fit reprendre ses esprits. Il tira à nouveau le bras de Courtney, plus fort cette fois-ci. Ils devaient sortir de là.

Ils atteignirent enfin la grande porte. Un énorme verrou était enchâssé dans le bois juste au-dessus de la poignée. Mark posa une main sur celle-ci et l'autre sur la petite roue actionnant le loquet. Il jeta un coup d'œil en arrière et chuchota :

– On filera tout droit vers l'endroit où on escalade le mur. Restez dans l'ombre de la maison.

Mark tourna le verrou. Ils n'avaient plus besoin d'être discrets.

À peine avait-il ouvert la porte qu'une alarme se mit à beugler. Son mugissement vrilla le silence qui planait sur l'immense demeure comme si un camion de pompiers venait de faire irruption dans le salon. Le chien se remit à aboyer. Sur un panneau fixé au mur à côté de la porte, une lumière rouge se mit à clignoter.

Courtney regarda Mark avec de grands yeux et dit la seule chose qui semblait logique, vu les circonstances :

– On s'arrache !

Tous trois franchirent la porte d'entrée au pas de course, traversèrent l'immense porche et dévalèrent les marches jusqu'à l'allée de graviers. Soudain, des lampes s'allumèrent, éclairant le parc comme un terrain de football, ou une cour de prison lors d'une évasion. Courtney et Mark virèrent abruptement sur la droite et coururent vers le mur qui entourait la propriété. Ils savaient que, de l'autre côté, il y avait un arbre grâce auquel ils pourraient redescendre dans la rue. Le plus dur était encore d'escalader le mur de ce côté. Mais ils l'avaient déjà fait plusieurs fois. Ils n'eurent pas à se concerter. Ils savaient ce qu'ils avaient à faire.

Maintenant qu'ils étaient dehors, le beuglement de l'alarme leur parut assourdissant. Des projecteurs les pourchassèrent, comme entraînés par des capteurs de mouvement. Cette maison jadis abandonnée, l'ancienne demeure d'un éleveur de poulets, qui lui avait donné pour nom manoir Sherwood, était désormais aussi bien gardée qu'une banque.

– C'est bon ! hoqueta Mark tout en cavalant. Quand la police arrivera, on sera loin.

Bang !

Une balle siffla à leurs oreilles. Ils n'étaient plus seuls.

– Je pense qu'ils sont déjà là, gémit Patrick.

– Ça m'étonnerait, reprit Courtney. La police ne te tire pas dessus sans crier gare, même si tu es coupable d'effraction.

– Alors qui est-ce ?

Deux autres coups de feu retentirent. *Bang ! Bang !* Les balles soulevèrent des gerbes de terre et d'herbe.

– J'y suis ! s'écria Mark.

Ils avaient atteint le mur. Courtney ne discuta pas. Elle savait ce qu'il voulait dire. Mark plaqua son épaule contre le béton et joignit ses mains pour l'aider à grimper. Courtney ne ralentit même pas. Elle sauta sur les mains de Mark, le pied droit en avant. Mark la propulsa dans les airs. Telle une trapéziste, elle agrippa le sommet du mur de béton et, en un seul geste fluide, se hissa dessus.

– Allez-y ! s'écria-t-elle avant même de s'asseoir sur le mur.

Mark croisa à nouveau ses doigts et regarda Patrick.

141

– Vas-y !

Patrick eut un moment d'hésitation.

– Je ne suis pas sûr de pouvoir faire ça.

La motivation qui lui manquait ne tarda pas à arriver. Le crépitement d'une mitrailleuse couvrit le bruit de la sirène. Sur leur droite, le mur se mit à exploser sous les impacts de balles, projetant des fragments de béton. Les tirs se rapprochaient, ce qui parut galvaniser Patrick. Il bondit, prit appui sur Mark, se hissa et saisit la main que Courtney lui tendait. Mark poussa, Courtney tira et, avec un petit coup d'adrénaline, Patrick se retrouva tout en haut du mur.

– Descends par l'arbre ! cria Courtney à Patrick.

Cette fois, celui-ci ne se le fit pas dire deux fois. Il se laissa glisser le long de l'arbre. Tandis que les balles frappaient le mur, Courtney se pencha vers Mark et tendit la main pour l'aider. Il vit que, contre toute attente, elle lui souriait.

– Bienvenue à la maison, dit-elle en lui faisant un clin d'œil.

Mark fléchit les jambes et sauta pour attraper ses deux mains. Elle le hissa au sommet du mur. Sans un mot de plus, Courtney suivit Patrick le long de l'arbre.

Alors que Mark attendait qu'elle descende à son tour, il se retourna vers le manoir Sherwood. Le crépitement de mitraillette s'interrompit. Quel que soit le tireur, il devait avoir compris que les intrus étaient partis. Mark se permit d'examiner la demeure pendant quelques secondes. Qu'est-ce qui pouvait bien avoir changé ? Qui habitait cette maison, et pourquoi avaient-ils mis le symbole de l'étoile au-dessus de leur cheminée ? Mark ne pouvait s'empêcher de penser que, quelles que soient les modifications qui avaient affecté la Seconde Terre, les gens de cette maison y jouaient un rôle. C'était trop gros pour n'être qu'une coïncidence. Après tout, ils vivaient au-dessus d'un flume.

Il passa les jambes de l'autre côté du mur et allait se laisser glisser le long de l'arbre lorsque son œil repéra un mouvement à l'intérieur de la maison. Il regarda à la hauteur du second étage. Là, il y avait une grande fenêtre donnant sur le parc. Et derrière se dressait une silhouette solitaire. Celle d'un homme. Un vieillard vêtu de ce qui ressemblait à une robe de chambre. La lumière éclairant son dos soulignait sa silhouette noire. S'il était furieux qu'on se soit introduit chez lui, il n'en laissait rien paraître. Il se tenait là, à regarder dans le jardin, aussi calme que s'il admirait le paysage. À côté de lui se dressait le labrador, debout, les pattes de devant posées sur la vitre. Le vieil homme avait posé la main sur sa tête. Mark eut un coup au cœur. Il eut l'impression que c'était lui qu'ils fixaient ainsi.

– Que personne ne bouge ! cria-t-on.

Mark baissa les yeux vers le parc pour voir quatre personnes en tenues sombres – peut-être des uniformes – courir dans leur direction. L'une d'entre elles tenait une mitraillette. C'était tout ce qu'il lui fallait. Il sauta du mur et dévala l'arbre pour atterrir à côté des deux autres.

– C'est le moment de disparaître ! lança-t-il.

Ils partirent en courant dans les rues du quartier. Celui de Mark et Courtney.

Ils étaient de retour chez eux.

SECONDE TERRE
(suite)

Les rues de leur banlieue étaient sombres. Et froides. On devait être au tout début du printemps. Les plaques de neige sales et à moitié fondues qui s'étendaient de chaque côté de la route complétaient le tableau. Les maisons étaient plongées dans l'obscurité – ce qui les arrangeait bien. On était en pleine nuit. Toute la ville dormait. Il y avait peu de risque que quelqu'un remarque trois vagabonds qui semblaient sortir tout droit d'une capsule temporelle. Avec un peu de chance, se dit Mark, ils pourraient rentrer chez eux sans problème.

Mieux encore, le quartier ne semblait pas si différent de celui qu'ils avaient connu. Un moment, Mark put presque s'imaginer que tout était normal. Mais il savait qu'il n'en était rien.

– Quand es-tu partie ? demanda Mark à Courtney alors qu'ils marchaient sur le trottoir.

– Deux jours après toi. Je ne me rappelle pas la date exacte, mais c'était en décembre.

– On n'est pas en décembre, reprit Mark, pensant à voix haute. Il ne fait pas assez froid. Il n'y a pas de décorations de Noël. À vue de nez, je dirais plutôt fin février, début mars.

– Votre maison est encore loin ? demanda Patrick. Après tout ce pataquès, la police va sûrement débarquer.

– Ce pataquès ? répéta Courtney en souriant. Tu es prof de quoi, de langues anciennes ?

– Peu importe, trancha Mark. On est arrivés.

144

La maison de Mark était en tout point semblable à celle dont il était parti avec Nevva Winter pour se rendre en Première Terre. En se trouvant devant ce bâtiment familier, Mark se vit tiraillé par des émotions contradictoires qu'il n'arrivait pas à comprendre lui-même. Il était heureux d'être chez lui, mais triste de ne pas retrouver ses parents. Que tout ait l'air normal était encourageant, même s'il savait qu'il n'en était rien. Et surtout, il redoutait de passer la porte pour découvrir mille détails lui indiquant que sa vie quotidienne ne serait plus jamais la même.

Mark décida de cesser de se ronger les sangs.

– Passons par-derrière, suggéra-t-il.

Il ouvrit la voie sur la pelouse, puis contourna la maison pour monter les marches en bois qui menaient à la porte de derrière. À côté, il y avait une grosse caisse de plastique où les Dimond gardaient en permanence un tuyau d'arrosage et un double de la clé. Mark l'ouvrit et poussa un soupir de soulagement en constatant que la clé était toujours là.

– Heureusement, certaines choses n'ont pas changé, dit-il en se détendant un peu.

Ils entrèrent dans la maison et s'empressèrent de refermer la porte derrière eux.

– Vite, tirez les rideaux ! lança Mark. Il vaut mieux que personne ne nous voie. On pourrait nous prendre pour des rôdeurs.

– Ouais, ironisa Courtney, comme si on ne s'était *jamais* introduit dans une maison où on n'avait rien à faire !

Personne ne rit.

– Oh, allez ! reprit-elle. C'était pour détendre l'atmosphère ! Vous êtes si sérieux !

Mark regarda la pendule de la cuisine.

– Trois heures du matin. Tirons les rideaux avant que tout le monde se réveille.

– C'est quoi, des rideaux ? demanda Patrick.

– Assieds-toi, répondit Courtney en lui désignant la table de cuisine. On s'en occupe.

Patrick s'assit, mais il n'avait pas vraiment l'air à son aise. Il se tenait très droit en regardant ses mains, redoutant d'en voir davantage de la Seconde Terre. Ces derniers temps, il n'avait pas arrêté de sauter d'un environnement étranger à un autre, et il avait les nerfs en pelote.

— On revient tout de suite, lui dit gentiment Mark alors que Courtney et lui sortaient de la cuisine.

— Je me fais du souci pour lui, reprit Courtney à voix basse pour que Patrick ne l'entende pas. Il a l'air au bout du rouleau.

— Il a pas mal encaissé.

— Et nous, alors ?

— Oui, mais nous, on a fini par s'habituer.

Ils se regardèrent et éclatèrent de rire.

— C'est vrai, dit Courtney en secouant la tête.

— Il y survivra, affirma Mark.

— Ça vaudrait mieux. De nous trois, c'est lui le Voyageur.

Ils s'empressèrent de faire le tour de la maison pour constater que, à l'exception de ceux du premier étage, la plupart des rideaux étaient déjà tirés. Mark y vit un bon présage. Si quelqu'un regardait la maison à la lumière du jour, il ne verrait rien d'anormal ou de suspect. Mark entra dans sa chambre et s'arrêta net en voyant toutes ces traces de son ancienne vie. Les posters de films d'animation, les piles de livres, les photos les représentant, Bobby et lui, lorsqu'ils étaient bien plus jeunes. Une boule monta dans sa gorge. Son ancienne vie lui manquait. Il regrettait le gamin timide et boutonneux qu'il avait été. Il aurait voulu pouvoir effacer de sa mémoire jusqu'à l'existence de Halla, des Voyageurs et, plus que tout, de Forge.

Un détail attira son regard. Quelque chose avait changé. C'était l'ordinateur posé sur son bureau. Il y avait bien longtemps qu'il se servait d'un vieux moniteur. Maintenant, sur ce même bureau qu'il connaissait si bien, se trouvait un écran plat dernier cri qu'il n'avait jamais vu.

Courtney entra dans la chambre et vit Mark qui fixait cet ordinateur inconnu.

— Bizarre, hein ? dit-elle. Quand tu as apporté la technologie informatique en Première Terre, tu l'as fait progresser de soixante ans d'un coup. Je comprends que tu sois devenu une légende.

– Qu'est-ce qui a changé ?

Mark avait à peine terminé sa phrase que l'écran s'alluma. Un schéma géométrique en trois dimensions apparut. Surpris, Mark et Courtney firent un pas en arrière.

Une voix féminine caressante s'éleva de l'ordinateur :

– Bonjour, Mark. Il est trois heures et quart du matin. Que puis-je faire pour toi ?

Mark et Courtney en restèrent bouche bée, dévisageant l'écran. Au bout de quelques secondes, Courtney déclara :

– Eh bien, ça, pour commencer.

– Il a reconnu ma voix ! s'étonna Mark.

– Pose-lui une question, suggéra Courtney.

Mark réfléchit un instant, puis demanda :

– Quelle est la date d'aujourd'hui ?

– Le 11 mars, répondit l'ordinateur.

– L'anniversaire de Bobby, ajouta Courtney en souriant. Le jour de ses dix-huit ans.

Mark passa son doigt sur le haut de l'écran, essuyant une épaisse couche de poussière.

– Trois mois, dit-il, pensif. Ça expliquerait bien des choses.

– Qu'est-ce que ça signifie ? demanda l'ordinateur.

Courtney jeta un regard noir à l'écran et avertit sèchement :

– Mêle-toi de tes affaires !

– Extinction, dit Mark.

– Au revoir, répondit l'ordinateur juste avant que l'écran ne devienne opaque.

Mark regarda Courtney d'un air stupéfait.

– Hé, c'était facile !

Courtney se laissa tomber sur le lit de Mark sans cesser de réfléchir.

– C'est angoissant, confia-t-elle. Je veux dire, d'être restés absents si longtemps. Si le flume nous avait renvoyés juste après notre départ, comme il l'a fait à notre retour d'Eelong, on pourrait reprendre le cours de notre vie comme s'il ne s'était rien passé. Mais maintenant, on va nous poser des questions. Tout le monde est persuadé que l'avion qui a emporté tes parents s'est écrasé et qu'ils sont morts tous les deux. Tu vas devoir faire avec.

– C'est vrai, reprit Mark en se frottant les yeux. Mes parents – mes *autres* parents – vont me harceler. Ils m'enverront sans doute vivre chez ma tante dans le Maryland. Et je ne veux pas y aller.

– Et je ne peux pas rentrer non plus. Qu'est-ce que je dirais à mes parents ?

– Et qu'est-ce qu'on va expliquer à Patrick ?

– Ça ne me réjouit pas plus que ça, mais on ne peut pas reprendre le cours de nos vies comme si de rien n'était, conclut Courtney d'un ton lugubre.

– D'accord. Ça nous empêcherait de découvrir comment tout a changé et ce que mijote Saint Dane.

Ils se turent un moment, puis Courtney demanda :

– Mark ?

– Oui ?

– Comment comptes-tu apprendre tout ça ?

– Je n'en ai pas la moindre idée.

Ils décidèrent d'un commun accord que tout ça pouvait attendre le lendemain. Ils devaient adapter leur horloge interne à l'heure locale. Chacun se choisit un endroit où se coucher pour prendre quelques heures de repos – Mark dans son propre lit, Patrick dans la chambre des Dimond et Courtney sur le canapé du salon. Mais tous trois restèrent allongés à fixer le plafond, incapables de trouver le sommeil.

Il était presque 6 heures du matin lorsque Courtney passa la tête par la porte de la chambre de Mark et lança :

– Arrête de faire semblant de dormir. J'ai faim.

Ils passèrent à la cuisine pour y découvrir Patrick assis devant la table, à fixer la couverture déchirée qu'il avait rapportée de Troisième Terre.

– Hé, ça va ? demanda Courtney.

– Je ne sais plus où j'en suis, répondit-il d'un ton las.

Courtney et Mark échangèrent un regard nerveux. Mark alla ouvrir le réfrigérateur et le trouva presque vide.

– C'est la dèche, annonça-t-il.

– Regarde dans le congélateur, suggéra Courtney.

Là, il trouva du jus d'orange et des gaufres surgelées. Il lui passa la brique et sortit les gaufres.

– C'est mieux que rien, déclara-t-il.

Il partit vers le comptoir, puis s'arrêta et regarda autour de lui, étonné.

– Heu… où est le grille-pain ?

– Mets-les au four, proposa Courtney.

Mark l'ouvrit et y déposa plusieurs gaufres, mais, lorsqu'il voulut choisir la cuisson, il s'arrêta net.

– Il n'y a pas de boutons, déclara-t-il, désemparé. Ce n'est pas notre four.

– Bien sûr que si, répondit patiemment Courtney. C'est juste une version améliorée, comme tout le reste. Essaie de lui dire ce qu'il doit faire.

– Ben voyons, ironisa Mark.

Il regarda le four et dit :

– Décongèle ces gaufres.

Aussitôt, le four s'alluma et se mit à chauffer.

– Ça alors ! fit Mark.

– Ce n'est pas normal ? demanda Patrick.

– Heu… non.

– Mais si, insista Courtney. Enfin, c'est normal depuis que Mark a introduit Forge en Première Terre. Tout a plus ou moins la même apparence, mais la technologie est différente. Sois content de ne pas avoir d'animal de compagnie. Tu aurais des surprises.

– Et cette maison au-dessus du flume ? demanda Patrick.

Courtney fronça les sourcils.

– Ça, c'est une autre paire de manches. Il est impossible que quelqu'un ait emménagé et tout remis en état si vite.

– Ce qui veut dire qu'il y a eu d'autres changements depuis notre départ, ajouta Mark. Donc, il a dû se passer quelque chose dans le passé, à part la création de Forge, bien sûr.

– Et il faut qu'on découvre quoi, termina Courtney.

Patrick brandit la couverture déchirée et ajouta :

– Et pourquoi tant de monde semble connaître ce symbole ?

Mark et Courtney regardèrent l'étoile.

– Ravinia, lut Mark à voix basse.

– C'est peut-être une bonne chose, fit Courtney pleine d'espoir en versant le jus d'orange dans une carafe.

Patrick fit la grimace.

– Tu ne dirais pas ça si tu avais vu ce que j'ai vu en Troisième Terre.

– Ah oui, répondit Courtney, gênée. C'est vrai.

– La première étape, affirma Mark, c'est d'aller voir ce qui a changé. On peut trouver quelque chose qui fera un lien avec la Première Terre.

– Comment ? demanda Courtney.

Mark désigna du doigt l'anneau de Voyageur de Patrick.

– On dispose toujours d'une ligne directe vers le passé. Si on trouve quoi que ce soit de suspect, on pourra y envoyer un message.

– Tu en es sûr ? demanda Courtney.

Mark prit un bout de papier et y griffonna quelque chose.

– Pose l'anneau sur la table, dit-il à Patrick tout en pliant la note.

Patrick le plaça juste à côté de la carafe de jus d'orange.

– Tentons le coup, dit Mark.

Il s'éclaircit la gorge et s'adressa directement à l'anneau :

– *Première Terre !*

Au grand soulagement de tous, la pierre prit vie. Ils ne pouvaient pas communiquer avec Bobby, mais au moins les anneaux fonctionnaient toujours. Le cercle s'agrandit, crachant des rayons de lumière et de la musique. Lorsqu'il eut atteint sa taille définitive, Mark y jeta la note, après quoi l'anneau rétrécit jusqu'à reprendre sa taille normale.

– Comment saura-t-on que ça a marché ? demanda Patrick.

Courtney répondit à la place de Mark :

– Oh, ça a marché. Mais la question, c'est de savoir qui l'a reçu : Dodger ou Nevva ?

Mark lui jeta un regard surpris.

– Elle a toujours ton anneau, lui expliqua Courtney. Et si elle est encore en Première Terre…

Elle ne finit pas sa phrase. C'était inutile.

– On le saura dans une heure ou deux, répondit Mark. Quand la banque ouvrira.

Patrick fronça les sourcils et se tourna vers Courtney, qui haussa les épaules. Elle ne comprenait pas plus que lui. Puis, tout d'un coup, une idée la frappa :

– J'y suis, déclara-t-elle, tu leur as demandé de déposer quelque chose dans notre coffre !

– Non, répondit Mark en se versant un verre de jus d'orange. Je veux qu'ils ouvrent un compte à la banque et y fassent un dépôt. Si on doit rester ici un bout de temps, il nous faut de l'argent. Et ils disposent de celui que KEM a versé pour l'achat de Forge.

– Ça va marcher ? demanda Patrick. Ils peuvent déposer de l'argent en Première Terre pour qu'on le récupère aujourd'hui ?

– Ça devrait aller, assura Mark. Je leur ai donné le numéro de notre coffre et leur ai dit d'y mettre le reçu du dépôt.

– Impressionnant, remarqua Patrick.

– Ça ne manque pas d'ironie, reprit Mark, pensif. On va tenter d'arrêter Saint Dane en employant l'argent de la compagnie à qui il m'a forcé à vendre mon invention – de l'argent dont je ne voulais pas – dans le but que cette même compagnie crée les dados et change l'avenir de Halla, bien qu'on ait tout fait pour l'en empêcher.

– Pardon ? demanda Patrick, qui nageait complètement.

Courtney éclata de rire.

– Ça y est, j'ai tout compris !

– Tu peux m'expliquer ?

– Bien sûr, répondit Courtney. Si tu dois être mêlé à cette histoire de fous, tu dois tout savoir.

– Vos gaufres sont prêtes, lança une voix de l'autre côté de la pièce.

Tout le monde regarda le four.

– Je crois que je vais avoir du mal à m'y faire, remarqua Mark.

Ils décidèrent que Courtney et Patrick resteraient à la maison pendant que Mark se rendrait à la banque. Courtney, elle, avait pour tâche de mettre Patrick au courant de tout ce qui était arrivé avec KEM, les dados et Forge, tout en fouillant la maison pour trouver des vêtements susceptibles de passer inaperçus en Seconde Terre. Mark choisit parmi ses propres affaires. Il passa un jean, un tee-shirt et de vieilles baskets. Il ne faisait jamais de sport, mais les trouvait confortables. Il décida de garder sa coiffure de Première Terre pour éviter que quelqu'un le reconnaisse. Il portait toujours les lunettes à monture dorée qu'il s'était procurées dans le passé, et il mit un blouson de golf bleu marine appartenant à son père. Ce qui complétait sa transformation en quelqu'un d'autre que Mark Dimond. Lorsqu'il se regarda dans le miroir, il se reconnut à peine.

– Tu ressembles à un vieux banquier de banlieue, commenta Courtney. C'est parfait.

Comme Mark avait peur qu'un vieux banquier circulant en vélo se fasse remarquer, il préféra aller à la banque de Stony Brook Avenue à pied. Ce n'était jamais qu'à quelques kilomètres, et il voulait en profiter pour observer les éventuels changements qui avaient pu se produire en Seconde Terre.

L'essentiel du trajet passait par des rues de banlieue qui n'étaient pas si différentes que dans ses souvenirs. Les maisons, les trottoirs, les pelouses, les voitures, rien n'avait changé. Et pourtant, quelque chose semblait différent ; mais ce n'est qu'au bout d'un kilomètre qu'il mit le doigt dessus. Il n'y avait plus un seul poteau téléphonique. Son quartier tel qu'il le connaissait était strié de câbles électriques, qu'ils servent pour le téléphone ou l'électricité. Plus maintenant. Comment ne s'en était-il pas aperçu tout de suite ? Certes, il cherchait un élément nouveau, pas quelque chose qui n'était plus là. Une fois qu'il l'eut compris, cela lui parut évident. Il se demanda ce qui avait remplacé les fils électriques. Tout passait-il sous terre ? Ou par des signaux aériens ? Puisque les principaux changements en Seconde Terre avaient trait à la technologie, tout était possible.

Il se demanda quand même où pouvaient bien se percher les oiseaux à présent.

152

De même, Stony Brook Avenue restait telle que dans ses souvenirs. C'était ce que la petite ville avait de plus proche d'une « grande rue », bordée de boutiques et de restaurants. C'était là que traînaient les ados branchés, et c'était pour ça que Mark l'évitait. Il allait au snack appelé le Garden Poultry pour prendre sa dose quotidienne de frites et de soda, puis il rentrait chez lui. Il n'était pas du genre à se mêler aux autres.

Mark eut également le plaisir de constater que sa vieille amie Mlle Jane Jansen travaillait toujours à la banque. À chaque fois qu'il voyait quelque chose identique au passé, il reprenait espoir. Au fond, ces changements n'étaient peut-être pas si terribles ? Néanmoins, il craignait que la femme le reconnaisse et lui demande où il était passé durant tout ce temps, si bien qu'il préféra s'adresser à un autre employé pour lui demander la clé de leur coffre.

La banque, presque déserte, venait d'ouvrir. En un clin d'œil, Mark se retrouva dans la salle des coffres, à fixer les journaux que Courtney et lui avaient déposés pour les mettre en sécurité. Il y avait également deux objets qui n'y étaient pas précédemment. L'un était un journal de Bobby, le n° 28. Courtney l'avait déposé en Première Terre. Il fut tenté de le lire sur-le-champ, mais il se doutait bien que Courtney le lui avait résumé le plus fidèlement possible. L'autre était la raison de sa venue. C'était un reçu de dépôt. Un vieux. Il était là depuis si longtemps que le papier avait jauni. Mais cela n'avait aucune importance. Tout ce dont Mark avait besoin, c'était du numéro de compte. En Première Terre, son père y avait déposé vingt mille dollars. En ce temps-là, c'était une petite fortune. En Seconde Terre, eh bien, c'était tout de même une somme rondelette. Il s'en contenterait.

Un mot manuscrit était attaché au reçu. Il disait : « Bonne chance. On t'aime. Papa et maman. » Mark sourit et le glissa dans sa poche. Il referma le coffre et retourna dans la grande salle pour remplir une demande de versement. Comme il ne voulait pas éveiller les soupçons, il préféra ne pas retirer une somme trop importante. Quatre cents dollars seraient un bon début. Il pourrait toujours revenir chercher de l'argent. Mark remplit le formulaire et alla trouver un employé qu'il ne connaissait pas. Il choisit une jolie blonde en pull à col roulé. À la voir, on aurait pu croire qu'elle allait au même lycée que lui, mais il y avait peu de chance qu'elle le reconnaisse : Mark ne fréquentait pas les jolies blondes en pull à col roulé.

– Bonjour ! lui dit-elle avec un sourire joyeux.

– Bonjour. C'est pour un retrait. Oh, pas grand-chose, juste quatre cents dollars. C'est presque rien, hein ?

Mark réalisa qu'il s'enfonçait et se tut.

– Pas de problème, répondit-elle. Vous avez une pièce d'identité ?

Zut ! Mark avait sur lui son portefeuille avec sa carte d'étudiant. Il l'avait fourré dans sa poche à la dernière minute, mais ne voulait pas le montrer. Il était le Mark Dimond dont tout le monde devait parler en ville. Il avait perdu ses parents, et lui-même avait disparu trois mois plus tôt. Stony Brook était une petite ville. Si elle le reconnaissait, ce serait la fin des haricots.

– Vous êtes sûre que c'est n-n-nécessaire ? demanda-t-il en bredouillant.

Elle lui décocha un sourire innocent.

– Bien sûr. C'est le règlement.

Mark farfouilla dans son portefeuille.

– Je ne sais p-p-pas ce que j'ai sur moi.

Mark aurait bien voulu qu'en plus d'être jolie, la blonde se soucie davantage d'être belle et populaire que de se préoccuper des tragédies locales. Elle le dévisagea, une lueur de soupçon dans l'œil. Mark réalisa qu'il n'avait pas le choix. Il lui tendit sa carte d'étudiant et retint son souffle.

La fille consulta le document plastifié et sourit aux anges :

– Hé, vous allez à D-G !

– D-G ?

– Le lycée Davis-Gregory ! Je viens d'y entrer. En quelle année êtes-vous ?

– Heu… en terminale. Enfin, je crois. Je ne suis pas souvent là. J'ai… pas mal voyagé.

– Vraiment ? Où ça ?

Mark se dit qu'il valait mieux dire la vérité. Il n'était pas doué pour mentir.

– À New York, principalement. Mais je suis aussi allé en Angleterre.

Il ne précisa pas que c'était en 1937.

La blonde consulta son ordinateur et dit à voix haute :

– Mark Dimond.

Mark ouvrit de grands yeux. Pourquoi donnait-elle son nom à l'ordinateur ? Il comprit aussitôt que c'était un effet de cette nouvelle technologie. Il n'y avait pas de clavier. Tout devait passer par des capteurs vocaux. La fille regarda l'écran et fronça les sourcils. Il y avait un os.

– Un problème ? demanda-t-il.

– Non, mais je vais devoir consulter ma supérieure. (Elle leva les yeux et lança :) Mlle Jansen ?

Patatras ! Mark l'entendit avant de la voir. Le crépitement saccadé de ses talons hauts sur le marbre signifiait que Mlle Jane Jansen, la pro des pros, était déjà là. Il posa la main devant son visage dans l'espoir qu'elle ne le voie pas. Elle devait certainement avoir entendu parler de ce qui leur était arrivé, à lui et à sa famille. Mlle Jane Jansen était la perfection incarnée. Elle portait un tailleur sombre très strict et ses cheveux étaient ramenés en un chignon si serré que Mark se demanda comment elle pouvait remuer les lèvres. Elle lorgna l'écran d'ordinateur par-dessus ses petites lunettes et fronça les sourcils.

– Ça fait un certain temps que ce compte n'est pas actif, dit-elle d'un ton pincé. Y a-t-il une raison à ça ?

– Il a été ouvert il y a longtemps, répondit Mark. Par mon grand-père. Un genre de legs pour ses petits-enfants. Mais, jusqu'à présent, je n'en ai pas eu besoin.

Mark ne savait pas d'où il tirait l'histoire qu'il venait de concocter, mais Mlle Jansen s'en contenta.

– Très bien, dit-elle, puis elle s'adressa à l'ordinateur d'une voix plus forte : Approuvé.

Mark put enfin respirer. Apparemment, Mlle Jansen ne lisait pas non plus les journaux. Peut-être ne quittait-elle jamais son bureau ? Mark s'en moquait. Il s'en était sorti. Mlle Jansen prit la carte d'étudiant des mains de la jolie blonde pendant qu'elle recomptait l'argent de Mark. Elle lui jeta un bref coup d'œil, puis lui tendit les billets. Celui-ci allait les prendre lorsqu'il se figea. Lorsque Mlle Jansen avait tendu la main pour prendre la carte d'étudiant, la manche de sa veste était remontée sur son bras. Dévoilant un tatouage vert. Immanquable. En forme d'étoile à cinq branches.

Mark le fixa sans bouger.

– Tenez, jeune homme, déclara Mlle Jansen.

– Qu'est-ce que ça veut dire ? demanda Mark sans réfléchir. Cette marque. Qu'est-ce qu'elle signifie ?

Elle lui jeta un regard glacial. La jolie blonde sembla se flétrir sur place. Pas de doute, il venait de commettre un faux pas.

– Je n'ai pas à répondre à des questions personnelles sur mon lieu de travail, répondit-elle froidement. Bonne journée.

Mlle Jansen tourna les talons et s'en alla. Elle était furieuse. Ou se sentait insultée. Quelque chose comme ça. Mark n'en savait rien.

– Et voici, dit la jolie blonde en lui tendant son argent. Je vous ai mis des coupures de vingt et de cinquante. Ça vous va ?

Mark restait sous le choc. Il regarda s'en aller Mlle Jansen dans le staccato de ses talons hauts. Il dut se forcer pour revenir à la réalité.

– Heu… oui, merci.

Il prit l'argent et le fourra dans son portefeuille. Il était temps de sortir d'ici et de rentrer chez lui. Il devait en parler aux autres.

– Ne faites pas attention à elle, chuchota la blonde. Elle est vieux jeu.

Mark en profita pour lui demander :

– Pourquoi s'est-elle mise en colère quand je lui ai demandé la signification de cette étoile ?

Elle haussa les épaules.

– Allez savoir ? Il y a des gens qui n'aiment pas en parler.

– De quoi ? De leurs tatouages ?

156

Elle lui adressa un drôle de regard, comme s'il venait de poser la question la plus ridicule qui soit.

– Vous voulez rire ? Je croyais que vous étiez souvent en voyage, pas que vous viviez en ermite.

Elle releva sa manche pour lui montrer qu'elle aussi portait le même tatouage en forme d'étoile à cinq branches.

Mark eut un hoquet de surprise. Il ne put s'en empêcher. Soudain, il eut une bouffée de chaleur. Il recula et partit vers la porte.

– Votre reçu ! cria la blonde.

Mark ne répondit pas. Il était déjà dehors.

SECONDE TERRE
(suite)

— C'est peut-être un truc à la Dr Seuss, dit Courtney. Tu sais, comme dans *The Sneetches* ? Dans ce bouquin, tous les gamins dans le vent portent des marques en forme d'étoile et traînent sur la plage avec les Sneetches normaux.

Mark lui jeta un regard noir.

— Hé, je plaisantais !

Et elle mordit vigoureusement dans sa carotte. En chemin, Mark s'était arrêté faire quelques courses et, bien sûr, avait acheté des carottes. Assis à la table de la cuisine, Courtney et lui se restauraient tout en spéculant sur les derniers événements. Posée devant eux sur la table, la mystérieuse couverture de livre semblait les narguer.

— Patrick est resté dans le salon, scotché à la télé, commenta Courtney. On dirait un glandeur venu du futur. Il suffit de le fournir en chips et en pizzas, et il peut rester comme ça pendant des lustres.

— Est-ce vraiment sa faute ? demanda Mark. Ce type est professeur, c'est un intellectuel. Et là, il a accès à toutes les données en temps réel. Il est au cœur même de l'histoire !

— Ou peut-être qu'il a trop la frousse pour décoller ses fesses du canapé, rétorqua Courtney. Bon, on ne peut pas vraiment le lui reprocher.

— C'est bizarre, dit Mark, pensif. La dame de la banque a refusé de parler de l'étoile, mais, à entendre la blonde, tout le monde savait de quoi il s'agissait.

158

– C'est peut-être quelque chose de tout à fait innocent ? demanda Courtney. Comme un signe de la paix ou le yin et le yang ?

– Courtney ! rétorqua Mark. C'est le symbole qui désigne les flumes !

– Oui, mais ce n'est jamais qu'une étoile ! contra Courtney. C'est peut-être une coïncidence… Je veux dire, c'est un motif qui se retrouve un peu partout !

– C'est vrai, répondit patiemment Mark. On le trouve sur cette couverture de Troisième Terre. Et au manoir de Sherwood, accroché au-dessus de la cheminée, un manoir qui, je te le rappelle, se trouve juste au-dessus du flume. Et on voit soudain ce même symbole sur le bras de vieilles dames, d'autres plus jeunes et de brutes futuristes prêtes à brûler toute une bibliothèque pour le détruire et…

– C'est bon, j'ai compris ! trancha Courtney en levant les mains au ciel.

Mark scruta la couverture pour la millième fois, comme si ce simple mot et ce symbole lui dévoileraient des secrets qu'il n'avait pas déchiffrés jusqu'à présent.

– Ravinia, dit-il d'un ton pensif.

– Ce nom aussi fait Dr Seuss, ajouta Courtney.

– Arrête !

Courtney fit la moue et jeta ce qui restait de sa carotte dans l'évier.

– Je voudrais aller chez moi récupérer quelques vêtements. Ceux de ta mère… Ils ne me vont pas.

Elle se leva pour montrer à Mark que le jean qu'elle portait était bien trop court, s'arrêtant au-dessus de ses chevilles, et que son sweat était si serré qu'on aurait dit qu'elle l'avait piqué à une poupée.

– Si Bobby peut garder son caleçon, je peux mettre mes propres affaires.

Mark la regarda et éclata de rire.

– C'est pas drôle, réagit Courtney.

Patrick se mit à crier depuis la pièce d'à côté :

– Hé ! Venez voir ! Vite !

Mark et Courtney se levèrent d'un bond et filèrent dans le salon. Patrick avait sauté sur ses pieds et se tenait planté là, à fixer l'écran télé.

– Quoi ? s'écria Courtney.

– Regardez ! brailla-t-il en désignant la télévision.

C'était un énorme écran plat qui n'était pas là lorsque Mark était parti pour la Troisième Terre. Sur l'écran défilait un montage de visages émerveillés levant de grands yeux vers le ciel en tendant les mains. Dans cette foule se mêlaient toutes les races et tous les âges. Une musique entraînante jouait en fond sonore. On aurait dit une sorte de documentaire sur une secte quelconque. La caméra recula pour montrer combien ils étaient nombreux. Des milliers. Et tous regardaient la même chose.

– Qu'est-ce que c'est ? demanda Courtney, perplexe.

– Attendez, vous allez voir, déclara Patrick.

Une voix masculine douce, mais pleine d'autorité, s'éleva au-dessus de la musique :

– C'est à vous. C'est à nous. C'est tout ce qui existe.

D'autres visages défilèrent, des images qui apparaissaient et disparaissaient, se superposant.

Tous semblaient éperdus d'admiration. Les gros plans se mêlaient à des prises de vues plus lointaines représentant la foule dans son ensemble.

– Touchez-le, proposait la voix. Sentez-le. Fondez-vous en lui.

– Ça devient flippant, grommela Courtney.

– Chut ! implora Mark.

Les visages joyeux cédèrent la place à un vieil homme vu en gros plan. Il devait bien avoir soixante-dix ans, avec des cheveux poivre et sel impeccablement peignés. On aurait dit un grand-père au regard pénétrant. Mais ce n'était pas un vieillard chenu. Il était en pleine possession de ses moyens. Il scrutait la mer de visages avec un petit sourire chaleureux. C'était lui que tous regardaient avec révérence en tendant les mains. L'image s'agrandit pour montrer qu'il portait une simple robe blanche et se tenait face à l'immense foule sur une estrade circulaire. Il écarta les bras comme s'il voulait tous les étreindre affectueusement.

– Et alors ? demanda Courtney impatiente. On dirait une sorte de télévangéliste.

– Attends, répéta Patrick.

– La Convergence est là, dit alors la voix.

– Quoi ? cria Courtney.

– Chut ! fit Patrick.

– Le 12 mars, continua la voix. Au Madison Square Garden. Venez embrasser le passé et l'avenir.

Le vieil homme se dressa sur l'estrade au centre d'une mer de bras et de visages pleins d'adoration. On se serait cru dans un stade. Tous tendaient les mains comme pour le toucher, bien qu'ils soient trop éloignés pour ça. La musique atteignit un crescendo et une immense image apparut au-dessus du vieil homme.

Courtney eut un hoquet de surprise.

– Oh, bon sang ! souffla Mark.

C'était l'étoile. Celle de la porte. Elle s'illumina dans une explosion éblouissante. La foule l'acclama. Pour certains, cette vision fut trop forte et ils s'évanouirent sur place. Les yeux des autres reflétèrent la lumière intense. L'image fut remplacée par une version animée de l'étoile qui remplit l'écran, se découpant sur un fond noir. La musique se tut et la voix reprit avec passion :

– Ravinia. Hier, aujourd'hui et demain.

L'étoile s'éteignit. L'écran devint noir. Une seconde plus tard, le programme normal reprit. Une rediffusion de la série *Seinfeld*. Courtney, Mark et Patrick restèrent plantés là, à regarder l'écran, abasourdis.

Mark fut le premier à se sentir capable de parler :

– A-t-il bien dit que la Convergence était là ?

– Oui, confirma Courtney. Et il a cité Ravinia.

– Qui est ce type ? demanda Patrick.

Mark et Courtney secouèrent la tête et haussèrent les épaules. Ils ne l'avaient jamais vu de leur vie.

– C'est quoi, Madison Square Garden ? reprit Patrick.

– C'est un grand stade couvert de New York, répondit Courtney. On aurait dit une pub pour un événement qui doit s'y
produire.

– Ou plutôt une publicité pour promouvoir la Convergence,
corrigea Mark. Ce type pourrait-il être Saint Dane ?

Patrick hocha la tête d'un air pensif.

– Le 12 mars. C'est aujourd'hui.

Mark se laissa tomber dans le canapé. Le son était trop fort.
Les personnages de *Seinfeld* se plaignaient de quelque chose,
comme d'habitude. Irrité, Mark regarda autour de lui :

– Où est la télécommande ?

– Extinction ! lança Patrick.

La télévision s'éteignit.

– Oh, marmonna Mark.

Patrick se tourna vers les deux acolytes :

– Tout ça ne vous dit absolument rien ? Ce vieil homme ?
Cette foule ? Ce qu'il évoque ?

– Non, répondit Courtney.

Mark se contenta de secouer la tête.

– Et cette Convergence ? ajouta Patrick. Est-ce que c'est un
événement précis qui va… se produire, comme ça ?

– Tu en conclus que ce sera forcément la Convergence de
Saint Dane, souligna Mark.

– Parce que tu crois qu'il peut y en avoir deux ? rétorqua
Courtney, sarcastique. Ça ferait une sacrée coïncidence, non ?

– Je ne sais plus quoi penser, grogna Mark.

Patrick se mit à tourner comme un lion en cage, plongé
dans ses pensées.

– Il faut découvrir qui est cet homme, conclut-il.

– Et si sa Convergence est prévue pour ce soir ? remarqua
Courtney.

– Oui, ça aussi. (Patrick continua de faire les cent pas, plus
rapidement, plus nerveusement.) Ce type, quel qu'il soit, a
des adeptes. Ces gens le regardaient comme si c'était… un
dieu. S'il n'existait pas dans la Seconde Terre que vous
connaissez, il y a de bonnes chances pour que ce qu'il

s'apprête à faire provoque les changements que j'ai constatés en Troisième Terre.

— Il faut qu'on aille au Madison Square Garden voir ce qui va s'y passer, proposa Mark.

— Je préférerais voir un match des Knicks, ronchonna Courtney.

Patrick l'ignora.

— Il faudrait que j'aie accès à une bibliothèque. Cet homme n'est pas tombé du ciel. Je dois en apprendre un maximum sur lui.

— Fais une recherche sur Internet, proposa Mark. Mon ordinateur est à l'étage. Mais il est bien différent de ceux de Troisième Terre. Pas d'hologrammes. Pas de banques de données infinies. Tu vas trouver ça assez primitif.

— Si ce type détient un tel pouvoir, affirma Patrick avec autorité, même une banque de données minimale doit contenir les informations qu'il nous faut. Je veux savoir quand il est apparu, d'où il vient et comment il a fini par avoir autant de fidèles. Ce genre d'informations existe forcément quelque part, et je compte bien les découvrir.

Mark sourit à Courtney, qui haussa les épaules.

— Content que tu aies un programme, dit Mark à Patrick.

— C'est mon métier, répondit-il, confiant.

— Alors fais tout ce que tu peux, conclut Mark. Ensuite, on ira en ville.

En un rien de temps, Patrick s'installa devant l'ordinateur de Mark et s'escrima pour fouiller le réseau primitif (à ses yeux) afin d'en tirer les informations nécessaires. Mark et Courtney le laissèrent travailler en paix et se rendirent chez Courtney pour qu'elle puisse prendre des vêtements. Sa maison n'était pas très éloignée de celle de Mark, mais il leur faudrait traverser un quartier où ils étaient assez connus. Il aurait été plus sûr d'attendre la nuit, mais, en ce cas, ils seraient tombés sur les parents de Courtney. Non, ils devraient y aller dans la journée. Ils marchèrent d'un pas vif tout en gardant l'air naturel afin de ne pas attirer l'attention et arrivèrent à destination sans problème. Tout comme chez Mark, un double de la clé était caché non loin de la porte de derrière.

– Il faut faire vite, l'avertit Mark. Si tes parents rentrent en avance, ou si quelqu'un nous repère...

– J'en ai pour cinq minutes à tout casser, assura Courtney.

Elle ouvrit la porte de derrière et entra dans la maison. Elle avait besoin de vêtements, mais elle craignait que cette incursion ne lui soit pénible. Ce en quoi elle se trompait. C'était bien pire. Ça faisait mal. Elle se doutait bien que ce décor lui ferait regretter son ancienne existence disparue. Elle s'y attendait. Mais ce à quoi elle n'était pas préparée, c'étaient les odeurs. En entrant dans la cuisine, elle reçut en plein visage les senteurs familières de son foyer. Elle revécut aussitôt ces moments où elle rentrait par la porte de derrière après un entraînement pour retrouver sa mère et les pâtisseries qu'elle lui avait forcément préparées. Courtney crut reconnaître la faible odeur résiduelle de ces gâteaux et ressentit une vague de tristesse et de nostalgie pout cette époque définitivement révolue. À partir de là, elle eut bien du mal à rester concentrée. Ce qui la dérangeait le plus, c'était encore l'idée que ses parents devaient la croire morte. Cela faisait trois mois qu'elle était partie. Est-ce qu'on la recherchait toujours ? Ou était-elle devenue une « affaire non résolue » ? Ses parents devaient souffrir le martyre. Et ses frères aînés ! Pourvu qu'ils soient rentrés à la maison pour soutenir son père et sa mère, comme on devait s'y attendre dans une famille unie.

Cela faisait si mal de penser qu'elle ne pourrait plus jamais faire partie de cette famille ! L'idée la traversa de tout laisser tomber et de rester ici, chez elle. Définitivement. Ce serait si facile de monter l'escalier, d'ouvrir la porte de sa chambre et de se blottir dans son lit.

– C'est dur, hein ? dit Mark, compatissant.

Il comprenait ce qu'elle endurait.

Courtney se contenta de hocher la tête. Elle essuya rapidement une larme et dit :

– Finissons-en.

Elle guida Mark à travers la cuisine, puis dans le salon, tout en faisant de son mieux pour éviter ce qui pouvait être trop douloureux. Elle ne voulait pas voir les photos de famille. Ni ses peintures d'enfance toujours accrochées dans le salon. Et elle ne voulait *surtout* pas voir le chat mécanique qui leur servait désormais d'animal familier, ou tout ce qui pourrait l'empêcher de remplir sa mission.

Mais la réalité fut tout autre. Lorsque Courtney entra dans le salon, elle se figea. Derrière elle, Mark fit de même, tout aussi stupéfait. Car ce qu'ils virent n'avait rien à voir avec des souvenirs d'un monde meilleur, mais plutôt avec un avant-goût désagréable de lendemains qui déchantent.

– Oh, misère, hoqueta-t-elle.

Là, au-dessus de la cheminée, il y avait une immense étoile.

– J'imagine qu'il est inutile de te demander si c'était déjà là quand tu es partie, fit Mark.

– Alors, murmura Courtney, ma famille est impliquée dans tout ça.

Elle fixa un moment l'étoile, puis se détourna et partit vers la cuisine.

– Laisse tomber, dit-elle brutalement. Sortons de cette baraque. Je peux toujours me trouver d'autres fringues.

Mais, avant qu'elle puisse faire un pas de plus, la porte d'entrée s'ouvrit d'un seul coup. Le bruit retentit dans la maison et les fit sursauter tous les deux. Ils se retournèrent pour voir entrer cinq hommes, tous vêtus de tenues rouge sombre et de casquettes à courte visière.

L'un d'entre eux, qui semblait être le chef, cria :

– Restez là où vous êtes, je vous prie !

– Tu rêves ? cria Courtney en filant vers la cuisine.

Mark était sur ses talons. Ils coururent vers la porte de derrière, mais, avant que Courtney puisse s'emparer de la poignée, elle s'ouvrit tout aussi violemment pour s'écraser contre le mur.

– Aaaah ! s'écria Courtney.

D'autres hommes s'apprêtaient à investir la maison, vêtus de la même façon que les premiers, sauf qu'ils cachaient leurs visages derrière ce qui ressemblait à des masques. Courtney décocha un coup de poing au premier intrus, qui l'évita sans mal. Elle tenta de frapper à nouveau, mais il était trop tard. Le deuxième homme tenait une petite bombe aérosol.

– Attention ! cria Mark à Courtney.

Trop tard. L'homme lui aspergea le visage d'un nuage rouge et épais. Quel que soit ce produit, Courtney lui trouva une odeur de citron. Une seconde plus tard, tout se mit à tourner. Elle jeta un regard en arrière et vit Mark allongé sur le dos. Il avait reçu une décharge plus importante qu'elle. Courtney tomba à genoux. Elle sentit qu'elle perdait conscience. Elle leva les yeux sur les intrus en pensant que ses parents ne pouvaient tout de même pas être en relation avec ces monstres. Non ?

Juste avant de glisser dans le néant, elle eut une dernière pensée. L'homme qui tenait la bombe portait une étoile tatouée sur le bras. Elle se demanda si ses parents en avaient une également.

Sa joue heurta le parquet et tout devint noir.

Journal n° 34

IBARA

Ça me fait une drôle d'impression de devoir raconter tout ça, mais il le faut. Parce que… eh bien, c'est la vérité.

Mark, Courtney, je passe vraiment des moments formidables. J'avoue que je me sens un peu coupable : je ne devrais pas jubiler alors que je suis là pour empêcher une guerre et la destruction d'un territoire. Peut-être que Saint Dane a raison. Il faut commencer par briser quelque chose avant de le reconstruire.

Hé, c'est vraiment moi qui ai écrit ça ? Est-ce que je viens d'admettre que je suis d'accord avec Saint Dane ? Super. Voilà une raison de plus de culpabiliser. Mais non, pas vraiment. Là, c'est différent. Le plan de Saint Dane pour détruire Ibara était délibéré. Moi, je gère les conséquences d'événements sur lesquels je n'avais aucun pouvoir. Ça n'a rien à voir. On peut dire que j'essaie de tirer le meilleur parti des circonstances, et je m'en sors plutôt pas mal.

Et pourtant, n'allez pas croire que je m'amuse comme un petit fou. Au contraire, ç'a été un sacré boulot. Nettoyer Rayne n'a pas été une partie de plaisir. Mais je vous ai déjà raconté tout ça. Les habitants de Rayne, tous jusqu'au dernier, y ont pris part jusqu'à ce qu'on en vienne à bout. La plage était déblayée. On avait sauvé la plupart de ses magnifiques palmiers. La montagne du tribunal était intacte. Maintenant, on pouvait entreprendre de reconstruire le village.

Je ne vais pas entrer dans les détails, parce qu'il y a eu tant à faire ! Rayne n'est peut-être qu'un petit village de pêcheurs construit au creux d'une baie tropicale, mais il était plus sophistiqué qu'on ne l'aurait cru. Même si le tribunal ne voulait pas répéter les erreurs du passé et redevenir esclave de la technologie, on a bien dû remettre en fonction certains équipements basiques de leur civilisation. Il a fallu remplacer les tuyaux qui transportaient l'eau courante dans le village et réparer la centrale électrique rudimentaire afin que chaque nouvelle cabane soit éclairée. Le système de communication était intact, puisque son centre se trouvait dans la montagne du tribunal. Les ingénieurs qui entretenaient ce réseau se sont occupés de sa reconstruction.

Mon équipe s'est chargée des cabanes. Pour moi, c'était le meilleur boulot possible, parce que, au moins, les résultats étaient tangibles. Après une dure journée de labeur, on se trouvait face à une structure physique. C'est aussi simple que ça. J'imagine que c'était surtout symbolique, mais voir ces constructions commencer à ponctuer le sable me donnait l'impression gratifiante de travailler pour quelque chose. Peut-être que la culpabilité jouait également. Après tout, c'était moi qui avais introduit sur Ibara le tak qui avait tout détruit. Bien sûr, ç'aurait été pire si Saint Dane se l'était approprié, mais tout de même. J'étais partiellement responsable de ce gâchis, et maintenant j'étais encore plus responsable de sa réparation. C'est bon de faire quelque chose de constructif. Et ici, il n'y a pas de côté négatif. Je me sens plus que bien.

Un autre point positif : les gens de Rayne semblent m'apprécier. Je ne suis plus considéré comme un étranger mystérieux. Ils ont confiance en moi et ils m'écoutent. J'ai pas mal d'ouvriers à gérer, et ils pourraient tout aussi bien me dire d'aller me faire voir, mais pas un ne l'a fait. Je crois que je suis un bon chef. J'essaie de me montrer juste, de bien répartir la charge de travail et je ne demande jamais à quelqu'un de faire un travail que je n'effectuerais pas moi-même. Je crois qu'ils respectent ça. En plus, ça me permet de rester en forme. J'ai pas mal gagné en muscles. C'est ce qui arrive lorsqu'on passe ses journées à trimbaler des matériaux de construction.

En outre, les membres du tribunal me demandent souvent mon avis. Surtout Genj. Il me répète sans arrêt à quel point il est content que je sois là et comme je me débrouille bien. Plus d'une fois, il m'a dit qu'il ne savait pas ce qu'ils auraient fait si je n'étais pas venu sur Ibara. Je crois que c'est ça qui l'a poussé à me faire une proposition qui m'a pris au dépourvu. Alors même que je l'écris, j'ai du mal à croire que ça s'est vraiment passé.

Un soir, à la fin de la journée, on est venu me chercher sur mon lieu de travail pour me convier à une audience du tribunal. C'est le mot qu'a employé le gardien de sécurité : une « audience ». Jusque-là, ma relation avec Genj, Moman et Drea n'avait rien de très formelle. Ils avaient beau être les caïds du coin, ils m'avaient toujours traité en égal – plus ou moins. Soudain, me convoquer pour une audience me semblait bien officiel. Voire inquiétant. Tout en marchant vers mon rendez-vous, je me suis torturé l'esprit pour chercher ce que j'avais bien pu faire de mal.

Je suis entré dans la montagne et j'ai escaladé les marches de pierre menant à la vaste caverne où se réunissait le tribunal. Plus je m'en approchais, plus j'étais sur les nerfs. Qu'avais-je fait ? Et surtout, qu'avais-je fait de mal ? Une fois arrivé, j'ai vu les trois membres du tribunal assis derrière leur bureau, l'air très sérieux. Ils étaient vêtus des mêmes habits de toile verte à manches longues et des mêmes pantalons qu'ils portaient la première fois que je les avais rencontrés. C'était étonnant, car ces derniers mois ils s'habillaient comme tous les autres habitants de Rayne. Puisqu'ils travaillaient aussi dur que les autres, ils mettaient une tenue appropriée. Or, là, ils me semblaient bien officiels… Je me suis avancé sans trop savoir à quoi m'attendre. C'était comme si un mur s'était élevé entre nous. Pas plus tard que le matin, on discutait en blaguant comme de vieux amis. À présent, j'étais convoqué dans le bureau du directeur. Je suis resté planté là sans dire un mot. J'avais envie d'alléger la tension en disant : « Hé, les gars, qu'est-ce qu'il y a ? » Je ne l'ai pas fait. J'apprends à fermer ma grande bouche.

Finalement, après un laps de temps assez long pour que mes aisselles se trempent de sueur, Genj a pris la parole :

– Pendragon, sais-tu pourquoi tu es là ?

Super. Un quiz. Me demandait-il si je savais pourquoi j'étais là devant eux, à me couvrir de sueur, ou pourquoi j'étais sur Ibara ? Je ne connaissais pas la réponse à la première question et ne voulais pas répondre à la seconde.

– Non.

Voilà qui n'engageait à rien. C'est Drea qui a continué :

– On t'observe de près depuis le jour où tu es arrivé sur Ibara pour te faire attaquer par cet essaim d'abeilles.

Ah oui. Les abeilles-quigs. Je les avais presque oubliées. Ou peut-être les avais-je censurées dans mon esprit.

– Comme tu le sais, continua Moman, on se méfie des étrangers. Mais tu connaissais notre regretté ami Remudi. Au départ, si on t'a laissé rester, c'était dans l'espoir que tu nous dises ce qui lui est arrivé.

Je le savais très bien. Remudi était le Voyageur d'Ibara. Saint Dane l'avait tué durant un tournoi de tato, sur Quillan[1]. Je comprenais qu'ils veuillent savoir ce qui était arrivé à un ancien membre du tribunal, mais je ne risquais pas de leur dire.

– Malheureusement, continua Moman, on ne sait toujours pas ce qu'il est devenu.

J'ai hoché la tête avec compassion et j'ai dit :

– J'aimerais pouvoir vous aider.

C'était vrai. J'aurais sincèrement voulu les renseigner. Mais je ne le pouvais pas – ou ne le voulais pas.

– Au départ, Pendragon, tu nous as causé bien du souci, a repris Genj. Surtout quand tu t'es acoquiné avec Siry et sa bande de Jakills.

– Sans les Jakills, l'ai-je interrompu, on n'aurait jamais su que les dados allaient attaquer. On leur doit beaucoup. Ne serait-ce qu'un peu de gratitude.

Je n'aurais pas dû dire ça alors que c'étaient eux qui menaient la danse, mais je ne pouvais pas les laisser manquer de respect envers les Jakills. Si Ibara était encore debout, c'était bien grâce à eux. Tout compte fait, j'avais encore du chemin à parcourir avant de savoir quand il vaut mieux ne pas l'ouvrir.

– C'est vrai, reprit Drea. Nous n'avons jamais compris Siry et ses amis. Peut-être aurions-nous dû les écouter un peu plus attentivement. Parfois, nous avons tendance à croire que jeunesse rime

---

1. Voir Pendragon n° 7 : *Les Jeux de Quillan*.

avec ignorance. C'est un défaut qui vient avec l'âge, et il faut admettre qu'il ne nous a pas épargnés.

– Oh.

– Ce qui nous amène au but de cette audience, a coupé Genj. Certes, les Jakills méritent toute notre gratitude, mais nous sommes également ton débiteur. Tu as sauvé notre île. Et Veelox. Nous aimerions que tes amis Siry et Alder soient également là. Non seulement tu nous as guidés tout au long de cette bataille, mais, depuis, tu t'es montré indispensable pour la reconstruction de Rayne. Nous ne savons pas pourquoi tu as adopté Ibara, mais nous sommes contents que tu l'aies fait.

Je n'ai pas pu m'empêcher de sourire. Ils m'avaient fait venir pour me remercier. Pourquoi de façon si formelle ? Un simple merci aurait suffi à mon bonheur.

– Que comptes-tu faire ? demanda Moman. Nous quitter ?

Bonne question. Ils ignoraient que je venais d'un autre territoire à une autre époque. Selon eux, j'allais prendre un bateau et retourner là d'où j'étais venu. Sauf que je n'avais nulle part où aller et que mon « bateau » était enterré sous quelques milliers de tonnes de pierres.

– Je ne peux pas rentrer chez moi, leur dis-je en toute honnêteté. Les raisons sont trop compliquées pour que j'essaie de vous les expliquer. Même si je le pouvais, je ne suis pas sûr que je le ferais. Maintenant, c'est sur Rayne que je me sens chez moi. Je veux faire tout mon possible pour la reconstruire. Mais ça ne durera pas éternellement. Je pense qu'une fois le village à nouveau sur pied il faudra nous tourner vers l'avenir et bâtir une seconde flotte de bateaux pour recommencer le pèlerinage. Le reste de Veelox nous attend toujours. Il y a tout un monde à faire revivre, pas juste une petite île. Et je veux être là pour le voir.

Les trois membres du tribunal se regardèrent en échangeant des sourires.

– C'est ce qu'on espérait, dit Genj. Vu comme tu as travaillé dur, ça ne nous étonne pas vraiment. Et pourtant, il fallait que nous l'entendions de ta bouche. Comme tu as pris ta décision, nous devons t'informer de la nôtre, nous et les chefs de village.

171

Comme si on leur avait donné le signal, des gens ont fait leur apparition, entrant un par un dans la vaste salle. Ils avaient écouté la conversation depuis les tunnels entourant la caverne. Tout le monde portait la même tenue formelle que le tribunal. Soudain, je me suis senti mal dans mes vêtements de travail trempés de sueur. En tout, il devait y avoir une trentaine de personnes, et j'ai reconnu plusieurs leaders des divers groupes qui se partageaient Rayne. Il y avait des ingénieurs, des musiciens, des docteurs, des architectes, des gardes de la sécurité et, en gros, toutes les personnalités importantes de cette île. Telleo était là, elle aussi. Elle est allée se poster derrière son père, un grand sourire aux lèvres. Mais que se passait-il donc ?

Genj s'est levé et m'a regardé droit dans les yeux.

– Ça fait déjà un certain temps qu'on en parle. Nous avons voté à l'unanimité. Depuis le départ de Remudi, il reste un siège vacant au tribunal, et nous préférerions qu'il soit pourvu. Tu nous ferais un grand honneur en acceptant ce poste. Tu l'as bien mérité, Pendragon. Voudras-tu nous aider à faire entrer Rayne et Ibara dans l'avenir ?

Dire que je tombais des nues serait encore en dessous de la réalité. Ces gens me demandaient de rejoindre les quatre chefs du village d'Ibara. Et en fait, de Veelox.

Ils avaient déjà évoqué cette possibilité, mais je ne l'avais pas prise au sérieux. C'était juste après la bataille, et tout le monde ressentait encore l'exaltation de la victoire. Je croyais que c'était ce qu'on dit dans ces moments-là sans forcément le penser. Et comme personne n'en avait parlé depuis, j'avais oublié. Jusqu'à maintenant. Il n'y avait pas d'erreur possible. Ils ne plaisantaient pas. Ils voulaient vraiment que je fasse partie du tribunal.

Toutes sortes de pensées m'ont traversé l'esprit. En étais-je digne ? Je n'étais qu'un adolescent. Dix-huit ans... enfin, je crois. Et comment pourrais-je en être sûr ? Ça faisait un bail que je n'avais pas soufflé de bougies. Bien sûr, en quelques années, j'en avais vu plus que bien des gens dans toute leur vie, y compris ceux qui siégeaient au tribunal.

C'est vrai, je ne savais pas quoi répondre. J'ai regardé Telleo. Elle m'a souri et a hoché la tête pour m'encourager. Elle voulait que j'accepte leur offre. Je crois que c'est ça qui m'a permis de voir la lumière. C'était comme si tout ce qui m'était arrivé m'avait mené là où j'étais. Peut-être était-ce ma destinée de Voyageur. J'avais affronté Saint Dane sur huit territoires différents. La bataille d'Ibara était sans doute celle qui mettrait fin à la guerre. Saint Dane avait déployé toutes ses forces pour conquérir cette petite île, et il avait perdu. Maintenant, il ne pouvait même plus partir d'ici. À ce moment, je me suis dit que j'avais eu raison de détruire le flume. J'avais mis fin au règne de terreur de Saint Dane. Maintenant, j'étais en position de ramasser les morceaux. Soudain, toutes les pièces du puzzle se sont assemblées. J'étais au bon endroit au bon moment. C'était écrit.

– J'en serais très honoré, ai-je répondu, inclinant la tête en signe de respect.

La foule m'a acclamé. Tout le monde a applaudi. Telleo a fait le tour de la table au pas de course pour me prendre dans ses bras. En même temps, j'ai serré la main de Genj, de Moman, puis de Drea. Voilà. J'étais officiellement devenu un des chefs de ce village. D'un territoire entier. Son avenir était entre mes mains. Et je ne le décevrais pas. C'était un sentiment incroyablement agréable.

Mieux encore, par la suite, ma vie quotidienne n'a pas vraiment changé. Ce n'était pas comme si, tout d'un coup, je devais me montrer sérieux, porter des costards stricts, passer mon temps en réunion et faire des discours. Au contraire, ma relation avec le tribunal était assez relax. Ils me demandaient mon avis, je le donnais. Parfois, on débattait de quelque chose, par exemple si on devait construire une autre salle des fêtes commune avant de s'attaquer au prochain lotissement. Ou si on devait s'enfoncer plus profondément dans la jungle, ce qui nous permettrait de construire des cabanes plus grandes. C'était facile. J'étais toujours à la tête de mon groupe de terrassiers, ce qui me convenait parfaitement. La seule différence, c'est que Twig et Krayven ont commencé à me charrier en disant que j'étais passé à l'ennemi, mais c'était pour rire.

Non, c'était bien plus que ça. D'une certaine façon, les Jakills avaient remporté la plus grande des victoires. Ils voulaient découvrir la vérité. Ils voulaient se faire entendre. Désormais, par mon intermédiaire, le tribunal savait ce qu'ils pensaient et ce qui les inquiétait. J'aurais voulu que Siry puisse voir ça – lui et tous les Jakills qui avaient trouvé la mort.

La plupart des débats du tribunal avaient lieu pendant les repas. J'ai souvent dîné avec Genj et Telleo. On s'entretenait du travail effectué ce jour-là et de nos diverses réussites ou échecs. La conversation déviait souvent sur ce qu'on devrait faire dans l'avenir. Il était important de réarmer les canons à eau protégeant Ibara. Impossible de dire quand les Utos attaqueraient à nouveau. On a parlé de créer une force de sécurité additionnelle consacrée à repousser les attaques venant de l'extérieur. C'était enthousiasmant de penser qu'on prenait des décisions qui influeraient sur l'avenir de toute une civilisation.

Bien sûr, il restait des problèmes. Tout n'était pas parfait. Toute la communauté travaillait dur, et les blessures étaient monnaie courante. Telleo a réuni une équipe médicale et s'est chargée de superviser les médecins afin qu'ils fassent de leur mieux pour s'occuper des éclopés.

Comme je l'ai dit, j'étais assez proche de Genj et Telleo. Ils étaient devenus ma seconde famille. Ce qui pouvait parfois devenir gênant. Plus d'une fois, j'ai eu l'impression que Telleo voulait que notre relation soit plus que fraternelle. En général, ça se passait quand on était sur notre perchoir au-dessus de la jungle. Il lui est arrivé de me prendre la main. Ça ne me dérangeait pas : c'était un geste innocent. Et pourtant, c'était bizarre de tenir la main de celle que je considérais comme ma sœur. Plus d'une fois, elle m'a regardé droit dans les yeux, et j'étais sûr qu'elle allait se pencher pour m'embrasser. À chaque fois, j'ai toussé et changé de sujet. Je ne voulais pas la mettre dans l'embarras. J'aimais vraiment bien Telleo, mais je ne voulais pas aller si loin. J'avais trop à faire pour avoir une copine officielle. Surtout la fille de celui avec lequel je siégeais au tribunal. Il y avait trop de risques que ça tourne mal.

En plus, j'étais déjà passé par là avec Loor. Mes sentiments envers elle étaient toujours aussi forts, mais elle m'avait dit très clairement que, tant que durerait notre combat contre Saint Dane, il était inutile d'espérer avoir une relation romantique. Non, c'était impossible. Bien sûr, je ne pouvais pas m'empêcher de me demander ce qu'il en serait maintenant que la guerre était finie. Se reverrait-on un jour ? Et si cela se produisait, nos sentiments seraient-ils les mêmes ? La seule chose que nous avions en commun, c'était notre combat contre Saint Dane. À présent qu'il était terminé, aurions-nous encore quelque chose à nous dire ? Mais quelle importance. On n'en aurait jamais l'occasion.

Telleo était bien différente. On était effectivement « ensemble », bien que, toute considération pratique mise à part, je ne sente pas les choses comme ça. L'ennui, c'est que je pense qu'elle, par contre, les sentait « comme ça ». Je n'avais plus qu'à espérer que ça ne dégénère pas. Je ne voulais pas être oblié de lui sortir le vieux refrain du « je préfère qu'on reste amis », alors qu'en réalité on était plus que des amis. Mais pas de la façon dont, je crois, elle le désirait.

Il s'est passé encore une drôle de chose, et je ne sais pas comment l'interpréter. Un soir, après une longue journée de travail, je me suis retrouvé seul avec Genj. J'étais crevé. Complètement lessivé. Genj me parlait de la flotte de pêche et du fait que certains pêcheurs qu'on avait réquisitionnés pour reconstruire le village ou déblayer les pièces de dados devaient reprendre la mer. Il avait raison. C'était logique. Mais j'étais trop fatigué pour m'en soucier. Mes paupières étaient lourdes comme du plomb. Si je vous donne tous ces détails, c'est parce qu'à ce moment-là je n'avais pas les idées claires, et j'ai dit quelque chose que je regrette encore maintenant. Je mets ça sur le compte de l'épuisement. Ou sur le fait que je suis un idiot.

Vous vous rappelez, quand je vous ai dit que j'évitais de discuter du passé parce que je ne voulais pas qu'on me pose des questions sur le mien ? Eh bien, Genj parlait de la flotte de pêche et a précisé que son épouse – qui s'appelait Sharr, au passage – était friande d'un poisson en particulier, assez rare. C'était la première fois que Genj mentionnait sa femme. Je savais par les autres membres du tribunal qu'elle était morte, il y avait plusieurs années, d'une maladie sur laquelle j'avais préféré ne pas m'étendre. Telleo s'était occupée d'elle jusqu'au bout. D'après Moman, c'est ce qui l'avait poussée à devenir guérisseuse. Du coup, je savais ce qui était arrivé à Sharr, mais je n'en avais jamais discuté avec Genj. Je me doutais bien que c'était un sujet pénible, donc j'évitais de l'aborder. Jusqu'à ce soir. Sans réfléchir, j'ai demandé :

— Pourquoi est-ce que Telleo et sa mère ne s'entendaient pas ?

Genj s'est redressé. J'en ai fait autant. Soudain, je ne sentais plus la fatigue. Qu'avais-je dit ? J'aurais voulu pouvoir revenir sur ces mots, les rattraper au vol et les fourrer à nouveau dans ma tête. Je n'ai rien ajouté. Je n'avais plus qu'à m'efforcer de limiter les dégâts.

— Telleo et Sharr étaient aussi proches qu'on peut l'être entre mère et fille, a déclaré Genj d'une voix pleine d'autorité. On aurait plutôt dit des sœurs. Quand Sharr est décédée, ça a détruit Telleo. Je craignais qu'elle ne puisse jamais s'en remettre, mais elle est forte. Elle aimait beaucoup sa mère. Qu'est-ce qui te fait croire qu'elles ne s'entendaient pas ?

Je n'allais certainement pas lui révéler que c'était Telleo elle-même qui me l'avait dit. Il était évident que Genj ignorait ce qu'il en était réellement. Peut-être qu'elles lui avaient caché leurs différends. Peu importe. Après tout, ce n'était pas mes oignons, et je ne voulais pas gâcher ses souvenirs, même s'ils ne reflétaient pas toute la vérité.

— J'ai dû me tromper, ai-je répondu. Telleo n'aime pas parler de sa mère, et j'en ai conclu que c'était parce qu'elles ne s'entendaient pas. Maintenant, je comprends que c'est juste parce qu'elle lui manque.

Genj a acquiescé tristement. Il avait accepté mon explication. J'en apprenais plus sur la famille de Genj que j'aurais voulu, mais les pièces du puzzle ne s'emboîtaient pas. J'ai décidé qu'il valait mieux en rester là. Et plus personne n'a évoqué ce sujet.

Voilà plusieurs semaines que je n'ai pas mis ce journal à jour, parce qu'il ne s'est rien passé qui mérite d'être noté. Le travail se poursuivait. Peu à peu, le village reprenait forme. Tout allait

176

bien. J'aimerais pouvoir trouver les mots pour dire à quel point c'était satisfaisant, mais je pense que vous comprenez. Tout se passait comme sur des roulettes...

Jusqu'à ce que tout dérape à nouveau. Et , ironie du sort, c'est que ça a commencé par un événement merveilleux. Stupéfiant. Non, carrément impossible. Je ne sais pas encore ce que j'en pense. On peut dire que c'était un miracle, pas moins. C'est vrai. On ne pouvait que s'en réjouir, mais il avait une contre-partie. Au moment où j'écris ces mots, je ne sais toujours pas sous quelle forme elle se présentera. Mais cela viendra bien assez tôt.

On avait travaillé dur ce jour-là. Mon équipe était crevée. Et il faisait chaud, encore plus que d'habitude. C'était le milieu de l'après-midi, et je devais donner les dernières touches à une nouvelle cabane. Une de plus. Aujourd'hui même, une famille devait s'y installer. C'était toujours une bonne raison de faire la fête. Comme on avait travaillé dur et qu'il ne restait plus que quelques heures, j'ai accordé le reste de l'après-midi à mes hommes. Je leur ai dit de se détendre, d'aller nager ou de faire la sieste. Ils l'avaient bien mérité.

J'avais une autre raison de leur donner quartier libre. Je voulais retourner sur le site du flume. Comme je l'ai déjà dit, je m'y étais déjà rendu plusieurs fois pour m'assurer qu'il était bel et bien hors d'atteinte. À chaque fois, j'en avais eu la confirmation. Puis les jours passaient et je recommençais à me poser des questions. Et cet après-midi en particulier, mes doutes étaient revenus me tourmenter. Il fallait que je vérifie encore ce que je savais déjà. Que voulez-vous que je vous dise ? Je suis du genre obses-sionnel. J'irai probablement inspecter le flume jusqu'à la fin de mes jours.

Je suis parti seul sur la plage. Les nouvelles cabanes ne s'éten-daient pas encore jusqu'au rivage. Dans quelques mois, seule-ment, on pourrait dépasser les limites originelles de Rayne. J'avais la plage pour moi tout seul. Alors que je marchais le long du rivage, mes angoisses ont repris. En fait, elles n'avaient jamais été aussi pressantes qu'à ce moment précis. J'ai levé les yeux pour voir s'il y avait des corbeaux dans le ciel. Je n'ai vu que de gros nuages blancs échevelés. J'étais seul. Je suis arrivé aux rochers menant à l'amas recouvrant le flume et je les ai escaladés. La dernière fois que j'avais fait ça, Saint Dane m'attendait au sommet. C'était un moment que je préférais ne pas devoir revivre. Une fois là-haut, j'ai passé ma tête au-dessus du rebord pour voir…

Rien. Pas l'ombre d'un démon maléfique. Ouf ! Je suis parvenu au sommet et j'ai dérangé quelques pierres à coups de pied. Je ne savais pas trop ce que je cherchais. Un trou qui puisse donner sur le flume ? Une fissure qu'on pourrait agrandir ? Un escalier ? Un ascenseur ? Je n'en savais rien, et j'ai fini par trouver la même chose que lors de mes précédentes explorations, à savoir rien du tout. Le flume était toujours inaccessible.

C'est lorsque je me suis retourné pour redescendre par où j'étais venu que j'ai enfin vu quelque chose qui sortait de l'ordinaire. Ça flottait à une centaine de mètres du rivage. L'objet avait déjà franchi les deux langues de terre marquant l'entrée de la baie de Rayne et se dirigeait vers le rivage. Tout d'abord, j'ai cru que c'était un bateau de pêche, mais il était trop petit. Et il n'avait pas la forme d'une barque. Il m'a fallu quelques secondes pour comprendre de quoi il s'agissait exactement.

C'était un skimmer. Ceux-là mêmes que Saint Dane avait importés de Cloral par milliers pour transporter les dados qui étaient partis de Rubic City afin d'attaquer Rayne. Je suis resté là, à regarder le vaisseau, cherchant à comprendre ce qu'il venait faire ici. Il était clair que son moteur n'était pas allumé : il se contentait de dériver au gré du courant qui le ramenait vers le rivage. Je me suis dit que c'était peut-être un de ceux qu'on avait rejetés à la mer pendant qu'on déblayait la plage. D'une manière ou d'une autre, il était remonté à la surface, et il faudrait aller le couler une seconde fois.

Je me trompais. Au fur et à mesure qu'il se rapprochait, j'ai vu qu'il y avait quelqu'un à bord. Enfin, une silhouette humaine. À cette distance, c'était difficile à dire. Les pilotes de skimmer conduisent debout, et le passager de celui-ci ne l'était pas. En fait, on aurait même dit qu'il était allongé sur le pont. Cet homme, quel qu'il soit, ne contrôlait pas son véhicule.

178

Je me suis empressé de dévaler les rochers. Tout au long de la pente, je n'ai cessé de redouter ce que j'allais découvrir. Était-ce un autre dado qui s'était perdu en chemin et n'arrivait que maintenant pour en découdre ? Ou un Uto qui tentait de faire une descente sur Ibara ? Était-ce quelqu'un dont je devais avoir peur ou juste un autre résidu de la bataille ? Je me suis obligé à repousser mes craintes pour me concentrer sur ma descente. Ce n'était pas le moment de me casser une jambe.

J'ai atteint la plage et je me suis mis à courir. L'appareil se trouvait à une cinquantaine de mètres du rivage. Il y avait bien quelqu'un à bord, allongé sur le ventre. À vue de nez, ce n'était pas un dado. Les dados sont chauves alors que ce type-là avait les cheveux longs. Ce devait donc être un Uto. Qui qu'il soit, il était mal en point. Mort, peut-être. Devais-je aller tirer le skimmer sur le rivage ? Je ne voulais pas venir en aide à quelqu'un qui pouvait m'attirer des ennuis. Mais il n'y avait qu'une seule personne à bord, et les Utos voyagent en meute, comme les loups. Et si c'était un habitant de Rayne qui avait dérivé ? Une chose était sûre : s'il était encore vivant, il avait besoin d'aide. J'ai décidé de prendre le risque. J'ai couru dans l'eau et nagé jusqu'à l'embarcation en prenant soin de ne pas le quitter des yeux. On n'oublie jamais son entraînement de secouriste en mer.

Plus je me rapprochais, plus je distinguais les détails, mais je ne pouvais toujours pas dire si c'était un homme ou une femme. En tout cas, il ou elle avait de longs cheveux blonds. Ses vêtements étaient tout déchirés. Ça sentait l'Uto à plein nez. Soudain, je me suis senti vulnérable. Si c'était un guet-apens, ce type n'aurait aucun mal à se redresser d'un bond, mettre pleins gaz et me rentrer dans le lard. Je me suis arrêté à cinq mètres et j'ai battu des jambes.

– Hé ! ho ! ai-je crié. Ça va ?

Le corps a bougé.

– Vous pouvez parler ? ai-je demandé.

La victime a levé la tête. Ses cheveux blonds sont tombés en cascade sur son visage. Il a regardé à droite, puis à gauche, comme s'il cherchait d'où venait ma voix.

– Qui êtes-vous ? ai-je lancé.

179

La personne à bord du skimmer a crié un mot qui était à la fois un croassement rauque et un cri d'agonie :

– Au secours !

Je n'ai pas hésité une seconde de plus : je me suis mis à nager vers le bateau. C'était peut-être un piège, et alors ? Je me suis agrippé au rebord et j'ai regardé cet horrible visage brûlé par le soleil.

– Qui êtes-vous ?

Le pauvre bougre pouvait à peine bouger. Il a levé la main pour écarter ses cheveux blonds de son œil. Un œil mort. Il était aveugle. Son visage était couvert de cloques. Ce n'était pas beau à voir. Je n'avais toujours pas la moindre idée de son identité.

– J'y suis arrivé ? a-t-il demandé d'une voix rauque.

– Je ne sais pas. Où vouliez-vous aller ?

Il a souri. Je pense que j'avais répondu à sa question.

– Pendragon, a-t-il hoqueté avec un soulagement évident.

Je me suis figé. Ce type avait reconnu ma voix. Il me connaissait.

– Où pourrais-je vouloir me rendre, sinon chez moi, sur Ibara ?

C'est quand il a dit « chez moi » que tout s'est emboîté. C'était impossible. Et pourtant, il était là, devant moi.

– Loque ? ai-je demandé, abasourdi.

Il a acquiescé. Je me suis figé. Loque était mort. Je l'avais vu disparaître sous une avalanche de bris de verre. Et pourtant, il était là, gisant sur le skimmer. Il était de retour.

Bien vivant.

J'ai scruté son œil mort. Il a acquiescé. Ça m'a fait mal au cœur. Physiquement. Tant d'émotions s'y bousculaient ! J'avais envie de rire et de pleurer à la fois. Je n'ai fait ni l'un ni l'autre. Il s'est hissé jusqu'à ce que ses lèvres soient à la hauteur de mes oreilles et a murmuré ce que je n'avais vraiment aucune envie d'entendre :

– Ils arrivent.

Il avait puisé dans ses dernières forces. À peine avait-il délivré son message qu'il s'est évanoui.

Journal n° 34
(suite)

IBARA

Loque était en vie. Enfin, à peu près. Je ne savais si je devais m'en réjouir ou crever de trouille. L'idée que ce Jakill ait pu revenir à Ibara pour mourir si près du rivage était impensable. Et que voulait-il dire par « ils arrivent » ? Qui arrivait ? Quand ? Comment ? Pourquoi ? Ça ne me disait rien qui vaille. Je doutais fort que Loque ait lutté comme il l'avait fait juste pour nous avertir que des amis allaient nous rendre une visite de courtoisie.

– Loque ! ai-je crié en le secouant. *Qui* arrive ?

Il n'a pas bougé. K.-O. pour cette fois. D'une main, j'ai agrippé le rebord du skimmer, et de l'autre j'ai nagé vers le rivage. Quelques minutes plus tard, je touchais terre et tirais le bateau sur la plage. J'ai aussitôt pris son pouls pour constater que Loque était encore de ce monde. Oui, mais pour combien de temps ?

– Au secours ! ai-je crié en espérant que quelqu'un soit à portée de voix. À l'aide !

C'était mon jour de chance. Ou plutôt celui de Loque. J'ai vu un jeune homme qui partait à la pêche et lui ai fait de grands signes. Lorsqu'il s'est approché suffisamment, j'ai lancé :

– Va vite chercher un docteur !

Il est resté planté là, à ouvrir de grands yeux.

– Dépêche-toi ! ai-je crié pour le pousser à réagir.

Il est parti en courant vers le village.

Comme je ne savais pas quoi faire, j'ai attendu les secours. Le cœur du blessé battait régulièrement : il n'avait pas besoin d'un massage cardiaque. Autant l'installer dans une position confortable. J'ai repensé à ce qui était arrivé à Loor dans les cavernes sous Zadaa. Elle était morte. Une épée lui avait transpercé le cœur. Mais je l'avais tenue dans mes bras en souhaitant de toutes mes forces qu'elle revienne à la vie. C'était aussi ridicule que désespéré, sauf que ça avait marché. Loor avait survécu sans même en garder une cicatrice. Jusqu'à ce jour, je ne sais toujours pas ce qui s'est passé. Pouvais-je reproduire ce miracle ? J'ai posé la main sur le cœur de Loque, mais j'ignorais comment faire pour le guérir. Alors j'ai fermé les yeux et répété à voix basse :

– Ne meurs pas, ne meurs pas, ne meurs pas.

La bonne nouvelle, c'est qu'il n'est pas mort sur cette plage, mais je ne crois pas y avoir été pour grand-chose. Pas de guérison instantanée, pas de remède miracle. En fait, son cœur a battu encore plus faiblement. Donc, si Loor était revenue d'entre les morts, ce n'était pas grâce à un quelconque pouvoir magique dont je disposerais sans le savoir. Le mystère de sa résurrection restait entier.

Peu de temps après, plusieurs hommes et femmes nous ont rejoints en courant. J'ai reconnu l'un d'entre eux : c'était un médecin avec qui Telleo avait travaillé. Ouf ! Maintenant, Loque avait une chance.

Une heure plus tard, il se trouvait dans une infirmerie souterraine au cœur de la montagne du tribunal. J'ai attendu leur verdict à l'extérieur. Entre Telleo et les médecins, Loque était en de bonnes mains. S'il avait une chance de survivre, ces braves gens sauraient la saisir. N'empêche, rester là, tout seul, à attendre les nouvelles, était une véritable torture. Les souvenirs du cauchemar que j'avais vécu à Rubic City sont revenus me hanter.

Loque était le meilleur ami de Siry. On peut dire que c'était son bras droit. Siry était le chef de ce groupe de jeunes rebelles qui se faisaient appeler Jakills, et qui se moquaient pas mal de moi et des Voyageurs. C'était Loque qui avait calmé le jeu. Alors que Siry n'était qu'une plaie bourrée de rancœur, il était la voix de la raison. Sans Loque, Siry n'aurait peut-être jamais accepté de prendre ses responsabilités en tant que Voyageur et contribué à sauver Ibara. Loque était un héros, ce qui ne rendait que plus pénibles mes souvenirs de cet horrible jour. Twig avait été capturé par les Utos. Siry, Loque et moi étions en fuite. On s'était caché derrière les ruines d'une gigantesque bâtisse évoquant une cathédrale pendant que les Utos nous pourchassaient. Quand on a cru qu'ils étaient partis, Loque a pris l'initiative d'aller voir si on pouvait effectivement sortir de notre trou. Je n'oublierai jamais cet instant où je l'ai vu se tenir devant cet immense vitrail alors qu'une forme menaçante se découpait derrière lui. Un canon. Quand on a compris ce qui se passait, il était trop tard. Les Utos ont fracassé le mur de verre, le brisant en mille morceaux qui se sont abattus sur Loque.

Comment pouvait-il avoir survécu à ça ? Le seul qui puisse répondre à cette question était Loque lui-même, mais il était entre la vie et la mort. Il méritait de s'en sortir. C'était sa vision et son sacrifice qui avaient sauvé Ibara. Il était un ami loyal et courageux. Pour ma part, je voulais que la croisade destructrice de Saint Dane fasse une victime en moins.

J'étais là depuis plusieurs heures, à rédiger mon journal, lorsque Telleo est enfin venue me trouver.

— Son état n'est guère encourageant, a-t-elle annoncé. Il a passé un bon moment sur la table d'opération. Il a perdu beaucoup de sang. En plus, son exposition aux éléments n'a rien arrangé. Le soleil l'a brûlé vif.

— Et ses yeux ? ai-je demandé.

— Je ne sais pas, a-t-elle répondu gravement. Perdre la vue est peut-être le moindre de ses soucis.

— Quand sera-t-on fixés ?

— Chaque moment où il reste en vie augmente ses chances de s'en sortir, a-t-elle affirmé très posément. S'il survit à cette nuit, on établira un nouveau diagnostic demain matin.

Elle s'est assise et a passé son bras autour de mes épaules. Je n'ai rien fait pour l'en empêcher. En un instant, elle est passée du mode professionnel au mode amical.

— C'est dur, surtout maintenant que Siry n'est plus là, a-t-elle dit avec compassion. Je sais à quel point il tenait à lui.

— Loque a contribué à sauver Ibara.

— Nous ferons tout notre possible pour le guérir, m'a-t-elle assuré.

Et elle m'a serré encore plus fort. Je crois qu'elle voulait que je lui rende son étreinte, c'est donc ce que j'ai fait, brièvement, avant de reculer et de me lever. Telleo a paru surprise, mais n'a rien dit.

— Je peux le voir ?

— Il dort. Mieux vaut ne pas le déranger.

— D'accord, ai-je acquiescé. Je reviendrai demain matin. Je suis content que tu sois là pour t'occuper de lui, Telleo. Siry le serait également.

Elle a souri.

— J'ai fait tout mon possible pour aider les Jakills. Tu le sais bien.

J'ai hoché la tête et quitté la montagne du tribunal pour me trouver un coin tranquille où dormir. Je ne pouvais rien faire pour aider Loque. Maintenant que je savais qu'il était en de bonnes mains, j'ai repensé à ce qu'il m'avait dit.

Ils arrivent.

Deux mots très simples. Que pouvaient-ils signifier ? Devrais-je m'en inquiéter ou les mettre sur le compte de la fièvre, le délire d'un grand malade, et ne pas m'en soucier davantage ? C'était une autre bonne raison de vouloir que Loque s'en sorte. Je devais savoir ce qu'il voulait dire. Je ne sais combien de temps je suis resté là, allongé sous les étoiles, à tourner et retourner toutes ces possibilités dans ma tête. À un moment donné, j'ai dû m'endormir, mais je ne m'en suis aperçu que lorsqu'une main m'a secoué pour me réveiller.

— Pendragon ! a fait une voix frénétique. Debout ! C'est Loque !

Je me suis forcé à revenir à la réalité pour voir les yeux fous de Twig qui me regardaient.

— Quoi ? ai-je marmonné. Il est réveillé ?

— Il est en train de mourir ! a-t-elle crié avant de repartir à toute allure vers la montagne du tribunal.

Je n'étais pas encore réveillé que je courais déjà. J'ai dépassé Twig et piqué un sprint vers la montagne. Le village était encore endormi. Tant mieux. Si quelqu'un s'était mis sur mon chemin, je l'aurais renversé. J'ai pris la grande entrée et cavalé dans les couloirs menant à l'infirmerie. Des gens ne cessaient d'aller et venir autour de la caverne où Loque était soigné. Il se passait quelque chose. Je n'ai pas attendu d'avoir la permission. Je suis entré tout droit dans la pièce, Twig sur mes talons.

Loque était entouré de plusieurs membres du personnel médical, dont Telleo. Il se tenait penché en avant, retenu par deux types plus baraqués que les autres. Je ne sais pas comment le dire autrement, alors voilà : Loque vomissait tripes et boyaux. Ce n'était pas beau à voir. Tello avait posé une main sur son front, et tout son corps tressaillait à chaque haut-le-cœur.

– C'est bon, lui disait Telleo d'une voix rassurante. Laisse-toi aller. Tu te sentiras mieux après.

Un autre docteur est entré. Je l'ai retenu pour lui demander :

– Qu'est-ce qui se passe ?

– Il a fait une overdose, a-t-il répondu. Heureusement qu'une infirmière est passée le voir. Il était pris de convulsions. On lui a administré un vomitif pour laver ce qui pouvait l'être. Il n'avait vraiment pas besoin de ça.

Une overdose. Comment était-ce possible ? Ce pauvre bougre était à peine conscient. Il dépendait de ces médecins pour le garder en vie. Mourir parce qu'on a pris des médicaments… ça ne devrait pas être permis.

Quelques minutes plus tard, il était toujours secoué de haut-le-cœur. Son estomac était vide, mais son esprit ne le savait pas encore.

– Rallongez-le, a ordonné Telleo aux infirmiers.

Ils l'ont reposé sur sa couche. Il est resté là, sur le dos, cherchant à reprendre son souffle. Tello a regardé de l'autre côté de la pièce. Nos yeux se sont croisés. Elle a secoué gravement la tête.

– Reste à son chevet, a-t-elle ordonné à une autre infirmière avant de partir vers la porte.

– Toi aussi, ai-je dit à Twig.

J'ai suivi Telleo et je l'ai rattrapée devant la porte.

– Que s'est-il passé ? ai-je demandé.

Elle semblait ébranlée.

– Je ne sais pas, a-t-elle répondu nerveusement. Un mauvais dosage. Le mauvais médicament. Ça peut être n'importe quoi.

– Ça ne suffit pas ! ai-je crié. Il mérite mieux que ça.

185

– Je sais ! a-t-elle affirmé, en larmes. Je vais rester à son chevet. Plus personne d'autre ne s'approchera de lui. À partir de maintenant, je vérifierai personnellement tout ce que feront les docteurs.

– Y aura-t-il un « à partir de maintenant » ?

– On a peut-être réagi à temps. Impossible de l'affirmer.

Cette fois-ci, je suis resté dans la montagne. Pour dormir, je me suis installé carrément devant la porte de Loque. Je ne voulais pas m'éloigner, au cas où il lui arriverait quelque chose. J'ai renvoyé Twig chez elle. Inutile d'être deux à dormir sur la pierre. J'étais en colère. Loque avait traversé l'enfer. Ce n'était pas juste de penser qu'après tout ce qu'il avait enduré, il risquait la mort parce que quelqu'un avait commis une erreur. J'aurais bien aimé dire à cette personne ma façon de penser, mais nul ne savait qui était responsable. Selon eux, ça pouvait être n'importe qui ou plusieurs personnes à la fois. Ou, ou, ou – peu importait. On allait s'assurer que Loque soit traité correctement, Telleo et moi. Tout serait vérifié et revérifié. Qui oserait m'envoyer promener ? Je faisais partie du tribunal !

J'ai passé le reste de la nuit à sommeiller devant la porte de Loque. Le sol et le mur étaient en pierre. Ce n'était pas vraiment le grand confort, mais pas question de bouger. À chaque fois que quelqu'un faisait mine d'entrer, je me réveillais aussitôt pour lui demander ce qu'il venait faire. Certains apportaient des médicaments, d'autres voulaient juste voir comment se portait leur patient. Le soleil s'est levé sans que je m'en aperçoive. J'étais glacé. Le sol de pierre était sacrément froid. Peu importait : j'étais crevé. J'aurais probablement dormi encore quelques heures si l'une des infirmières ne m'avait pas réveillé en douceur.

– Hein ? ai-je gargouillé.

– Il veut te parler, a-t-elle répondu d'une voix douce.

– Quoi ? Qui ?

– D'après toi ?

Son sourire était éloquent. J'ai inspiré profondément, je me suis frotté le visage et j'ai bondi sur mes pieds pour rentrer dans l'infirmerie. Loque était allongé sur le dos. Il n'avait pas l'air plus éveillé que lorsqu'il était encore sur la plage. Cette infirmière était-elle un simple rêve ?

– Pendragon ? a-t-il chuchoté dans un murmure rauque.

J'ai couru me poster près du lit, le cœur battant.

– Ne cherche pas à parler, ai-je dit.

– J'en ai assez de me taire, répondit Loque. Tu peux me passer un verre d'eau ?

J'ai regardé l'infirmière qui se tenait au pied du lit : elle a acquiescé. Elle semblait au bord des larmes. Je ne sais si c'était de joie ou de douleur. Ce gamin était au bout du rouleau. J'ai pris une petite tasse sur la table de nuit et l'ai portée à ses lèvres. Loque a bu quelques gorgées, a toussé, mais a réussi à avaler une partie du liquide.

– Merci.

L'eau lui avait éclairci la voix.

Il avait des bandages sur les yeux. Sa peau était tout aussi cramoisie que lorsque je l'avais retrouvé, ses cloques tout aussi affreuses à regarder. Mais il était bien vivant, même si je ne savais pas pour combien de temps. J'ai lutté pour trouver les bons mots. J'avais tant de questions à lui poser ! Tout ce que j'ai pu dire fut :

– Comment ?

– Tu veux dire, comment se fait-il que je ne sois pas mort ?

J'ai acquiescé avant de réaliser qu'il ne pouvait pas me voir. Quel idiot.

– Oui.

– Simple coup de chance.

J'ai jeté un coup d'œil à l'infirmière. Elle n'avait pas à entendre tout ça.

– On peut s'entretenir en privé ?

Elle a hésité, mais n'allait pas s'opposer à un membre du tribunal. L'avantage d'être le chef. Elle a hoché le tête et s'en est allée. Je me suis à nouveau tourné vers Loque.

– Les Utos ont tiré un coup de canon dans le vitrail mural, ai-je dit, nous ramenant tous les deux au moment de vérité.

– Je me doutais que c'était quelque chose comme ça, a chuchoté Loque. Tout ce que je sais, c'est que tout à coup le monde entier a volé en éclats. J'ai levé les yeux et une pluie de couleurs m'est tombée dessus. Je l'ai aussitôt regretté.

Il a touché le bandage qui recouvrait ses yeux. J'ai frémi. Je ne pouvais même pas imaginer ce qu'il devait ressentir.

– Bonjour ! a lancé gaiement Telleo en entrant dans la pièce. Heureux de te voir de retour parmi nous. (Elle m'a rejoint à son chevet et a vérifié ses signes vitaux.) Comment te sens-tu ?

– Comme si une horde de bestiaux m'avait piétiné, avant de me laisser pendant une semaine en plein soleil, grogna Loque.

– Rien que ça ? ai-je demandé.

Telleo m'a jeté un regard noir. Ce n'était pas le moment de plaisanter.

– Ne le fatigue pas.

– Il faut qu'on parle, ai-je protesté.

– Oui, il faut vraiment qu'on parle, a fait écho Loque.

– Vous aurez tout le temps plus tard, a répondu Telleo d'un ton sévère. Apparemment, tu seras avec nous encore un bon bout de temps.

Elle m'a pris par le bras et m'a entraîné vers la porte.

– Mais…

– Laisse-le dormir, Pendragon.

J'ai regardé par-dessus mon épaule et je lui ai lancé :

– Bienvenue à la maison. Je reviendrai plus tard.

– Je serai là, a-t-il répondu.

Je crois qu'il s'est rendormi aussitôt. Telleo avait raison. Il avait encore besoin de repos.

Une fois dehors, Telleo était tout sourire.

– C'est encourageant, non ? ai-je demandé. Il a passé la nuit.

– C'est un très bon signe. On ne peut encore rien garantir, mais il a plus de chances qu'on ne l'aurait cru. Tu devrais aller te reposer aussi. Tu n'es pas beau à voir.

Je me suis écarté d'elle pour m'asseoir juste devant l'entrée.

– Pas question.

– Pendragon ! m'a-t-elle grondé. Ce n'est pas en restant ici que tu pourras l'aider ! Les médecins seront bientôt là, et je suis tout à fait capable de m'occuper de lui.

– Et je suis tout à fait capable de rester dans le coin. Laisse tomber. Je ne bouge pas.

– Fais comme tu veux, a-t-elle rétorqué avant de s'en aller à grandes enjambées furieuses.

Elle était en rogne. Je ne vois pas pourquoi ça l'ennuyait tant que je reste ici, mais peu importe. Je ne m'en irais pas avant d'être sûr que Loque s'en sortirait – et tant qu'il ne m'aurait pas raconté son aventure et expliqué ce qu'il entendait par : « Ils arrivent. ».

Je me suis installé sur ce fichu sol de pierre, prêt à attendre le temps qu'il faudrait. Loque méritait bien ça.

Journal n° 34
(suite)

IBARA

— Je savais que j'étais mort, dit Loque. Ou du moins que je le serais bientôt.

L'après-midi était bien avancé lorsque les docteurs m'ont laissé lui parler. Il avait dormi presque toute la journée, ne se réveillant que pour manger un morceau et boire du jus de fruits. La nourriture l'aidait à reprendre des forces. Il a pu s'asseoir. C'était plutôt rassurant. Je crois que les médecins auraient préféré attendre vingt-quatre heures de plus avant de le laisser parler. Je savais que Telleo n'était pas très partante. Ils avaient sans doute peur qu'il ne s'échauffe un peu trop. Mais Loque a insisté. Il voulait me raconter son histoire, et je ne demandais qu'à l'écouter. Je me suis assis à son chevet. Je ne savais pas ce qu'il allait me raconter. À Rubic City, on avait vu des choses dont la majorité des habitants de Rayne ignoraient jusqu'à l'existence. Il valait mieux que ça reste ainsi.

— Le verre brisé me dégringolait dessus, a-t-il continué. Comme je n'avais nulle part où aller, je suis resté là, à attendre la fin. J'ai entendu comme un grondement, et soudain je me suis retrouvé en chute libre. Le sol s'était effondré sous mes pieds. Je ne pourrais pas dire de quelle hauteur je suis tombé. Six, sept mètres ? Le choc a été rude, mais je suis resté conscient. Je savais que le verre allait me dégringoler dessus, alors j'ai roulé sur moi-même. J'ignorais quelle longueur de plafond s'était effondrée, mais j'espérais passer sous une section intacte. C'était bien vu, car le déluge de morceaux de verre m'a raté. Il s'est écrasé à l'endroit où j'avais touché le sol. Un instant, j'ai cru que j'étais tiré d'affaire, puis le sol au-dessus de moi s'est effondré à son tour. Le verre était trop lourd.

— Une portion du plancher s'est effondrée sur toi ? ai-je répété, horrifié.

— Et avec le poids du verre en prime. J'ai bien cru qu'il allait m'écrabouiller, mais c'était toujours mieux que d'être taillé en pièces.

J'ai éclaté de rire. Je sais, c'est bizarre, mais entendre ce qui s'était vraiment passé m'aidait à effacer ce cauchemar qui me hantait depuis que j'avais vu exploser ce vitrail. Ma version était bien plus horrible. Loque a ri également. Pourtant, ce n'était pas drôle. Ce devait être l'effet du soulagement.

— Ce n'est pas marrant, en fait, ai-je dit.

— Je suis sûr que tu m'as cru mort, a-t-il dit d'une voix rauque. Et il y a des fois où j'aurais préféré l'être.

J'ai cessé de rire.

— Je suis resté là un bon moment, a-t-il repris. Les yeux me brûlaient. J'avais envie de les ouvrir pour voir où j'étais, mais tant qu'ils restaient fermés je me sentais un peu mieux. D'ailleurs, ça n'avait aucune importance, puisque la nuit était noire comme de l'encre. Pour autant que je sache, j'étais en train de me vider de mon sang. J'ai dû rester allongé là pendant environ deux heures avant de trouver le courage de me relever. Je crois que c'étaient les douleurs dans mes jambes qui m'y ont poussé.

— Tu étais sérieusement blessé ?

— Je pense qu'elles étaient cassées. Toutes les deux. Le moindre geste était incroyablement douloureux. J'ai dû me traîner pour m'extraire de sous ce bout de plancher pourri sur un sol constellé de verre brisé. Centimètre par centimètre. À chaque fois que je bougeais, je devais faire attention à ne pas me couper. Pourtant, malgré toutes mes précautions, c'est arrivé. Plus d'une fois. Je ne sais pas combien de temps j'ai mis à me sortir de cet enfer. Des jours, peut-être. Finalement, j'ai atteint la partie du sol où il n'y avait plus de bris de verre.

Il a hésité ; revivre ce moment devait lui coûter.

— Tu veux te reposer ? ai-je demandé.

– Non, s'est-il empressé de répondre. Je veux que tu saches ce qui s'est passé au cas où…

Il n'a pas fini sa phrase.

– Tu ne vas pas mourir, ai-je affirmé.

– Mais je le voulais, Pendragon. C'est vrai. J'avais si mal ! Je n'étais plus qu'une plaie. Mes yeux me brûlaient. Mes jambes me lançaient. J'ai même regretté que cette chute ne m'aie pas tué, parce que tout ce qui m'attendait, c'était une mort lente et douloureuse.

– Mais tu n'es pas mort.

– Non, a continué Loque. Les Utos m'ont trouvé. J'étais sûr qu'ils allaient m'achever, mais ils en ont décidé autrement. Ils m'ont porté hors de ce sous-sol, puis à travers la ville. La douleur était insupportable. Je crois que je me suis évanoui une ou deux fois. Par contre, le seul point positif, c'est que j'ai pu constater que je n'étais pas aveugle. (Il a touché le pansement sur sa paupière droite.) De cet œil, je peux distinguer la lumière et les formes. Le gauche est fichu, mais je suis juste borgne. J'imagine que je devrais être content.

– Tu as toutes les raisons de l'être, ai-je dit doucement. Tu es vivant.

– Grâce aux Utos. Ironique, non ? Mais ce n'était pas par bonté d'âme. Ils avaient besoin de moi.

– Pour faire quoi ?

– Ce n'est qu'au bout d'un certain temps que je l'ai découvert. Ils m'ont emmené dans cet immense bâtiment noir en forme de triangle. Il ne ressemble à aucun des autres.

Je savais très bien ce que c'était. La pyramide d'Utopias. Mais je n'ai rien dit. Ça n'aurait fait que détourner inutilement la conversation.

– Cet endroit puait l'écurie, a-t-il continué. Et je pense que c'en était une, puisque c'est là que vivent les Utos. Ils m'ont allongé dans un coin sombre en compagnie d'autres pauvres bougres blessés ou malades. C'était horrible. On m'a collé au milieu d'hommes qui hurlaient de douleur ou rendaient leurs tripes. Je n'oublierai jamais cette odeur putride de maladie et d'infection. Tout ce qui m'a empêché de perdre la raison, c'est l'espoir de revoir un jour Ibara. Un endroit propre et verdoyant.

Je me suis dit que je ferais tout mon possible pour rester en vie, ne serait-ce que pour rentrer chez moi.

— Et c'est ce que tu as fait.

— Ça a pris du temps. Ils m'adressaient à peine la parole. Quand je demandais quelque chose, ils grognaient et m'ignoraient. Mais au moins ils me donnaient à manger. J'ignore ce que c'était, mais ça m'a gardé en vie. Parfois, c'étaient des morceaux de viande puante. Je préfère ne pas savoir d'où elle venait. En général, j'avais droit à une drôle de gelée qui n'était pas si mauvaise que ça et me donnait de l'énergie.

— Du gloïde.

— Quoi ?

— Rien. Continue.

— Il n'y avait pas de soins médicaux. J'avais toujours mal aux jambes, mais ils n'avaient rien à me donner pour calmer la douleur. Je pense qu'ils avaient l'intention de me nourrir tant que je restais en vie. Si je m'en sortais, tant mieux, sinon, tout le monde s'en fichait. Bien d'autres n'avaient pas cette chance. Parfois, c'était un de ceux qui étaient allongés à côté de moi qui y passait. La seule façon que j'avais de savoir qu'ils étaient morts, c'est qu'ils devenaient tout raides. Et froids. C'est dire si on était serrés les uns contre les autres. Je les sentais refroidir. Les Utos emmenaient alors le cadavre et le remplaçaient par quelqu'un qui n'avait guère de chances de s'en tirer, lui non plus.

— Pourquoi avaient-ils besoin de toi ? ai-je dit pour changer de sujet.

— J'ai eu un premier indice quand un homme m'a rendu visite. Je n'y voyais pas très bien, surtout dans le noir, mais je peux dire qu'il était grand. Et propre. Une chose était sûre, ce n'était pas un Uto. Je ne sais pas pourquoi, mais dès le premier instant j'ai eu peur de lui.

— Saint Dane, ai-je dit.

Loque s'est redressé, surpris.

— Tu connais cet homme ?

— Qu'est-ce qu'il a fait ? ai-je demandé, éludant la question.

— Il nous a parlé. À nous tous, les malades et les blessés. Sa voix était glaciale, Pendragon. C'est le seul moyen de la décrire.

Il parlait à des gens qui souffraient, des gens aux portes de la mort… Et pourtant, il ne témoignait pas la moindre compassion. Qui est-ce ?

– Quelqu'un de pas très fréquentable. Qu'a-t-il dit ?

– Que la seule raison pour laquelle on nous gardait en vie, c'était pour servir de main-d'œuvre sur son projet. Peu lui importait qu'on vive ou qu'on meure, mais ceux qui survivaient seraient mis au boulot. Si on n'était pas prêts à travailler dur, a-t-il averti, autant qu'on crève le plus vite possible afin de laisser la place à d'autres.

Mon cœur s'est accéléré. Un *projet*. Qu'est-ce que ça signifiait ? Saint Dane mijotait quelque chose. Mais je n'ai pas laissé Loque comprendre la gravité de cette révélation. Il n'en avait pas besoin.

– A-t-il dit en quoi consistait ce projet ? ai-je demandé en essayant de cacher le fait que j'avais les nerfs en pelote.

– Pas ce jour-là. On ne l'a pas revu avant un certain temps. De toute évidence, j'ai survécu… et guéri. Ç'a été une torture de chaque instant, mais j'ai fini par reprendre des forces. C'est un miracle que je n'aie pas attrapé une saleté, ou que mes plaies ne se soient pas infectées, ou que la nourriture ne m'ait pas rendu malade. La douleur a diminué sans jamais vraiment disparaître. Mes yeux ont arrêté de me brûler, et j'ai partiellement retrouvé la vue. C'était mieux que rien. Je crois que, sinon, ils ne m'auraient plus donné à manger et que ça aurait été la fin. Ils n'avaient que faire de travailleurs aveugles.

– Tu as découvert ce qu'était ce fameux projet ? ai-je insisté.

J'avais envie d'entendre l'histoire de la guérison de Loque, mais le simple fait qu'il soit là, devant moi, prouvait qu'il avait survécu. Donc, j'avais le droit de m'inquiéter en priorité de ce que Saint Dane pouvait bien préparer.

– Finalement, a-t-il repris, j'ai pu me lever et marcher. Non sans mal, et il m'a fallu attendre un bon moment avant de me sentir un peu moins raide, mais je pouvais me déplacer. C'était déjà ça. Je ne voulais certainement pas revoir ce type glacial et encore moins prendre part à son projet. Donc, je comptais bien m'échapper. Je croyais qu'on ne me mettrait au travail que lorsque je serais pleinement guéri, mais je me trompais. Dès qu'ils ont vu que j'étais capable de marcher, ils m'ont arraché à cet endroit. Tout d'abord, je me suis senti soulagé. Je pensais que rien ne pouvait être pire que ce mouroir. Je me trompais.

Loque a bu une autre gorgée d'eau. C'était dur de résister à l'envie de le presser de questions. Je devais savoir ce qui s'était passé à Rubic City. Néanmoins, je suis resté assis bien sagement, à attendre qu'il ait la force de continuer son récit.

– C'est une mine, a fini par dire Loque. Je crois qu'ils sont à la recherche de gemmes ou de minerais précieux. Je ne vois rien d'autre. Des centaines d'Utos descendent dans des tunnels pour creuser la pierre et les débris. Il n'y a pas d'air et peu de lumière. Ils m'ont poussé dans ce trou et m'ont dit de creuser. À mains nues. Ils n'avaient pas d'outils. Ni pelles ni pioches. J'ai pris ma place dans la file, derrière d'autres Utos encore plus mal en point que moi. Il y avait juste assez de place pour avancer. Si tu reculais ou faisais une pause, un des surveillants te remettait à ta place à coups de bâton. C'était un travail fastidieux, éreintant. Mes mains étaient en sang. On ne m'a même pas dit ce que je devais chercher. Personne ne le savait. On était censés creuser, un point c'est tout. J'en suis venu à regretter d'avoir survécu à l'effondrement du plancher, parce que j'étais sûr de laisser ma vie dans cette mine étouffante.

« Si j'ai tenu le coup, c'est bien parce que je gardais l'espoir de pouvoir m'échapper. J'ai rassemblé un groupe d'Utos. Ce sont des sauvages, mais ils ne sont pas bêtes. Ils savaient qu'ils étaient condamnés à mourir dans ce trou. Un soir, pendant la période de repos, on a enfin eu notre chance. Toujours à la même heure, il y avait un battement avant que n'arrive la relève des gardes. Un bref laps de temps où on était livrés à nous-mêmes. C'est à ce moment-là qu'on s'est évadés. On était six. On a réussi à regagner la surface et à s'enfuir avant l'arrivée de la relève. J'ai dit aux autres qu'il y avait un bateau dans le port et que, s'ils pouvaient m'y mener, je les aiderais à fuir.

Là, je me suis senti mal.

– Et le bateau n'était pas là, n'est-ce pas ?

– Non. Les Utos m'ont guidé le long des rues sombres jusqu'au port, mais le navire des pèlerins n'y était pas. J'imagine que j'aurais dû m'en douter. Vous me croyiez mort. Les Jakills n'avaient aucune raison d'attendre un fantôme.

Je savais que, tôt ou tard, je devrais lui dire la vérité à propos de ce bateau, qui avait été attaqué et coulé par les Utos, tuant la majorité des Jakills. Mais ce serait pour une autre fois.

– Les Utos ont eu une autre idée. Ils m'ont parlé de ces petits vaisseaux rapides qui attendaient près du rivage depuis bien avant leur naissance. Personne ne savait d'où ils venaient, ni pourquoi ils étaient là. Ils m'ont emmené vers une longue jetée où ils étaient censés être entreposés. Ils m'ont dit qu'il y en avait des milliers, mais quand on est descendus il n'en restait plus qu'une poignée. Enfin, ce n'était pas grave – ça nous suffisait amplement. On en a pris trois, chacun emportant deux passagers. Ils semblaient faciles à conduire. Je me suis assis à l'arrière d'un d'entre eux en me demandant si je devais vraiment emmener ces Utos sur Ibara. Mais je n'aurais pas dû m'en faire. La question a vite été réglée.

– Comment ça ?

– Les autres Utos nous ont attaqués. Je croyais qu'ils voulaient juste nous capturer à nouveau, mais je me trompais. Ils ne voulaient plus de nous, même comme esclaves. Je crois qu'ils cherchaient à faire un exemple afin que les autres ne cherchent pas à s'évader. Quand la fusillade a éclaté, je ne savais même pas qu'ils nous avaient retrouvés. Ils ont employé des canons, sans doute du même type que celui qui avait détruit le vitrail. L'un des petits bateaux a explosé, et les deux Utos qu'il transportait avec lui. Je ne les ai jamais revus. Un autre a réussi à partir avant d'être pris pour cible. Cette fois, ses occupants ont pu sauter à la dernière seconde. Ils s'en sont peut-être tirés. Je ne sais pas.

– Et le tien ?

– L'Uto qui le pilotait s'en est presque sorti. Jusqu'à ce qu'ils nous tirent dessus.

Loque s'est tu. Je savais qu'il devait revivre ce moment, et je doutais que ce soit un souvenir agréable.

– La décharge l'a frappé de plein fouet, a-t-il repris. Elle l'a arraché au bateau comme un fétu de paille. C'était horrible.

– Alors tu as pris les commandes ?

– C'était tout ce que je pouvais faire. Entre les ténèbres et mon seul œil valide, j'y voyais à peine. Mais l'instinct de survie est fort. Je suis allé prendre la barre et j'ai répété les gestes qu'avait faits l'Uto. Le petit appareil a eu un soubresaut avant de partir à toute allure. Il était rapide ! Je ne savais pas trop où j'allais, juste que je m'éloignais de la ville. Tout autour de moi, les tirs de canon faisaient bouillonner l'océan. Plus je m'éloignais, moins ils étaient précis. Au bout de quelques minutes, j'ai fini par comprendre que je m'en étais sorti. Moi et moi seul.

– Il te restait encore à retrouver le chemin d'Ibara, ai-je dit.

– Quand on a passé des années sur des bateaux de pêche, on a le sens de l'orientation. Je pensais prendre la bonne direction, sans pouvoir en être sûr. J'étais encore faible et, après quelques jours sous ce soleil, je me suis retrouvé à bout de forces. Comme je ne pouvais pas me lever, pas moyen de piloter le bateau. Tout ce que je pouvais faire, c'était dormir. Après ce que j'avais enduré, j'étais éreinté. Quand j'ai fermé les yeux, j'étais persuadé de ne jamais me réveiller… jusqu'à ce que j'entende ta voix.

Et voilà. C'était fini. Une histoire extraordinaire de courage et de survie. Mais il restait encore une question.

– Bon, a-t-il dit, maintenant, raconte-moi ce qui t'est arrivé depuis la dernière fois.

J'ai secoué la tête.

– Non, d'abord, il faut que tu termines ton histoire. Que voulais-tu dire par « ils arrivent » ?

– Il y en a d'autres, Pendragon. Bien plus qu'on ne peut l'imaginer.

– D'autres quoi ?

– Des Utos. Ils n'ont pas renoncé. Je les ai entendus discuter, ou plutôt comploter. Ils veulent toujours envahir Ibara. Ils sont bien organisés, beaucoup plus qu'on ne le croit. J'ai bien peur que couler la flotte des pèlerins n'ait été qu'un début. Ils mijotent un autre coup d'éclat.

Bizarrement, je me suis senti soulagé. J'avais peur qu'il me dise qu'il y avait une autre armée de dados en préparation. Après tout le souci que je m'étais fait, Loque ne m'apprenait rien de nouveau. On s'attendait à subir une nouvelle attaque des Utos.

197

On s'y préparait. Le plus étonnant, c'était encore qu'ils ne se soient toujours pas manifestés.

– N'aie pas peur, lui ai-je dit, rassurant. Ils ont déjà attaqué une fois, juste après notre retour de Rubic City. On les a repoussés. Maintenant, quoi qu'ils puissent tenter, on est prêts.

Loque a froncé les sourcils.

– Tu ne comprends pas. Leur attaque à venir est liée à ce minerai qu'ils recherchent. À les entendre, dès qu'ils l'auront trouvé, ils s'en serviront contre Ibara. C'est une sorte d'arme.

Mon cœur s'est accéléré. Était-ce possible ? Je ne voulais pas y croire. J'ai dû me forcer à garder mon calme.

– Un minerai ? Comment l'appelaient-ils ? Du tak ?

– Non.

J'ai laissé échapper un soupir de soulagement. L'idée qu'il existe une veine de tak sur Ibara était terrifiante.

– C'était un drôle de mot, a-t-il repris. Je ne l'avais encore jamais entendu. La seule personne qui l'ait utilisé était ce grand type glacial. Il a dit qu'on cherchait quelque chose qu'il appelait… flume.

Mes oreilles se sont mises à carillonner. Je ne sais pas si c'est la pièce qui s'est mise à tourner ou juste ma tête. J'aurais dû y penser dès que Loque m'avait dit qu'ils creusaient. Ils ne cherchaient pas un quelconque minerai précieux originaire de Veelox, mais des armes.

Saint Dane voulait avoir accès au flume. Il faisait tout son possible pour s'enfuir de ce territoire.

Il fallait que je sorte de la caverne. J'avais besoin d'air.

– Repose-toi, ai-je dit à Loque, lui intimant le silence. J'ai bien des choses à te dire, mais pas maintenant.

– Où est Siry ? demanda-t-il.

Oh, misère ! Voilà un sujet que je n'avais aucune envie d'aborder.

– Il va bien, ai-je répondu.

Et c'était vrai. Sauf qu'il était sur un autre territoire et n'avait que peu de chances de rentrer un jour chez lui. Mais ce n'était pas ce que Loque voulait entendre, en tout cas pas maintenant.

– Dors. Ensuite, je te dirai tout ce que tu veux savoir.

– Merci. Je suis fatigué.

Je partais vers la porte lorsque Loque m'a lancé :

– Pendragon ? Tu es sûr que ça va ?

Comment répondre à ça ?

– Oui. Rendors-toi.

Il ne lui en a pas fallu davantage. Sa respiration m'a appris qu'il était retombé dans les bras de Morphée. J'étais content que quelqu'un se sente mieux, parce que moi, j'étais au plus bas. En sortant de la pièce, je suis tombé sur Twig qui était venue voir son ami.

– Il s'en sortira, lui ai-je dit.

Twig a piaillé de joie et m'a serré dans ses bras. J'aurais bien voulu partager son bonheur. D'une certaine façon, c'était le cas. J'étais heureux que Loque soit en vie. Mais les autres nouvelles dont il m'avait fait part tempéraient mon enthousiasme.

– Il s'est endormi, ai-je ajouté. Reste à son chevet.

J'ai laissé Twig tenir compagnie à Loque et je suis sorti de la montagne du tribunal. J'ai marché vers la plage, l'esprit ailleurs. À Rubic City, plus précisément. Ou plutôt *sous* la ville. Était-ce possible ? Saint Dane pouvait-il vraiment envoyer les Utos déterrer l'embouchure du flume de leurs mains nues ? Maintenant, je comprenais pourquoi on n'en avait pas vu un seul sur Ibara. Ils étaient occupés ailleurs. Occupés à creuser. À faire évader leur maître de la prison où je l'avais enfermé.

Je suis arrivé sur la plage, me suis assis sur le sable et j'ai regardé au large. Ibara était vraiment un paradis. J'avais fini par considérer cette île comme mon pays. Chez moi. Je ne voulais pas qu'elle souffre davantage. Ces gens en avaient assez bavé comme ça, et ce depuis l'époque d'Aja Killian. Alors que j'étais assis sur cette plage, à respirer le doux parfum des fleurs bordant la baie, j'ai pris une décision. Une décision qui ne m'enthousiasmait guère, mais je n'avais pas le choix.

Il fallait découvrir la vérité.

Et pour ça, je devais retourner à Rubic City.

Journal n° 34
(suite)

IBARA

— Tu ne peux pas nous quitter, a affirmé Telleo. Pas maintenant.

On était seuls sur notre perchoir, loin au-dessus du village de Rayne en pleine expansion. Telleo était la première personne à qui j'avais fait part de ma décision. C'était la seule en qui j'avais assez confiance pour la laisser s'occuper de Loque. Elle devait savoir qu'elle s'en chargerait seule.

— Je n'ai aucune envie d'y aller, ai-je argué. Crois-moi, je m'en passerais bien. Mais il le faut.

— Pourquoi ?

Je ne savais pas comment le lui expliquer. Non, je retire ça. Je savais très bien comment, mais pas de la façon qu'un habitant de Rayne pourrait comprendre. J'ai décidé de lui dire la vérité – plus ou moins.

— Celui qui a lancé l'assaut sur Ibara est toujours dans le coin, ai-je expliqué. Loque l'a vu. Il réorganise les Utos. Dieu sait ce qu'il peut bien mijoter... S'il doit y avoir une nouvelle guerre, il faut qu'on en sache le plus possible afin de s'y préparer.

— Envoie quelqu'un d'autre, a-t-elle insisté. Tu n'en a pas déjà assez fait ? Maintenant, tu es membre du tribunal. Tu ne peux pas t'en aller comme ça, pour un... Une... Une mission d'espionnage. Un des gardes de la sécurité peut s'en charger.

— C'est plus compliqué que ça, ai-je expliqué patiemment. Crois-moi. *Beaucoup* plus compliqué.

— C'est exactement ce qu'a dit Remudi avant de partir pour sa propre mission tout aussi mystérieuse, et regarde ce qui lui est arrivé. Il s'est fait tuer dans une espèce de tournoi débile et on a perdu un membre du tribunal. Le gens de Rayne ont une haute opinion de toi, Pendragon. Tu es devenu le guide qui les mènera vers l'avenir. Ils t'aiment. Je t'aime.

Hein ? Je ne m'attendais pas à ça. Telleo s'est approchée et a pris mes mains.

— Ne prends pas cet air surpris, a-t-elle dit. Tu sais bien ce que je ressens pour toi. Je t'en prie, ne m'abandonne pas.

Bon, d'accord. La cata. Telleo venait de vider son sac. Comment lui dire que je ne partageais pas ses sentiments ? Tout était déjà assez compliqué comme ça.

— Toi aussi, tu sais ce que je ressens, Telleo. J'aimerais qu'il y ait un autre moyen. Mais il n'y en a pas. Maintenant, je vais aller trouver ton père pour lui faire part de ma décision.

Telleo a baissé les yeux. Elle avait perdu, et elle le savait.

— Quand comptes-tu partir ?

— Demain matin, aux premières lueurs du jour.

Elle a acquiescé. Je crois qu'elle s'était fait une raison.

— Tu peux m'aider, ai-je ajouté. Tu peux t'occuper de Loque.

— J'ai fait tout ce que…

— Je sais. Je te demande de prendre soin de lui. Ne le laisse jamais seul, du moins pas avant qu'il soit en état de se débrouiller. Demande à Krayven de t'assister, mais il faut que l'une d'entre vous veille en permanence sur lui.

— Pourquoi ? Qu'est-ce qui t'inquiète ?

— Je crains qu'il n'y ait dans les parages des gens en qui on ne peut pas avoir confiance.

— Quoi ? a-t-elle demandé, stupéfaite. Qui ça ?

— Occupe-toi de lui, d'accord ?

— Dis-moi qui tu crois…

— Je ne crois rien du tout. Je m'en fais pour Loque, c'est tout. Promets-moi que tu le protégeras. Il l'a bien mérité.

Telleo a hoché la tête. Sans comprendre, mais elle a acquiescé.

— Va trouver mon père, a-t-elle dit. Moi, je vais rester là, à regarder le beau village que nous avons reconstruit ensemble en essayant de me persuader que tout ira bien.

J'ai lâché ses mains et je l'ai laissée seule. J'étais plutôt triste. Jusque-là, tout se passait si bien ! L'avenir d'Ibara s'annonçait on ne peut mieux. Je ne voulais pas croire que cela puisse changer. J'étais bien décidé à faire tout mon possible pour préserver cette île. Et, à ce moment précis, pour y parvenir, je devais me rendre à Rubic City.

J'ai trouvé Genj dans la caverne du tribunal. Il était seul. Je lui ai fait un résumé de ce que Loque m'avait raconté. Les Utos étaient toujours là, et ils ne chômaient pas. Je lui ai également répété ce qu'il m'avait dit à propos de celui qui tirait les ficelles. Bien sûr, je ne suis pas rentré dans les détails. Genj le connaissait déjà, même si, pour lui, Saint Dane était juste celui qui avait déclenché l'attaque des dados. Mais c'était amplement suffisant.

– On ne peut pas envoyer quelqu'un d'autre ? a demandé Genj. Maintenant, tu es membre du tribunal. Le peuple a besoin de toi.

– Je sais. Et si je pars, c'est justement pour faire ce qu'il faut pour les protéger. Et je ne peux pas y arriver en restant ici.

– Tu en as parlé à Telleo ?

– Oui. Elle n'est pas très enthousiaste non plus.

– Elle est amoureuse de toi, tu sais.

J'ai acquiescé.

Genj a passé son bras autour de mes épaules.

– Nous avons une dette envers toi, une dette si gigantesque qu'on ne pourra jamais la rembourser. Tout ce que je te demande, c'est de nous revenir sain et sauf. Je ne veux pas perdre deux amis en si peu de temps.

– Deux ? ai-je demandé.

Il a laissé échapper un soupir las.

– Tu as déjà oublié Remudi ? Lui aussi est parti accomplir une mystérieuse mission. Et il n'est jamais revenu.

Ah oui, bien sûr.

– Je ne l'ai pas oublié, ai-je répondu d'une voix douce.

Nous nous sommes donné l'accolade chaleureusement. Il n'y avait rien à ajouter. Je repartais lorsqu'une idée m'a frappé. Il y avait un os. Quelque chose qui m'avait mis la puce à l'oreille. Je me suis retourné vers Genj.

– Qu'est-ce que je vous ai dit à propos de Remudi ?

– Comment ça ?

– Vous ai-je raconté ce qui lui est arrivé ?

– Uniquement qu'il avait été tué par l'homme qui avait détruit les navires des pèlerins et organisé l'assaut sur Ibara.

– Exact. Mais vous ai-je précisé *comment* il était mort ?

Genj a froncé les sourcils et secoué la tête.

– Non.

Je suis revenu auprès de lui. Toutes sortes de signaux d'alarme résonnaient dans ma tête.

– Je ne vous ai jamais donné d'autres détails ?

Une fois de plus, Genj a secoué la tête.

– Vous en êtes certain ?

– Bien sûr. Tu crois vraiment que j'oublierais une chose pareille ? Si tu as quelque chose à ajouter, je t'en prie, vas-y !

Mon cœur battait la chamade. Je n'avais confié à personne la façon dont Remudi était mort. Et il n'y avait pas de risque. Sinon, j'aurais dû aussi parler de Quillan. Et des jeux. Non, jamais je n'aborderais ce sujet avec qui que ce soit d'Ibara.

Pourtant, Telleo, elle, était au courant.

Il y avait à peine quelques minutes, elle avait affirmé que Remudi avait été tué dans « une espèce de tournoi débile ». C'était mot pour mot ce qu'elle avait dit. Un tournoi débile. Je l'avais entendue. J'étais là. Comment pouvait-elle savoir ça ? Il devait bien y avoir une explication quelconque. Peut-être que Siry lui avait révélé la vérité. Ou Alder. Un million de moments ont défilé dans mon esprit. Ce qui s'était dit. Les commentaires des uns et des autres. Était-ce moi qui devenais paranoïaque ?

Genj a dû sentir mon accès de panique, car il a demandé :

– Qu'est-ce qu'il y a, Pendragon ?

– Je m'excuse de devoir vous le demander, mais vous m'avez dit que Telleo et sa mère s'entendaient à merveille et qu'elles étaient comme des sœurs. Aurait-elle une raison de prétendre qu'elle avait des problèmes avec sa mère et préférait ne pas en parler ?

Genj s'est redressé, comme si je l'avais giflé.

– C'est de la folie ! a-t-il aboyé. Elles étaient inséparables, toutes les deux. Telleo a tenu la main de Sharr jusqu'au moment de sa mort. Elles étaient aussi proches qu'il est possible de l'être. Elle n'aurait jamais critiqué sa mère !

– À moins d'ignorer tout de leur relation, ai-je marmonné.

– Pardon ?

Pas moyen de reprendre mon souffle. J'avais la tête qui tourne. En sortant de la caverne, je crois que je faisais une crise d'hyperventilation.

– Pendragon ! m'a crié Genj. Qu'est-ce qui se passe ?

– Bouclez la montagne ! ai-je ordonné. Envoyez une équipe de sécurité à l'infirmerie !

– Hein ? Pourquoi ?

– Pour protéger Loque !

J'ai tourné les talons et je suis sorti en courant de la caverne du tribunal. Oh, comme je souhaitais me tromper ! Parce que si j'avais raison, Loque était mal barré. Soudain, cet étrange empoisonnement n'était plus si mystérieux. Loque disposait d'informations. Il avait vu beaucoup de choses – des choses que Saint Dane préférait me cacher. Était-ce possible ? Telleo pouvait-elle être Saint Dane ? Avait-elle tenté de tuer Loque ? Alors que je dévalais les marches de pierre au risque de me rompre le cou, j'ai repensé à tout le temps qu'on avait passé tous les deux. Je ne les avais jamais vus ensemble, Saint Dane et elle, mais ce n'était pas pour autant une preuve de sa culpabilité. Il devait bien y avoir d'autres indices.

Pourvu que ce soit juste moi qui devenais parano ! Peut-être que Telleo et sa mère se détestaient bel et bien, mais qu'elles l'avaient caché à Genj. C'était une possibilité. Ou peut-être que Telleo ne pensait pas vraiment ce qu'elle avait dit sur sa mère. Elle était peut-être de mauvais poil. Ça arrive à tout le monde. Ou bien toute cette histoire n'était qu'un malentendu.

Sauf qu'elle ne pouvait pas savoir que Remudi s'était fait tuer au cours d'un tournoi. Là, je ne voyais pas la moindre explication. Tout en courant, je me suis dit que ma réaction était peut-être exagérée. Je refusais de croire que je m'étais laissé berner une fois de plus. Malheureusement, ce n'était pas très convaincant. Au fond de moi, je connaissais la vérité.

Telleo était Saint Dane. Loque était en danger.

J'ai atteint le rez-de-chaussée de la montagne et j'ai continué à cavaler le long des couloirs pour arriver enfin dans la section médicale. Elle était déserte. Pas un seul docteur. Pas de Twig. Pas de gardes de la sécurité. Sans hésiter, je suis entré dans la chambre de Loque.

Telleo se tenait à son chevet et le rallongeait doucement sur son lit. Dans sa main, elle tenait une tasse brune.

– Arrête ! ai-je crié.

Surprise, Telleo a sursauté.

– Écarte-toi de lui ! ai-je ordonné.

– Chut ! a-t-elle répondu sèchement. Il dort.

J'ai bondi pour m'emparer de la tasse. Elle était vide.

– Qu'est-ce que tu lui as donné ?

– Un sédatif... pour qu'il se repose. Qu'est-ce qu'il y a ?

– Comment a-t-il fait cette overdose hier ?

– Je te l'ai dit. Il y a plusieurs possibilités. On ne pourrait pas en parler dehors ?

Pas le temps de discuter. Si elle lui avait administré un poison quelconque, il n'y avait pas une seconde à perdre. Sinon, eh bien j'allais passer pour le dernier des crétins. Je devais savoir de quoi il retournait.

– Comment peux-tu savoir que Remudi est mort dans un tournoi ?

Telleo a ouvert de grands yeux. Elle a pris une inspiration, comme pour répondre, puis s'est arrêtée. Mon estomac s'est serré. Je voulais qu'elle parle. Qu'elle me donne une explication logique. Que Siry lui avait tout raconté sur les jeux de Quillan. Ou Alder. Mais à la place, elle a soupiré et souri.

– Il s'en est fallu de si peu, a-t-elle dit, très calme.

C'était tout ce qu'il me fallait. Si je ne m'étais pas cramponné aux montants du lit, je serais tombé raide.

– Un lapsus, a-t-elle regretté. Un mot malheureux. Une erreur stupide de débutante. J'ai honte de moi.

J'écoutais ce qu'elle me disait, mais je n'arrivais pas à assimiler sa signification.

– Ne t'en fais pas, Pendragon, a-t-elle repris, je ne l'ai pas empoisonné. Du moins pas cette fois. La première fois, eh bien, la

205

situation était différente. Il ne t'avait pas encore dit tout ce qu'il savait. (Elle a caressé gentiment les cheveux qui retombaient sur le front de Loque.) Maintenant, je n'ai plus aucune raison de vouloir sa mort.

— Ne le touche pas ! ai-je craché.

— Je n'avais pas anticipé ce moment, a-t-elle repris en retirant sa main. Sans son témoignage, tu ignorerais encore ce qui se passe à Rubic City. Ou peut-être que tu aurais des soupçons, mais tu jouerais celui qui s'en moque. Après tout, tu t'es toi-même soustrait de l'équation en faisant sauter le flume. Tu as démissionné de ton rôle de Voyageur.

J'avais envie de lui sauter à la gorge. Depuis mon arrivée sur Ibara, Telleo était ma meilleure amie. On partageait tout. Maintenant que je savais qu'elle avait toujours été Saint Dane, j'avais envie de hurler.

— Telleo est morte, a-t-elle déclaré comme si elle lisait dans mes pensées. Elle l'était bien avant ton arrivée. Je n'en ai pas appris autant sur elle que je l'aurais voulu. Ça m'étonne que tu aies mis si longtemps à soupçonner quelque chose.

J'ai avalé ma salive en tentant de reprendre mes esprits.

— En fait, j'avais bien quelques doutes, mais ce n'est qu'aujourd'hui que j'ai assemblé les morceaux. Ça ne vous ressemble pas, Saint Dane. D'habitude, vous ne commettez pas ce genre d'erreur.

Telleo m'a regardé et un grand sourire est apparu sur ses lèvres. C'était une drôle de réaction, qui m'a pris au dépourvu.

— Bien sûr ! a-t-elle fait en riant, comme si elle avait compris quelque chose qui m'échappait encore. C'est précisément ce que tu en conclurais !

— De quoi parlez-vous ? ai-je demandé prudemment, complètement perdu.

— Il semblerait que je m'en sorte mieux que je ne le pense moi-même.

Sur ce, Telleo s'est mise à se transformer. Sous mes yeux, sa silhouette s'est brouillée. Elle est devenue une masse de fumée liquide en mouvement. Je savais à quoi m'attendre, ou du moins je le croyais. J'étais prêt à me retrouver face à Saint Dane. Je me

206

trompais. Lorsque la transformation s'est achevée, c'est Nevva Winter qui s'est dressée devant moi. Heureusement que je me cramponnais toujours aux montants du lit.

— Surprise, dit la belle femme aux cheveux noirs originaire de Quillan. Cette petite mascarade était plutôt marrante, non ?

J'ai ouvert la bouche, mais je n'ai pas pu émettre un son.

Des pas ont retenti à l'extérieur de la salle, des pas qui se rapprochaient à toute allure. Les forces de sécurité que j'avais fait appeler.

Nevva s'est postée devant la fenêtre, puis elle s'est tournée vers moi et a ajouté :

— Il est trop tard, Pendragon. Pendant que tu étais occupé à reconstruire un joli petit village, la Convergence a commencé. Saint Dane n'est pas comme toi : il n'a pas renoncé. Je te suggère de continuer à mener ta petite vie sur cette île, loin de tout. Enfin, ce qu'il reste de ta vie.

Je me suis précipité sur Nevva, mais il était trop tard. Elle a sauté par la fenêtre tout en se transformant pour devenir ce même corbeau que j'avais déjà vu. Elle s'est éloignée d'un battement d'aile au moment où les gardes de la sécurité faisaient irruption dans la pièce.

— Tout va bien ? a demandé le premier d'entre eux.

Je suis resté face à la fenêtre, comme figé sur place. Je n'ai même pas regardé les nouveaux venus. Tout mon monde venait de s'écrouler. Rien n'était tel que je le croyais. Cette supercherie durait depuis des mois.

— Oui, ai-je murmuré. Tout va bien. Fausse alerte. Désolé.

— On reste devant la porte, a dit le garde.

— Oui, comme vous voudrez.

Il m'a jeté un drôle de regard, comme si je me comportais de façon bizarre. Ce qui était le cas. Mais je m'en fichais.

— Allez ! ai-je crié.

Ils se sont empressés de sortir de la pièce, me laissant seul avec Loque. J'ai regardé le Jakill endormi. Il était hors de danger. Il survivrait à cette épreuve. Mais s'il était revenu chez lui, quel avenir l'y attendait ? Qu'est-ce que Saint Dane pouvait bien préparer ? La Convergence avait-elle vraiment commencé ? Saint

207

Dane avait-il effectivement déterré le flume ? Était-il trop tard, ou Nevva m'avait-elle menti ?

Je me suis assis à même le sol. J'avais besoin de réfléchir. J'avais l'impression d'être le dernier des crétins. Si, contre toute attente, Loque avait réussi une évasion qui semblait impossible, je n'étais pas plus avancé. Qu'est-ce qui se passait ? Il n'existait qu'une seule façon de le découvrir. Rien n'avait changé, sinon que, dans ce village, c'était moi l'idiot. Mais je savais où trouver des réponses à mes questions.

À Rubic City.

Journal n° 34
(suite)

IBARA

Je comptais lever l'ancre avant l'aube, afin de profiter au maximum de la lumière du jour pour me diriger vers Rubic City. Je serais bien parti dès ma rencontre avec Nevva si je n'avais pas eu peur de me perdre dans le noir. En plus, j'avais besoin de dormir. Impossible de dire quand j'en aurais à nouveau l'occasion. Le voyage serait long et pénible, et encore, ce ne serait que le début. Je devais être au mieux de ma forme. Ou du moins bien réveillé.

Non loin de la chambre où reposait Loque, j'ai trouvé une salle vide. Je me suis allongé et j'ai passé quelques heures à fixer le plafond. Et moi qui espérais me reposer ! Pas facile quand votre esprit bat la campagne. Tout était arrivé si vite ! Lorsque j'avais condamné l'accès au flume, je croyais sincèrement ne plus jamais entendre parler de Saint Dane. J'en avais ma claque. Je pensais avoir suffisamment payé de ma personne et mérité de prendre ma retraite. Nous emprisonner tous les deux sur ce territoire me semblait être une bonne solution. Je me trompais.

En fait, une fois libéré de cette pression, je m'étais totalement immergé dans ma nouvelle vie. Je pense que vous l'aviez déjà compris en lisant mes anciens journaux. Pour la première fois depuis bien longtemps, j'avais hâte d'affronter le nouveau défi au lieu de regarder constamment par-dessus mon épaule en me demandant d'où viendrait le prochain désastre. J'avais oublié mon combat contre Saint Dane. Reconstruire Rayne était une façon de rebâtir ma propre vie. J'avais accepté le fait de ne jamais revoir la Seconde Terre. Ni ma famille. Ni vous deux. C'était bien le seul regret que je garderais jusqu'au bout.

Mais depuis la réapparition de Loque, j'avais découvert non seulement que Saint Dane pouvait attaquer à nouveau cette île, mais encore que l'existence que je m'étais forgée faisait le jeu de l'ennemi. Nevva Winter. Pour les Voyageurs, c'était une traîtresse. Je suis peut-être lent à comprendre, mais pas complètement crétin. Saint Dane devait l'avoir envoyée pour me surveiller. Non, c'était plus que ça. Sous son identité de Telleo, elle était devenue mon amie et mon soutien. Elle m'avait fait aimer Rayne. Elle et son père avaient pris la place de la famille que j'avais perdue. Maintenant, je ne peux m'empêcher de penser qu'en choisissant de rester là jusqu'à la fin de mes jours j'avais fait exactement ce que désirait Saint Dane. J'en avais peut-être fini avec toute cette histoire, mais pas lui. Il voulait me tenir à l'écart pendant qu'il œuvrait à rouvrir le flume de Rubic City. Et il avait envoyé Nevva Winter s'assurer que je ne quitterais pas cette île.

Bon, d'accord. Il est bien possible que je sois le dernier des crétins.

Comment avais-je pu croire que Saint Dane se contenterait de lécher ses plaies sans tenter un autre mauvais coup ? Est-ce que mon désir de jeter l'éponge m'avait fait oublier toute logique ? Cela y ressemblait de plus en plus. J'imagine que je pouvais faire mon mea-culpa jusqu'à la fin des temps ou passer à autre chose. Mais qu'est-ce que tout ça voulait dire ? J'avais mis fin à cette guerre. À part écrire ces journaux et aller examiner régulièrement la tombe du flume d'Ibara, en ce qui me concernait, le combat pour Halla était terminé. J'étais hors jeu. Pourrais-je reprendre la partie en cours de route ?

La réponse était oui… et non. Quand je vous ai écrit que j'avais cessé d'être un Voyageur, je le pensais vraiment. Halla devrait se débrouiller sans moi. Bien sûr, c'était un choix plus facile à faire lorsque je croyais Saint Dane hors d'état de nuire. Pourtant mes sentiments restaient les mêmes. J'avais joué mon rôle, et maintenant c'était fini. Mais je n'entendais pas rester les doigts de pieds en éventail sous un arbre à manger des ananas. Lorsque j'avais détruit le flume, j'avais l'intention de faire tout mon possible pour contribuer à la reconstruction de Veelox. Je m'étais tenu à ce programme, et ça me plaisait bien. Du moins jusqu'à ce que j'entende le récit de Loque.

Il m'a décidé à changer mon fusil d'épaule. Je continuerais de m'échiner pour le plus grand bien d'Ibara. Ou de Veelox. Et pour ça, il me fallait aller sur Rubic City, trouver la « mine » et la détruire. Si Saint Dane avait à nouveau accès au flume, il pourrait faire venir d'autres dados de Quillan. Et aussi des skimmers, des armes et tout ce qu'il voudrait. Je ne pouvais pas le laisser faire. Désormais, j'étais entièrement voué à ce territoire. En ce sens, je restais fidèle à ma décision. Je ferais tout pour qu'Ibara prospère et que Veelox revive. Et si, pour y parvenir, je devais affronter à nouveau Saint Dane, ainsi soit-il.

Ce que je ne ferai pas, par contre, c'est reprendre le flume. Je ne suis plus un Voyageur. Est-ce que je dois me sentir coupable d'avoir démissionné ? Un peu. Mais en détruisant le flume de Rubic City, je m'assurerai que Saint Dane est bien piégé sur ce territoire. Pour le plus grand bien de tout Halla. Comment vais-je y arriver ? Je n'en sais rien. Il faudra que je trouve un moyen en cours de route.

Il me faut aussi espérer que les Utos n'ont pas encore découvert le flume. Je suis sûr qu'à peine sortie de la montagne du tribunal Nevva est allée trouver son patron pour lui dire que cette mascarade était terminée et que je savais tout sur le projet flume. Il m'attendrait de pied ferme. Ce qui m'angoissait un peu. Ça faisait un bail que je n'étais plus dans la course, et je me sentais un peu rouillé.

Toutes ces pensées se bousculaient dans ma tête alors que j'étais censé me reposer. J'ai dû m'assoupir tout de même, mais pas bien longtemps. J'ai tenu à jour mon journal pendant un moment, puis j'ai fini par décider que je perdais mon temps en restant allongé.

Tout d'abord, je suis allé réveiller Loque. Je devais lui raconter tout ce qui s'était passé après qu'il a failli se faire tuer à Rubic City. Je lui devais au moins ça. Mais j'ai eu du mal à trouver les mots. Comment lui dire la vérité alors que celle-ci était si complexe ? Tout compte fait, il valait mieux que ce soit Twig qui s'en charge. C'est ce que je lui ai dit. C'était la meilleure solution. Chaque habitant d'Ibara avait sa propre vision de ce qui s'était passé durant la guerre et de la révélation de leur passé collectif. Il valait mieux que Loque l'entende de la bouche de quelqu'un qui avait la même perspective que lui – une Jakill qui avait passé toute sa vie sur cette île. Twig ignorait tout des Voyageurs, des flumes et de Halla. De son point de vue, un mystérieux croque-mitaine avait organisé les Utos pour qu'ils attaquent leur île. Le peuple d'Ibara s'était dressé pour les repousser. C'était tout ce que Loque devait savoir.

– Pose-lui toutes les questions que tu voudras, lui ai-je conseillé. Maintenant, tout le monde connaît la vérité à propos d'Ibara. C'est ce que les Jakills ont toujours voulu.

– Et Siry ? a demandé Loque.

J'ai décidé de lui servir l'histoire communément acceptée :

– Personne ne sait où il est, ni ce qui lui est arrivé. Désolé.

– C'était mon meilleur ami, a remarqué tristement Loque.

– C'est un héros, et toi aussi. Ne l'oublie jamais.

Puis je lui ai dit que j'allais repartir pour Rubic City afin de détruire la mine. Là, il s'est énervé et écrié que c'était un suicide. Ce n'était pas vraiment ce que j'avais envie d'entendre, mais je ne me suis pas laissé fléchir. Je lui ai demandé comment je pouvais y accéder. Tout d'abord, il n'a pas voulu me le dire. Il préférait me montrer l'entrée en personne. Il voulait venir avec moi ! J'ai réussi à le convaincre que je n'avais rien contre, mais que, vu son état, il ne ferait que me ralentir. Il a tenté de discuter, puis a vite laissé tomber : j'avais raison et il le savait.

– J'aurais du mal à dire où elle se trouve précisément, a-t-il fini par répondre. Ils m'ont fait entrer et sortir dans le noir, et, à ce moment-là, ma vue n'était déjà pas terrible. Il m'a semblé qu'elle n'était pas loin de ce grand bâtiment en forme de triangle où vivent les Utos. On ne mettait pas longtemps pour s'y rendre, même à pied. On passait sous quelque chose qui ressemblait à une arche rouge, puis aussitôt on descendait une échelle. La galerie de mine s'ouvrait juste au bas des marches. (Loque s'est redressé sur sa couche.) Tu ne peux pas te cacher. Ils verront tout de suite que tu n'es pas des leurs.

Ce qui m'a donné une idée. Je me suis emparé des haillons que Loque portait lorsqu'il était encore à Rubic City. Ils étaient répugnants à souhait. Parfait. Juste ce qu'il fallait pour me transformer en parfait Uto. Je pouvais toujours me salir, mais ça ne suffirait pas : je devais dégager cette puanteur typique aux Utos. Je présume qu'après une journée sur l'océan, sous le cagnard, ça pourrait aller.

J'allais repartir lorsque Loque m'a pris le bras et dit deux mots très simples :

– Reviens-nous.

– J'en ai bien l'intention, ai-je répondu avec une confiance que j'étais loin de ressentir.

Je me dirigeais vers la porte lorsqu'il m'a demandé :

– Et Telleo ? Elle va bien ?

Comment pouvais-je répondre à ça ? La vérité, c'est que Telleo était morte. La *vraie* Telleo. Et je doutais fort que Nevva Winter revienne sous cette identité.

– Je ne sais pas.

Je ne voyais pas quoi dire d'autre. Oui, je me défilais. Lorsque j'ai quitté Loque, il avait plus de questions que de réponses, mais la vérité serait bien dure à avaler. Cela m'a fait comprendre quelque chose qui ne me plaisait guère. Qu'allais-je dire à Genj s'il me demandait où était passée sa fille ? Sa *vraie* fille, je veux dire. Il avait le droit de le savoir, mais quelle explication serait-il à même de comprendre ? Il ne me croirait jamais, surtout après mon petit numéro d'hier soir. Il pourrait même concocter sa propre explication logique et m'empêcher de partir.

Comme c'était hors de question, j'ai pris une décision. Je cacherais à Genj la mort de sa fille. Croyez-moi, ça ne me plaisait pas. Tout ce qu'il saurait, c'est que sa fille avait disparu sans qu'on puisse dire pourquoi. Mon silence le condamnerait à l'incertitude et aux éternelles questions sans réponses. Je me jurai de tout lui raconter à mon retour, même si ça m'obligeait à révéler l'existence des Voyageurs et de Saint Dane. Ainsi, il apprendrait également la vérité sur Remudi. Il pourrait faire son deuil. Oui, c'était ce qu'il convenait de faire. Mais pas maintenant. L'aube était toute proche.

J'ai amassé quelques provisions pour le voyage. Je comptais employer le skimmer qui avait ramené Loque de Rubic City. Comme il n'était pas bien grand, je ne pouvais pas emporter beaucoup d'équipement. J'ai pris quatre bidons d'eau fraîche et des fruits secs ainsi qu'un arc et un carquois. Je ne savais pas ce que j'en ferais, mais au moins ils me donnaient une certaine impression de sécurité, aussi factice fût-elle. Pour finir de me préparer, je me suis débarrassé de mon short vert et de ma chemise pour enfiler les haillons crasseux de Loque. Lorsque je les ai passés, j'ai compris que je n'aurais pas à m'en faire pour l'odeur. Le tissu puait bien assez comme ça.

J'ai traversé les paisibles rues sablonneuses de Rayne pour me diriger vers le rivage. Je n'étais pas vraiment pressé. Non que j'aie changé d'avis, mais je voulais admirer ce que j'avais contribué à créer. Je suis passé devant des cabanes toutes neuves et bien d'autres à divers stades de construction. Les chemins étaient dégagés. Les conduites d'eau circulaient sous le sol. Certaines maisons avaient déjà des parterres de fleurs. C'était un spectacle magnifique. J'étais fier de ce village et de son peuple. J'étais l'un d'entre eux. Je voulais leur faire honneur. D'une façon ou d'une autre, je devais protéger cette île de Saint Dane et des Utos.

Le skimmer était encore là où je l'avais traîné sur le sable. J'ai chargé mes maigres provisions sur le pont et je l'ai mis à l'eau. Un bref instant, j'ai craint qu'il ne soit à court d'énergie, mais, dès que j'ai actionné les manettes, le moteur s'est mis à bourdonner. Les skimmers sont à propulsion hydraulique, et l'eau ne manquait pas.

Le ciel virait déjà au bleu foncé, oblitérant les étoiles. À l'horizon est apparu un mince rai de lumière qui m'a appris que le soleil ne tarderait pas à se lever. Avec mon petit compas, ce serait mon seul guide vers Rubic City. Heureusement qu'il n'y avait pas de nuages.

J'ai abaissé les flotteurs. À peine ont-ils disparu sous la surface que j'ai senti la puissance s'accroître sous mes pieds. Ainsi, c'était donc vrai. J'allais retourner à Rubic City. Et retrouver Saint Dane. Moi qui espérais ne plus jamais le revoir ! Pourtant, j'étais là, prêt à partir. J'ai jeté un dernier coup d'œil à Rayne et à la montagne du tribunal. Un véritable paradis tropical. Je me suis promis de tout faire pour qu'il reste ainsi, puis j'ai regardé droit devant moi et j'ai mis les gaz.

Les eaux tropicales de Veelox étaient lisses comme un miroir, me permettant de filer sur la surface. J'avais déjà fait le même trajet en skimmer, mais dans la direction opposée. Je savais que la journée serait longue et j'ai donc cherché un moyen de ne pas trop m'ennuyer. Une ou deux fois, je me suis même mis à chanter. Pourquoi pas ? Personne ne risquait de m'entendre. J'ai entonné du Green Day et, en l'honneur de mon père, des vieux airs des Beatles. Je chante comme une casserole, mais ça ne risquait de déranger personne, à part peut-être les poissons.

Impossible de dire combien d'heures a duré le voyage, puisque je n'avais pas de montre. En tout cas, ça m'a pris la majeure partie de la journée. Je n'en sais pas plus ; j'ai gardé un œil sur le compas et sur la courbe du soleil pour m'assurer que j'allais bien dans la bonne direction. Lorsque je ne refaisais pas mes calculs pour la millionième fois, je scrutais l'horizon dans l'espoir de voir le haut des gratte-ciel de Rubic City. Une vraie torture. Et le fait d'être seul n'arrangeait rien. Finalement, après une éternité, l'horizon lisse de l'océan s'est crénelé. Je savais ce que ça signifiait. Ma première réaction a été le soulagement.

La seconde, un accès d'angoisse. Cette fois, c'était réel. Étais-je prêt ? À vrai dire, non. Je ne savais pas comment me préparer à ce qui m'attendait. Il me faudrait y aller au jugé. J'ai mis encore une heure avant de commencer à distinguer les contours de la ville en décomposition. Le soleil avait traversé le ciel et descendait déjà sur l'horizon. La lumière de cette fin d'après-midi soulignait les silhouettes des grands immeubles. En quelques mois, elle n'avait pas changé. Jadis, c'était une ville peuplée et bourdonnante d'activité. Maintenant, elle n'était plus qu'une carcasse déserte, morte. Sous la surface des flots, j'ai pu distinguer les silhouettes massives des bateaux coulés et livrés à la rouille au fil des générations. Vous avez entendu parler des villes fantômes ? C'en était une, en mille fois plus grand. En fait, la seule chose que je ne redoutais pas, c'étaient les fantômes. Enfin, je croyais.

J'ai repéré la jetée à laquelle on avait amarré le bateau des pèlerins, lorsque les Jakills et moi avions découvert la ville pour la première fois. Je n'ai pas pu me résoudre à l'aborder pour y arrimer le skimmer. C'était un lieu de mort. La coque du navire coulé était toujours visible à travers les flots. S'il y a des fantômes à Rubic City, c'est ce cimetière marin qu'ils hantent. Je me suis dirigé vers la plus grande des jetées, sous laquelle était entreposée la flotte de skimmers. L'endroit idéal pour cacher le mien était encore de l'abandonner au milieu des autres. Je ne voulais pas que quelqu'un tombe dessus et donne l'alarme pour dire qu'un intrus rôdait dans le coin.

J'étais à deux cents mètres de la jetée quand j'ai entendu un drôle de bruit. Ça faisait des heures et des heures que j'écoutais le bourdonnement monotone des moteurs du skimmer. Là, c'était différent ; une vibration tout aussi régulière, mais sur une autre fréquence. J'ai coupé le moteur. L'eau a clapoté sur le pont jusqu'à ce que le bateau s'immobilise. Lorsque le silence est retombé, j'ai tendu l'oreille. Ce bruit était faible, mais distinct. Je ne me souvenais pas d'avoir entendu quelque chose de pareil à Rubic City. Il a monté en volume. Est-ce que ça se rapprochait ? Le skimmer tanguait gaiement sur les vagues. J'ai scruté la ville, mais n'ai rien vu qui puisse émettre une telle sonorité, et pourtant c'était bien là et le son enflait sans cesse. On aurait dit le bourdonnement d'une machine. Mais c'était impossible : il n'y avait rien de mécanique à Rubic City. Du moins rien qui n'ait fonctionné depuis quelques siècles.

J'allais remettre les gaz pour gagner la jetée quand mon œil a surpris un mouvement droit devant moi. On aurait dit un nuage noir qui descendait une rue entre des rangées d'immeubles de grande taille. Je me suis penché pour mieux voir. Le nuage a grandi. Pas de doute, ça avançait. Qu'est-ce que c'était ? Une tempête de sable ? Une tornade miniature ? Quelle que soit la chose, cela venait de sortir de l'ombre des bâtiments et se dirigeait droit sur moi. Un instant, je me suis dit qu'il y avait peut-être bel et bien des fantômes à Rubic City, parce qu'un grand spectre tout noir venait dans ma direction.

C'est alors que j'ai vu les lumières. C'était presque joli. Presque. Alors que le nuage se rapprochait, il m'est apparu constellé de milliers de petits points lumineux. Jaunes. On se serait cru à Noël. Le bourdonnement est devenu assourdissant. Mais ce sont les lumières qui m'ont mis la puce à l'oreille. Ce n'était pas un nuage. Ni une tornade. Ni un fantôme. Noël non plus.

C'était un essaim d'abeilles. Des abeilles-quigs. Et le plus drôle, c'est encore que je n'avais pas peur. Enfin, pas sur le coup. Je n'ai pas aussitôt pensé que je devais réagir avant que ces petits monstres soient sur moi. Non, ma première idée a été qu'il y avait des quigs à Rubic City. Or ils sont censés garder les flumes. Ce qui voulait dire que ce territoire était à nouveau en lice. Saint Dane m'avait envoyé ses petits démons en guise de comité d'accueil. Inutile de compter sur l'effet de surprise. Il savait que j'arrivais.

Et c'est *là* que j'ai eu peur.

Journal n° 34
(suite)

IBARA

J'étais seul sur un petit bateau perdu au beau milieu d'un immense port, et un essaim d'abeilles-quigs me fonçait dessus. J'ai regardé autour de moi, cherchant une protection quelconque. En vain. Il n'y avait rien du tout. J'avais bien peur d'être cuit avant même de prendre pied sur le rivage.

Le rivage. Je n'avais pas encore touché terre. Les abeilles-quigs peuvent-elles nager ? Pourvu que non. Et si je plongeais pour me cacher sous le skimmer ? Combien de temps pourrais-je tenir ? Ces abeilles étaient-elles assez malignes pour attendre que je manque d'air ? Si elles avaient assez de jugeote pour quitter la ville et venir me chercher, elles devaient être capables d'attendre leur heure. Ou plutôt le moment où je passerais la tête hors de l'eau pour respirer.

À présent, l'essaim était à mi-chemin. Il n'était pas très rapide. Je ne savais pas si c'était un bon signe ou si ça ne faisait que prolonger mon attente. Ma seule chance était de plonger. J'allais sauter par-dessus bord lorsque j'ai compris que, si le skimmer restait là sans bouger, j'étais fichu. Je devais continuer mon chemin vers le rivage. Le levier actionnant le moteur des flotteurs se trouvait sur la poignée droite. Il fonctionnait un peu comme les freins d'un vélo. Je me suis empressé de déchirer un morceau de tissu pourri du pantalon de Loque pour l'enrouler autour du levier, le bloquant en position marche. Pas trop serré : je ne voulais pas qu'il aille trop vite et que j'en perde le contrôle. Le puissant moteur a bourdonné, et le skimmer est parti vers le

218

rivage, se rapprochant de l'essaim. J'ai sauté à l'arrière. À la poupe, il y avait deux poignées dont les aquaniers de Cloral se servaient pour attacher et tirer les autres bateaux. Je m'en servirais pour essayer de guider le skimmer. Je ne savais pas si ça marcherait, mais c'était tout ce que j'avais pu trouver. Le nuage de quigs était presque sur moi. J'ai passé mes jambes par-dessus la poupe, j'ai serré l'une des poignées et je me suis glissé dans l'eau. Je me suis laissé flotter, les jambes en arrière. Quand je me suis tourné sur la droite, le skimmer a légèrement viré vers la gauche, et inversement. Mes jambes tenaient lieu de gouvernail. Ça avait l'air de marcher.

L'ennui, c'est que je ne savais même pas où j'allais. Je me trouvais à l'arrière, sous la poupe, et pas moyen de voir devant moi. Bon, ce n'était peut-être pas mon seul souci. Quelques secondes plus tard, une ombre s'est étendue sur la surface de l'eau. Je me suis dit que le soleil devait s'être caché derrière un nuage. C'était à peu près ça. Enfin, si on veut. L'essaim de quigs était arrivé. J'ai inspiré profondément et plongé ma tête sous l'eau. Mais comme les poignées étaient au-dessus du niveau de la mer, ça voulait dire que mes doigts resteraient exposés. Les quigs s'en apercevraient-ils ?

Il faut croire que oui, parce que j'ai aussitôt senti une piqûre sur ma main droite. Sans réfléchir, j'ai lâché prise et l'ai plongée sous l'eau. Ce qui voulait dire que je ne tenais plus que par une main. Sauf que les quigs allaient se jeter dessus et me forcer à lâcher prise. Le skimmer partirait comme une fusée et je serais mort. Je me suis forcé à reprendre la poignée de ma main droite et j'ai lâché prise de l'autre. Il valait mieux n'exposer qu'une main à la fois. Comme ça, les quigs avaient une seule cible au lieu de deux. Même sous l'eau, je pouvais entendre leur bourdonnement démoniaque s'élever par-dessus le bruit des moteurs. Impossible de dire combien de fois ces abeilles m'ont piqué. J'ai changé plusieurs fois de main, ce qui semblait marcher. Elles n'étaient pas si intelligentes que je le croyais. Heureusement pour moi. Mon idée était bonne, à un détail près : je ne savais toujours pas où j'allais.

Et je commençais à manquer d'air. Ah oui ! J'oubliais ce détail. Mes poumons n'en pouvaient plus. J'ai attendu jusqu'à la toute dernière seconde, puis j'ai passé la tête au-dessus de la surface et inspiré une grande goulée d'air pour replonger aussitôt. Sans me faire piquer une seule fois. Je ne savais pas combien de temps je pourrais tenir comme ça. Mes mains étaient de plus en plus raides et j'avais l'impression que mon bras allait se briser en mille morceaux. Soudain, je n'avais plus si peur de leurs dards acérés.

Comme je l'ai dit, je ne savais pas où j'allais. Pour autant que je sache, le skimmer avait fait demi-tour et repartait vers la mer. Ou je tournais en rond. Cette fois, quand je suis remonté pour respirer, j'ai jeté un coup d'œil derrière moi dans l'espoir de ne pas voir Rubic City rétrécir à l'horizon. Mais non : rien que l'océan, à perte de vue. Ouf ! J'ai plongé à nouveau et tenté de passer sous le skimmer pour jeter un coup d'œil à l'avant, mais il faisait trop noir et ma vision était brouillée. Tout ce que je pouvais dire, c'est qu'à vue de nez je n'étais plus au milieu du port. J'imagine que j'avançais depuis assez longtemps pour toucher terre. Mais où ? Et plus important encore, que ferais-je lorsque je serais arrivé ?

Les quigs n'avaient pas renoncé. Je le savais, parce qu'ils continuaient de me piquer. Au moment où je me suis dit que je ne pourrais plus tenir, tout est devenu noir. Vraiment. Un noir d'encre. Je savais que c'était impossible. Pas si vite. La nuit ne *tombait* pas comme ça. J'ai pris à nouveau une profonde inspiration, tenté de jeter un autre coup d'œil, mais je n'ai rien vu du tout. Le monde avait viré au noir. Enfin, pas tout à fait. Les quigs bourdonnaient toujours au-dessus de ma tête. Leurs yeux brillant d'une lueur jaune les faisaient ressembler à des lucioles. Que s'était-il passé ? J'ai plongé derechef pour regarder sous le skimmer. Heureusement, car la seconde d'après il heurtait quelque chose et s'immobilisait brutalement. On avait touché terre. Ou du moins quelque chose de solide. Si je n'étais pas sous l'eau, ma tête aurait cogné contre la coque. Le choc m'a fait lâcher prise. Maintenant, je me retrouvais sous le skimmer, dans le noir, et je commençais à manquer d'air. Les moteurs ont émis un gémissement. Quelque chose bloquait le chemin de l'engin. Le skimmer s'est mis à tourner sur lui-même. Comment me sortir de là ? Le gémissement des moteurs s'est accru. Je me suis retourné juste à temps pour voir un des flotteurs venir vers moi. S'il me cognait la tête, ça risquait de faire mal. Je me suis reculé à temps : il m'a juste égratigné le nez. J'ai reçu en plein visage le jet d'eau qu'éjectaient les moteurs. S'ils avaient tourné à fond, ce même jet m'aurait arraché la tête. Là, il s'**est** contenté de me pousser. Un peu plus tard, le skimmer est reparti. Il devait s'être dépêtré de ce qui le retenait et repartait vers le large.

Tant mieux pour lui. Beaucoup moins pour moi. J'étais pris au piège. En levant les yeux, j'ai vu les lucioles jaunes planer au-dessus de ma tête. Les quigs étaient toujours là. Je ne pouvais pas sortir de l'eau, ou ce serait la fin. J'ai choisi une direction et je me suis mis à nager. Avec l'énergie du désespoir, comme on dit. Je ne savais pas où j'allais, mais je ne pouvais pas rester ici. Je m'attendais à heurter le même mur qui avait arrêté le skimmer, mais, devant moi, j'ai vu une sorte de longue poutre qui s'éten-dait sous la surface. Je suis passé dessous. Maintenant, j'avais un besoin pressant de respirer. D'une détente, je me suis propulsé vers la surface… et mes mains ont heurté quelque chose. J'étais sous un quai. Si je n'avais encore jamais connu la peur panique, maintenant, c'était fait. J'étais coincé ! Si je n'arrivais pas à sortir de sous ce ponton, j'allais me noyer. Je n'avais plus assez de forces pour revenir en arrière – et encore, en admettant que je sois capable de retrouver le chemin. J'ai posé mes mains contre la cloison et tenté de faire surface… Ma tête a heurté quelque chose de dur. Non ! Il n'y avait pas d'air du tout ! Mais je n'ai pas cédé à la panique. Il me suffisait de quelques centimètres pour respirer. La distance entre ma tête et ma bouche était de, quoi, six centimètres ? J'avais besoin de moins que ça. J'ai battu des jambes pour me retrouver sur le dos, puis j'ai tendu le cou, les lèvres en avant, et crevé la surface. Gagné ! Je crois que j'ai aspiré plus d'eau que d'air, car je me suis mis à tousser. Peu importe. J'avais de quoi respirer. J'ai appuyé mes lèvres contre la surface rêche pour avaler moins d'eau. Il devait y avoir environ trois centimètres entre le niveau de l'eau et la paroi. Ça me suffi-sait. Dès que je me suis calmé, je me suis aperçu qu'il m'était plus facile de respirer par le nez, parce qu'à chaque fois que j'ouvrais la bouche de l'eau s'y engouffrait. C'était cauchemar-desque, mais au moins j'étais en vie.

La surface était rugueuse, comme du bois. Des rais de lumière filtraient entre les planches. J'ai placé mon œil au bon endroit pour regarder par l'interstice. Lorsque j'y suis arrivé, j'ai aussitôt eu un hoquet et j'ai plongé sous la surface, avalant une gorgée d'eau. Je l'ai aussitôt recrachée. Je devais garder mes esprits, ou j'allais me noyer. Je venais de voir des abeilles-quigs qui tentaient de passer entre les planches pour m'atteindre. Elles avaient l'air furax. Si elles réussissaient à passer, j'étais mal. Elles n'étaient qu'à deux centimètres de mes yeux et se tortillaient désespéré-ment pour m'attraper. Je ne pouvais rien faire, sinon espérer que les fissures soient trop étroites pour elles.

Quelques interminables secondes plus tard, pas une seule n'était passée. Elles étaient trop grosses. J'étais sauvé. Pas dans une position très agréable, mais sauvé. Il ne leur restait plus qu'une seule façon de m'avoir : attendre. Je n'avais pas l'inten-tion de leur donner ce plaisir. Aussi douloureux que cela puisse être, j'étais prêt à rester là, entre deux eaux, le temps qu'il faudrait.

Je suis heureux de dire que ça n'a pas duré. J'étais là depuis quelques minutes à peine quand l'essaim s'en est allé, simplement, sans crier gare. J'ai vu filer les points lumineux tandis que les abeilles sillonnaient l'obscurité. J'ai attendu. Le bourdonnement a décru jusqu'à disparaître. Je n'ai pas non plus entendu le gémisse-ment des moteurs. Le seul bruit était le clapotement des vagues léchant la structure au-dessus de ma tête. J'ai attendu encore quelques minutes afin d'être sûr qu'elles soient bien parties, puis tenté de sortir. J'ai inspiré profondément et plongé sous l'eau. En regardant autour de moi, j'ai vu qu'une des destinations possibles était mieux éclairée que les autres. C'est celle que j'ai choisie. J'avais à peine nagé quelques brasses que le plafond sous lequel je me trouvais s'est interrompu. J'étais à nouveau en mer. Ou au moins là où le skimmer m'avait laissé. J'ai battu des jambes et suis remonté à la surface pour enfin inspirer une vraie goulée de bon air.

Un bref coup d'œil autour de moi m'a appris plusieurs choses. Dont la plus importante : les abeilles-quigs étaient bien parties.

Pour de bon, enfin je l'espérais. Mais le skimmer avait disparu également. Il avait dû repartir vers l'océan, comme je le pensais. Pourvu que les quigs se soient lancés à sa poursuite... Enfin, j'ai réalisé que je connaissais l'endroit où je me trouvais. J'étais passé sous la jetée où l'on parquait les milliers de skimmers venus de Cloral. C'était là que Siry et moi en avions volé un pour nous enfuir de Rubic City. Cependant le dépôt était quasiment vide. J'ai vu tanguer quelques embarcations, mais c'était tout. J'avais l'impression d'être dans un hangar à avions aussi immense que désert.

Sans le savoir, je m'étais caché sous un des nombreux quais étroits partant du port. En quelques brasses, je l'ai rejoint et me suis hissé dessus. C'était bon de retrouver la terre ferme. Et mieux encore de pouvoir respirer. J'ai serré les poings. Mes mains étaient couvertes de piqûres et probablement enflées. Peu importe. Ce n'était pas cher payé. J'aurais voulu pouvoir rester assis là, à profiter du simple plaisir de remplir mes poumons d'autre chose que d'eau, mais j'avais à faire. Mon soulagement d'avoir survécu à l'attaque des quigs n'a pas duré. Il était temps de trouver cette mine que creusaient les Utos.

Et de débusquer Saint Dane.

Je n'avais qu'un seul but : trouver un moyen de détruire cette mine afin d'enterrer le flume à tout jamais. Comment ? Je n'en avais pas la moindre idée. Mais si je voulais sauver Ibara et reprendre ma vie sur cette île, je n'avais pas le choix. Pourvu qu'il ne soit pas trop tard. Pouvaient-ils avoir déjà trouvé le flume ? Depuis combien de temps les Utos creusaient-ils ? À quelle profondeur le flume était-il enfoui ? Il semblait impossible de pouvoir déterrer quelque chose d'aussi grand sans le moindre outil... hormis les mains ensanglantées et les dos brisés de malheureux Utos. La logique me disait que c'était impossible, et pourtant, Loque était entré dans cette mine. Non seulement elle existait, mais ils avaient aussi fait des progrès. Pourvu que l'attaque des abeilles-quigs ne signifie pas que le flume était déjà ouvert.

J'avais perdu mon arc et mes flèches – la seule arme que j'aie emportée. J'avais posé le tout sur le pont du skimmer, qui était parti Dieu sait où. J'ai scruté les alentours, à la recherche d'un morceau de bois ou de tuyau. À quelques mètres de là, j'ai trouvé ce que je cherchais. C'était un bâton muni d'un crochet à une extrémité qui devait servir à manipuler les skimmers depuis le quai. Je l'ai ramassé, j'ai testé sa solidité, puis je l'ai fait sauter dans ma main. Mauvaise idée. Je manquais de pratique. Et mes mains enflées ne m'étaient pas d'un grand secours. J'ai perdu le contrôle du bâton et je me suis pris un bon coup sur le front. C'était malin ! Non seulement j'étais rouillé, mais j'avais bien failli m'assommer. Ça faisait des mois que je ne m'étais pas battu et, contrairement à Loor, je n'étais pas un combattant émérite. Je n'avais plus qu'à espérer qu'en cas de besoin mon entraînement me reviendrait. Était-ce comme la bicyclette, quelque chose qu'on n'oublie pas ? Malheureusement, à un moment ou à un autre, je finirais bien par le découvrir. Pourvu que, d'ici là, je ne me sois pas mis K.-O. tout seul comme un grand.

J'ai grimpé une échelle de métal pour sortir de l'intérieur de la jetée et contempler la métropole déchue qu'était Rubic City. Rien n'avait changé depuis la dernière fois. Devant moi s'étendaient une centaine de mètres de terrain plat jonché de monticules de débris – j'imagine que, jadis, ce devait être un parking. Au-delà se dressaient les grands immeubles du front de mer. L'après-midi était si claire qu'au loin j'ai pu apercevoir la pyramide d'Utopias au milieu des canyons formés par les gratte-ciel. C'était là que commencerait ma quête du tunnel qui me mènerait à la mine.

Je ne voulais pas croiser d'Utos en cours de route. Ni d'autres abeilles-quigs, d'ailleurs. Le mieux serait de rester constamment en mouvement. J'ai donc sprinté sur l'immense quai pour gagner la ville. Je me sentais assez vulnérable, ainsi à découvert. Des yeux pouvaient m'épier derrière les milliers de fenêtres donnant sur le front de mer. J'ai filé d'un monticule à un autre en tentant de me protéger des regards indiscrets, même si ce n'était proba-blement qu'un gaspillage d'énergie.

J'ai atteint la première rue et décidé de me coller aux immeubles. Il pouvait toujours y avoir un Uto aux aguets derrière la fenêtre la plus proche, prêt à me sauter dessus avant que j'aie pu réagir, mais c'était toujours mieux que de cavaler au beau milieu de la rue. Le soleil de cette fin d'après-midi allongeait les ombres. Là, caché dans la pénombre, je me sentais en sécurité. J'avais déjà traversé cette ville, mais elle me donnait toujours le frisson. L'idée qu'une métropole moderne puisse devenir une telle ruine était déprimante. Cela faisait plus d'un siècle qu'elle était livrée à l'abandon. Je me suis demandé si, un jour, elle finirait par disparaître sous terre, attendant que les générations futures envoient des expéditions archéologiques pour découvrir les rues et les boutiques de cette civilisation disparue.

C'était aussi la preuve vivante que la quête de Saint Dane était monstrueuse, purement et simplement. Il avait contribué à la destruction de la civilisation de Veelox. Pourquoi croyait-il pouvoir me convaincre qu'il agissait pour le bien de tous ? Soit il était fou, soit il croyait ses propres mensonges. Les deux, peut-être.

Je comptais commencer mes recherches à la pyramide d'Utopias, puis continuer vers le quartier où se trouvait le flume. Quand Gunny et moi étions arrivés ici pour la première fois, il y avait bien longtemps, la porte menant au flume se cachait dans une station de métro abandonnée, comme en Seconde Terre. À ma dernière visite, quand Siry et moi avions cherché ce même flume, on avait découvert qu'un immeuble tout entier s'était effondré dessus et l'avait enterré sous des tonnes de gravats. La question était de savoir par où commencer. Loque m'avait dit que, lorsqu'on l'avait conduit au chantier, ils étaient passés sous une arche rouge. Ce qui ne m'avançait guère. Quelque part entre la pyramide d'Utopias et le flume, il devait donc y avoir une arche rouge. Ben voyons. Fastoche.

Il se faisait tard. La nuit ne tarderait pas à tomber. Il n'y avait pas d'éclairage à Rubic City. Lorsqu'il faisait noir, il faisait *vraiment* noir. Si je ne trouvais pas rapidement cette arche rouge, je devrais attendre le lendemain matin. L'idée de passer la nuit dans un de ces bâtiments vides, tout seul, ne m'enchantait guère. Heureusement, je n'ai croisé personne en chemin, ce qui n'avait rien de surprenant. Les Utos se cachaient dans ces ruines, comme des rats. Ils pouvaient être tout autour de moi sans que je m'en aperçoive. Je *déteste* cette ville.

J'ai fini par arriver au dernier bâtiment avant la clairière menant à la pyramide. Je me suis dit que j'étais assez près pour entamer mes recherches. J'étais déjà du côté de la pyramide le plus proche du flume. Mais par où commencer ? Je devrais me rapprocher de cette même pyramide afin d'avoir une meilleure perspective, mais il me faudrait alors passer à découvert. Cela ne me disait rien. Je serais le seul être en mouvement dans un environnement immobile. Autant dire une cible facile. Mais que pouvais-je faire d'autre ?

J'ai couru vers la pyramide sur une vingtaine de mètres avant de me retourner. La plupart des rues qui se présentaient à moi étaient bloquées par des amas de débris qui les rendaient inutilisables. Toutes, sauf une. C'était le point de départ évident pour entamer ma recherche. J'ai couru vers cette ouverture et je me suis engagé sur le trottoir encombré. Elle ne semblait pas si différente des autres avenues délabrées de Rubic City. Le trottoir était fendillé de partout et jonché de fragments de verre et de béton. Des squelettes d'autos étaient alignés à perte de vue. Les écriteaux des boutiques étaient effacés depuis longtemps. J'ai franchi une rue, puis une autre, puis une troisième. La distance entre la pyramide et le flume devait être de moins d'un kilomètre, et j'avais parcouru la moitié sans rien voir qui puisse ressembler à une arche rouge.

Je n'arrêtais pas de jeter des coups d'œil en arrière pour m'assurer que personne ne me suivait, ce qui m'empêchait de me concentrer pleinement sur mes recherches. Après avoir traversé plusieurs carrefours, je me suis demandé si je n'avais pas raté cette fameuse arche. Ou si je n'étais pas dans la mauvaise rue. Soudain, l'idée de passer la nuit seul à Rubic City m'a paru être le cadet de mes soucis. Trouver cette arche pouvait prendre des lustres. J'allais tourner les talons pour rebrousser chemin jusqu'à la pyramide et recommencer à zéro quand je l'ai vue. On aurait dit une porte surdimensionnée insérée entre deux bâtiments. C'était un gros cadre rouge. L'idée qu'une telle structure puisse exister entre deux immeubles m'a semblé absurde jusqu'à ce que je la voie mieux. Un mot était écrit tout en haut de l'arche, dessiné sur une mosaïque de verre coloré, ce qui expliquait pourquoi elle avait survécu aussi longtemps sans s'effacer. Ce mot était « Métro ». C'était une bouche de métro version Veelox.

Comme sur les territoires terrestres, le flume de Rubic City se trouvait près du réseau souterrain. Je l'avais trouvé !

J'ai franchi l'arche pour me retrouver au cœur des ténèbres. Oh, c'est vrai. Il n'y avait pas d'éclairage. Comment pouvais-je me repérer ? J'ai repensé à Loque, qui avait été obligé de creuser avec ses mains. Il n'avait pas précisé que les travaux se déroulaient dans le noir. Peut-être que, pour lui, presque aveugle, il n'y avait pas grande différence ? Ça ne faisait qu'accentuer l'horreur de ce que Saint Dane faisait endurer à ses Utos. Les obligeait-il vraiment à trimer dans l'obscurité complète ? Vous parlez d'un cauchemar !

Mes yeux se sont suffisamment accoutumés à l'absence de clarté pour que je puisse distinguer de vagues ombres grises. Bien : au moins, il y avait un minimum de lumière. Je me suis avancé. À vue de nez, je devais me trouver dans un couloir plutôt large. J'allais faire encore un pas lorsque quelque chose, peut-être mon instinct, m'a arrêté. J'ai regardé à mes pieds pour voir… rien. Le vide. Le sol se terminait abruptement. Un peu plus et je tombais dans un abîme de ténèbres. Quelle décharge d'adrénaline ! J'ai fait un pas en arrière et suis tombé sur un genou. J'avais frôlé la catastrophe d'un peu trop près à mon goût.

Le temps de me calmer, j'ai regardé par-dessus le rebord pour voir une échelle biscornue posée contre la paroi. Ce devait être l'entrée de la « mine » dont parlait Loque. J'ai descendu avec précaution les marches branlantes pour m'enfoncer dans la nuit. Pas si facile, puisque je devais aussi tenir le bâton de métal que j'avais trouvé. Mais je ne risquais pas de l'abandonner. Jamais de la vie. J'ai descendu une douzaine ou une quinzaine de mètres. Difficile de le dire avec précision. Curieusement, plus je descendais, plus la lumière croissait. Je me suis demandé s'il y avait là-dessous une galerie qui donnait sur l'extérieur et laissait entrer les dernières lueurs du jour. Quoi qu'il en soit, ça me convenait.

J'ai fini par atteindre le fond pour constater qu'il n'y avait pas d'autre tunnel, et pourtant on distinguait bien de la lumière. Artificielle. Un peu comme les réverbères d'Ibara. J'ai vu ce qui ressemblait à des guirlandes de Noël rudimentaires qui s'étiraient le long d'un couloir bas et étroit. Tout compte fait, la mine était éclairée ! J'ai repensé au moment où Siry et moi étions entrés dans la pyramide d'Utopias et avions réussi à la réactiver. Quelque part dans Rubic City, il y avait encore une source d'énergie, et les Utos avaient trouvé un moyen d'y puiser pour éclairer leur chantier. Cela dit, on n'y voyait pas vraiment comme en plein jour. Il devait y avoir une petite ampoule tous les trois mètres environ. En tout cas, c'était suffisant pour éviter de me cogner contre les murs.

Avant de faire un pas de plus, je suis resté planté là, à tendre l'oreille. Je voulais savoir si j'étais seul ou si les Utos étaient là, devant moi, en train de creuser. Je n'ai rien entendu, à part les grondements et les craquements du couloir. Pourvu que les Utos aient fini leur journée et soient retournés d'où ils venaient en chantant « Heyhi, heyho, on rentre du boulot » ! L'autre solution était moins engageante. Peut-être qu'ils avaient cessé le travail parce qu'ils avaient trouvé le flume. Mais c'était une possibilité que je ne voulais même pas envisager.

La galerie était passablement traître, et encore, dans ses meilleurs moments. Tous les cinquante centimètres, se trouvait une construction, manifestement improvisée, visant à l'empêcher de s'écrouler. Il y avait des étais de bois branlants et de gros parpaings de ciment. Le tout semblait tenir avec du scotch, s'il y en avait sur Veelox. J'ai même vu une chaise qui tentait tant bien que mal de soutenir une avancée rocheuse. Ce n'était pas vraiment du travail de professionnel, mais c'est logique, non ? Les Utos ne sont pas des mineurs et, même s'ils l'étaient, ils n'avaient pas les équipements nécessaires pour assurer un minimum de sécurité. Vu les grognements et les craquements qu'émettait le tunnel, j'ai pensé que si je faisais ne serait-ce qu'éternuer, tout le bastringue me dégringolerait sur le crâne.

Le plus étrange, c'est que les murs n'étaient pas composés de vulgaires pierres. Non, tout autour de moi s'étendaient des strates d'objets manufacturés qui avaient été compressés par le poids de ce qui s'était écrasé sur eux, comme une voiture dans une casse. J'ai vu des panneaux indicateurs, des meubles, des cadres de fenêtre et des réverbères. Il y avait aussi des pots, des assiettes et des ustensiles de cuisine. J'ai dépassé des outils, des poignées de porte et même la calandre d'une voiture. Rubic City version sandwich. Tout était fondu dans la pierre et le sable, ce qui faisait de cette galerie une visite historique de la ville à ses différentes époques. Les archéologues de l'avenir n'auraient pas à se fatiguer : tout était là.

J'ai progressé lentement en tenant mon bout de métal devant moi, au cas où je tomberais sur quelque chose que je ne puisse pas voir. La galerie était longue mais étroite, comme s'ils ne voulaient pas creuser plus que nécessaire. Quoique, s'ils n'avaient vraiment que leurs mains pour tout outil, nul ne pourrait le leur reprocher. C'est pour ça qu'au bout de quelques centaines de mètres j'ai eu la surprise de voir le couloir devenir plus haut et plus large. Là, au-dessus de ma tête, parallèles au plafond, j'ai aperçu ce qui restait de deux rails de métal ébréchés et écaillés. Encore quelques mètres et je me suis arrêté net, bouche bée. Ça paraissait impossible, et pourtant, c'était là, sous mes yeux : les roues et le châssis d'un wagon de métro suspendu au plafond de pierre ! En tout, j'ai compté douze roues métalliques. Apparemment, les Utos avaient creusé sous les rails sans savoir de quoi il s'agissait. C'était sans doute une erreur, parce qu'il y avait plusieurs poutres verticales à l'aspect peu solides pour soutenir le wagon. On aurait dit les planches perpendiculaires sur lesquelles étaient posés les rails. L'énorme masse grinçait et couinait sans cesse comme si le wagon cherchait à se libérer. J'imagine que, quand ils l'avaient déterré, ils avaient jugé trop contraignant de creuser autour et avaient préféré passer par-dessous. Une décision bien dangereuse. Pourvu que ce soit également une erreur de jugement.

Au-delà, la galerie se rétrécissait à nouveau. Cette section n'était pas éclairée, m'obligeant à ralentir. J'ai eu l'impression d'être proche de l'extrémité de la mine, car il y avait moins d'étais. J'ai progressé lentement pour ne pas buter contre quelque chose.

C'est alors que j'ai entendu un bruit. Je ne sais pas comment le décrire, sinon par « creux ». Il avait quelque chose de familier, même si j'étais incapable de l'identifier. Jusque-là, à part les craquements et les grincements des vieilles pierres, un silence de mort planait sur la mine. Ce bruit était différent. Était-ce les quigs qui se rassemblaient pour passer une fois de plus à l'attaque ?

Non. On aurait plutôt dit un crépitement statique, ce qu'on appelle du bruit blanc. Mais dans un couloir souterrain ? J'ai fait encore quelques pas pour voir qu'à trente mètres de là la galerie décrivait un tournant abrupt. De la lumière filtrait de l'autre côté. Il y avait quelque chose. Je me suis arrêté pour tendre l'oreille. Les Utos continuaient-ils leur travail ? Non : ce bruit n'était pas d'origine humaine. Il n'y avait pas un mouvement, rien que cette pulsation sourde et lancinante...

C'est alors que je l'ai reconnue. Mon estomac s'est noué. Je me suis mis à courir. Peu importe si je voyais à peine où j'allais. Je devais vérifier ce qu'il en était. Comme je souhaitais me tromper ! « Ça peut être n'importe quoi », me suis-je répété. Une autre caverne plus grande, ou une station de métro. Ou n'importe quoi, sauf ce que j'avais identifié sans l'ombre d'un doute. J'ai atteint l'angle et continué mon chemin. Si je ne me trompais pas, tout ce que j'avais fait n'aurait servi à rien. Or je savais que j'avais raison. Tourner le coin n'était qu'une formalité. Et, en effet, j'ai vu exactement ce que je redoutais. Si les Utos avaient abandonné la mine, c'était parce que leur travail était terminé. J'arrivais trop tard. Là, devant moi, s'étendait ce couloir vers l'infini.

Ils avaient trouvé le flume.

Veelox était à nouveau dans la course.

J'ai fait encore quelques pas, la tête dans le brouillard. Je voulais que ce soit une erreur, juste un couloir naturel passant sous Rubic City ou quelque chose comme ça. Ben voyons.

– Je ne t'attendais pas si tôt, Pendragon, a fait une voix derrière moi.

Je me suis retourné d'un bond. C'était Telleo – ou plutôt Nevva Winter sous l'apparence de Telleo. C'était une pensée incongrue, surtout dans un moment pareil, mais je me suis dit que j'aurais bien voulu rencontrer la vraie Telleo. Je suis sûr que nous serions devenus de bons amis. Hélas, ça n'arriverait jamais. Telleo était morte. Mais pas Nevva Winter. Elle m'avait suivi dans cette mine pour me dire ce que je redoutais le plus d'entendre. Quatre mots très simples qui m'ont donné envie de hurler.

– Il est déjà reparti.

Journal n° 34
(suite)

IBARA

J'ai agrippé mon tube de métal et me suis précipité vers Nevva. Je vous jure, j'étais prêt à la massacrer. Ce que je ressentais ? De la rage, de la frustration, ou l'horreur de réaliser que je valais moins que rien ? Ou tout ça en même temps ? Mais, à ce moment précis, je n'avais qu'une seule idée en tête : tuer Nevva Winter. Elle n'a même pas bougé. Elle est restée là bien tranquillement, comme lorsqu'elle se frottait aux directeurs de Blok, sur Quillan. Rien ne pouvait la faire sortir de ses gonds, pas même un Voyageur enragé qui venait d'apprendre qu'il n'était qu'un crétin. Je me suis complètement lâché. Je voulais l'écrabouiller comme une mouche.

Je ne sais pas ce qui m'en a empêché. C'était comme si une main invisible s'était emparée de mon bout de tuyau pour m'interdise de frapper. Mais bien sûr, ce n'était pas ça. J'avais beau être hors de moi, je ne suis pas un tueur. Malré tout, il fallait que je passe ma colère sur quelque chose. Je me suis retourné et j'ai jeté le tuyau dans le flume. Il a disparu dans le tunnel sombre et je l'ai entendu cliqueter sur la pierre.

– Désolée, Pendragon, a dit Nevva. Tu mérites mieux que ça.

– Qu'est-ce que ça veut dire ? ai-je ragé.

– Tu ne manques pas de bonne volonté. Tu es juste… naïf. Je regrette d'avoir utilisé ton innocence à tes dépens.

– Merci mille fois.

– Tu ne veux que le bien d'Ibara et du reste des territoires. Je le sais, Saint Dane aussi. Ce qui t'échappe, c'est que ton raisonnement ne tient pas debout. J'aimerais te faire réaliser ton erreur.

231

– Si je comprends bien, ai-je dit, ma mâchoire serrée, vous et le monstre qui vous sert de patron pensez que j'ai tort de vouloir que les gens des territoires mènent leur vie à leur guise. Donc, vous transformez ce monde en cauchemar, puis vous affirmez que tout est de leur faute parce qu'ils sont faibles ? C'est bien ainsi que ça marche ?

– Je préfère dire que nous avons démontré sans l'ombre d'un doute que, quand on leur donne le choix, les gens des territoires prendront toujours la voie facile, celle qui sert leurs petits intérêts égoïstes. Mais ils sont capables de mieux, Pendragon. Il n'y a pas de limites à ce qu'ils peuvent accomplir du moment qu'ils ne se laissent pas ralentir par les faibles et les idiots.

– Et que fait donc Saint Dane ? Il élimine les poids morts pour que les meilleurs d'entre nous puissent réaliser leur potentiel ?

Nevva a souri.

– Quelque chose comme ça, oui. Quel clan choisis-tu, Pendragon ? Celui des faibles ou celui des seigneurs ?

J'en avais marre de l'entendre parler par énigmes.

– À vous entendre, on dirait que toute cette histoire n'est qu'un concours entre Saint Dane et moi pour démontrer lequel de nous deux a raison.

– C'est exactement ça.

Je lui ai jeté un regard torve. Qu'est-ce qu'elle voulait dire par là ?

– Et maintenant, tout est terminé, a-t-elle conclu. Tu as mis le point final.

– Ah oui ? Moi, il me semble que le flume est à nouveau bon pour le service.

Nevva m'a dépassé et est allée se poster devant son embouchure.

– Ce n'est pas ce que je veux dire. Ce n'est pas en faisant sauter le flume que tu as mis fin à la compétition, mais quand tu as démissionné.

– Quoi !

Nevva s'est retournée, et ses yeux ont jeté des éclairs.

– C'était la dernière épreuve, Pendragon. Tu as échoué en abandonnant le combat. Je sais ce que tu as dans le cœur. Tu as détruit le flume parce que tu en avais fini. Tu voulais vivre tranquillement dans ton paradis tropical, à construire des cabanes et à regarder les étoiles avec Telleo. Tu as démissionné.

J'ai senti la colère monter en moi. Pas parce qu'elle se trompait, mais au contraire parce qu'elle avait raison.

– Le fait que Saint Dane soit également sur Veelox t'arrangeait bien, a-t-elle continué. Comme ça, tu n'avais pas à te sentir coupable. Tu pouvais justifier ton geste. Tu as vraiment cru que Saint Dane en resterait là ? Tu croyais qu'il ramperait dans un trou de souris pour y mourir ?

Je n'avais pas de réponse à ça. Je refusais d'admettre la vérité.

– Bien sûr que non, a-t-elle repris. Mais tu as fait semblant, n'est-ce pas ? C'était ça, ton épreuve ultime. Toi, le Voyageur en chef. Tout ce que tu as réussi à prouver, c'est ta propre faiblesse. Ce qui me permet de répondre à ma propre question. Non, Pendragon, tu n'es pas de la race des seigneurs. Quand la Convergence sera achevée, tu recevras ce que tu mérites, c'est-à-dire rien du tout.

Je tremblais de rage. Et de culpabilité.

– C'est quoi, cette fameuse Convergence ? ai-je demandé sans grande originalité.

En guise de réponse, Nevva m'a jeté quelque chose. Je l'ai attrapé sans réfléchir. Je n'avais même pas besoin de le regarder pour savoir ce que c'était.

Mon anneau de Voyageur.

– Oui, a-t-elle admis, c'est moi qui te l'avais volé. Quand je croyais que tu pouvais encore nous nuire.

Je l'ai serré dans mon poing, espérant que cela puisse encore signifier quelque chose. Un espoir que Nevva a aussitôt réduit en miettes.

– Maintenant, ça n'a plus aucune importance, a-t-elle déclaré d'un ton arrogant. Vas-y, discute avec tes chers amis. Ils te diront ce qu'il en est. La Convergence a commencé au moment précis où tu as jeté l'éponge. Le premier domino est tombé, Pendragon. Exactement comme Saint Dane l'avait prévu. Par contre, tu as raison sur un point : la bataille est finie. Tu refuses juste d'admettre qui a remporté la victoire. Garde cet anneau. Il te rappellera ta mission, et ton échec.

Derrière Nevva, le flume s'est animé. Alors que je regardais croître les lumières au cœur du tunnel, des mains puissantes se sont emparées de moi. Des Utos. Nous n'étions pas seuls. Ils devaient s'être infiltrés derrière moi dans la galerie. J'ai lutté pour me dégager, mais ils étaient trop nombreux. J'ai lâché mon anneau de Voyageur, qui a roulé au sol. Je l'avais perdu une fois de plus. Les Utos m'ont plaqué à terre et m'ont maintenu solidement. J'ai dû me tordre le cou pour voir ce qui se passait.

Les murs de pierre du flume sont devenus limpides comme du cristal. La silhouette de Nevva s'est découpée sur la lumière aveuglante. Les Utos se sont protégé les yeux, mais ils ne m'ont pas lâché pour autant. Cette vision devait les avoir pétrifiés sur place. Je me moquais bien de leurs états d'âme. Je m'attendais à voir Saint Dane sortir de cette lumière. Je *voulais* le voir débarquer. Nevva ne comptait pas : elle n'était que son messager. Elle était restée sur Ibara pour m'occuper pendant qu'il sillonnait Halla. Maintenant, tout devenait douloureusement clair. Depuis quand le flume était-il dégagé ? Combien de temps Saint Dane était-il parti ? Mais ça n'avait probablement aucune importance. Des mois, des minutes… Saint Dane pouvait aller où il voulait, quand il voulait. Pour la première fois de ma vie, j'avais vraiment envie de le voir.

J'ai attendu en vain. L'ombre que le flume a déposée ne lui ressemblait en rien. Elle était bien plus petite, plus fluette. Quelle qu'elle soit, elle se tenait droite comme un I, comme si elle était sortie du couloir en marchant. Lorsque la lumière a reflué, j'ai vu de qui il s'agissait. La tête m'a tourné. Ça ne rimait à rien, et pourtant il n'y avait pas d'erreur possible.

C'était Veego, la maîtresse des jeux de Quillan[1]. Elle était exactement comme dans mes souvenirs, avec ses cheveux noirs coupés court, ramenés en arrière par une sorte de gel, et ses traits acérés. Elle portait une tenue d'un noir immaculé qui ressemblait à une combinaison. Dans ses mains, elle tenait le bout de tuyau que j'avais jeté dans le flume.

---

1. Voir Pendragon n° 7 : *Les Jeux de Quillan.*

— Bonjour, Nevva, a-t-elle dit avec une politesse guindée. C'est toi qui as perdu ça ?

Nevva a pris le tuyau et l'a jeté à terre.

— Bienvenue, a-t-elle répondu. Je pense que tu seras satisfaite.

Veego était originaire de Veelox. Du moins de ce monde – trois siècles plus tôt. Saint Dane l'avait emmenée sur Quillan, elle et son taré de frère nommé LaBerge, pour qu'ils organisent leurs jeux sadiques. Que faisait-elle là, trois cents ans après son départ ?

Nevva m'a désigné du doigt.

— Bien sûr, tu te souviens de Pendragon ?

Veego m'a jeté un regard condescendant. Avec un rictus de désapprobation, elle a lancé :

— Alors tu es toujours en lice, Challenger rouge.

Sans répondre, je me suis tourné vers Nevva :

— Ce n'est pas une Voyageuse, ai-je sifflé. Comment peut-elle prendre le flume ?

— Je te l'ai dit, la Convergence a commencé, a répondu Nevva d'un ton tout naturel, comme si c'était censé tout expliquer. Halla change. Quand tout sera terminé, les territoires ne feront qu'un.

Veego m'a ignoré et a regardé Nevva droit dans les yeux.

— Tout est prêt ?

— Depuis un certain temps déjà.

— Prêt pour quoi ? ai-je hurlé en luttant contre les Utos qui me maintenaient à terre.

Veego m'a lancé un regard glacial.

— Blok a enfin décidé de me récompenser à la hauteur de mes bons et loyaux services. Et, d'après moi, je l'ai bien mérité.

— Veego et LaBerge ont fait un travail exceptionnel en organisant les jeux de Quillan, a ajouté Nevva. Du coup, la compagnie Blok a décidé de leur octroyer leur propre île. (Elle s'est retournée vers Veego.) Le paysage est magnifique. Je suis sûr qu'elle sera à la hauteur de tes attentes.

Là, mon estomac s'est noué.

— Une île ? Quelle île ? me suis-je écrié, même si je savais que je le regretterais.

Nevva m'a décoché un sourire menaçant.

— Enfin, voyons ! Ibara, bien sûr !

Là, j'ai piqué un tel coup de sang que j'ai bien failli me libérer des Utos. Ils ont raffermi leur prise, m'écrasant le visage dans la poussière, puis se sont assis sur moi.

– Ce n'est pas qu'une île ! ai-je crié. C'est une civilisation tout entière. Vous le savez aussi bien que moi, Nevva. Le tribunal ne vous laissera jamais faire.

Nevva et Veego ont échangé un regard entendu. Je n'aimais pas ça. Les regards entendus ne présagent jamais rien de bon.

– On ne leur demandera pas leur avis, a déclaré Nevva.

Le flume s'est à nouveau animé. Les deux femmes se sont tournées vers lui. J'avais l'impression de rêver. Qui allait débarquer, cette fois-ci ? LaBerge ? Quel rôle pouvait-il jouer là-dedans ? C'était un idiot. Saint Dane ? Je l'espérais bien. À part ça, je ne voyais personne d'autre. De toute façon, je me tromperais certainement.

Effectivement. Lorsque la lumière a inondé la caverne, j'ai vu deux hommes sortir du flume, épaule contre épaule. Suivis par deux autres. Et encore deux autres. Ainsi de suite. J'ai cessé de me débattre. C'était inutile. Sous mes yeux, je voyais défiler l'avenir d'Ibara, et je ne pouvais rien y faire. Ces hommes portaient les uniformes verts amidonnés et les casques dorés des forces de sécurité de Blok telles qu'on les trouvait sur Quillan. Autrement dit, des dados. Veego a tourné les talons et pris la tête de la colonne de robots.

– Salut, Challenger rouge, a-t-elle craché avec une chaleur factice en passant devant moi. Passe nous voir un de ces jours. Tu seras le bienvenu.

Et elle est sortie de cette galerie, toute droite, comme si elle menait un défilé militaire. Elle a tourné à l'angle du tunnel et a disparu. Les dados ont continué de s'écouler du flume. Vingt, trente, quarante… J'ai cessé de compter. Ils marchaient en bon ordre, deux par deux, leurs pas parfaitement synchronisés, comme… eh bien, comme des robots. Parfaitement identiques. Totalement dépourvus d'expression. Dénués d'émotions, de volonté autre que celle d'obéir aux ordres. Je ne pouvais rien entreprendre pour les arrêter. Ce que je devais faire, c'était prévenir Genj qu'il y allait avoir un nouvel assaut sur Ibara. En quelques secondes, mon cerveau a carburé pour concocter un plan. Ces Utos ne pouvaient guère me maintenir prisonnier indéfiniment. Une fois libéré, je trouverais un moyen de sortir d'ici et de regagner le port. Il restait encore quelques skimmers amarrés au quai, je n'aurais qu'à en prendre un pour filer vers Ibara. Il faisait nuit. Je me guiderais d'après les étoiles. Je ne savais pas comment les dados allaient traverser l'océan, mais je m'en fichais. Il était hors de question de les laisser atteindre Ibara avant moi. Je devais prévenir les habitants de mon nouveau chez-moi. Ils étaient en danger. En cours de route, il faudrait que j'imagine une nouvelle façon de défendre l'île. Oui, voilà, c'était mon plan.

Alors que les derniers dados disparaissaient dans la galerie, Nevva est venue se poster face à moi et a baissé les yeux.

– Ce n'est qu'un échantillon, Pendragon. Dans tout Halla, les plus forts survivront et seront récompensés. Les faibles périront. C'est ce qui est écrit.

C'en était trop. Plus que je ne pouvais en supporter. Alors j'ai explosé. D'un coup de poing, j'ai envoyé bouler un Uto à l'autre bout de la caverne. Maintenant que mes jambes étaient libres, j'ai pu me mettre sur le dos et tordre le cou d'un autre. J'ai serré fermement, il a couiné et m'a lâché. Le troisième a préféré se défiler plutôt que recevoir un mauvais coup. Tous trois sont partis en courant dans la même direction que les dados.

– Ce n'est pas fini, ai-je haleté. Je suis toujours dans la course.

– Mais non, Pendragon, a répondu Nevva.

Elle avait cessé de m'intéresser. Ma place était sur Ibara. Je devais sortir d'ici et rentrer chez moi. J'ai couru vers la sortie. Au loin, j'ai entendu une série de chocs sourds, comme si on frappait sur quelque chose. Métal contre métal. Je n'étais qu'à quelques mètres de l'endroit où le couloir s'élargissait, là où le wagon était suspendu. C'est là que je me suis arrêté net. J'ai compris d'où venait ce bruit. Plusieurs dados martelaient de leurs bras puissants les poutres qui soutenaient le wagon. Étaient-ils devenus fous ? Des robots peuvent-ils péter un boulon ?

– Arrêtez ! ai-je crié.

Ils m'ont ignoré. Plusieurs poutres ont cédé. Le wagon a tremblé avec des grondements sinistres. Une pluie de poussière s'est abattue dans la caverne. Le wagon ne tarderait pas à s'écrouler.

Deux dados ont battu en retraite de l'autre côté de la salle, en laissant deux autres pour finir de fracasser les supports. J'ai fait un rapide calcul et décidé de courir le risque. Le wagon allait me barrer la route. J'ai foncé vers l'autre bout de la caverne. Un craquement d'outre-tombe m'a aussitôt dit que j'avais pris la mauvaise décision. J'étais juste en dessous de l'énorme châssis. Un déluge de poussière et de cailloux m'a dégringolé dessus. Le wagon ne tarderait pas à suivre. Il allait m'écraser comme une mouche. Je n'avais pas le choix. J'ai freiné des quatre fers et suis revenu en arrière au moment même où le lourd wagon se détachait dans un hurlement déchirant de métal torturé. Quelques roches plus grosses m'ont cogné le dos, mais il en fallait plus pour m'arrêter. J'ai plongé dans l'étroit tunnel, les bras en avant, alors que, derrière moi, le monde entier s'écroulait.

Le wagon s'est écrasé sur le sol de pierre de la caverne, entraînant avec lui des tonnes de pierres, de sable et de débris de Rubic City. J'ai battu des bras et des jambes pour me relever et échapper à l'avalanche. Le tunnel était devenu instable. J'avais peur qu'il ne s'éboule. J'ai roulé sur le côté en me protégeant la tête de mes bras au cas où d'autres morceaux de roche se détacheraient. Mais je n'ai reçu qu'une poignée de gravier. Au bout d'une minute, le silence a fini par revenir. Tout était à nouveau paisible. J'ai levé les yeux pour voir que l'air était imprégné de poussière en suspension. J'ai dû attendre qu'elle retombe pour estimer l'étendue des dégâts.

Derrière moi, la caverne avait cessé d'exister. Le wagon était tombé à la verticale, obstruant la sortie. J'étais prisonnier du mauvais côté. Mais pas les dados. Pour eux, prochain arrêt : Ibara. Je suis resté là, dans la pénombre, à fixer l'épave, cherchant à comprendre ce qui s'était passé exactement. Ça faisait beaucoup à assimiler.

Et ce n'était pas tout.

Un peu plus tard, des lumières ont dansé dans le tunnel. Ce n'est que lorsque j'ai entendu les notes musicales que j'ai compris ce qui se passait.

Le flume s'était activé.

– Nevva, ai-je hoqueté.

Je me suis relevé tant bien que mal et j'ai couru vers le flume. Quand j'ai franchi l'angle du couloir, j'ai vu la lumière refluer dans le tunnel. La musique s'est tue. La caverne était déserte.

Nevva était partie.

Mon cœur battait plus vite qu'il n'était humainement possible. Qu'étais-je censé faire ?

Tout était fichu.

Saint Dane s'était échappé.

Ibara était en danger. Une fois de plus.

La Convergence avait commencé.

Je ne savais toujours pas ce que cela signifiait.

J'étais pris au piège.

Et pourtant, devant moi, s'ouvrait un portail donnant sur l'infini.

Je n'arrivais pas à reprendre mon souffle. Qu'étais-je donc censé faire ?

Rien. C'était fini. Je n'étais plus un Voyageur.

Était-ce vraiment si important ? J'étais le seul responsable de tout ce qui arrivait et de tout ce qui allait arriver. J'avais échoué. J'avais démissionné. J'avais renoncé à accomplir mon destin.

La prophétie de Saint Dane était en train de se réaliser.

Que devais-je faire ? Que pouvais-je faire ?

J'étais faible. J'étais naïf.

Mais, il n'y avait pas si longtemps, j'étais le Voyageur en chef !

En quoi consistait donc cette fameuse Convergence ?

Les autres territoires couraient-ils le même danger que Veelox ?

Peu importait. Pour moi, seule comptait Ibara. Et Genj, Rayne et les Jakills. Réaliser le rêve d'Aja Killian. Tout ce que je voulais, c'était sauver un territoire. N'était-ce pas suffisant ?

Mais j'avais été le Voyageur en chef.

C'était ma bataille. J'avais affronté Saint Dane et j'avais perdu.

Je voulais retrouver ma famille.

Je suis resté là, dans cette caverne, tout seul. Personne ne m'aiderait à prendre une décision. Personne n'était là pour me conseiller. Mon esprit battait la campagne, mais je n'avais nulle part où aller.

Quelque chose a attiré mon attention. C'était par terre, non loin de l'endroit où les Utos m'avaient fait mordre la poussière. Comme un éclair de lumière. J'ai fait quelques pas et me suis penché pour l'examiner. Mon anneau de Voyageur. Sa pierre luisait, comme à chaque fois qu'il se trouvait près d'un flume. J'ai scruté la gemme brillante comme si elle pouvait me proposer une réponse. N'importe laquelle.

Non loin de là, j'ai vu le morceau de tube que j'avais arraché au quai, et qui gisait là où Nevva l'avait balancé. Je l'ai ramassé. C'était un simple bout de métal de deux mètres de long. Solide. Je me suis relevé en le brandissant à deux mains pour évaluer son poids. J'ai caressé sa surface lisse. Il me semblait familier. Rassurant. Je l'ai fait sauter dans ma main droite et tournoyer comme une épée. Cette fois, je n'ai pas raté mon geste. D'un coup sec, je l'ai tendu devant moi. La pointe en avant.

C'était une arme.

Et je savais m'en servir.

Je me suis penché pour ramasser mon anneau de Voyageur. La pierre était toujours active.

Moi aussi.

Je l'ai passé à mon doigt.

Tout se passait exactement comme Saint Dane l'avait prédit. Du moins, c'est ce que prétendait Nevva. Le premier domino était tombé. J'avais déjà entendu ça, plusieurs années auparavant.

Je me suis tourné vers le flume.

Le tunnel sombre m'a rendu mon regard. On aurait dit qu'il n'attendait que moi. Je me suis approché de son embouchure et j'ai scruté ses profondeurs. J'ai sondé le futur. Et ma propre destinée.

J'ai serré mon arme. C'était bon.

Le premier domino était tombé. Je savais ce que ça signifiait. Je savais où je devais être. Je savais ce que j'avais à faire.

J'étais le Voyageur en chef.

C'était mon devoir.

– *Denduron !* ai-je grondé.

C'était reparti.

Fin du journal n° 34

SECONDE TERRE

Mark se réveilla en premier. Il faisait encore noir. Il avait mal à la tête. Une vague odeur de citron lui chatouilla le nez. Il était assis dans un fauteuil qui semblait remuer. Comment un siège pouvait-il avoir la tremblote ? Il pensa à ces manèges en plastique qu'il chevauchait au supermarché lorsqu'il était tout petit. Il y avait toujours un camion de pompiers ou un vaisseau spatial et, lorsqu'on glissait une pièce dedans, la machine vous secouait dans tous les sens pendant une minute. À l'époque, ça l'amusait. Maintenant, ça lui donnait la nausée. Pourquoi se retrouvait-il sur un manège pour gamins ?

Lorsqu'il reprit ses esprits, il comprit qu'il y avait une explication beaucoup plus simple. Il se trouvait dans une voiture en mouvement. Une vraie voiture, pas un jouet. Courtney était là, à côté de lui. Elle n'avait pas encore repris conscience. Il inspira profondément et tenta de se concentrer. Ce n'était pas une simple auto. C'était une limousine – et une grosse. Il avait largement la place pour étirer ses jambes, pourtant il n'arrivait même pas à toucher la banquette avant. Comment étaient-ils arrivés là ?

Oh. C'est vrai. Ces types chez Courtney. Les citrons.

Mark se pencha vers son amie et écarta délicatement ses longs cheveux châtains de son visage.

– Hé, dit-il doucement. Tu es avec moi ?

Courtney remua en marmonnant :

– J'veux pas aller à l'école aujourd'hui, m'man. J'suis malade.

– Tu rêves, dit gentiment Mark.

– Je plaisantais, gros malin, rétorqua-t-elle. (Elle ouvrit les yeux le temps de scruter ce qui l'entourait.) Chouette bagnole, fit-elle d'une voix pâteuse.

– Tu as une idée de ce qui se passe ?

Courtney se redressa et se frotta le visage. Un coup d'œil à l'extérieur lui apprit qu'ils fonçaient sur l'autoroute. Elle tenta d'ouvrir la portière. Fermée à clé.

– Eh bien, commença-t-elle, ceux qui se sont emparés de nous n'étaient pas des policiers, ce qui veut dire qu'ils nous ont enlevés. Ils ne nous ont pas ligotés, ce qui veut dire qu'ils n'ont pas peur de nous. Quels que soient ces hommes, ce ne sont pas des prolos, puisqu'on est dans une limousine. Pour tout arranger, j'ai mal au crâne et je porte toujours les vête-ments de ta mère.

Mark la dévisagea.

– Oui, c'est un bon résumé.

Courtney se pencha et cogna la vitre de verre fumé sépa-rant la banquette arrière de l'avant.

– Hé ! cria-t-elle. Où est-ce que vous nous emmenez ?

Pas de réponse. Courtney se remit à marteler la vitre.

– Ouvrez ! Ou, au moins, dites quelque chose !

En vain. Courtney s'adossa sur la banquette d'un air boudeur.

– J'ai fait tout mon possible. À ton tour.

– Ces types qui nous ont enlevés portaient un tatouage en forme d'étoile, dit Mark, pensif.

– Alors on a été enlevés par la secte des étoiles, en conclut Courtney. Pourquoi s'intéresseraient-ils à nous ?

– Je ne sais pas, répondit Mark. De toute évidence, Saint Dane est derrière tout ça. Peut-être qu'il a peur qu'on fasse capoter ses petites combines. Ça s'est vu.

– Oui, en effet, fit Courtney avec un petit rire.

Tous deux regardaient défiler les immeubles derrière la vitre.

– Mes parents sont impliqués, dit doucement Courtney. Il y avait une étoile au-dessus de leur cheminée. Mais ils ne peuvent pas être du côté des méchants.

– Je ne crois pas, non. Ou alors, c'est à leur insu.

– Que veux-tu dire ? demanda Courtney.

242

– Saint Dane manipule les gens. Il leur fait croire qu'ils prennent les bonnes décisions alors même qu'il les pousse à la catastrophe. Et s'il les avait entraînés dans le culte de l'étoile de Ravinia, ou je ne sais quoi ?

– Dans ce cas, quel est le moment de vérité de Seconde Terre ? La Convergence ?

– Non, répondit aussitôt Mark. La Convergence est bien plus que ça. Enfin, je crois. Il doit y avoir en Seconde Terre quelque chose qui va se produire, quelque chose d'inévitable, sur lequel Saint Dane veut influer. Par le biais de ce culte, par exemple.

Courtney y réfléchit un moment, puis déclara :

– Ce culte, comme tu dis, n'existait pas dans notre bonne vieille Seconde Terre. Quelque chose a changé dans notre passé pour permettre sa création.

– C'est bien là tout le mystère.

– Ça et un million d'autres choses.

Courtney jeta un coup d'œil de l'autre côté de la vitre et ajouta :

– On est en ville.

La voiture prit une bretelle de sortie pour aborder une avenue de New York et continua à vive allure au milieu du trafic. Ils ne tardèrent pas à atteindre un carrefour bondé. Plus que d'ordinaire.

– Qu'est-ce qui se passe ? demanda Courtney.

Mark s'approcha de la vitre et scruta la foule assemblée sur les trottoirs. La circulation était telle que la limousine dut ralentir jusqu'à faire du surplace, ce qui leur donna l'occasion de voir ce qui se passait.

– On dirait une manif, tenta Mark.

– Plutôt une émeute, corrigea Courtney. Ces gens-là n'ont pas l'air contents.

En effet, la foule était plutôt bruyante. Certains portaient des écriteaux proclamant NOUS SOMMES TOUS NÉS ÉGAUX EN DROIT, LA VÉRITÉ TRIOMPHERA et NOUS, LE PEUPLE. Ils agitaient les poings en l'air en scandant toujours la même phrase.

– On dirait qu'ils crient : « Arrêtez-les hier ! », fit Mark.

Courtney tendit l'oreille, puis répondit :

– J'espère qu'ils ne parlent pas de nous. Ces gens semblent furax.

– Si j'étais toi, je ne m'inquiéterais pas, remarqua Mark en tendant le doigt.

Il regardait plusieurs personnes qui portaient des pancartes frappées du symbole de la croix verte. Chacune était entourée d'un cercle rouge avec un trait en diagonale. Le symbole classique du sens interdit qui, ici, signifiait *non*.

– Il faut croire que tout le monde n'apprécie pas le culte de l'étoile, commenta Mark. Regarde ce type.

Il désigna un homme juché sur une échelle afin que tous puissent le voir. C'était un type à la peau sombre, qui pouvait être d'origine indienne. Il portait un costume noir avec un nœud papillon bleu qui, comparé à la foule qui s'écoulait tout autour de l'échelle, lui donnait une allure très officielle. Il brandissait un porte-voix dans lequel il scandait : « Arrêtez-les hier ! Arrêtez-les hier ! » tout en levant le poing d'un air furieux. La foule répondait à ce drôle de slogan en brandissant ses pancartes et en agitant également des poings vengeurs.

– Il paraît encore plus en rogne que les autres, remarqua Courtney. S'il veut leur monter la tête, c'est réussi.

La limousine ralentit. Aussitôt, un groupe d'enragés se jeta dessus et se mit à la secouer.

– Hé ! s'écria Courtney. Tu es sûr qu'ils n'ont rien contre nous ?

– Ils nous prennent peut-être pour des complices.

– Super, reprit Courtney, sarcastique. On nous attaque à cause de quelque chose dont on ignore tout.

La limousine fit un bond en avant. Il y eut quelques petits chocs amortis par les suspensions.

– On a heurté quelque chose ? demanda Mark, horrifié.

Ils se précipitèrent vers la vitre arrière pour voir plusieurs personnes qui gisaient au sol, manifestement blessées.

Courtney se jeta contre la vitre de séparation en hurlant au chauffeur :

– Non, mais ça va pas ?

– Maintenant, je comprends qu'ils soient furieux contre nous, observa Mark d'un ton posé.

La voiture vira brutalement à droite, projetant Mark et Courtney l'un sur l'autre. Elle s'engouffra dans un garage souterrain. En regardant à l'arrière, ils virent un groupe d'agents de sécurité s'empresser de refermer une clôture de métal sur leur passage. Les manifestants se ruèrent sur la grille et la frappèrent de leurs poings sans cesser de scander leur étrange slogan : « Arrêtez-les hier ! Arrêtez-les hier ! »

– Qu'est-ce qui se passe ? s'écria Courtney.

La limousine fonça dans l'immense parking souterrain et effectua quelques virages rapides, faisant crisser ses pneus. Soudain, elle s'arrêta net devant un petit groupe qui semblait les attendre.

– Aïe ! marmonna Mark.

Ils étaient cinq. Quatre d'entre eux portaient les mêmes vêtements pourpres et les mêmes casquettes à visière courte que ceux qui les avaient attaqués chez Courtney. Ils restaient plantés là, leurs visages dépourvus d'expression. Le cinquième ne ressemblait pas du tout aux autres. C'était une homme d'une trentaine d'années. Il était particulièrement élégant, presque guindé, avec des cheveux blonds coupés court et un grand sourire engageant. Il portait un polo écarlate et un pantalon noir. Dans une main, il tenait une planchette à clip qui lui donnait l'air officiel. De l'autre, il fit un signe amical à Mark et Courtney, qui le regardaient depuis l'arrière de la voiture.

– C'est qui, ce bouffon ? demanda Courtney. On dirait qu'il se prépare à aller jouer au golf.

– Au moins, il nous sourit, *lui*.

Les portières se déverrouillèrent simultanément dans un grand « clic ». Le type souriant se pencha pour ouvrir celle de derrière avec un grand geste de bienvenue.

– Bonjour ! dit-il avec enthousiasme. Vous arrivez juste à l'heure ! Mark et Courtney, c'est bien ça ?

Tous deux se regardèrent, surpris. Ils restèrent muets, figés sur place.

– Bienvenue ! ajouta l'homme.

– Bienvenue ? répéta Mark. Vous nous avez enlevés !

– Oh, ça, répondit-il avec dérision. Nous craignions que vous n'arriviez pas à temps, c'est tout. Mais vous voilà ! Désolé si cette situation vous a paru inconfortable !

– Vous vous êtes introduits dans la maison de mes parents ! explosa Courtney. Vous nous avez gazés. C'est ça que vous appelez une situation inconfortable ?

Le jeune homme la regarda. Un sourire toujours radieux sur son visage.

– Oui.

– Oh. Je voulais juste en être sûre. (Courtney se remit à marteler la vitre qui les séparait du chauffeur.) Allez, on s'arrache !

Le jeune homme tendit les mains en un geste d'apaisement.

– Je vous en prie, dit-il chaleureusement, joignez-vous à moi.

Ils n'avaient pas vraiment le choix. Il semblait accueillant, mais les quatre autres types qui les dévisageaient d'un air sévère beaucoup moins. Mark descendit, suivi de Courtney.

– Voilà qui est mieux ! s'exclama le jeune homme. Je m'appelle Eugène, et je vais vous accompagner.

Mark ne serra pas la main qu'il leur tendait. Courtney non plus. Eugène la retira sans que son sourire ne s'étiole. Cette rebuffade ne parut pas lui faire le moindre effet.

– Comme vous voudrez. Ne perdons pas de temps, vous risqueriez de rater une partie des festivités !

Et il s'éloigna des autres hommes d'un pas pressé. Mark et Courtney restèrent sur place. Eugène se retourna en fronçant les sourcils de façon caricaturale.

– Venez ! Nous allons nous racheter pour tout ce que nous vous avons fait endurer ! Je vous promets un spectacle inoubliable !

– Et si on n'a pas envie de vous suivre ? demanda Courtney.

– Dans ce cas, vous raterez ce qui est peut-être le moment le plus important de toute votre vie. Et ces braves gens tiennent *vraiment* à ce que vous m'accompagniez.

Les quatre brutes toisèrent les deux adolescents, l'air toujours aussi inexpressif.

Courtney regarda Mark et haussa les épaules. Mark acquiesça. Courtney se tourna vers Eugène et dit :

– C'est un tournoi de golf ?

Eugène lui jeta un regard surpris.

– Laissez tomber, reprit Courtney. Allons-y.

Et elle avança. Mark lui emboîta le pas, et le petit groupe suivit Eugène le long du garage souterrain jusqu'à une porte de métal qui débouchait sur un long couloir étroit aux murs de parpaings colorés.

– J'espère que cette foule là-dehors ne vous a pas dérangés, dit Eugène. Ils ne comprennent rien.

– Qu'y a-t-il à comprendre ? demanda Mark.

– Tout ça n'est pas de leur faute. Les gens doivent accepter le destin qu'on leur offre. La jalousie n'y changera rien, ça ne les rendra que plus aigris.

Mark et Courtney échangèrent un regard. Eugène s'arrêta net et se tourna vers eux :

– Vous comprenez, j'en suis sûr.

– Je ne comprends rien à rien, répondit Courtney.

Eugène leur décocha un petit sourire satisfait.

– Ça viendra.

Il les escorta jusqu'à l'ascenseur. Lorsque Mark et Courtney entrèrent dans la cabine et se retournèrent, ils virent se refermer les portes avant que les quatre cerbères aient pu rentrer.

– Il y aura d'autres agents de sécurité pour nous escorter jusqu'à notre destination, précisa Eugène, comme s'il lisait dans leurs pensées.

L'ascenseur monta quelques étages, puis s'ouvrit sur un couloir bien plus luxueux que le précédent, avec un tapis épais et des photos en noir et blanc accrochées aux murs. Tous les six mètres environ, il y avait une porte fermée marquée d'un numéro.

– Suivez-moi, déclara Eugène en avançant d'un pas pressé.

Ils lui emboîtèrent le pas tout en regardant les photos. C'étaient des agrandissements de clichés d'époques différentes. Mark reconnut certains visages. Il y avait le boxeur de légende Mohamed Ali affrontant Joe Frazier sur le ring, des éléphants se donnant en spectacle sur une scène de cirque et des prises de vue de concerts où apparaissaient des célébrités telles que les Rolling Stones, Madonna et même Justin Timberlake. Courtney s'intéressa davantage à la section sportive, où figuraient les équipes des New York Knicks et des Rangers à diverses époques.

– Je sais où on est, glissa Courtney à l'oreille de Mark.

– Moi aussi, répondit-il. J'imagine que ça ne devrait pas nous surprendre.

– Bien sûr que non ! reprit joyeusement Eugène. Vous êtes exactement là où vous devez être !

Il s'arrêta devant une porte et frappa. Un instant plus tard, un autre garde vint leur ouvrir.

– Vous serez aux premières loges ! fit chaleureusement Eugène.

Mark et Courtney entrèrent dans ce qui ressemblait à un petit salon. À leur droite, une salle de repos avec des canapés et des fauteuils confortables. À leur gauche, une cuisine débordant de sandwichs et de boissons, comme pour un cocktail de bienvenue. Mais ils savaient tous les deux que ce n'était qu'un début. Ils traversèrent la salle pour se diriger vers son extrémité, où s'étendait une cloison de verre. Une porte transparente donnait sur un balcon avec une douzaine de sièges, à la manière d'un stade. Mark et Courtney savaient qu'il existait des endroits tels que celui-ci, mais n'en avaient jamais vu. En fait, ils n'auraient jamais cru y entrer un jour. Ils passèrent devant les sièges pour rejoindre la rambarde métallique. Devant eux s'étendait un immense stade couvert, le Madison Square Garden. Courtney y était déjà allée pour voir jouer l'équipe des Knicks, Mark pour un spectacle de cirque. Mais ni l'un ni l'autre n'avait eu accès aux loges VIP. La vue était à la fois parfaite et vertigineuse. Ils étaient bien loin du sol.

Le stade était bondé. On jouait à guichets fermés. Au centre de l'arène, on avait installé une estrade surélevée. Elle était cernée par une foule en liesse. Il ne restait pas un centimètre de libre.

Mark donna un coup de coude à Courtney et désigna une série de grands fanions suspendus à chaque niveau. Ils encerclaient l'immense espace, créant un cercle de couleur rouge brillant et ondoyant.

– Je crois que je vais m'évanouir, chuchota Mark.

Chacun des immenses fanions rouges portait le même symbole. Une étoile. Une seule étoile blanche géante était peinte sur le sol de l'estrade.

– Bon, reprit Courtney d'une voix tremblante. C'est ce qu'on voulait, non ? Il faut qu'on découvre ce qui se trame derrière tout ça.

Quatre grandes photos couvraient chaque côté du panneau qui se tenait au centre du stade, là où on affichait les scores. Il s'agissait de différents gros plans de l'homme qui figurait dans la publicité télévisée qu'ils avaient vue. Avec sa coupe de cheveux impeccable et son sourire chaleureux, il ressemblait au grand-père idéal. Mark et Courtney eurent l'impression qu'il les regardait *eux*.

– Il a insisté personnellement pour que vous soyez là, dit Eugène, qui venait d'apparaître derrière eux, en désignant les photos.

– Qui ? demanda Mark.

Eugène eut l'air surpris.

– Eh bien, Naymeer, bien sûr !

– Nay-quoi ? demanda Courtney.

Eugène gloussa, comme si Courtney avait fait une plaisanterie. Il se trompait.

– Pourquoi voudrait-il qu'*on* soit là *nous* ?

– Je crois comprendre que, depuis que vous lui avez rendu visite hier soir, il a hâte de vous rencontrer. Vous êtes partis si précipitamment qu'il n'a pas eu le temps de discuter avec vous. Amusez-vous bien !

Eugène battit en retraite, les laissant seuls. Mark s'assit sur un siège au premier rang – ou plutôt s'y laissa tomber. Courtney se cramponna à la rambarde. Elle craignait de passer par-dessus bord.

– Non !

Ce fut tout ce que Mark réussit à dire.

– Oui, rétorqua Courtney. C'est bien le type qu'on a vu à la fenêtre du manoir Sherwood. Avec le chien.

– Alors ces types qui se sont emparés de nous chez tes parents..., continua Mark.

– Oui, coupa à nouveau Courtney. C'est bien eux qui nous tiraient dessus.

– Ce qui veut dire que celui qui tire les ficelles…

– Habite juste au-dessus du flume.

Toutes les lumières du stade s'éteignirent. La foule ne poussa pas d'acclamations comme avant un concert. Au contraire, un silence surnaturel retomba sur l'immense espace. Une musique grandiose s'éleva. Un projecteur unique balaya l'estrade, illuminant la vedette.

Le spectacle allait commencer.

SECONDE TERRE
(suite)

L'étoile sur le sol se mit à scintiller, envoyant des faisceaux de lumière qui dansèrent sur des milliers de visages hypnotisés. Les spectateurs levèrent les mains, les paumes en avant, ondulant au rythme de la musique.

Mark et Courtney s'assirent côte à côte sans cesser de fixer le spectacle en ouvrant grands les yeux.

La musique continua de monter en un crescendo crépitant d'énergie. Les gens ondulaient, les yeux clos, comme pour mieux s'abandonner à son rythme.

Une voix tonitruante résonna dans tout le stade. C'était celle d'un homme, avec une touche d'accent britannique. Elle s'exprima avec calme, mais aussi avec l'autorité que donne une absolue confiance en soi.

– La Convergence. Tout ce qui a jamais été. Tout ce qui sera jamais.

Mark se serra contre Courtney.

– Alors c'est donc ça ? murmura-t-il. C'est la Convergence ?

Courtney continua de regarder fixement droit devant elle.

– Elle est là pour vous, reprit la voix. Accueillez-la. Vous, les élus. Les visionnaires. L'élite.

La foule laissa échapper un brouhaha d'excitation. Elle semblait apprécier ce qu'elle entendait.

– Quand viendra la Convergence, ne vous laissez pas envahir par le doute. N'écoutez pas les sceptiques, car ils sont condamnés. Vous êtes l'avenir. Embrassons-le avec joie… Ensemble !

251

Les lumières scintillantes s'éteignirent brusquement. Plusieurs projecteurs éclairèrent l'estrade, illuminant un homme qui se tenait au centre de l'étoile. La foule poussa des exclamations de joie proches de l'extase. C'était le vieil homme aux cheveux gris impeccablement peignés que Mark et Courtney avaient vu sur les pubs. Son portrait était accroché au panneau d'affichage. Il était vêtu d'une longue robe pourpre frappée d'une étoile dorée dans le dos. Il se dressait là, les mains tendues en signe de bienvenue, un sourire chaleureux aux lèvres. Bien qu'âgé, il se tenait droit, comme s'il refusait de se laisser diminuer par son âge.

– C'est Naymeer ? chuchota Courtney.

– Faut croire, répondit Mark en haussant les épaules.

L'homme descendit de l'étoile et fit le tour de la scène afin que tout le monde puisse le voir. Les spectateurs tendirent les mains, cherchant à toucher sa robe, mais il resta à une distance suffisante pour les en dissuader. Mark remarqua plusieurs gardes qui s'étaient mêlés à la foule et la retenaient en arrière pour protéger le vieil homme. Tous portaient les mêmes chemises rouges que ceux qui les avaient enlevés – et leur avaient tiré dessus. De chaque côté de l'arène, près du plafond, deux immenses écrans vidéo s'allumèrent pour dévoiler un gros plan de celui qui se faisait appeler Naymeer.

La foule eut un sursaut collectif, comme si cette vision était trop impressionnante pour elle. Mark regarda autour de lui. Les spectateurs semblaient transfigurés. Certains étaient même en larmes. Il y avait là des gens de tous les âges et de toutes les origines. Certains portaient des costumes d'hommes d'affaires occidentaux, d'autres les tenues traditionnelles de cultures exotiques. Il vit des boubous colorés évoquant les pays africains. D'autres encore étaient vêtus de saris, et certains hommes étaient coiffés de turbans. Il remarqua aussi ce qui ressemblait à des uniformes militaires de différentes nations.

Ces gens étaient on ne peut plus dissemblables, mais ils avaient tous un point commun : ils étaient pétrifiés d'admiration devant celui qui arpentait la scène. Plusieurs, même ceux qui se trouvaient sur les plus hauts gradins, tendirent la main vers lui comme pour s'en rapprocher, ne serait-ce que de quelques centimètres.

– Il a l'air d'aimer ça, chuchota Courtney.

L'homme fit deux fois le tour de la scène pendant que la musique pulsait. Naymeer leva la main, et elle se tut aussitôt. La foule fit de même.

– Ça alors ! remarqua Courtney. On dirait des toutous bien dressés.

– Mes amis, commença Naymeer de la même voix amplifiée qu'ils avaient entendue précédemment. Le voyage que j'ai entamé il y a bien longtemps touche à sa fin, et un nouveau va commencer... pour nous tous. Je suis très content que vous ayez choisi de vous joindre à moi.

Tout en parlant, il continuait à faire le tour de la scène, comme s'il cherchait à croiser le regard de tous ceux qui se trouvaient là.

– J'ai reçu un don, continua-t-il. Un don qui ne signifie rien si je ne peux pas le partager avec vous. J'ai vu le futur. J'ai vu le passé. En chacun d'entre vous, j'ai vu l'inspiration qui nous montrera le chemin. Vous avez répondu à mon appel. Vous êtes l'élite. Vous êtes les puissants. Vous êtes ceux qui détiennent la connaissance. Vous... êtes... *Ravinia* !

La foule explosa spontanément en un tonnerre d'applaudissements qui se prolongea pendant cinq bonnes minutes. Durant tout ce temps, Naymeer continua d'arpenter la scène en scrutant les regards des spectateurs comme pour s'imprégner de leur adoration.

– Ça peut durer des plombes, fit Courtney d'un ton cassant.

– C'est une sorte de culte élitiste, reprit Mark. Il leur dit qu'ils sont élus.

– Ça doit donc vouloir dire que tous ces gens là-dehors sont les non-élus, ajouta Courtney. Dur pour eux. Enfin, j'imagine.

– Oui, mais élus pour faire quoi ?

Naymeer leva une main. Aussitôt, le silence retomba. Tout le monde se tut comme un seul homme.

– C'est quand même bizarre, murmura Courtney.

– Vous avez lu les écrits, poursuivit Naymeer. Vous connaissez mon histoire. J'étais aux portes de la mort. Je n'étais qu'un enfant trouvé, pauvre et faible. Rien d'autre qu'un grain de sable insignifiant balayé dans ce monde cruel. Jusqu'à ce que je trouve l'illumination. Que je touche du doigt la vérité. Cela m'a donné la force de survivre. Mes amis, je ne saurais vous dire pourquoi j'ai été élu. J'aime à penser que ce n'est qu'un exemple de ce qui nous attend. Nous pouvons partir de rien pour devenir tout. Je crois que, si j'ai été choisi, c'est parce que j'avais en moi la même force, le même potentiel que je vois en vous. La force de s'épanouir. La force de créer. La force de préférer la lumière aux ténèbres. La puissance plutôt que la faiblesse. Dès ce moment, j'ai consacré mon existence à chercher et à rassembler ceux qui partagent ma vision. Ensemble, nous forgerons un monde nouveau. Un plan d'existence supérieur. Une tour brillante. Nous nous débarrasserons des faibles et des assistés afin de jouir de la gloire d'un nouveau Halla !

Mark sentit son estomac se retourner.

Courtney eut un hoquet de surprise.

La foule se déchaîna.

– Ha… Halla ? bredouilla Mark par-dessus les hurlements. Est-ce qu'ils sont vraiment au courant ?

Pour la première fois de sa vie, Courtney resta sans voix. Elle se contenta de secouer la tête, réduite au silence. Les acclamations se prolongèrent encore une dizaine de minutes. En regardant autour d'eux, Mark et Courtney virent des visages éperdus d'émotion. Certains tombèrent dans les pommes. D'autres fondirent en larmes. D'autres encore éclatèrent de rire pendant que des inconnus s'étreignaient.

– C'est de la folie, dit Courtney.

Après plusieurs minutes d'extase, les lumières s'éteignirent. La foule se tut une fois de plus. Les deux immenses écrans vidéo s'allumèrent. Pendant que s'élevait la même musique entraînante, ils montrèrent une série d'images qui, toutes, mettaient en scène Naymeer :

Naymeer arpentait la Grande Muraille de Chine.

Naymeer s'entretenait avec le pape.

Naymeer menait un petit groupe devant les pyramides d'Égypte.

Naymeer serrait les mains d'une foule immense sur la place Rouge à Moscou.

Naymeer était assis pour une séance photos en compagnie du président des États-Unis.

Naymeer s'adressait à une audience innombrable dans un stade de football.

– Ce type ne plaisante pas, chuchota Courtney.

– Oui, rétorqua Mark, mais c'est qui exactement ?

Alors que les images continuaient de défiler, la voix de Naymeer retentit :

– Nous avons fait un long voyage tous ensemble. Notre nombre ne cesse de croître, parce que notre cause est juste. Maintenant, il est temps de passer au stade supérieur.

Des images du bâtiment des Nations unies, à New York, apparurent sur les écrans.

– Un grand jour nous attend. L'étape suivante de notre évolution. Nous serons bientôt reconnus par les Nations unies en tant que voix spirituelle du monde entier.

La foule rugit son approbation.

– Quoi ! s'écria Courtney.

– Il y a dans Halla des puissances qui dépassent largement n'importe lequel d'entre nous, continua Naymeer. Nous le savons désormais. Ces puissances nous font comprendre à quel point nous sommes insignifiants et renforcent notre foi en notre cause, nous qui avons été élus pour rejeter les entraves de la peur. La vérité est proche – une vérité qui concerne nos existences tout entières. Ensemble, nous entrerons dans un avenir glorieux qui éclipsera tout ce qui l'a précédé.

Le film se termina et fut remplacé par le visage de Naymeer. En direct. Il se tenait au centre de la salle. À part lui et les deux écrans, le stade tout entier était plongé dans le noir. Le vieil homme semblait flotter sur une mer de ténèbres.

– J'ai vu l'avenir, répéta Naymeer, et j'ai vu le passé. Séparés, nous sommes insignifiants. Ensemble, nous aurons le pouvoir de maîtriser notre destin. Et quel glorieux destin !

255

Sur ce, Naymeer serra le poing et le dressa au-dessus de sa tête. La musique se tut. Le poing serré de Naymeer apparut en gros plan sur les écrans vidéo.

– Oh, misère, fit Courtney.

– C'est impossible, hoqueta Mark. Non ?

Au doigt de Naymeer, il y avait un anneau.

Un anneau de Voyageur.

Ils n'eurent pas l'occasion d'en dire davantage, car à cet instant des rais de lumière jaillirent de l'anneau, comme s'il s'activait pour annoncer l'arrivée d'un message.

– Quoi ? demanda Courtney, qui tremblait comme une feuille. Qu'est-ce qui se passe ?

Les rayons de lumière s'étendirent dans tout le stade, illuminant les yeux des spectateurs et dansant de façon hypnotique sur leurs visages. Ce qui se passa ensuite pourrait être qualifié de tour de magie. Ou d'effets spéciaux. De tour de passe-passe informatique. Mais pour ceux qui étaient là, dans ce stade, c'était bien réel.

Pour Mark et Courtney également. Ils savaient que c'était la réalité. Si les spectateurs devaient avoir la foi pour se persuader que ce n'était pas une illusion, Mark et Courtney étaient convaincus. Ils avaient déjà vu tout ça. Là, comme projetées par une visionneuse impossible, de gigantesques images en trois dimensions flottèrent sous l'immense coupole du stade.

Des images de Halla.

C'était ce même amas d'éléments disparates devenu si familier à ceux qui empruntaient les flumes. Les spectateurs virent les barges flottantes qu'étaient Magorran et Grallion. Des chevaux zenzen couraient dans l'espace, dépassant une armée de dados en uniforme vert. Apparut également la magnifique cité bâtie dans les arbres qu'on appelait Lyandra, et ses hommes-chats arpentant des passerelles aériennes. Ils virent aussi les pyramides de pierre élaborées de Xhaxhu, sur Zadaa, autour desquelles les machines volantes vertes du territoire d'Eelong, appelées « gigs », sillonnaient le ciel. Un ours-quig de Denduron se dressait sur ses pattes de derrière, menaçant une armée de chevaliers bedoowans, avec derrière eux la cité de Faar qui venait de s'élever du fond des mers de Cloral. Le dirigeable *Hindenburg* fit son apparition, cachant tour à tour chacun des trois soleils de Denduron.

– Ravinia est le pouvoir même de Halla, fit la voix amplifiée de Naymeer, et nous sommes le pouvoir de Ravinia. Nous sommes les élus. Nous sommes les seigneurs. Ceux qui ne sont pas à la hauteur de la tâche qui nous attend seront éliminés. La Convergence est pour bientôt. Nous devons être prêts.

Tous les spectateurs présents dans l'arène contemplaient le spectacle, y compris Mark et Courtney. Alors que les images dansaient dans l'obscurité, la foule resta silencieuse. Soudain, quelques-uns se mirent à applaudir et à pousser des cris joyeux. En un rien de temps, toute l'assistance acclama les images tourbillonnantes de Halla.

– Il n'y a qu'une explication p-p-possible, bégaya Mark. Naymeer doit être Saint Dane.

– Vraiment ? C'est tout ce que vous avez trouvé ? fit une voix derrière eux.

Mark et Courtney se retournèrent d'un bond. Là, dans l'encadrement de la porte menant à la suite de luxe, se tenait un homme. Il mesurait plus de deux mètres et portait un costume noir. Ses yeux d'un bleu de glace les toisèrent.

– Il y a peut-être une autre explication, dit Saint Dane avec le sourire.

Mark et Courtney se contentèrent de le fixer sans répondre.

Saint Dane désigna du doigt le stade.

– Vous ratez un sacré spectacle, déclara-t-il d'un ton railleur.

Naymeer continuait son discours :

– La Convergence réunira tout ce qu'il y a de meilleur dans Halla. Vous serez ses chefs. Vous contrôlerez l'étape suivante de l'évolution. Vous écraserez les faibles et recevrez la gloire qui vous revient. Vous ne ferez qu'un avec vos frères de tous les autres mondes. Ceux qui n'ont pas la foi resteront sur le bas-côté. Acceptez Ravinia en vous, et Halla vous appartiendra.

– Qui est-ce ? demanda Courtney.

– Vous l'avez entendu, répondit Saint Dane. Il est l'avenir. Il est le passé. C'est assez théâtral, non ?

– Mais bon sang, qui est-ce ? cria Mark.

– N'est-ce pas évident ? C'est le Voyageur de Seconde Terre.

SECONDE TERRE
(suite)

– C'est Bobby Pendragon, le Voyageur de Seconde Terre, déclara Mark d'une voix dépourvue de toute émotion.

– Tu veux dire qu'il l'était, soupira Saint Dane. J'ai bien peur que cette tâche ait cessé de lui plaire. Mais je crois que vous le savez déjà.

Saint Dane fit volte-face et rentra à l'intérieur de la suite. Mark lui courut après, Courtney sur ses talons.

– Comment avez-vous quitté Ibara ? lui lança Mark.

– Je suis sûr que vous ne tarderez pas à le savoir, répondit Saint Dane sans se retourner.

– Ça veut dire que Bobby n'est plus prisonnier, lui non plus ? demanda Courtney.

– Pendragon a démissionné, lâcha Saint Dane. Comment croyez-vous que la Convergence a pu commencer ? Il a perdu la partie parce qu'il n'avait pas assez confiance en lui, ou en ses convictions, pour continuer le combat. Au final, il a prouvé qu'il n'était qu'un faible, ce qui ne m'étonne pas vraiment.

– Un faible, répéta Courtney. À vous entendre, on dirait que c'est un crime.

– Ça l'est, convint Saint Dane. Pendragon était faible. C'est pourquoi il a abandonné.

– Il n'a pas abandonné ! rétorqua Courtney. Il a fait sauter le flume pour que vous soyez prisonnier d'Ibara.

Saint Dane écarta les bras en souriant.

– Et ça a été une incontestable réussite, c'est ça ? Pendragon a détruit le flume d'Ibara parce qu'il n'avait plus la volonté de

259

continuer le combat. Vous pouvez tourner ça de la façon que vous voudrez, toujours est-il que c'est la vérité. Sa faiblesse n'a pas fermé une porte, elle en a ouvert une. Pour moi. Et nul ne pourra la refermer.

– À moins que ce soit ce que veut Bobby, lui lança Courtney.

– Pourquoi Pendragon vous obsède-t-il à ce point alors que des merveilles se déroulent sous vos yeux en ce moment même ? fit Saint Dane d'un ton sentencieux. Pendragon est fini. Ce moment est la conséquence logique de tout ce qui l'a précédé. La Convergence a commencé. Acceptez-le.

– Qu'est-ce que ça veut dire ? s'écria désespérément Courtney. En quoi consiste cette fichue Convergence ?

– Vous n'avez donc rien écouté ? C'est la création d'un ordre nouveau, comme l'a dit Naymeer. Ma vision d'un Halla unifié est à deux doigts de se réaliser. C'est en cours sur tous les territoires. Ils sont en train de s'aligner, exactement comme je l'avais prévu.

Saint Dane se dirigea vers la cuisine et lorgna le plateau de sandwichs posé sur le plan de travail.

– Ces loges sont plutôt confortables, commenta-t-il. Il faudrait que j'assiste à un match dans ce stade un de ces jours. C'est quoi, un Knick ?

– Pourquoi sommes-nous là ? demanda Courtney.

Saint Dane se tourna vers eux, mais, en cours de route, il se transforma pour prendre l'apparence d'Eugène, le type qui les avait accompagnés jusqu'à la loge. Mark et Courtney sursautèrent en chœur.

– Je vous l'ai dit, répondit-il joyeusement. Vous êtes les invités personnels de Naymeer. Il a tenu à ce que vous soyez là.

Mark lutta pour garder son calme et demanda :

– Pourquoi ? Il ne sait même pas qui l'on est.

– Maintenant, Naymeer est le Voyageur de Seconde Terre, reprit fièrement Eugène. Il lui faut des Acolytes. Et qui est mieux à même de le devenir, sinon vous deux ? Après tout, vous ne manquez pas d'expérience !

– Vous voulez rire ? s'exclama Courtney. Vous croyez vraiment qu'on va abandonner Bobby ?

Eugène fit un petit geste vers la droite et, en un tournemain, devint Whitney Wilcox, le jeune joueur de foot de l'académie de Stansfield[1]. Il avait même un ballon, qu'il fit rebondir sur son genou.

– Tu es une gagnante, Courtney, déclara-t-il d'un ton crâneur. Si tu veux mon avis, tu n'as pas vraiment le choix. Alors décide-toi. Rejoins le côté des vainqueurs. Et toi aussi, Mark. Tu peux profiter de la balade.

Whitney éclata de rire, fit rebondir le ballon sur son genou et l'envoya dans leur direction. Courtney l'attrapa sans sourciller.

– Bien joué ! s'exclama Whitney.

– C'est hors de question, répondit-elle sèchement.

– B-b-bien d'accord, reprit Mark.

Whitney se transforma une fois de plus. Cette fois-ci, Saint Dane devint Andy Mitchell, l'ennemi juré de Mark. Son pire cauchemar, qui était devenu son associé. Ensemble, ils avaient créé Forge. Il avait la même apparence qu'en Seconde Terre, jusqu'à ses cheveux blonds longs et gras et son tee-shirt crasseux. Il se racla la gorge et cracha dans l'évier. Mark et Courtney ne cillèrent même pas.

– Tu sais quoi, Dimond ? ricana-t-il. Toi aussi, tu es le dindon de la farce !

– Qu'est-ce que ça veut dire ? demanda Mark.

Andy Mitchell marcha d'un pas léger vers la cloison de verre dominant le stade. Les lumières s'étaient rallumées. Le spectacle était terminé, du moins en ce qui concernait Halla. Naymeer s'adressait à nouveau aux spectateurs.

– Son anneau ne vous rappelle pas quelque chose ? demanda Mitchell.

– Les anneaux de Voyageur se ressemblent tous, répondit Mark entre ses dents.

– C'est vrai, convint Mitchell. Mais celui-là n'est pas comme les autres.

– Pourquoi ? demanda Mark.

---

1. Voir Pendragon n° 6 : *Les Rivières de Zadaa*.

Mitchell sourit, dévoilant des dents jaunes tachées par la nicotine.

– Parce que c'est le tien.

Mark et Courtney le dévisagèrent pendant un long moment. Mark fut le premier à additionner deux et deux.

– Nevva, murmura-t-il, sous le choc.

– D'abord, continua Mitchell, tu as créé les dados. Ensuite, tu m'as offert sur un plateau l'objet qui a tout déclenché. En fait, Dimond, je te dois tout. Le moins que je puisse faire, c'est t'offrir ta part du gâteau. Et Chetwynde est la bienvenue, du moment qu'elle arrive à la mettre en veilleuse. Parfois, elle est vraiment casse-pieds.

Mark resta figé sur place. Courtney lui prit le bras et l'entraîna vers la porte. Tout d'abord, Mark ne réagit pas, mais il était trop choqué pour lui résister. Tous deux se dirigèrent vers la sortie.

– Hé, à quoi vous jouez ? leur lança Mitchell. Vous n'avez nulle part où aller. Vous ne pouvez pas vous cacher. Il ne vous reste plus qu'à crier. Aaaaah ! (Il haussa les épaules et sourit.) Maintenant, vous n'avez même plus cette option.

Courtney tirait toujours Mark vers la porte. Elle tendit la main derrière elle pour tourner la poignée.

– Pensez-y ! insista Mitchell. Vous êtes avec moi ou contre moi. Et je doute que vous vouliez être contre moi. Plus maintenant.

Courtney fit franchir la porte à Mark et la referma derrière elle.

– On bouge, lui dit-elle en l'entraînant vers l'ascenseur.

Mark resta figé sur place.

– C'est mon anneau, dit-il, comme hypnotisé. C'est pour ça que Nevva voulait s'en emparer. Ce n'était pas pour isoler Bobby, mais pour déclencher la Convergence.

Courtney fit un bond et regarda Mark droit dans les yeux :

– C'est Saint Dane qui a déclenché la Convergence, dit-elle. Pas toi. Ni ce vieux bonhomme. C'est Saint Dane.

– Si Bobby a pu démissionner, rétorqua Mark, je crois que je vais en faire autant.

Courtney le secoua. Sans douceur.

– Jamais de la vie ! Ça fait des années qu'on attend ce moment. Mark, c'est l'instant de vérité de la Seconde Terre. Bon, d'accord, ce n'est pas vraiment ce qu'on espérait. Et alors ? C'est à nous de jouer. Comme on a toujours su le faire.

– Mais tout est de ma faute, répondit Mark d'une voix frêle.

Courtney virevolta et lui donna une bonne gifle. Sans retenir son coup. Elle cogna de toutes ses forces. Mark la dévisagea, stupéfait.

– Debout, là-dedans ! cria-t-elle. Ce n'est pas terminé. Pas tant qu'on est encore vivants. Mais si tu abandonnes la partie, alors là, oui, tout sera de ta faute.

Mark avait l'air surpris, et blessé.

– J'ignore sur quoi va déboucher cette histoire de Ravinia, ajouta Courtney, mais après ce qui s'est passé en Troisième Terre, ça ne me dit rien qui vaille.

– J'aimerais que Bobby soit là, dit Mark.

– Oui, ben, il n'est pas là. Mais nous si. Alors, qu'est-ce que tu décides ?

L'expression peinée de Mark laissa place à un air résolu. Ses yeux s'éclaircirent. Il se redressa de toute sa taille et demanda :

– On fait quoi ?

– On appelle Patrick, répondit-elle.

– Et après ?

– Si Saint Dane est là, ça veut dire que le flume d'Ibara est accessible.

– Et alors ?

– Alors tu as raison. C'est Bobby qu'il nous faut. Quelqu'un doit trouver un moyen de le contacter pour le convaincre de revenir sur sa décision.

Mark y réfléchit un instant, puis secoua la tête.

– Courtney, c'est impossible.

– Bien sûr que si. On va sortir de là, retrouver Patrick et voyager.

– Hé ! fit une voix depuis l'autre bout du vestibule.

Mark et Courtney se retournèrent pour voir deux gardes en chemise rouge courir vers eux. Les Acolytes tournèrent les talons et partirent dans l'autre direction. Ils dévalèrent un

263

couloir aux murs ornés de photos de grands moments passés. Mark se demanda si, un jour, Naymeer figurerait sur ces murs. Cette idée le mit en colère, et la colère le poussa en avant. Tous deux accélérèrent leur allure.

– L'ascenseur ! cria Mark.

– Non.

Ils continuèrent leur course folle. À mi-chemin du couloir, ils trouvèrent une sortie de secours. Ils passèrent la porte en coup de vent et dévalèrent les escaliers.

– Il faut qu'on atteigne la gare de Grand Central et qu'on prenne le train pour rentrer chez nous, haleta Courtney. Là, on retrouvera Patrick.

–Non ! argua Mark. Ils doivent s'y attendre. On va prendre un taxi. Après tout, on a un paquet d'argent.

– Jusqu'à Stony Brook ?

– Pourquoi pas ? C'est KEM qui paie.

Ils atteignirent l'étage inférieur et traversèrent les doubles portes qui s'ouvraient sur une grande passerelle entourant le stade. Là, il y avait des stands de hot dogs, des vendeurs de souvenirs… et deux gardes en chemise rouge. À une vingtaine de mètres, les Raviniens marchaient vers Mark et Courtney.

– Ils ne nous connaissent pas, chuchota Mark.

L'un des gardes les vit, les désigna du doigt, et tous se mirent à courir dans leur direction.

– Peut-être que si, remarqua Courtney.

Ils tournèrent les talons et partirent dans la direction opposée… pour voir d'autres chemises rouges se diriger vers eux. Ils étaient coincés. Ils regardèrent autour d'eux pour constater qu'ils se trouvaient juste devant un des couloirs qui menait dans l'arène. C'était la seule issue qu'il leur restait. Ils foncèrent donc à l'intérieur. Ils avaient à peine fait quelques pas qu'une foule surexcitée se précipita à leur rencontre. Le spectacle était terminé. Les adorateurs de Naymeer pouvaient rentrer chez eux, remontés à bloc. Mark prit la main de Courtney et l'entraîna, fendant la foule qui s'écoulait tout autour d'eux. On aurait dit deux saumons remontant le courant d'une rivière. Une fois à l'intérieur de l'arène, Mark vira brus-

264

quement à droite et s'enfonça encore plus profondément dans la masse des corps.

– On va se fondre dans la foule, dit-il à Courtney. Baisse la tête et marche lentement.

Ils durent lutter contre l'envie de presser le pas. Ils savaient très bien que cela les ferait repérer. Il faudrait faire preuve de patience pour se mêler à la masse en mouvement. Ils descendirent des marches pour emprunter un nouveau couloir menant à la sortie. La foule se dirigea lentement vers les ascenseurs. Mark et Courtney s'accroupirent à moitié, tentant de se dissimuler derrière ceux qui les entouraient. Ils passèrent devant un groupe de chemises rouges scrutant la foule. Courtney les vit la première et fit signe à Mark de se baisser encore davantage. Ils durent faire un immense effort de volonté pour ne pas se mettre à courir. Ils atteignaient enfin l'ascenseur lorsque...

– Stop ! fit une voix au-dessus d'eux.

Ils levèrent les yeux pour voir deux chemises rouges les toiser depuis le niveau supérieur. Courtney regarda Mark :

– D'après toi, il croit vraiment qu'on va lui obéir ?

L'escalator les déposa près d'une rampe qui s'enfonçait encore plus profondément dans le bâtiment. Il y avait beaucoup moins de monde, si bien qu'ils ne pouvaient plus se cacher. Sans se concerter, ils partirent tous les deux au pas de course. Ils descendirent encore un niveau, puis franchirent les portes de verre qui donnaient sur la rue.

– Faut qu'on trouve un taxi, annonça Mark.

– Pas ici, reprit Courtney. Il y a de la concurrence.

Ils ne s'inquiétaient plus de se faire pincer. Il y avait trop de monde pour que cela arrive. Ils marchèrent aussi vite que possible vers le trottoir, mais s'arrêtèrent en voyant des barrières bleues de police retenant des centaines de manifestants. Tous brandissaient leurs pancartes et scandaient leurs slogans face à la foule des Raviniens.

Le même homme à la peau sombre, avec son costume et son nœud papillon, avait positionné son échelle afin de pouvoir être vu par le flot humain qui s'écoulait du stade. Il se tenait au-dessus des autres et donnait des coups de poing dans le vide tout en braillant dans son haut-parleur. D'autres contestataires s'étaient rassemblés à ses pieds et criaient avec lui.

Mark les écouta un instant, puis déclara :

– Leur slogan n'est pas « Arrêtez-les hier », mais « Arrêtez Naymeer » !

En voyant les manifestants, la plupart de ceux qui venaient d'assister au spectacle se contentèrent de sourire. Certains leur firent des signes de la main.

– Regarde-les, chuchota Courtney. Ils s'en moquent. Ce sont les élus. Les manifestants ne représentent rien pour eux.

– Attention ! cria Mark en tirant Courtney par le bras.

Juste à temps : un des contestataires venait de se jeter par-dessus la barrière de police pour agresser un Ravinien. Ce fut le début de la mêlée. D'autres manifestants abattirent la barrière et se joignirent à la bagarre. Les partisans de Naymeer tentèrent de se défendre, mais ils cherchaient plus à s'éloigner qu'à rendre les coups. Peu après, la police de New York débarqua en tenue antiémeute pour séparer les combattants.

– Ça dégénère grave, commenta Courtney.

Mark l'entraîna à sa suite. Tous deux coururent sur quelques centaines de mètres jusqu'à ce qu'ils trouvent un taxi jaune libre.

– Stony Brook, dit Mark au chauffeur.

Celui-ci ouvrit de grands yeux.

– Dans le Connecticut ? Ça va vous coûter une fortune !

– Allez ! ordonna Courtney.

– Bien, mam'zelle, répondit-il en mettant le compteur en marche.

Mark et Courtney restèrent silencieux. Tous deux cherchaient à assimiler ce qu'ils avaient vu. C'est le conducteur du taxi qui prit la parole :

– De quel côté vous êtes ? demanda le petit homme d'une voix bourrue.

– Comment ça ? répondit Mark.

– Vous revenez du meeting. Vous êtes des Raviniens ?

Mark et Courtney se regardèrent et haussèrent les épaules.

– On n'est pas encore décidés, dit Mark. Et vous ?

– Nan ! Pour moi, c'est des trucs de charlatan. Toutes ces histoires d'autres mondes et d'origine de l'univers ! Ça me donne mal au crâne rien que d'y penser.

– Ouais, on peut voir ça comme ça, fit Courtney, sarcastique.

– Par contre, reprit le taxi, je vais vous dire une bonne chose : pour moi, ces gens-là sont dangereux.

– Comment ça ? demanda Mark.

– Ils veulent tout contrôler, partout. Maintenant, ils s'en prennent même aux Nations unies pour être reconnus comme des espèces de conseillers spirituels internationaux. Pour moi, c'est pas normal. C'est pour ça qu'on a des gouvernements, non ? On peut ne pas être d'accord avec les politiciens, mais, au moins, ils font semblant d'appliquer la justice.

– Parce que, pour vous, les Raviniens ne sont pas justes ? tenta Mark.

– Comment voulez-vous qu'ils le soient alors qu'ils ne s'intéressent qu'aux grosses légumes ?

– Que voulez-vous dire ? demanda Courtney.

– Hé, j'suis pas plus bête qu'un autre, mais même si je voulais les rejoindre, j'pourrais pas. Ils vous acceptent uniquement si vous êtes une espèce de p'tit génie. Ou si vous avez du pognon, ou si vous êtes dans les affaires. J'crois qu'il faut avoir un quotient intellectuel à tout casser rien que pour être admis. Ils veulent pas des types qui bossent dur, comme moi. J'sais pas ce que c'est que leur grand plan pour un avenir radieux, mais j'ai l'impression qu'ils cherchent à séparer les nantis des autres. À les entendre, si vous êtes pas une grosse légume, vous avez pas voix au chapitre. Et ça, c'est pas normal.

– L'élite. Les seigneurs. Les êtres supérieurs, marmonna Mark.

– On dirait qu'ils cherchent à éliminer tous ceux qui ne sont pas parfaits, ajouta Courtney.

– C'est bien ça ! s'exclama le taxi. Moi, je suis pas d'accord avec ça, mais beaucoup d'autres si. Pour être franc, ils me foutent les jetons. J'suis qu'un type comme les autres. J'vous dis, c'est pas normal, tout ça.

267

Mark et Courtney ne dirent pas un mot de plus jusqu'à ce qu'il les dépose devant chez Mark, à Stony Brook.

– Attendez-nous, lui dit Courtney. Laissez tourner le compteur.

– Un peu, mon n'veu. Hé, vous allez pas vous faire la malle sans payer, non ?

– Pas de danger, dit Mark. (Il fouilla son portefeuille et donna deux billets de cinquante dollars au chauffeur.) Voici une petite avance. Attendez-nous un peu plus haut, d'accord ?

Le taxi souleva joyeusement sa casquette.

– Comme vous voudrez. C'est vos sous.

Il passa la première, puis donna un dernier conseil :

– N'oubliez pas c'que j'vous ai dit. Ces types sont pas fréquentables.

Et sur cette dernière perle de sagesse, il s'éloigna.

– Ces types sont pas fréquentables, répéta Courtney. Ça résume tout, non ?

– Pourquoi tu lui as dit de nous attendre ? s'étonna Mark.

– On ne va pas s'éterniser. Et je ne veux pas que quelqu'un se demande pourquoi un taxi stationne devant ta porte.

– Oh. Bien vu.

Tous deux passèrent à l'arrière de la maison en s'assurant que personne ne les voyait. Une fois à l'intérieur, ils trouvèrent Patrick là où ils l'avaient laissé, devant l'ordinateur de Mark. La seule différence, c'est qu'il était entouré de sachets de chips et de canettes de soda. Il les regarda avec des yeux affolés.

– Ça va ? demanda Courtney.

– C'est fantastique ! s'exclama Patrick. Cette boisson sucrée est formidable !

– Super, remarqua Courtney, ironique. Il est shooté au Coca.

– Mais on a de gros pépins, continua Patrick. Ce type nommé Naymeer est le leader de Ravinia.

Il s'arrêta le temps de descendre une nouvelle gorgée de soda. Courtney lui retira sa canette :

– Doucement, le gronda-t-elle. Sinon, tu ne vas pas dormir de la nuit.

– Pardon ? demanda Patrick, perplexe.

– On sait déjà qui est Naymeer, intervint Mark.

Il entreprit de raconter tout ce qui leur était arrivé, depuis leur enlèvement chez Courtney jusqu'au meeting du Madison Square Garden et leur rencontre avec Saint Dane. Patrick les écouta en ouvrant de grands yeux tout en se goinfrant de chips. Lorsque Mark termina son histoire, Patrick ne fit aucun commentaire. Il regarda droit devant lui tout en farfouillant dans son sachet. Soudain, Courtney en eut assez et le lui arracha.

– Tu me dégoûtes ! s'écria-t-elle.

Patrick réagit à peine. Il était trop occupé à digérer toutes ces informations.

– Le Voyageur de Seconde Terre, marmonna-t-il. Ça ne me dit rien qui vaille.

– En effet, répondit Courtney en feignant la patience. Je dirais même que c'est plutôt moche. Qu'est-ce que tu as trouvé sur ce Naymeer ?

Patrick revint à la réalité et s'empara de la liasse de papiers qu'il avait imprimée.

– Ce n'était pas bien difficile, expliqua-t-il. Ce truc que vous appelez Internet est assez primitif, mais c'est une mine d'informations sur ce type.

Il leur tendit la liasse.

– Son nom complet est Alexandre Naymeer. Il est originaire d'Angleterre. Un orphelin. Apparemment, tout jeune, il a été très malade, aux portes de la mort, et soudain, il a guéri du jour au lendemain. Les docteurs étaient incapables d'expliquer une telle rémission. Ce sont les infirmières qui ont parlé d'un « miracle ». Quoi qu'il ait pu se passer, à partir de là, il n'a pas arrêté de raconter des histoires d'autres mondes et de forces dépassant l'imagination. Tout d'abord, on a cru qu'il se laissait entraîner par son imagination... jusqu'à ce qu'il se mette à partager ses visions. Au sens le plus littéral du terme. Il a montré aux gens des images de peuples, d'animaux étranges et de lieux qui n'existaient nulle part sur Terre. Il aurait pu finir dans un asile psychiatrique, sauf que personne n'a pu déterminer comment il faisait.

– Nous, on le sait, interrompit Mark.

– Il s'est mis à se prendre pour une sorte de prophète qui promettait un avenir potentiel plein de gloire et expliquait comment ce monde et tous les autres pouvaient atteindre une espèce de nirvana, du moment qu'ils prenaient la bonne voie. (Il farfouilla dans ses feuilles, en cherchant une en particulier, puis finit par la trouver.) Voici, je cite : « Nous devons récompenser l'excellence et punir ceux qui ne sont qu'un fardeau pour la société. » Il avait neuf ans quand il a dit ça.

Courtney saisit une des feuilles et fit la grimace.

– Beurk ! Tu as laissé des traces de gras.

– Oh, arrête ! rétorqua Mark. C'est pas drôle.

– Comme si je ne le savais pas ?

– Patrick, en quelle année est né Naymeer ?

Le Voyageur consulta ses notes.

– On ne peut pas en être sûr, puisqu'on l'a abandonné devant un orphelinat, mais on estime que sa date de naissance doit se situer aux alentours de 1930.

– Et en quelle année a-t-il failli mourir ?

Patrick examina à nouveau les documents.

– Là, c'est sûr : en 1937.

– En Première Terre, dit doucement Courtney.

– En Angleterre, ajouta Mark. C'est arrivé pendant qu'on était là-bas. C'est alors que Nevva lui a donné mon anneau. Elle lui a sauvé la vie, et il a lancé sa révolution.

– « Révolution » est le bon terme, intervint Patrick. Il a créé un véritable culte de l'excellence. Ses membres sont tous des gens qui ont réussi. Ce sont des leaders, des scientifiques, des athlètes, des hommes d'affaires de haut vol, des étudiants prometteurs, des chefs militaires et des mathématiciens. De toutes les nationalités, de toutes les origines. La seule chose qu'ils aient en commun, c'est que, d'une façon ou d'une autre ils sont exceptionnels.

– Ils n'ont aucune faiblesse, dit Courtney, répétant les termes de Saint Dane.

Mark se leva et se mit à tourner comme un lion en cage.

– C'est comme s'il créait une classe d'êtres supérieurs voués à devenir les nouveaux chefs de la Terre et de Halla.

– Et tous les autres ? demanda Courtney. Les gens normaux, je veux dire.

– Il ne l'a jamais dit clairement, répondit Patrick, mais s'il faut en croire tout ce que j'ai lu, il pense que ceux qu'il considère comme inférieurs sont responsables de tous les maux de ce monde et doivent être marginalisés.

– Qu'est-ce que ça veut dire ? demanda Courtney.

– Que, d'après Ravinia, répondit Patrick, ils sont inutiles et ne doivent pas avoir les mêmes droits que les autres.

– Dégueulasse, fit Courtney.

– Donc, reprit Mark, la vision de Naymeer pour un avenir idyllique suppose que les pauvres, les malades, les handicapés et tous ceux qui ont besoin d'aide seront considérés comme inutiles et traités de façon différente ?

– Pas seulement les pauvres et les malades, répondit Patrick, mais aussi tous ceux que Naymeer n'estime pas être des individus exceptionnels. Ce qui veut dire que l'homme de la rue sera jugé néfaste à la société dans son ensemble.

– Et les personnes âgées ? demanda Courtney.

Patrick haussa les épaules.

– S'ils ne contribuent pas à la société d'une façon ou d'une autre, ils ne font pas partie de Ravinia et sont des citoyens de seconde classe.

– Ce n'est pas ce que voulaient les nazis ? ajouta Courtney. Créer une race de surhommes ?

– Oui, répondit Patrick. Aux dépens de plusieurs millions d'êtres humains qui ne correspondaient pas à ce profil.

– Comment peut-on adhérer à des idées pareilles ? râla Courtney. C'est... mal.

– Oh, tout le monde n'est pas d'accord, répondit Patrick. Il existe un mouvement hostile à Ravinia. Il s'appelle la « Fondation ». Il lutte pour la cause de monsieur Tout-le-monde, affirmant que chacun d'entre nous a une certaine

271

valeur et que la vision de Naymeer ne peut mener qu'à la catastrophe. Regardez.

Patrick scruta l'écran de l'ordinateur et annonça :

– Haig Gastigian.

Une vidéo apparut. Ils virent l'image d'un homme à la peau sombre qui s'adressait directement à la caméra, sans doute à un journaliste.

– C'est le type de la manif ! s'exclama Courtney. Celui avec le haut-parleur !

– Chut, écoutez ! gronda Patrick.

L'homme sur l'écran parlait d'une voix vibrante de passion :

– Naymeer et les Raviniens nous aiguillent sur une voie dangereuse. Manquer ainsi de respect à l'homme de la rue, qui a bâti ce monde à la sueur de son front, est non seulement une grave injustice, mais entraînera aussi certainement la chute de notre société actuelle. Si les Nations unies choisissent d'accepter et de perpétuer la doctrine d'Alexandre Naymeer, ce sera le commencement de la déchéance de l'homme moderne.

La vidéo se conclut par un plan fixe sur le visage de cet homme.

– Il ne mâche pas ses mots, remarqua Courtney. Il prédit la fin du monde, pas moins.

– Qui est-ce ? demanda Mark.

– Il s'appelle Haig Gastigian. Il est professeur de philosophie à l'université de New York et c'est un porte-parole du mouvement d'opposition aux Raviniens. D'après ce que j'ai vu, pas mal de gens voient en lui un héros. Pour les Raviniens, ce n'est qu'un terroriste.

Mark secoua la tête d'un air pensif.

– Ce qu'il dit est frappé au coin du bon sens. Tout le monde devrait être d'accord.

– Oh, beaucoup le sont. Mais la doctrine de Naymeer séduit aussi pas mal de monde. Des personnes influentes. Quand on donne des réponses simples à des questions complexes, il y a toujours des gens pour vous écouter. Il leur promet un monde meilleur. C'est très séduisant, pour peu qu'on soit du bon côté.

— Et qu'est-ce que les Nations unies viennent faire dans tout ça ? demanda Mark. Ravinia va être reconnu comme la voix spirituelle de ce monde ? Ça fiche la frousse.

— L'assemblée générale de l'ONU va bientôt voter une résolution, répondit Patrick. Ce pourrait bien être le commencement de la fin.

— Comment ça ? demanda Mark.

Patrick eut un soupir.

— Ça veut dire que la vision de Naymeer n'est pas seulement injuste, elle est dangereuse. J'en ai la preuve, et elle se trouve en Troisième Terre. Tout ce qu'il a engendré, c'est le chaos et le désespoir. Voilà une vision qu'il n'a partagée avec personne, j'en suis sûr.

— Est-ce possible ? demanda Courtney. Est-ce que ça peut vraiment être le moment de vérité de la Seconde Terre ? Une résolution des Nations unies approuvant les idées de Naymeer ?

— Ce n'est pas une création de Naymeer, corrigea Mark. C'est plutôt du Saint Dane tout craché. Ce que tu as vu en Troisième Terre peut être ce qui attend également les autres territoires. Par l'intermédiaire de ce Naymeer, Saint Dane révèle à qui veut l'entendre l'existence de Halla. Vous parlez de mélanger les territoires ! Comment une société peut-elle suivre sa destinée si elle sait qu'il en existe tant d'autres ? Saint Dane va probablement faire pareil sur les autres territoires.

— Alors c'est donc ça, affirma Courtney. C'est la Convergence. Saint Dane étend sa vision à tout Halla. Il récompense les forts et punit les faibles. S'il parvient à ses fins, que se passera-t-il ?

Tous trois se turent comme pour mieux réfléchir aux implications. Personne ne voulait poser la question suivante, bien qu'elle soit sur toutes les lèvres.

Mark se jeta à l'eau :

— Et que peut-on faire pour l'en empêcher ?

— Je te l'ai dit, annonça Courtney en se relevant d'un bond. On voyage. C'est en Seconde Terre que tout se joue. Mais on ne peut pas s'en sortir tout seuls.

— Alors pourquoi devrait-on partir ? demanda Patrick.

273

– Pour retrouver Bobby. Et tous ceux qui peuvent nous aider. Alder, Loor, Siry, Aja...

– Aja est morte, corrigea Mark.

– Oui, sur Ibara. Pas sur Veelox. Si on va sur Veelox, on la trouvera.

– Pour quoi faire ?

– Pour les faire venir ici, tous ! Saint Dane prétend que tout est joué. Moi, j'en doute fort. La Seconde Terre n'a pas encore atteint son moment de vérité. C'est peut-être ce vote à l'ONU, je ne sais pas. Mais il peut toujours se passer des choses. La Convergence a peut-être commencé, mais elle n'est pas achevée. Naymeer n'a pas encore le pouvoir absolu. On doit tenter de l'arrêter. Mais on ne peut pas y arriver à nous seuls. Les Voyageurs doivent nous aider. *Tous* les Voyageurs.

– Et Bobby ? demanda Mark d'un ton sinistre. Et s'il a vraiment jeté l'éponge ?

Mark et Patrick se tournèrent vers Courtney. Tout d'abord, elle ne répondit pas. Elle savait à quel point sa réponse serait importante.

– Je ne prétends pas savoir ce que Bobby a dans la tête, surtout après tout ce qu'il a enduré, mais tu le connais aussi bien que moi, Mark. Non, tu le connais encore mieux que moi. Il pouvait être écœuré, fatigué, ou complètement à bout. Il voulait peut-être prendre du temps pour faire une pause, se retrouver. Mais, au fond de toi, crois-tu vraiment qu'il nous abandonnerait comme ça ?

Mark et Courtney se regardèrent droit dans les yeux plusieurs secondes durant...

– Non, en effet, finit par convenir Mark.

– Moi non plus, affirma Courtney, confiante. Allons le chercher.

Mark se tourna vers Patrick.

– Tu t'en sens capable ?

Patrick était bien pâle.

– Je n'ai jamais quitté les territoires terrestres. Je... Je ne sais pas comment faire.

– Tu t'en sortiras, fit Courtney, évasive. En plus, tu es un Voyageur. On ne peut pas prendre un flume sans…

Courtney ne termina pas sa phrase.

– Qu'est-ce qu'il y a ? demanda Mark.

– Ça sent bizarre.

– Oh, ça va ! protesta Mark. Ça fait des mois que je n'ai pas mis les pieds dans ma chambre !

Courtney fronça les sourcils et se dirigea d'un pas vif vers la porte. Elle palpa la poignée d'un air soupçonneux, puis l'ouvrit en grand. Des volutes de fumée noire envahirent la pièce.

– Il y a le feu ! s'écria Courtney.

– Ils nous ont retrouvés, hoqueta Mark.

Courtney voulut franchir la porte, mais la fumée la fit reculer. Elle s'empressa de la refermer.

– On ne peut pas passer par là.

Mark courut à son tour vers la porte.

– Je dois récupérer les papiers de mes parents. Et les photos.

Courtney lui barra le passage du bras.

– Non, mais tu es dingue ?

– Courtney ! Toute la vie de ma famille est dans cette pièce !

– La vie de ta famille est en Première Terre. Ils ne peuvent plus revenir, Mark. Pour eux, cet endroit ne représente plus rien.

Mark tenta à nouveau de passer.

– Mais je dois sauver…

Courtney lui saisit le bras. Elle le regarda droit dans les yeux et dit, très sérieuse :

– Tu dois nous sauver *nous*.

Mark y réfléchit brièvement et acquiesça.

– Tu as raison. (Il regarda autour de lui, puis se précipita à la fenêtre.) On peut passer sur le toit pour descendre le long de l'érable. Je l'ai fait mille fois.

– Attends ! cria Courtney. Quels que soient les gens qui ont mis le feu, ils doivent nous attendre là-dehors !

Mark étudia le problème, puis ouvrit en grand la fenêtre.

– Je vais jeter un œil.

Il monta rapidement sur le toit. Patrick restait figé sur place.

– Vas-y ! ordonna Courtney.

Le Voyageur suivit Mark, Courtney sur ses talons. Le toit en bardeaux était pentu, mais il n'était pas très difficile d'y manœuvrer. Plutôt que de partir tout droit vers l'érable, Mark grimpa vers le sommet.

– Qu'est-ce que tu fais ? murmura Courtney.

Mark atteignit le faîte et regarda de l'autre côté juste à temps pour voir s'éloigner une longue limousine noire. Dans le lointain, il entendit le ululement d'une sirène de pompiers. Les secours étaient en route. Mark se laissa glisser sur les fesses pour rejoindre les autres.

– C'était bien la limousine, dit-il. Ils sont partis, sans doute parce que les secours arrivent.

– Il faut qu'on s'en aille, nous aussi, déclara Courtney. Il ne faut pas qu'on nous trouve.

Mark traversa agilement le pont pour atteindre le rebord. À quelques dizaines de centimètres plus bas saillait la branche d'un grand érable. Employant des talents qu'il n'avait pas utilisés depuis sa petite enfance, il s'accrocha à la branche, passa ses jambes par-dessus le rebord du toit, puis se propulsa vers le tronc.

– Fastoche ! lança-t-il aux autres.

Patrick resta paralysé sur place.

– Je n'ai jamais rien fait de tel, avoua-t-il nerveusement.

– Crois-moi, tu vas faire bien des choses dont tu ignorais l'existence. Allez, magne-toi !

Courtney ne le poussa pas, mais lui fit signe pour l'encourager. Prudemment, prenant exemple sur Mark, Patrick serra le tronc d'arbre. Courtney attendit qu'il soit à mi-chemin, puis descendit à son tour. En un rien de temps, le trio se retrouva à terre.

Des flammes s'échappèrent de la fenêtre de la chambre.

– J'imagine que c'est fini pour de bon, dit tristement Mark.

– Qu'est-ce qui est fini ? demanda Courtney.

– Ma vie. Quand cette maison aura brûlé de fond en comble, je n'aurai plus aucun lien avec la Seconde Terre.

Courtney s'apprêtait à dire quelque chose, puis s'interrompit. Compatissante, elle passa son bras autour des épaules de Mark.

– Il faut qu'on y aille, implora-t-elle.

Une sirène tonitruante retentit. Les pompiers seraient bientôt là. Tous trois firent le tour de la maison et atteignirent la rue à temps pour voir passer plusieurs camions rouges, tous gyrophares dehors, convergeant vers la maison de Mark. Ils jetèrent un coup d'œil en arrière pour constater que celle-ci était la proie des flammes.

– Pourquoi ont-ils fait ça ? demanda Patrick. S'ils voulaient se débarrasser de nous, ils pouvaient employer un moyen plus efficace.

– Ils ne voulaient pas nous faire du mal, dit Courtney, mais nous fiche la frousse. Et c'est raté.

Comme prévu, le taxi les attendait une rue plus loin. Ils s'assirent sur la banquette et dirent au conducteur de retourner en ville. Dans le Bronx. À une station de métro.

Le chauffeur haussa les épaules.

– Comme vous voudrez. Je m'inquiétais pour vous.

– Comme ça, on est quatre.

Personne ne prononça un mot de tout le voyage. Les yeux exorbités, Patrick regarda par la fenêtre ce territoire qui, pour lui, représentait un lointain passé. Mark et Courtney essayèrent de dormir un peu. Ils savaient qu'il fallait profiter du moindre moment de repos. Contrairement à Patrick, ils étaient déjà allés sur d'autres territoires que ceux de la Terre. Ils connaissaient la chanson. Le trajet prit presque une heure. Lorsqu'ils ne furent plus qu'à quelques centaines de mètres de leur destination, Mark secoua doucement Courtney.

– Tu es déjà passé par ce flume, non ? demanda-t-elle à Patrick.

– Sur les trois territoires.

– Dans ce cas, tu sais que c'est dangereux. Il faut minuter le passage des rames et descendre sur les rails sans être vu… Sinon, tu te fais écrabouiller.

– Et les quigs ? demanda Mark.

– Ah oui, répondit Courtney, découragée. Ça aussi.

– Arrêtez ! cria-t-il au conducteur.

Surpris, celui-ci freina à mort. Tous furent projetés en avant.

– Hé, qu'est-ce qui vous prend ? s'écria-t-il.

– Oui, fit Courtney à Mark, tout aussi surprise. Pourquoi crier comme ça ?

Ce dernier sortit son portefeuille, en tira une liasse de billets et la jeta au chauffeur.

– Hé, chef, c'est trop ! Votre monnaie !

Mark n'attendit pas. D'un bond, il descendit de voiture.

– Gardez tout, dit Courtney.

– Merci ! Je savais bien que vous étiez pas de ces Raviniens !

Courtney descendit à son tour, suivie par Patrick. Alors que le taxi s'éloignait, ils se retrouvèrent à un carrefour familier dans un quartier décati du Bronx où Mark et Courtney s'étaient déjà rendus plusieurs fois dans le passé. Mark resta là, les yeux écarquillés.

– Qu'est-ce qu'il y a ? lui demanda Courtney.

Il ne répondit pas. Elle suivit son regard... et en resta bouche bée.

– Quoi ? demanda Patrick, interdit.

– On n'est pas au bon endroit, dit Courtney.

– Si, corrigea Mark.

– Qu'est-ce qu'il y a ? insista Patrick, impatient.

Courtney se tourna lentement vers lui et dit d'une voix blanche :

– La station de métro a disparu.

À son tour, Patrick suivit leurs regards.

– C'est vrai. Quand je suis venu ici avec Press, ce n'est pas là qu'on a débarqué.

– Alors où était-ce ? demanda Courtney.

– Je ne sais pas, avoua Mark. Il n'y a plus qu'à chercher.

Il descendit du trottoir et se dirigea vers l'endroit où aurait dû se trouver le kiosque vert. Tout le reste du décor n'avait pas changé, à part ce détail. À la place de l'entrée de métro, il y avait un grand bâtiment de pierre qui ressemblait à un

château médiéval. Au niveau du deuxième étage était accrochée une ligne de bannières.

Des bannières rouges.

Frappées d'une étoile.

SECONDE TERRE
(suite)

Mark, Courtney et Patrick restèrent figés sur place, à contempler cette étrange structure. Pour Mark, elle évoquait une bibliothèque. Il y avait de grandes arches et de grosses colonnes de marbre. Plusieurs escaliers de pierre menaient aux différentes entrées.

— J'ai déjà vu ce bâtiment, déclara Patrick.

Mark et Courtney lui jetèrent un regard surpris.

— Où ça ? demandèrent-ils en chœur.

— En Troisième Terre. N'oubliez pas que tout a changé. Quand je me suis rendu à la porte, c'est ce que j'ai trouvé en lieu et place du complexe souterrain. Le flume se trouvait à l'intérieur.

— Tu veux dire que ce machin va durer trois mille ans ? demanda Courtney, impressionnée.

— Il n'était pas tout à fait le même, souligna Patrick. J'imagine qu'au fil du temps on a apporté des modifications. En plus, il semblait sur le point de s'écrouler. Mais, en gros, c'était le même bâtiment.

— Qu'est-ce que c'est ? demanda Mark.

— Je ne sais pas, répondit Patrick. Pour moi, tout ce qui importait, c'était d'accéder au flume.

— Regardez ces bannières, dit Mark. De toute évidence, ce machin appartient aux Raviniens. C'est peut-être leur quartier général ?

— Il faut qu'on aille y jeter un œil, conclut Courtney qui partit en direction du nouvel immeuble.

La trio s'avança en jetant des regards inquiets alentour, cherchant la moindre trace de Raviniens en chemise rouge. Il

280

y avait du monde dans la rue, mais elle était loin d'être bondée. Si quelqu'un les cherchait, il ne manquerait pas de les repérer. Ils montèrent les marches de marbre pour gagner une longue rangée de portes de verre servant d'entrée. Courtney tenta d'ouvrir une porte... et s'aperçut qu'elle n'était pas fermée à clé.

– Ça ne change rien, dit-elle. Il faut toujours qu'on prenne le flume. Quel que soit ce machin, on a plus de chances d'y arriver qu'en cherchant à s'infiltrer chez Naymeer, à Stony Brook.

Patrick et Mark acquiescèrent. Courtney ouvrit la porte en grand et entra. Ils tombèrent sur un vaste espace dégagé au sol de marbre.

– Pas mal, commenta Courtney.

Des vases remplis de fleurs fraîchement coupées bordaient les murs. Sur leur droite, le symbole de l'étoile figurait à la place d'honneur et, à gauche, un portrait de Naymeer les regardait. Droit devant, une entrée voûtée menait aux entrailles du bâtiment.

– On dirait qu'il n'y a personne, remarqua Mark.

Courtney passa sous la voûte. Un escalier s'enfonçait dans les profondeurs du temple. Elle resta sur le palier et regarda en bas. Impossible de dire ce qui les attendait là-dessous.

– Quelles sont nos chances de tomber sur une nouvelle station de métro dernier cri ? demanda-t-elle par-dessus son épaule.

– Pas une seule, répondit Mark.

– Je m'en doutais.

Ils descendirent les marches lentement, épaule contre épaule. À chaque pas, ils voyaient un peu mieux ce qui se trouvait en bas. On aurait dit une immense salle. Quelques degrés plus bas, ils distinguèrent une longue rangée de sièges verts, de dos, évoquant des fauteuils de cinéma qui s'étendaient de chaque côté. Au centre, une longue allée permettait d'accéder aux fauteuils.

– Ce n'est pas une station de métro, en effet, marmonna Courtney.

– On dirait plutôt un immense théâtre, reprit Mark.

En effet, la salle était vaste. Il y avait de quoi contenir plusieurs centaines de spectateurs. Les sièges étaient tous orientés dans la même direction. Une fois en bas, Courtney comprit pourquoi.

– Ce n'est pas un théâtre, hoqueta Courtney.

Il n'y avait ni scène ni écran. En atteignant le bas des escaliers, Mark, Courtney et Patrick virent ce qu'il en était. À l'autre bout du vaste espace, face aux sièges, exposé à la vue de tous, s'ouvrait le flume. À droite de l'embouchure, une bannière frappée de l'étoile était accrochée à un support. De l'autre côté, se trouvait un drapeau américain.

– J'y crois pas, s'étrangla Mark.

– On dirait un autel, murmura Courtney.

Mark se dirigea vers la première rangée de sièges et ramassa un livre épais que tous trois ne connaissaient que trop.

– Ou une église, dit-il en brandissant le livre.

La jaquette était de couleur pourpre, et le mot « Ravinia » était écrit à la verticale sur un côté, en lettres dorées. Au centre, le motif en forme d'étoile. C'était exactement la même couverture que celle que Patrick avait rapportée de Troisième Terre, celle-là même que Richard le bibliothécaire tenait à conserver au prix de sa propre vie. Un exemplaire de ce livre était posé sur chaque siège.

– Je présume que le mystère est résolu, commenta Patrick. C'est la bible des Raviniens.

– Oui, reprit Courtney. L'évangile selon Naymeer.

– Selon Saint Dane, corrigea Mark.

Il rejeta le livre sur son siège. Tous trois se dirigèrent lentement vers l'allée centrale. Droit devant eux, le flume semblait les attendre.

– Il n'était pas aussi visible en Troisième Terre, commenta Patrick. Il y avait une structure semblable à la surface, mais le flume lui-même était dissimulé derrière une série de portes.

– Comme si, à un moment donné, ils avaient décidé qu'il valait mieux le cacher, continua Mark.

– Exactement, convint Patrick.

– Mais à quoi bon ? ajouta Courtney. Est-ce que les partisans de Naymeer restent assis là, à fixer le tunnel en lisant ses perles de sagesse perverties ?

– C'est peut-être plus proche de ce qu'ils ont vu lors du meeting, reprit Mark. Peut-être que Naymeer fait apparaître des images de Halla.

– Oui, convint Courtney, comme un film. C'est incroyable.

– Cette histoire va plus loin qu'on ne le croit, conclut Mark. Si les Raviniens sont au courant pour le flume, ça veut dire qu'ils savent tout.

Soudain, ils entendirent une voix qui résonna depuis le haut de l'escalier :

– En effet. Il n'y a plus de secrets.

Ils se retournèrent d'un bond pour voir l'homme qui se tenait tout en haut des marches. Il ne portait plus sa longue robe pourpre, mais un costume gris d'homme d'affaires, agrémenté d'une cravate rouge où était brodé le symbole de l'étoile.

– Bienvenue, mes amis, dit-il chaleureusement. Je m'appelle Alexandre Naymeer, et ceci est mon conclave.

Il était encadré par deux gardes en chemise rouge. Contrairement à leurs collègues du stade, ceux-ci étaient armés de pistolets passés dans des holsters accrochés à leur ceinture.

– Je suis si content que vous soyez venus ! dit-il en descendant les marches d'un air tout naturel. On a beaucoup de choses à se dire, beaucoup à planifier.

– J'en doute ! s'écria Courtney. (Elle se tourna vers Mark et ajouta :) Allez, on se casse.

Sur ce, elle tourna les talons et courut vers le flume.

– Stop ! ordonna un des gardes.

Les deux chemises rouges tirèrent leur arme et se mirent à dévaler les marches.

– Allez ! cria Mark à Patrick tout en rejoignant Courtney.

Patrick eut encore une hésitation, puis il les suivit à son tour.

– Où va-t-on ? demanda-t-il.

– Peu importe ! lança Courtney. Zadaa. Denduron. Quillan. N'importe où, du moment qu'on ne reste pas ici !

Bang ! Un coup de feu résonna dans le sous-sol.

– Baissez-vous ! cria Mark.

Il poussa Courtney entre deux sièges. Ils étaient à une trentaine de mètres de l'embouchure du flume. Trente longs mètres.

Patrick bondit sur la droite. Ils se trouvaient tous d'un côté ou de l'autre de l'allée, loin du flume.

– On ne peut pas rester ici ! siffla Courtney.

– On ne peut pas non plus les laisser nous tuer, répondit Mark.

– Ils ne le feront pas, puisqu'ils veulent qu'on devienne ses Acolytes !

Courtney sauta dans l'allée et partit en courant vers le flume. Un autre coup de feu retentit, et la balle fit sauter une esquille de bois du fauteuil situé juste devant elle. Courtney poussa un cri et se jeta à terre.

– Vous ne pouvez pas partir sans moi, leur lança Patrick. Suivez-moi !

– Non, Patrick ! cria Mark.

Il l'ignora. Le Voyageur s'élança en courant le long de l'allée, droit vers le flume.

– Venez ! ordonna-t-il aux autres.

Il n'avait pas fait plus de quelques pas lorsqu'un autre coup de feu retentit.

Courtney poussa un cri d'horreur.

Patrick se raidit aussitôt et se retourna, surpris. Son expression était éloquente. Il n'arrivait pas à croire ce qui venait de se passer.

On lui avait tiré dessus.

– À terre ! hurla Courtney, au bord de la panique. Vite !

Patrick fit plusieurs pas mal assurés en direction du flume. Il tordit le bras pour essayer de toucher son dos, comme on chasse une guêpe. Mark et Courtney jetèrent un œil par-dessus les dossiers des fauteuils pour voir le Voyageur de Troisième Terre tituber tel un homme ivre. Une tache de sang s'élargissait sur le dos de sa chemise. Ses yeux se révulsèrent.

– Ça fait mal ! s'exclama-t-il avec plus de surprise que de douleur.

Courtney bondit vers lui. Une autre balle frappa le fauteuil juste devant elle. Mark saisit Courtney et lui fit baisser la tête.

– Reste à terre ! cria-t-il. Ils nous tirent dessus !

Courtney était en larmes.

– Patrick ! lança-t-elle. Ne bouge plus !

Derrière eux, les chemises rouges avaient atteint le bas des marches. Mark et Courtney se blottirent l'un contre l'autre. Mark était sur le point de hurler sa colère et sa frustration…

Lorsque le flume s'anima.

– Quoi ! s'écria Mark incrédule.

– Il l'a activé, murmura Courtney.

– Où débouche-t-il ?

– Quelle importance ?

– Sortez-le de là ! brailla un des gardes.

Ils se mirent à courir vers le couloir entre les mondes.

Des lumières jaillirent du tunnel et remplirent l'immense salle. Le corps prostré de Patrick devint une vague silhouette noire devant l'embouchure du flume.

– Il n'y arrivera jamais, sanglota Courtney.

– Oh si, répondit Mark.

Et il bondit hors de sa cachette pour se jeter sur le premier garde à sa portée. La force de l'impact projeta l'homme au milieu des fauteuils, de l'autre côté de l'allée. Les notes musicales étaient de plus en plus sonores. Le second garde s'arrêta. Il savait qu'il n'arriverait jamais à temps. Il préféra lever son arme et viser Patrick. Un instant, il eut le Voyageur blessé dans sa ligne de mire. Puis Courtney s'interposa. Elle se dressa juste devant lui, si bien que le canon du revolver touchait presque son nez.

– Trop tard, dit-elle avec un sourire satisfait.

La musique et les lumières atteignirent leur apogée. Le garde cligna des yeux. Il ne savait plus quoi faire.

– Baisse ton arme ! ordonna Naymeer depuis l'escalier.

À contrecœur, le garde obéit.

Courtney garda son regard rivé à celui de l'homme, tournant le dos au flume. Quelques instants plus tard, les lumières refluèrent. La musique se tut. Patrick était parti.

– J'ai horreur de la violence, déclara Naymeer d'un ton mélancolique. C'est bon pour les ignorants.

Le garde fit un pas de côté. Courtney vit alors le vieil homme descendre l'allée. Le premier garde se releva, prit Mark par le col et le poussa brutalement vers Courtney. Tous deux restèrent là, face à Naymeer.

– Mais je ne me suis pas présenté, dit-il. Je suis le Voyageur de Seconde Terre.

– Jamais de la vie, s'empressa de rétorquer Mark.

Naymeer leva un sourcil surpris.

– Bien sûr que si, reprit-il avec un sourire entendu. Mais je respecte votre loyauté. Vous voudrez bien accepter mon humble invitation et vous joindre à moi pour le dîner ?

– Non, merci, répondit Courtney.

Naymeer eut un soupir las.

– Vraiment ? Je croyais que vous voudriez que je vous parle de l'excellent travail que je fais ici ?

– Non, c'est non, riposta Mark.

Naymeer haussa les épaules.

– Ce serait bien plus facile si vous me laissiez tout arranger à ma façon.

Mark et Courtney ne se laissèrent pas fléchir.

– Plus facile pour qui ? demanda Courtney d'un air de défi.

– Je vous en prie ! répondit Naymeer, jovial. Ce n'est pas le moment de se quereller ! Je suis sûr que vous aimeriez voir ce que j'ai fait de ce manoir de Stony Brook ! (Il se pencha et fit un clin d'œil malicieux.) Après tout, l'autre soir, je n'ai pas eu l'occasion de vous faire faire le tour du propriétaire !

Il sourit, tourna les talons et partit vers les escaliers.

– La voiture nous attend dehors ! lança-t-il.

Mark et Courtney ne bougèrent pas. Les deux gardes durent les saisir par le bras et les pousser en avant.

– Où crois-tu que Patrick est allé ? demanda Courtney à voix basse.

– Ça n'a pas vraiment d'importance, répondit-il en haussant les épaules. Pas s'il est mort.

Journal n° 35

DENDURON

On dit que la vérité peut faire mal.

C'est vrai. Ces derniers temps, j'ai appris pas mal de choses, et effectivement ça fait mal. Ce n'est qu'une fois sur Denduron que j'ai compris à quel point j'avais échoué. Oui, les choses ont mal tourné. Que voulez-vous que je vous dise ? J'ai vraiment débloqué. Je me suis fait des illusions. J'ai abandonné la partie. J'étais épuisé. Coupable, coupable, coupable. De tous les chefs d'inculpation. Je ne cherche pas à me défendre ou à justifier ce que j'ai fait, mais je précise quand même qu'en détruisant le flume d'Ibara pour piéger Saint Dane, je croyais sincèrement bien agir. Ce n'était pas par égoïsme. Bon, peut-être un tout petit peu, mais je croyais vraiment agir pour le mieux.

Grave erreur.

Au moment où j'écris ce journal, tout ce que je peux dire, c'est que maintenant je sais à quel point je me trompais. Il ne suffit pas d'un coup de dé pour arrêter Saint Dane. On est bien au-delà de tout ça. La seule façon de l'empêcher de nuire, c'est de le détruire une bonne fois pour toutes. Mark, Courtney, je ne sais pas si vous aurez un jour l'occasion de lire ce journal, mais je tiens à vous dire que j'ai enfin compris. Depuis le début, il n'a pas arrêté de me manipuler. J'ignore si les choses se sont passées exactement comme il l'avait prévu, mais ça n'a pas vraiment d'importance. Ce qui compte, c'est que cette guerre touche à sa fin et, à moins que je ne puisse agir davantage que je ne l'ai fait jusque-là, il va la gagner. La Convergence a commencé. Les territoires vont sombrer dans le chaos. La seule chose qui me redonne un peu d'espoir, c'est de penser que, pour autant que je sache, on n'a pas touché le fond. Pas encore. L'idée est assez effrayante, parce que la situation n'est pas vraiment brillante. On est sur la pente qui mènera à la désagrégation complète de Halla afin que Saint Dane puisse le remodeler à sa guise. Ce n'est pas une perspective bien engageante, mais on n'est pas encore au bas de la pente. Et je vais essayer de l'arrêter avant qu'il soit trop tard.

Pour y parvenir, je vais devoir détruire Saint Dane.

Lorsque le flume m'a déposé à la porte de Denduron, je m'attendais à ne pas avoir grand-chose à faire. En général, à l'arrivée, le flume vous dépose délicatement sur le sol. Alors pourquoi en irait-il autrement cette fois-ci ?

Je me trompais. Une fois de plus. Quand mes pieds ont touché terre, la gravité a repris ses droits, et cela a franchement dégénéré. J'ai encaissé un choc en pleine poitrine, si violent qu'il m'a renvoyé dans le flume. C'est arrivé si vite que je n'ai même pas vu ce qui m'avait frappé. Et ce n'est pas qu'une façon de parler. Je n'ai vraiment rien vu. Ou que du feu, comme on dit. Mon dos a cogné la pierre du flume si brutalement que j'ai regretté que les lumières n'aient pas eu la gentillesse de m'emmener avec elles en repartant. Raté. Quelque chose n'était pas content de me voir débarquer, et j'allais devoir faire avec. Je l'ai entendu avant de pouvoir le distinguer. Un grondement. Un grondement familier. Il m'a fallu deux secondes pour l'identifier.

Les quigs étaient de retour sur Denduron.

Je n'ai pas cherché à savoir ce que ça pouvait bien signifier. J'aurais tout le temps d'y penser plus tard, en admettant qu'il y ait un « plus tard ». Pour ça, je devais d'abord lui échapper. Je ne me suis pas relevé tout de suite. Autant avoir l'air le moins menaçant possible. Du moins pour le moment. Je suis resté allongé sur le dos et j'ai cherché à apercevoir mon adversaire. Comme mes yeux ne s'étaient pas encore accoutumés à la pénombre, je n'ai vu que deux yeux. Deux yeux jaunes. Ils semblaient flotter dans le vide, mais je savais que c'était faux. Ils étaient plantés dans le crâne d'un ours-quig. Et ils étaient braqués sur moi. J'ai entendu sa respiration haletante. Il ne tarderait pas à réattaquer, et je n'avais nulle part où aller. Je ne pouvais même pas activer le flume pour m'enfuir. D'ici à ce que je puisse y voir à nouveau, je serais réduit en steak tartare. Je ne pouvais pas non plus rester planté là sans rien faire. Je faisais une proie facile. Je n'avais pas beaucoup de possibilités. En fait, il n'y en avait qu'une. Attaquer le premier.

J'ai roulé sur moi-même et bondi vers l'embouchure du flume. C'était de la folie mais, au moins, j'avais l'avantage de la surprise. Pourvu que ce monstre ne s'attende pas à ce que je lui saute dessus.

– Aaah ! ai-je crié, m'efforçant de paraître plus effrayant que je ne l'étais.

Entre cet assaut inattendu et mon cri de guerre poussif, j'avais gagné une seconde. C'est à peu près le temps qu'il a fallu au quig pour hésiter. J'ai plongé vers les yeux, mais je ne comptais pas m'emparer de lui. Ç'aurait été du suicide. Je me rappelais fort bien de ces ours préhistoriques et de leurs mâchoires puissantes hérissées de crocs. Le quig m'aurait arraché la tête avant que je ne puisse lui serrer la gorge. Mais cette bête ne le savait pas. Pendant cette seconde de battement, il a dû se sentir menacé, parce qu'il n'a pas bougé d'un poil. Ou peut-être n'arrivait-il pas à croire que je puisse être aussi inconscient. Peu importait. L'essentiel, c'est que j'avais gagné une seconde. Ça, c'était la bonne nouvelle. J'ai viré brusquement sur la gauche pour essayer de contourner le monstre. Et j'y suis presque arrivé. Presque. Ça, c'était la mauvaise nouvelle.

Deux secondes, ce n'est pas très long. J'avais dépassé le quig et croyais déjà m'en être sorti. Ça n'a pas duré. La bête a compris que je ne pouvais rien contre elle et a réagi à son tour. Elle m'a donné un coup de patte, lacérant mon épaule. L'impact m'a fait tournoyer, et je me suis retrouvé face à mon point de départ. J'ai lutté pour garder l'équilibre, mais je n'ai pas pu m'empêcher de me cogner la tête contre le mur de pierre à l'autre bout de la caverne. J'ai fait un effort de volonté pour rester concentré, car je savais que, sinon, le quig me boufferait tout cru. J'ai levé les yeux pour voir l'animal dressé sur ses deux pattes arrière non loin de l'embouchure du flume. Il était tout à fait conforme à mon souvenir des quigs de Denduron : une espèce de brute ressemblant à un ours avec une crête de piquants saillant sur son dos. Même s'il était plutôt petit par rapport aux autres, il devait bien peser dans les trois cents kilos. Si l'on comparait avec sa tête, ses mâchoires étaient surdimensionnées. Tout comme ses crocs. Et ses yeux, braqués sur moi. Je ne sais pas pourquoi il n'est pas aussitôt passé à l'attaque. Peut-être était-il encore surpris que j'aie eu assez de cran pour chercher à lui échapper. Ou peut-être savait-il qu'il pouvait prendre tout son temps. Je ne pouvais rien faire. Et j'étais blessé.

Oh, j'oubliais. Il ne s'était pas contenté de me repousser. J'étais tellement fébrile que je ne l'avais pas remarqué tout de suite, mais ses griffes avaient déchiré le léger tissu de ma chemise d'Ibara pour labourer mon épaule. Quand j'ai tenté de me redresser sur mon bras gauche, j'ai senti une pointe de douleur. Un bref coup d'œil m'a fait réaliser la triste réalité. Je saignais. Beaucoup. Ma chemise déchirée était déjà trempée de sang, et la tache s'étendait rapidement. Je me suis rappelé ce jour où l'oncle Press avait empalé sur une lance le quig qui nous avait pourchassés le long des pentes enneigées de la montagne alors qu'on s'enfuyait en traîneau[1]. Les autres avaient flairé son sang et l'avaient attaqué dans une terrifiante frénésie cannibale. Je n'oublierai jamais les hurlements de l'animal blessé alors que ses congénères le dévoraient vivant.

Le quig qui se tenait devant moi devait avoir la même idée en tête. Je l'ai vu retrousser ses énormes naseaux, respirant l'odeur du sang qui emplissait la caverne. En un rien de temps, son propre sang se mettrait à bouillir, et ensuite il se repaîtrait du mien. Je n'avais que quelques secondes pour agir. J'ai regardé autour de moi et j'ai vu quelque chose qui n'aurait pas dû se trouver là. C'était incompréhensible, mais je n'avais pas le temps de trouver une explication. Là, dans la poussière, à deux mètres à peine de moi, il y avait quatre bâtons tueurs de dados en provenance de Quillan. Mon instinct a fait le reste. J'ai roulé sur moi-même pour m'emparer d'une de ces armes.

Le quig a poussé un cri strident qui m'a donné des frissons. Cela ne m'a pas arrêté pour autant. Il allait me mettre en pièces.

---

1. Voir Pendragon n° 1 : *Le Marchand de peur.*

Je n'aurais qu'une seule chance. Je me suis emparé d'un des bâtons. J'aurais eu besoin de mes deux mains pour le manipuler, sauf que je ne le pouvais pas. Mon épaule me brûlait. C'était sans espoir. Dur pour moi. Le quig m'a foncé dessus. S'il y avait bien une chose que Loor et Alder m'avaient apprise dans le camp d'entraînement mooraj, c'était de ne jamais attaquer le premier. Heureusement pour moi, le quig n'avait pas suivi le même entraînement. Comme je lui tournais le dos, je devrais anticiper ses mouvements. J'espérais que sa soif de sang le pousserait à attaquer sans réfléchir. J'ai serré le long bâton d'une main et me suis retourné d'un bond.

Tout s'est passé si vite qu'il m'est difficile de dire précisément ce qui est vraiment arrivé. Je me souviens d'avoir vu ses yeux jaunes brûlants, et aussi ses mâchoires béantes, prêtes à se refermer sur moi. En ce bref instant, je me suis dit qu'il devait y avoir des centaines de crocs dans cette gueule, et chacun d'entre eux semblait très, très pointu. Pour moi, c'était une cible. J'ai fiché le bâton dans la gorge de la bête. Je l'ai senti percer la chair. Le quig a hurlé et hoqueté, mais ne s'est pas arrêté pour autant. Ce n'était pas une bonne idée. Comme l'autre extrémité du bâton était appuyée contre la paroi de la caverne, l'animal n'a réussi qu'à s'empaler davantage. J'ai sauté sur le côté et ramassé un autre bâton. Le quig a secoué furieusement la tête pour se débarrasser de la pointe fichée dans sa gorge.

J'ai vite compris qu'il était toujours aussi dangereux que lorsqu'il croyait contrôler la situation. Le monstre avait mal. Il était furieux. Contre moi. Le combat n'était pas terminé. J'ai empoigné le deuxième bâton et fait un geste qui, maintenant que je le décris, me semble trop affreux pour être envisagé et encore moins exécuté. Mais lutter pour sa survie vous pousse aux dernières extrémités. J'ai levé l'arme comme un javelot, mais je ne l'ai pas projetée. Je ne pouvais pas me permettre de rater ma cible. Je suis parti en courant, minutant mon coup pour attaquer au moment même où le quig secouait la tête dans la direction opposée. Lorsqu'il m'a fait face, j'ai planté le bâton dans son œil. La bête a poussé un hurlement à vous percer les tympans, mais je n'ai pas reculé. Au contraire, j'ai poussé encore plus sur mon arme pour atteindre le cerveau. Écœurant ? Oui, et alors ? C'était lui ou moi. Maintenant que j'y pense, ça me retourne l'estomac, mais à ce moment-là je n'avais qu'une idée en tête : tuer ce monstre. C'est un sentiment difficile à décrire. Mon cœur battait la chamade. J'étais à cran, certes, mais en vérité j'avais aussi un peu perdu la boule.

C'était un quig. Un quig ! On avait remporté la bataille de Denduron. Son moment de vérité était passé. Pourquoi un quig gardait-il le flume ? Le monstre a titubé. Il était peut-être hors d'état de nuire, mais je devais en être sûr. J'ai lâché le bâton anti-dados que j'avais planté dans son cerveau et j'en ai pris un autre. La bête est tombée sur le flanc. Je n'ai pas hésité. De mon bras valide, j'ai levé le troisième bâton et l'ai planté dans sa poitrine, à l'endroit où devait battre son cœur noir. Maintenant que j'ai davantage de recul, j'ai un peu honte de l'admettre, mais le but de ces journaux est de révéler la vérité à la postérité, n'est-ce pas ? J'ai poignardé la bête, retiré le bâton et je l'ai planté à nouveau, encore et encore. Je ne sais combien de fois je l'ai frappée. Plus qu'il ne fallait. À ce stade, c'était plus une question de rage que d'autodéfense.

À chaque coup, j'ai grogné, la mâchoire serrée :

– On… ne… m'a… pas… comme… ça !

Et je me suis retrouvé au-dessus de la bête mourante, couvert de sang, le mien se mêlant au sien. Je l'avais vaincue. Je m'en étais tiré. J'avais envie de prendre le flume et de partir le plus loin possible, mais ce n'était pas une option. Saint Dane avait dit que Denduron serait le premier domino à tomber. Je croyais qu'on l'en avait empêché des années plus tôt. À ce moment, alors que je regardais agoniser le quig, j'ai compris que je me trompais. Denduron était à nouveau dans la course. J'étais au bon endroit. J'ai aussi réalisé qu'Alder se trouvait sur ce territoire. Les bâtons anti-dados en étaient la preuve. C'étaient ces mêmes armes qu'il était censé rapporter sur Quillan. Je ne savais pas pourquoi il ne l'avait pas fait, mais ça me convenait. Les bâtons m'avaient sauvé la vie.

Une fois calmé, j'ai compris que je n'étais pas encore tiré d'affaire. Loin de là. J'avais abattu un quig, mais il devait y en avoir d'autres. S'ils flairaient l'odeur du sang, ils accourraient à toutes jambes, rendus fous par la promesse d'un bon repas. Et comme je saignais toujours, je ferais figure de plat du jour. Ce n'était pas le moment de m'éterniser. J'ai voulu ramasser les vêtements de Denduron, tout en cuir et en fourrure, qui devaient être déposés près du flume, quand j'ai compris que j'avais un problème plus important. Ma blessure me faisait un mal de chien. Si je voulais sortir de cette caverne et descendre au village milago, je devais stopper l'hémorragie. J'ai retiré ma chemise d'Ibara, ce qui n'a pas été facile avec mon bras gauche inerte. Mon épaule me donnait l'impression d'être en feu. La chemise de Loque n'était pas très présentable. Je l'ai moitié retirée, moitié arrachée. Une fois débarrassé de ce vêtement, j'ai constaté que deux sillons labouraient mon épaule gauche et ma poitrine. Et ils étaient profonds. Ils avaient tailladé le muscle. J'étais mal parti. Comment pouvais-je panser ma plaie ? Puisque mon bras était inutilisable, je me suis servi des lambeaux de chemise comme d'un bandage et les ai enroulés autour de mon épaule. Ils couvraient à peine la moitié de la plaie. J'ai parcouru la caverne des yeux et vu de grandes lanières de cuir qui pouvaient être des ceintures. Je les ai passées sous mes aisselles et autour de ma poitrine. Cela suffirait-il à arrêter l'hémorragie ? Je l'ignorais. Mais c'était toujours mieux que rien.

L'étape suivante était de m'habiller. Je savais qu'il ferait un froid de canard dehors et que je devais me protéger. J'ai donc endossé tant bien que mal les vêtements de cuir que j'ai trouvés éparpillés dans la caverne. Le plus dur a encore été de lacer les chaussures de cuir. Au moins, ma main gauche restait opération-nelle. Alternant avec cette main, ma main droite et mes dents, j'y suis arrivé. La touche finale a été une sorte de manteau de four-rure que j'ai jeté sur mes épaules. Pourvu que ça soit suffisant. Il n'y avait pas de traîneau dans la caverne. Il faudrait descendre cette montagne à pied, dans la neige. Je risquais de sacrément me geler. J'ai ramassé la dernière arme anti-dados dans l'idée de m'en servir de canne. Je me suis appuyé sur ce long bâton afin de voir s'il supporterait mon poids. Ce n'était pas l'idéal, mais il faudrait s'en contenter. C'était le moment d'y aller. En sortant de la caverne sous la clarté des trois soleils de Denduron, je ne savais vraiment pas si j'arriverais au bas de cette montagne.

J'ai perdu le peu de confiance qu'il me restait lorsque j'ai vu les crêtes écailleuses des échines de quigs saillir à différents endroits du manteau neigeux qui s'étendait devant moi. Au moins, ils n'avaient pas encore flairé le sang qui formait une flaque dans la caverne. Mais je savais que ce n'était qu'une question de temps et d'orientation des vents. Je devais m'en aller. Marcher dans la neige n'a pas été une partie de plaisir. La surface formait une fine couche de glace pas assez solide pour supporter mon poids. À chaque fois que je faisais un pas, je la traversais pour m'enfoncer jusqu'à mi-cuisse. À chaque fois. Encore et encore. C'était comme marcher dans de la boue froide. Heureusement que je pouvais m'aider du bâton ! C'était bien tout ce qui m'empêchait de me vautrer lamentablement. Et si j'étais tombé, je n'aurais jamais pu me relever.

J'ai choisi un itinéraire qui me faisait passer le plus loin possible des quigs. Il suffirait qu'ils flairent l'odeur de mon sang, et le dîner serait servi. À chaque fois que mon pied rompait la glace dans un craquement sonore, je faisais la grimace. M'avaient-ils entendu ? Ou serait-ce au prochain pas ? J'ai franchi plusieurs centaines de mètres avant de dépasser le dernier quig enterré. Ouf ! Maintenant, chaque centimètre effectué m'éloignerait du danger…

Et me rapprocherait de l'épuisement complet. Je gelais littéralement. Je ne sentais même plus mes pieds. Mes plaies avaient presque cessé de saigner, mais je doutais fort que ce soit grâce à mon pansement improvisé. Plutôt grâce au froid. Même si j'avais été en pleine santé, ç'aurait été pénible, mais, avec tout le sang que j'avais perdu, je perdais sans arrêt des forces. Au bout d'une heure de cette torture, je ne voyais toujours pas la fin du manteau neigeux. J'avais déjà fait ce voyage en traîneau, dix fois plus vite, et il m'avait paru interminable. Et à chaque fois que j'étais remonté là-haut, c'était à cheval ou à bord d'un dygo mécanique. Je ne l'avais jamais fait à pied. Et j'étais au plus mal.

Encore une heure, et la tête m'a tourné. Je crois que c'était la gravité qui m'entraînait plus que ma propre volonté. J'ai arrêté de penser à ce que je pourrais trouver sur Denduron. En fait, j'ai arrêté de penser tout court. Mon cerveau n'était plus assez irrigué pour ça. Les couleurs tourbillonnaient devant mes yeux. Je savais que je ne tarderais pas à tomber dans les pommes. Loin devant moi, j'ai vu que la couche de neige se raréfiait, cédant la place à des étendues de terre. J'arriverais bientôt au bout du manteau neigeux. L'ennui, c'est que j'étais également au bout du rouleau. Je ne tiendrais jamais jusqu'au village milago.

Loin devant moi, j'ai perçu un mouvement. Dans le brouillard d'épuisement où j'évoluais, j'ai eu l'impression que les arbres s'avançaient vers moi. C'était impossible, pourtant. Non ? Pas moyen de m'éclaircir les esprits. Les arbres semblaient marcher vers moi en rangs serrés. Il me restait tout de même assez de bon sens pour me dire que c'était n'importe quoi. Cependant, il n'y avait pas d'autre explication possible, sinon que je perdais la tête. Ou peut-être était-ce un mirage ? Est-ce qu'on n'en voit que dans le désert ? Je n'en savais rien. J'étais trop dans les vapes pour pouvoir raisonner. Mais, au lieu de scruter ces arbres en mouvement, j'aurais mieux fait de regarder où je mettais les pieds, car mon orteil a heurté un gros caillou. Enfin, il ne devait pas faire plus de six centimètres, mais, dans mon état, cela a suffi. Je suis tombé la tête la première et me suis affalé sur le sol couvert de graviers. Ça ne m'a même pas fait mal. J'étais au-delà de ça. Pas moyen de bouger. Panne d'énergie. Mes pieds étaient gelés. Je n'avais plus la volonté de continuer. Je regardais toujours ces arbres qui, bien sûr, n'en étaient pas. C'était des chevaliers bedoowans à cheval. Tout un escadron. Ils devaient bien être une trentaine ainsi alignés, suivis par une deuxième rangée, puis une autre. Ils avançaient en formation serrée, comme une armée en ordre de marche.

Une armée en marche. Ma gorge s'est serrée. Pourquoi des chevaliers bedoowans escaladaient-ils la montagne ?

– Là ! a crié une voix.

Un cavalier solitaire a chargé dans ma direction, galopant le long de la pente escarpée, les sabots de son cheval soulevant le gravier. Un instant, j'ai cru qu'il allait me piétiner. Pour être franc, je m'en moquais. Il s'est arrêté à quelques mètres de moi et s'est penché en avant sur sa monture pour examiner ce drôle de type couvert de sang, à moitié gelé et à peine conscient, qui gisait là, à des kilomètres de tout.

Un deuxième chevalier est parti au galop et s'est arrêté à côté du premier.

– C'est un éclaireur lowsee ? a-t-il demandé.

– Non, a répondu le premier chevalier. (Il est descendu de selle pour se diriger prudemment vers moi.) Il a la peau trop claire pour être un Lowsee.

Mais, bon sang de bois, c'était quoi, un Lowsee ?

– Il est mort ? a demandé le deuxième chevalier sans même prendre la peine de mettre pied à terre.

L'autre s'est agenouillé pour voir si j'étais encore vivant. Lorsque nos regards se sont croisés, il a ouvert de grands yeux.

– Toi ! s'est-il exclamé, comme s'il me connaissait déjà.

– Qui est-ce ? a demandé l'autre en descendant enfin de cheval.

– Tu es blessé, a repris le premier avec l'air de se soucier sincèrement de mon sort. On va chercher de l'aide.

Il s'est redressé et a lancé à son armée :

– Vite ! Un brancardier !

Le deuxième chevalier s'était lui aussi mis à me dévisager.

– Qui est-ce ? a-t-il répété.

– C'est Pendragon, a répondu le premier. Si on a un avenir, c'est bien grâce à ce type. Sans lui, on n'aurait pas les armes nécessaires pour attaquer les Lowsees.

Le deuxième m'a jeté un regard surpris.

– C'est lui, l'homme qui a déterré le tak ?

– C'est lui, a répondu son compagnon. Il a transformé l'avenir de Denduron.

C'était bien la dernière chose que je voulais entendre. C'est *moi* qui étais devenu un marchand de peur.

J'ai fermé les yeux et je me suis laissé sombrer.

Journal n° 35
(suite)

DENDURON

Mon épaule était en feu. Littéralement. J'avais l'impression qu'elle se consumait lentement, douloureusement. Je me suis forcé à me réveiller en pensant que je devais trouver de l'eau pour éteindre l'incendie. Bien sûr, il n'y avait pas de flammes. Juste une double coupure de trente centimètres lacérant mon épaule et une partie de ma poitrine. J'ai ouvert un œil et tenté de reprendre mes esprits. Si j'étais désorienté ? Oui, on peut dire ça. J'ai jeté un coup d'œil pour voir que mon épaule était recouverte d'un bandage qui collait mon bras gauche contre mon flanc, faisant de moi une moitié de momie. Ah oui. Le quig. Aïe ! J'ai tourné la tête de l'autre côté pour constater que je me trouvais dans une grande cabane. J'étais allongé sur une couchette. En fait, il y avait toute une longue rangée de lits, comme dans un dortoir. Des lits tous vides. J'ai regardé de l'autre côté. Il y en avait d'autres. Et encore une autre rangée en face de moi. Également vides. Apparemment, j'étais le seul patient de cet immense hôpital.

– Veux-tu un verre d'eau ?

J'ai tourné les yeux en direction de la voix pour apercevoir une jeune fille qui se dirigeait vers moi en portant une carafe et un verre. Elle était plutôt jolie, avec de longs cheveux noirs noués derrière la nuque, mais ce n'était pas une gentille girl-scout. Elle portait l'armure légère de cuir noir des chevaliers bedoowans. J'ai hoché la tête. Elle s'est agenouillée près de ma couche, m'a soulevé la tête et a porté le verre à mes lèvres. J'ai avalé une petite gorgée pour ne pas m'étrangler. Mais la sensation était formidable, comme laver une couche de sable déposée dans mon gosier.

– Ça suffit, a-t-elle dit en reposant doucement ma tête.

– Merci, ai-je croassé. Heu… où suis-je ?

– À l'hôpital, a-t-elle répondu. Tu as eu de la chance que les avant-postes t'aient retrouvé.

J'ai tendu la main droite pour toucher mon épaule brûlante.

– Cent vingt points de suture, a-t-elle dit, comme si elle lisait mes pensées. Tu as perdu beaucoup de sang. Comment as-tu fait ton compte ?

Que pouvais-je répondre à ça ? J'ai décidé de dire la vérité – ou quelque chose qui s'en approchait en tout cas. J'en avais marre d'inventer des explications.

– Une bête sauvage m'a attaqué. Elle a perdu plus de sang que moi.

– Que faisais-tu là-haut dans la montagne ?

– Je me promenais.

Elle m'a jeté un drôle de regard. J'ai haussé les épaules.

– Peu importe, a-t-elle décidé. Maintenant, tu es là, et tu vas t'en sortir. Ta blessure montre déjà des signes de guérison. En fait, c'est assez remarquable.

J'ai haussé les épaules à nouveau. Ça faisait mal. Je n'ai pas recommencé.

– Pourquoi cet hôpital est-il désert ? ai-je demandé. J'ai du mal à croire que je sois le seul éclopé du secteur.

– Oh, il ne le restera pas bien longtemps, a-t-elle répondu d'un ton solennel. Cette aile a été bâtie pour soigner les blessés.

– Ça fait beaucoup de lits. Vous attendez plus de patients que d'habitude ?

Elle a froncé les sourcils.

– Une guerre fait toujours des victimes.

– Une guerre ! me suis-je écrié.

Je me suis assis d'un bond… et je l'ai aussitôt regretté. Ma tête s'est mise à tourner. Tout compte fait, je ne guérissais pas si vite. Je me suis laissé retomber et j'ai fermé les yeux en me cramponnant à ma conscience.

– Repose-toi, a-t-elle dit, très professionnelle. Quand les blessés commenceront à affluer, on te mettra ailleurs.

Je crois que j'ai fermé boutique pendant un moment. Je ne saurais pas dire combien de temps. J'ai revu en esprit l'armée bedoowan, comme dans un rêve fiévreux. Une guerre. Il allait y avoir la guerre. Les chevaliers qui m'avaient trouvé sur la montagne étaient des avant-postes. Contre qui voulaient-ils se battre ? Les chevaliers avaient parlé du tak, ce qui voulait dire que le pire allait se produire. En déterrant ce même tak pour défendre Ibara, j'avais permis à Saint Dane d'avoir une seconde chance sur Denduron. Le moment de vérité de ce territoire était la découverte de cet explosif et, en détruisant la mine de tak, il y avait maintenant bien longtemps, je n'avais fait que le retarder. Pis, je commençais à redouter d'avoir mis en branle une réaction en chaîne dont les répercussions se feraient sentir dans tout Halla. Denduron était au bord de la guerre. Les dados étaient revenus sur Ibara. Ensuite ? Et sur quoi tout ça déboucherait-il ? La réponse à cette question était évidente.

La Convergence.

L'Histoire avec un grand H était en train de changer, influencée par des événements qui se déroulaient sur d'autres territoires. C'était le mélange ultime. Les mondes de Halla ne contrôlaient plus leur destinée. C'était ça, la Convergence dont parlait Saint Dane. Et c'était à moi qu'on avait confié la tâche de l'arrêter. À la place, j'avais enclenché le processus. J'aurais voulu que le quig ait visé un peu plus haut et m'ait tranché la gorge.

J'ai vaguement perçu des mouvements autour de moi, des gens qui entraient et sortaient dans cet immense dortoir, préparant les lits pour les blessés à venir. De temps en temps, quelqu'un venait voir comment je m'en sortais. Je m'en fichais pas mal. J'aurais préféré être six pieds sous terre. Je crois qu'une nuit a passé, deux peut-être. Je n'avais plus aucune notion du temps, ce qui ne veut pas dire grand-chose, vu que je l'avais perdu à quatorze ans, le jour où j'avais pris le flume pour la première fois. Sentir que quelqu'un se tenait devant moi et me regardait m'a fait reprendre pied dans la réalité. Contrairement aux autres membres du personnel, qui ne cessaient d'aller et venir, lui est resté là, comme s'il attendait que je dise quelque chose. Ça m'a mis mal à l'aise, du moins assez pour que je m'extirpe des ténèbres où je m'étais réfugié. Quand ma vision s'est éclaircie, à ma grande surprise, j'ai vu Rellin, le chef des mineurs milagos. Mais il y avait un os. Il portait l'armure d'un chevalier bedoowan. Encore plus bizarre : cette armure avait des bandes jaunes à chaque bras. On aurait dit une variation de parade sur le schéma classique.

— Te voici de retour, Pendragon ! s'est-il exclamé avec chaleur. J'ai bien cru que tu ne t'en sortirais pas !

Rellin s'est assis sur la couchette à côté de la mienne. J'ai fait de mon mieux pour rester concentré.

— J'avais tellement envie que tu me racontes tes aventures ! a-t-il continué. Le tak t'a été utile ?

J'ai mis quelques secondes à comprendre ce qu'il me disait. La dernière fois que j'avais débarqué sur Denduron, en compagnie de Siry, je lui avais dit qu'on devait déterrer le tak pour venir en aide à une tribu de l'autre côté de la montagne. Je n'avais pas précisé qu'elle se trouvait sur un autre territoire nommé Ibara[1].

— Oui.

C'est tout ce que j'ai trouvé à lui dire. Je ne voulais pas préciser à quel point le tak avait été efficace.

— Content de l'entendre, a-t-il dit en souriant. Et je suis heureux que tu nous sois revenu.

— Il va y avoir la guerre ? ai-je demandé.

Rellin a souri. Oui, il a souri. On pourrait croire que quelqu'un qui s'apprête à partir au combat pourrait être… oh, je ne sais pas, sérieux ? Grave ? Nerveux ? Mais pas Rellin. L'idée d'aller faire la guerre faisait briller ses yeux.

— En refusant de nous donner leur tryptite, expliqua-t-il, les Lowsees menacent notre existence même. Sans ça, impossible d'éclairer notre village. Et tout ça parce qu'ils veulent se gorger d'azur. Qu'y a-t-il de plus important ? La lumière ou la richesse ? Ils ont choisi la richesse. Et ils nous le paieront.

— Vous allez employer le tak contre eux ?

---

1. Voir Pendragon n° 8 : *Les Pèlerins de Rayne.*

– On va les détruire ! s'est exclamé Rellin en se levant d'un bond. On leur a donné plus d'une chance de s'arranger à l'amiable, mais ils se sont montrés aveugles et rapaces. On a donc rompu les négociations. À partir de maintenant, nos épées parleront pour nous, nos épées... et le tak !

Mais, pour moi, ce qu'il disait n'avait aucune importance. Ce n'était que du bla-bla. Au final, ce qui comptait vraiment, c'était ce simple fait : les Bedoowans comptaient utiliser le tak contre une autre tribu. Et ensuite... Quoi ? Les Bedoowans et les Milagos deviendraient-ils cette machine de guerre que redoutait l'oncle Press ? Quelles seraient les conséquences pour le reste de Denduron ? Le territoire serait-il gouverné par la terreur et la violence ? Était-ce ce que voulait Saint Dane ? Ce monde finirait-il comme Veelox ? Était-ce là l'avenir qui attendait tous les territoires de Halla ? À présent, ma tête me faisait encore plus mal que lorsque j'étais entré dans cet hôpital.

– Je voudrais voir Alder, ai-je dit.

Rellin a fait la grimace.

– Il est en prison.

J'ai eu envie de bondir en criant « pourquoi ? », mais j'ai réussi à garder mon calme. Voilà au moins une leçon que j'ai retenue.

– Tu n'es pas un Bedoowan, a expliqué Rellin. C'était ton choix de partir pour aider une autre tribu. Alder n'avait pas cette possibilité, et pourtant il a déserté. Néanmoins, ça n'aurait pas suffi à l'envoyer en prison.

– Alors qu'a-t-il fait ?

– Il a cherché à détruire notre mine de tak. Je ne sais pas pourquoi. Il n'a pas voulu me le dire. Je suis désolé de te l'apprendre, mais Alder est accusé de trahison. Un crime puni de mort.

La tête me tournait. Les événements se précipitaient, et en même temps tout devenait limpide. À son retour, Alder devait avoir découvert exactement ce que j'avais appris, et il avait essayé de détruire le tak. Il avait échoué, et maintenant il allait être exécuté pour avoir fait son devoir de Voyageur. Mon devoir. J'aurais dû être là. C'était également ma faute. Halla s'effondrait autour de moi de toutes les façons possibles.

– Je suis désolé, Pendragon, a repris Rellin. Je sais qu'Alder était ton ami, et je croyais qu'il était également le mien. Mais j'imagine qu'on ne connaît jamais vraiment les autres, même ceux dont on se croit proche.

– Quand ? ai-je demandé.

– Demain matin. C'est la dernière fonction officielle à laquelle j'assisterai avant de m'en aller mener l'assaut contre les Lowsees. Je me doute que tu préféreras ne pas être présent. Je comprends à quel point ça peut être pénible pour toi. (Rellin s'est agenouillé à mes côtés et m'a pris le bras.) Mais ne nous laissons pas abattre. Sais-tu que, maintenant, je suis roi ?

– Heu… non.

– J'ai épousé Kagan. Notre mariage a uni les Bedoowans et les Milagos. Désormais, nous ne formons plus qu'une seule tribu qui ne tardera pas à dominer Denduron. Nous sommes au commencement d'une nouvelle ère. Profites-en. Lorsqu'on écrira l'histoire de notre monde, tu y tiendras une place d'honneur. Quand nous aurons remporté la bataille, il nous faudra reparler du rôle que tu comptes jouer dans notre nouvelle tribu. Tu l'as bien mérité, Pendragon.

Et il a souri avant de s'en aller. Je n'avais aucune envie d'en profiter. Je ne voulais pas avoir affaire avec cette nouvelle tribu. J'avais l'impression d'avoir tout raté depuis mon départ de Seconde Terre. Alors que je restais là, allongé sur ma couchette, blessé et seul, j'ai bien cru que tout était fichu. Denduron n'était que le début. Des événements comme ce que Rellin venait de me décrire se produiraient dans tout Halla. Je doute qu'il soit humainement possible de se sentir plus mal que moi à ce moment. Tous les sacrifices que les Voyageurs avaient faits ne serviraient à rien. Saint Dane avait gagné. Ç'aurait été si facile de me tourner dans mon lit et de fermer les yeux. Je ne désirais rien de plus que me rendormir et, si possible, ne jamais me réveiller. Il n'y avait qu'une chose qui m'empêchait de baisser les bras une bonne fois pour toutes.

Alder.

Il était toujours en vie. J'avais peut-être perdu Halla, mais pas question de laisser mourir mon ami sans rien faire. Ça n'avait rien à voir avec Saint Dane. Il s'agissait de sauver un autre Voyageur. Il était tout ce qu'il me restait. Bien sûr, ça signifiait que j'allais devoir me lever. Plus facile à dire qu'à faire. J'ai passé mes jambes par-dessus le rebord du lit, je me suis redressé et, aussitôt, me suis mis à rendre tripes et boyaux. Sur le plancher. Personne ne m'a vu. Tout le monde était occupé ailleurs. Quant à moi, je m'en fichais. Je n'allais pas m'arrêter pour si peu. Je me suis essuyé la bouche avec ma manche, me suis levé et me suis remis à vomir. Ce n'était pas beau à voir. Je ne savais pas si c'était à cause de mes blessures, du sang que j'avais perdu ou d'un effet secondaire des médicaments qu'on m'avait donnés. En tout cas, je pouvais à peine marcher. Mon crâne douloureux et mon estomac retourné n'arrangeaient rien. La douleur qui ravageait mon épaule et ma poitrine était telle que j'ai cru ne jamais réussir à m'habiller. Mais j'ai serré les dents. Au bout de vingt minutes de torture, j'étais prêt à sortir de l'hôpital.

À côté de moi sur la couchette, il y avait le bâton anti-dados qui m'avait servi de béquille durant ma descente de la montagne. Ignorant mes muscles qui criaient grâce, je me suis penché pour le ramasser. Je me suis appuyé dessus et j'ai boitillé vers la porte…

Au moment même où entrait l'infirmière bedoowan.

– Que fais-tu ? a-t-elle demandé, surprise.

Elle a tenté de me forcer à me recoucher. Je ne sais pas comment j'ai fait, mais je l'en ai empêchée.

– Écoute, ai-je dit, Alder va être exécuté demain. Je dois le voir.

– Tu n'es pas en état.

– Toi aussi, tu es des leurs, ai-je rétorqué. Que ferais-tu si un autre chevalier, un ami, allait mourir ? Est-ce que tu resterais là, sur ce lit, à soigner tes plaies ?

Ses yeux se sont radoucis.

– Non, a-t-elle répondu. Je connais Alder. Mais je ne comprends pas pourquoi il a agi de la sorte.

– Peu importe, ai-je tranché. C'est mon ami, et je veux le voir une dernière fois.

La fille a acquiescé. Elle comprenait.

– Où est-il ? ai-je demandé.

– Il y a une cellule près des ruines du château bedoowan. C'est là qu'il est détenu, et là qu'il sera exécuté.

– Merci, ai-je dit.

J'étais sincère. Je me suis retourné et suis reparti vers la porte.

– Pendragon ! a-t-elle lancé. Alder était un bon chevalier. Pourquoi irait-il trahir sa tribu ?

– Tu viens de le dire, ai-je répondu. Parce que c'est un bon chevalier.

Je l'ai laissée sur cette explication plutôt énigmatique. Alder n'avait fait que son devoir. Il savait que la redécouverte du tak aurait des conséquences néfastes pour sa tribu, et il avait risqué sa vie pour l'empêcher de s'engager sur ce chemin destructeur. Il était peut-être trop tard pour sauver Denduron, mais il était hors de question que je laisse mourir son Voyageur. Je suis sorti de la cabane en boitillant : j'ai découvert que l'hôpital se trouvait en bordure du village milago. Depuis l'explosion de la mine de tak, on l'avait reconstruit de fond en comble. C'était le début d'une nouvelle société. Et, à cause de moi, elle avait choisi le chemin de la guerre et de la violence au lieu de celui de la paix et de la croissance. J'ai regardé vers l'océan, où je savais que, jadis, le château des Bedoowans avait été bâti dans la falaise. Plusieurs cabanes de pierre avaient été édifiées de chaque côté de l'ancien chemin. Alder se trouvait dans l'une d'entre elles.

Les trois soleils se couchaient. Il faisait froid. Le village était d'un calme surprenant. La plupart de ceux que je voyais marcher entre les cabanes étaient des femmes. J'ai présumé que la majorité des hommes avait été enrôlée dans l'armée et grimpait les pentes de la montagne, en route pour affronter les Lowsees. Des lumières brillaient dans plusieurs demeures. Personne n'a prêté attention à un étranger en haillons qui pouvait à peine mettre un pied devant l'autre. J'ai suivi le sentier qui sinuait vers les falaises, passant devant plusieurs cabanes de pierre. Mes pieds me faisaient mal. Après mon périple dans la neige, ils devaient être couverts d'engelures. Pendant mon séjour à l'hôpital, je ne les sentais même plus. J'aurais aimé qu'il en soit de même maintenant. Chaque pas était une torture. Si je n'avais pas eu le bâton anti-dados pour me servir de béquille, je ne serais pas allé bien loin.

Finalement, après avoir parcouru quelques centaines de mètres qui m'ont paru être autant de kilomètres, j'ai aperçu une maison de pierre qui se trouvait à une certaine distance des autres. Un chevalier bedoowan en gardait la porte. Ce devait être la cellule. J'ai boité vers le garde en prenant l'air aussi faible que je l'étais réellement, histoire qu'il me juge inoffensif. Lorsque je me suis retrouvé à moins de cinq mètres de lui, il a brandi le casse-tête qui lui servait d'arme. Je me suis arrêté et j'ai levé les mains.

– Je voudrais voir Alder, votre prisonnier, ai-je déclaré.

– Personne n'a l'autorisation d'entrer, a-t-il répondu d'un ton glacial.

– C'est mon ami. S'il doit mourir demain, j'ai bien le droit de vouloir lui faire mes adieux.

Le chevalier a cligné des yeux. Il ne cherchait pas à abuser de son pouvoir. C'était un être humain.

– Je suis désolé qu'on en soit arrivé là, a-t-il dit.

– Et moi donc.

– Je ne peux pas te laisser entrer, mais tu peux lui parler par la fenêtre.

Le garde a retiré son arme et m'a fait signe de contourner la cabane. Super. Marcher, toujours marcher. Mais je n'allais pas me plaindre. J'ai fait le tour de la construction jusqu'à ce que je tombe sur une rangée de six fenêtres disposées à intervalles réguliers. Chacune avait des barreaux. Cela devait indiquer qu'il y avait six cellules. J'ai scruté l'intérieur de chacune d'entre elles, cherchant Alder. Toutes étaient vides, à l'exception de la dernière. Là, un homme était assis par terre, la tête sur les genoux. Il portait la même tenue de cuir que moi, ce qui était bizarre : quand on était sur Denduron, Alder était toujours habillé en chevalier. Plus maintenant. Voir mon ami dans cet état m'a brisé le cœur. Lui qui était un vrai colosse, il semblait bien frêle, comme s'il s'était flétri. De tous les Voyageurs, Alder était certainement le plus ouvert, le plus honnête, le plus positif. Il m'avait sauvé la vie plus d'une fois sans jamais se soucier de son propre sort. C'était vraiment un guerrier plein de noblesse. Cela me faisait mal de le voir aussi défait.

— Bonjour, Alder, ai-je chuchoté.

Il a levé les yeux, étonné. Ses cheveux étaient sales. Son regard trouble. Il avait maigri depuis notre dernière rencontre.

— Qui est là ? a-t-il demandé d'une voix chancelante.

— Je suis désolé, Alder. Tout est de ma faute.

— Pendragon !

Alder a bondi comme si le sol s'était transformé en plaque chauffante. Il a couru vers la fenêtre et passé la main entre les barreaux, prenant ma nuque dans sa grosse patte pour m'étreindre avec chaleur. La transformation avait été instantanée et complète. Tout son désespoir s'était envolé. Alder était redevenu aussi chaleureux et optimiste qu'il l'avait toujours été. Quand il m'a serré contre lui, autant que les barreaux nous le permettaient, ç'a été comme si une décharge électrique me traversait. Je ne sais pas comment le décrire autrement. C'était bien plus que du soulagement, une vraie sensation physique. Soudain, mon esprit s'est éclairci. Ma nausée a disparu.

Alder a souri, aux anges.

— Je savais que je te reverrais.

— Mais pas dans ces conditions, ai-je répondu.

Il a pris un air sombre.

— J'ai échoué.

J'ai saisi sa main et je l'ai serrée entre mes doigts.

— Ne dis pas ça. Si quelqu'un a échoué, c'est moi. Et maintenant, c'est toi qui vas en payer le prix.

— Il s'est passé tant de choses ! a-t-il repris en secouant la tête. Tout a changé.

— Et encore, tu ne sais pas tout. Il faut que je te raconte.

— Dépêche-toi, a-t-il dit avec un petit rire forcé, parce que je n'ai plus toute la vie devant moi.

Pendant que je parlais, Alder a gardé sa main posée sur mon épaule indemne. J'ai senti son énergie s'écouler en moi. Et ce n'était pas qu'une figure de style. Je vous jure que son simple toucher m'a redonné des forces. Ma tête s'est éclaircie. Mon esprit s'est remis à cogiter. Après mon long séjour au trente-sixième dessous, je commençais à croire que tout n'était peut-être pas perdu. Je ne saurais dire ce qui m'a poussé à réagir comme je l'ai fait. Peut-être était-ce l'instinct, ou l'énergie du désespoir. Tout ce que je sais, c'est qu'à ce moment-là ça semblait approprié. J'ai pris la main d'Alder, je l'ai retirée de mon épaule et l'ai posée sur ma poitrine, en plein sur la griffure que m'avait laissée le quig. Alder m'a jeté un regard interrogateur.

— On est des Voyageurs, ai-je dit en le regardant droit dans les yeux. Je ne sais pas d'où on vient ni ce qu'on fait ici, mais on est différents des autres.

Alder a hoché la tête. Il le savait déjà.

— Nous sommes liés par notre destinée. La défaite est inacceptable.

— La défaite est inacceptable, a-t-il répété avec une conviction accrue.

— Tant qu'on est en vie, il y a de l'espoir.

— Il y a toujours de l'espoir, a-t-il repris avec confiance.

À cet instant, je le croyais vraiment. On était là, deux Voyageurs. On avait notre avenir entre nos mains. Notre passé nous appartenait. Une partie de moi était en Alder, et une partie de lui en moi.

— Je suis blessé, ai-je dit en continuant de le regarder droit dans les yeux. Guéris-moi.

Alder n'a pas posé de questions. Il n'a pas sourcillé. Il n'a pas détourné les yeux. J'ai senti sa main se poser sur ma poitrine. Elle était chaude. Non, brûlante. J'ai repensé à ce jour où j'avais pris Loor dans mes bras devant le flume de Zadaa. Saint Dane lui avait transpercé le cœur d'un coup d'épée. Elle était morte... Et pourtant, j'avais réussi à la sauver. Je l'avais guérie. On était des Voyageurs. On était des illusions. On avait ce pouvoir. On ne se laisserait pas abattre.

Tout mon corps s'est mis à picoter, comme si une force indépendante de ma volonté m'injectait un sang nouveau. Les yeux d'Alder se sont durcis. Il le sentait, lui aussi. Il était redevenu lui-même. Moi, je reprenais des forces. Physiquement, mais aussi mentalement. J'étais de nouveau moi-même. Bobby Pendragon, le Voyageur en chef.

Je me suis redressé sur mes pieds qui n'avaient plus rien de douloureux. J'ai lâché la main d'Alder, qui l'a retirée entre les barreaux. On est restés là, à se regarder, hors d'haleine. Je n'avais pas besoin d'arracher mon bandage pour savoir ce qui s'était passé. Mes plaies s'étaient refermées. Saint Dane avait raison. On n'était pas réels. On était des illusions. Je ne sais toujours pas ce que ça signifie. Tout ce que je peux dire, c'est qu'on n'est pas des êtres humains comme les autres, et à ce moment précis c'était une bonne chose.

Alder a souri.

— On n'est pas encore vaincus, n'est-ce pas ?

— Jamais de la vie ! ai-je répondu.

Journal n° 35
(suite)

DENDURON

Depuis ma première venue sur Denduron, le village milago avait bien changé. Il avait été détruit par une explosion souterraine (dont je portais la responsabilité), reconstruit grâce à la technologie des Bedoowans et, maintenant, servait de point de départ à une armée en mal de conquête – avec des terrains d'entraînement, des hôpitaux, des armureries et des baraquements pour héberger les nouveaux chevaliers. Cependant, même avec toutes ces améliorations, selon les critères de la Seconde Terre, ce village restait assez primitif. Les cabanes étaient faites de pierre ou de bois, les rues de terre battue. Des chevaux tiraient des carrioles. Le seul signe de technologie moderne était les réverbères, qui fonctionnaient grâce à un minerai lumineux appelé la triptyte. Ça ne valait pas un réseau électrique, mais ce matériau était assez précieux pour justifier une guerre. Une guerre qui engagerait Denduron sur le chemin de sa destruction, conformément au plan de Saint Dane. Pouvions-nous l'empêcher, Alder et moi ? Je n'en avais pas la moindre idée, mais, au moins, on pouvait toujours essayer. Ensemble. Voilà pourquoi ma première préoccupation devait être d'arracher mon ami de cette prison.

L'armurerie des Bedoowans était exactement là où Alder l'avait dit. J'ai reconnu l'emplacement : il s'agissait de l'ancien terrain d'entraînement des Milagos. C'était là que j'avais vu pour la première fois les villageois s'entraîner à lancer le tak. Une compétence qui était vite devenue un moyen de faire la guerre. Je n'ai eu aucun mal à trouver l'armurerie, puisque c'était le bâtiment le plus grand de tout le village. Alder m'avait dit qu'il serait gardé par deux hommes. Je n'en ai vu qu'un. J'avais de la chance. Et pourtant, on était en plein jour. Au moindre bruit, je me ferais certainement repérer. Je devais faire vite.

J'ai fait le tour de la grande bâtisse, serrant le bâton anti-dados. Je voulais me rapprocher le plus possible avant de faire connaître ma présence au garde. Loor et Alder m'avaient appris à ne jamais attaquer le premier, mais ça ne compte pas quand on a l'effet de surprise de son côté. Le truc, c'est de faire en sorte que le combat soit fini avant même d'avoir commencé. Le premier assaut doit être le dernier.

Le garde bedoowan n'a même pas vu ce qui lui tombait dessus. En l'occurrence moi. J'ai fait le tour du bâtiment le plus silencieusement possible, j'ai attendu qu'il me tourne le dos, je lui ai sauté dessus et l'ai assommé d'un bon coup de bâton. Je l'ai relevé avant qu'il ait touché le sol et l'ai traîné à l'intérieur, en refermant la porte derrière nous. Ç'avait été rapide. Et efficace. Et violent. Typique de ma nouvelle incarnation. Jusque-là, tout allait bien. Très bien même. Je me sentais au top. Enfin, physiquement parlant. Alder m'avait guéri. La véritable nature des Voyageurs demeurait un mystère, mais ça ne voulait pas dire qu'on ne pouvait pas profiter des pouvoirs qui nous étaient donnés. Je me sentais fort et plein d'espoir. J'irais même jusqu'à dire invincible. Pourquoi pas ? Il était démontré qu'on était capables de guérir n'importe quelle blessure et même de ressusciter. J'aimerais pouvoir dire qu'on ne ressentait pas la douleur, mais ce n'était pas au programme. Bah, tant pis ! C'est difficile à exprimer, mais savoir qu'on disposait de tels pouvoirs me redonnait confiance en moi. J'ai même vraiment cru qu'on avait une chance d'empêcher la guerre de Denduron. Pourquoi pas ?

Ce sentiment de confiance a duré jusqu'à ce que je jette un œil au contenu de l'armurerie. Alder m'avait dit qu'elle renfermait tout l'arsenal des Bedoowans. Il m'avait parlé des rangées de canons et des réserves d'arcs et de flèches qui attendaient de monter au front. Il y avait là une puissance de feu largement suffisante pour vaincre les primitifs lowsees, détruire leur tribu, puis passer au prochain ennemi. Je voulais bien le croire. L'ennui, c'est que ce que j'ai vu dans cette armurerie était, à sa façon, plus effrayant que de connaître l'existence d'un tel arsenal.

Ce que j'ai vu, c'était… rien. Rien du tout. L'armurerie était vide. Jusqu'à la dernière flèche. Alder m'avait décrit une immense réserve d'armes, mais je ne voyais rien de tel. Soudain, j'ai compris pourquoi il n'y avait qu'un seul garde à l'entrée. Il n'y avait plus rien à garder. Les armes n'étaient plus là, et je savais où elles étaient passées. Elles étaient dans la montagne avec les chevaliers bedoowans, en route pour détruire les Lowsees. Mon moral est tombé en chute libre. Notre plan était de détruire l'arsenal, mais il n'y avait plus d'arsenal à détruire. J'arrivais trop tard.

Je devrais trouver un autre moyen d'empêcher cette guerre. Mais d'abord il fallait sauver Alder. J'ai progressé rapidement, suivant sa description du bâtiment. Trouver la mine de tak n'a rien eu de bien sorcier. Près de l'entrée du tunnel, il y avait une petite pile de briques de ce même minerai.

J'en ai ramassé deux, plus une bonne longueur de mèche et un des briquets à friction qu'Alder m'avait décrits. Un instant, je me suis dit que je ferais mieux de descendre dans la mine pour la faire sauter une seconde fois, mais ç'aurait été trop dangereux. Alder avait déjà essayé, et il avait échoué. En plus, il y avait sans doute des mineurs et des gardes là en bas. Mieux valait éviter de me faire prendre et de finir en cellule à côté de mon ami bedoowan. Non, je devais m'en tenir à notre plan et libérer Alder.

J'ai pris une des briques et rompu le matériau. Si vous vous rappelez, c'est une sorte d'argile friable et très volatile. Je devais faire vite, mais me montrer prudent. J'ai couru vers l'un des murs intérieurs de l'armurerie et placé avec précaution une ligne de tak à la base de la cloison. La peur au ventre. Si je manipulais cette pâte trop brutalement, elle se briserait et ce serait l'explosion. J'en effritais donc de petits morceaux et je les déposais le long du mur, formant une longue ligne couleur de rouille.

J'ai entendu un bruit en provenance de la mine. *Clang !* Quelqu'un avait laissé tomber un outil. Ce qui était bien innocent, mais j'avais peur que cette même personne ne remonte. Je devais me dépêcher. Après avoir déposé l'essentiel de la brique contre le mur, j'étais prêt. J'ai saisi un bout de mèche long d'à peine deux centimètres et l'ai fourré dans l'interstice entre les planches en m'assurant qu'il touche le tak. Je ne voulais pas une explosion, mais un incendie. Une diversion. La mince ligne de tak que j'avais déposée mesurait dans les huit mètres. Si elle n'explosait pas, elle brûlerait. Du moins je l'espérais.

Je suis retourné à la porte et j'ai attendu. Ça ne durerait pas : la mèche ne mettrait que quelques secondes avant d'atteindre le tak. En fait, je me suis bouché les oreilles au cas où elle ne serait pas assez fine. Deux secondes plus tard, j'ai entendu un crépitement sec. La mèche a atteint le tak, et l'étincelle a couru tout au long de la ligne – plus vite que je ne l'aurais cru. La flamme était également plus vive que je l'attendais. J'ai dû plisser les yeux pour ne pas être aveuglé. J'ai attendu une explosion... qui n'est pas venue. Parfait. Le mur de l'armurerie avait pris feu. En fait, le tak était si puissant qu'en quelques secondes à peine il avait déjà dévoré une partie des planches. Des flammes commençaient à lécher les flancs de l'immense structure de bois. Tout se passait comme sur des roulettes. Bientôt, l'armurerie tout entière brûlerait.

Comme je ne pouvais pas laisser le garde inconscient périr dans l'incendie, je l'ai traîné à l'extérieur et l'ai déposé à bonne distance. Si tout se passait bien, on ne tarderait pas à venir éteindre l'incendie, et il ne risquerait rien. Sinon, eh bien je préférais ne pas y penser. Je suis retourné en courant à l'intérieur pour récupérer mon bâton anti-dados et la seconde brique de tak avant de ressortir pour de bon.

J'ai traversé le terrain d'entraînement au pas de course et je me suis retourné. L'air s'emplissait déjà de fumée. Le tak faisait son office. Si personne ne réagissait, et vite, tout le bâtiment allait partir en fumée. C'était exactement ce que je voulais. Je me suis levé et suis parti vers le village. J'étais à mi-chemin quand j'ai entendu le tintement impérieux d'une cloche. Sans doute un signal d'alarme. Elle n'annonçait certainement pas l'heure du déjeuner. Aussitôt, des gens sont sortis de leur maison pour regarder nerveusement autour d'eux. Une patrouille de chevaliers bedoowans m'a dépassé, en route vers l'armurerie. Ils savaient où ils devaient aller. Ce qu'ils ignoraient, c'est que j'allais leur créer un second problème à un autre endroit.

Je n'ai eu aucun mal à regagner la prison. En chemin, j'ai encore croisé des chevaliers bedoowans courant en sens inverse. J'espérais simplement qu'ils aient laissé Alder sans surveillance.

Ce n'était pas le cas. Un des gardes était resté à son poste. Pas grave. Je pouvais m'en charger. Ce pauvre bougre allait avoir la surprise de sa vie. Je me suis empressé de gagner l'arrière du bâtiment, où j'ai prélevé un dé de tak à même la brique et je l'ai moulé tout en haut de la fenêtre d'Alder.

– N'en mets pas trop ! m'a-t-il averti en me regardant faire de l'intérieur. Je n'ai rien pour me protéger !

Je ne savais pas si les barreaux étaient vraiment solides. Si je n'utilisais pas assez de tak, je ne ferais qu'alerter le garde. Si j'en mettais trop, Alder sortirait de là en pièces détachées. Ce n'était pas une science exacte. J'ai décidé de ne poser qu'une noisette d'explosif. Je l'ai répandue le long de l'appui de fenêtre avant d'y planter un bout de mèche.

– Planque-toi sous le lit ! ai-je ordonné.

Alder ne s'est pas fait prier. Il s'est aussitôt glissé sous sa couchette. Pourvu qu'il y soit en sécurité ! J'ai allumé la mèche. Plus que dix secondes avant l'explosion. Cette fois-ci, le but n'était pas de mettre le feu, mais de faire boum. Et comme il était impossible de prédire par où s'envoleraient les barreaux à ce moment-là, j'ai plongé à l'angle du bâtiment, je me suis mis dos au mur et j'ai attendu. Encore et encore, pendant ce qui m'a semblé une éternité. Je commençais à avoir des doutes, à me dire que j'aurais dû mettre moins de tak quand *boum !* Il a explosé, plus violemment que je ne l'aurais cru. J'ai jeté un coup d'œil de l'autre côté pour voir le rectangle de métal entourant les barreaux voler dans les airs en traînant un sillage de fumée, comme s'il était propulsé par des réacteurs. J'ai couru vers la fenêtre, ignorant le nuage noir qui m'étouffait.

– Hé ! Ça va ? ai-je lancé.

Alder a passé la tête par l'ouverture noircie et béante qui avait été une fenêtre. Il souriait.

– J'imagine que ce n'est plus la peine d'être discrets.

Avant qu'il ait pu sortir de là, quelque chose m'a heurté. Je n'ai rien vu venir. Il m'a fallu une seconde pour comprendre que le garde avait entendu l'explosion, lui aussi. J'aurais dû m'en douter, pas besoin d'être très subtil : il avait fait le tour pour voir ce qui se passait et m'avait sauté dessus sans crier gare, sans même dire : « Qu'est-ce qui se passe ici ? » Il m'a percuté pour m'envoyer à terre, puis s'est assis sur moi, me clouant au sol avec ses genoux, et a ramené son bras pour me donner un coup de poing en pleine tête. Je ne pouvais rien faire, sinon m'attendre au pire. Sauf que le coup n'est jamais venu. J'ai levé les yeux et vu Alder qui se tenait au-dessus du garde. Il bloquait son poignet, qu'il avait arrêté en plein élan.

— Ne faites pas de mal à mon ami, a-t-il dit, très calme.

Le garde n'a pas eu le temps de réagir. De son autre main, Alder lui a décoché un bon coup sur le crâne. Aussi facile que ça. L'homme m'a lâché et s'est effondré sur le côté. Il n'était pas K.-O., mais certainement hors d'état de nuire.

— Et maintenant ? a demandé Alder tranquillement, comme si on préparait un pique-nique.

En guise de réponse, on a entendu un cri en provenance de l'océan. On s'est retournés pour voir une douzaine de chevaliers bedoowans armés de casse-tête courir vers nous depuis les ruines du château.

— On s'en va, ai-je répondu avant de filer vers le village.

On savait tous les deux que c'était le meilleur chemin pour leur échapper. Avec un peu de chance, on pourrait les semer dans ce labyrinthe de cabanes. Il nous fallait gagner du temps pour réfléchir et concocter un plan d'action.

— L'armurerie brûle, ai-je dit en cours de route.

— Peut-être que l'incendie détruira également leur arsenal ?

— Le bâtiment était vide, Alder. Les armes sont déjà au front. La guerre va éclater.

En guise de réponse, il m'a lancé un bref regard soucieux.

On est arrivés au village et on a continué de cavaler le long de ses rues étroites, décrivant un chemin si tortueux qu'il devait être impossible à suivre. Il n'y avait pas beaucoup de passants. Soit ils travaillaient aux champs, soit ils étaient partis à la guerre. Alder m'a désigné une ruelle entre les cabanes. On s'y est engagés pour continuer jusqu'à ce qu'on arrive à une cour centrale.

— Arrête ! a-t-il ordonné.

On s'est tous les deux adossés au mur d'un des bâtiments de bois pour reprendre notre souffle.

— La mine de tak, ai-je dit en inspirant de grandes goulées d'air. On peut peut-être encore la faire sauter ?

Alder a secoué la tête.

— Ça ne sert plus à rien, a-t-il répondu gravement. Les Bedoowans ont déjà tout ce qu'il leur faut. Dès qu'ils s'apercevront du pouvoir que le tak leur confère, ils ne s'arrêteront pas là. Si on ensevelit la mine, ils n'auront qu'à la déterrer à nouveau. On ne peut plus revenir en arrière.

Ça me peinait de devoir l'admettre, mais Alder avait raison. Le mal était fait.

— Il est trop tard pour sauver Denduron, a ajouté Alder. On ne peut pas arrêter une armée à nous deux.

Et il a baissé la tête en signe de défaite. On était face au nouveau moment de vérité de Denduron. Le premier domino allait tomber, et nous étions impuissants.

— Je suis désolé.

C'est tout ce que j'ai pu dire. Une excuse incongrue. On avait sauvé le territoire d'Alder... pour le perdre à nouveau.

Il a froncé les sourcils.

— Mais on ne peut se laisser décourager par ce qui se passe ici, sur ce monde.

— Bien, d'accord, ai-je répondu. Je ne renonce pas pour autant. Pas cette fois.

— La Convergence n'a peut-être pas encore affecté d'autres territoires, a proposé Alder. Il y a peut-être encore de l'espoir.

J'ai acquiescé.

— Il faut qu'on regagne le flume.

Zing ! Une flèche m'a raté de peu. Elle s'est plantée dans le mur de la cabane derrière laquelle on prenait un peu de repos, à quelques dizaines de centimètres de mon visage. Alder m'a poussé hors du champ de vision du tireur. J'ai touché le sol, roulé sur moi-même et je me suis relevé pour partir en courant.

315

On a foncé vers une grande structure de bois à l'autre bout de la clairière.

Zing ! Zing ! Des flèches ont sifflé tout autour de nous. Je vous jure que j'ai cru sentir le déplacement d'air qu'elles provoquaient. Heureusement, pas une seule n'a atteint sa cible, mais je doutais fort qu'on puisse les éviter encore longtemps. D'un bond, Alder a franchi une grande porte de bois qui donnait dans une immense salle. Une écurie, si mon odorat ne me trompait pas. Alder savait très bien ce qu'il faisait. Tout au bout, il y avait une rangée de chevaux, tous munis d'une selle et de rênes.

– Tu sais monter ? m'a demandé Alder.

– Tu crois pouvoir me suivre ? ai-je répondu.

Au passage, j'ai pris ce qui ressemblait à des sacoches en cuir. J'avais toujours le reste du tak qui m'avait servi à faire évader Alder. Je ne pouvais pas le charger à dos de cheval, mais je refusais de l'abandonner. C'était la seule arme qu'il nous restait. J'ai fourré hâtivement le morceau d'explosif dans la sacoche et je l'ai attachée à la selle d'un cheval à la robe brun foncé. Alder était déjà monté sur un autre animal et se tenait prêt à partir.

– Vite, Pendragon, a-t-il dit, très calme.

Alder ignorait ce qu'était la panique.

– Je te suis.

Alder a éperonné sa monture, qui a bondi vers la porte. J'ai fait de même, serrant mes jambes si fort que j'ai cru me casser une côte. Alder a jailli dans la cour au moment même où les chevaliers bedoowans arrivaient à sa hauteur. Je crois qu'ils ne s'attendaient pas à tomber sur deux cavaliers lancés au galop, car ils se sont éparpillés pour éviter de se faire piétiner. Je ne savais pas où aller, mais Alder si. J'ai gardé mon regard braqué sur la croupe de sa monture, forçant la mienne à rester le plus près possible. Les sabots du cheval soulevaient du gravier et des mottes de terre. Pas question de s'arrêter. Je me suis crispé, m'attendant à recevoir une flèche dans le dos. Alder a eu la bonne idée de faire le tour d'une cabane afin qu'elle nous serve de protection, puis il est parti au triple galop.

Mais les chevaliers près de l'étable n'étaient pas notre seul souci.

Le cheval d'Alder était plus rapide que le mien. Ou peut-être qu'il était meilleur cavalier que moi. En tout cas, alors qu'on sortait du village, il a vite pris de l'avance. En un rien de temps, on s'est retrouvés séparés par une bonne vingtaine de mètres. Sur notre gauche est apparue une autre patrouille de chevaliers bedoowans. Elle était trop loin pour faire autre chose que nous décocher des flèches, mais cela suffisait. Une volée de flèches a foncé sur nous, comme un assaut d'abeilles-quigs d'Ibara. La plupart d'entre elles nous ont ratés. Une seule a atteint son but. Elle a frappé le flanc du cheval d'Alder. L'animal s'est cabré en poussant un hennissement de douleur. Alder ne s'y attendait pas. Il est tombé en arrière et a atterri sur le dos. La blessure du cheval devait être superficielle, parce qu'il s'est remis à galoper. Il s'en tirait bien ; je n'étais pas sûr de pouvoir en dire autant de son cavalier.

J'ai jeté un coup d'œil pour voir que le groupe d'archers se trouvait à une cinquantaine de mètres et se rapprochait – pas très vite, puisqu'ils tentaient de recharger leurs arcs en cours de route. On ne tarderait pas à se prendre une autre volée de flèches. Pour ma part, je n'avais pas ralenti. Encore quelques secondes et je serais à la hauteur d'Alder. Pour faire quoi ? Comme cavalier, je m'en tirais, mais je n'étais pas un athlète de cirque. Je ne pouvais pas vraiment me pencher sur le côté et le saisir au vol en plein galop. Je n'avais que quelques secondes devant moi pour prendre une décision. Mais laquelle ?

Alder l'a fait à ma place. En tombant de cheval, il ne s'était pas étalé par terre. En fait, il avait effectué un saut périlleux complet pour atterrir sur ses pieds. Bon, il n'a pas non plus écarté les bras en faisant « Ta-da ! ». Il avait l'air secoué et ses jambes tremblaient. Il avait bien du mal à retrouver son équilibre. Mais il était conscient de ce qui se passait autour de lui. Je l'ai su dès qu'il a regardé par-dessus son épaule. Il me cherchait. Il savait où il se trouvait. Il m'a vu. Il était temps de bouger.

J'ai ralenti sans trop savoir comment faire grimper Alder à cheval. Mais, une fois de plus, il s'en est chargé. C'est un chevalier, un soldat. Il s'y connaît en matière de cavalerie. Il a saisi au vol l'arrière de ma selle et s'est hissé à bord.

317

— Fonce, a-t-il dit, tout simplement.

J'ai éperonné ma monture et nous sommes repartis au galop – juste au moment où une nouvelle pluie de flèches s'abattait sur nous. Sauf que les chevaliers avaient mal calculé leur coup. Ils visaient l'endroit où l'on se trouvait quelques secondes plus tôt. Ils ne s'attendaient pas à ce qu'on reparte si vite. Les projectiles ont atterri derrière nous.

— Dirige-toi vers ces arbres, a dit Alder en désignant un bosquet de pins droit devant nous.

On n'allait plus aussi vite qu'avant, maintenant que le cheval devait supporter le poids de deux hommes. Peu importe : personne ne nous pourchassait. J'ai fait passer ma monture entre les troncs afin de nous éloigner le plus possible du village milago.

— Ça va ? ai-je demandé à Alder.

— J'ai connu pire, a-t-il répondu sobrement.

Ce type était incroyable. Rien ne pouvait le démonter. S'il se faisait renverser par un bus, il se contenterait de hausser les épaules avant de reprendre son chemin. Enfin, s'il y avait eu des bus sur Denduron. En tout cas, j'étais content qu'on soit de nouveau réunis. Désormais, où que puisse nous mener notre croisade contre Saint Dane, Alder serait à mes côtés. Et pourquoi pas ? On n'avait plus besoin de lui sur Denduron.

De moi non plus. On avait perdu ce territoire. Une victoire était devenue une défaite. On devait savoir si d'autres mondes risquaient de subir le même sort. Zadaa ? Eelong ? Maintenant que la Convergence de Saint Dane était en cours, on ne pouvait plus être sûr de rien.

Alors qu'on escaladait la montagne à dos de cheval, j'ai compris qu'il restait encore un souci. J'ignore pourquoi j'avais mis si longtemps à en prendre conscience.

— Il y a dix territoires, ai-je dit à Alder. À ce jour, on a arrêté Saint Dane sur six d'entre eux. On a perdu Veelox, mais en gagnant la bataille d'Ibara je croyais avoir remporté la victoire. Notre seule perte sèche était Quillan... jusqu'à présent.

— Et maintenant, a repris Alder, tout est remis en question.

— Ce n'est pas tout. Il reste deux territoires qu'il n'a pas encore pris pour cibles. La Seconde et la Troisième Terre. Si les territoires se définissent par leur moment de vérité, pourquoi ces deux-là sont-ils différents ? Si, dès le départ, Saint Dane veut créer une Convergence qui implique Halla dans son ensemble, pourquoi avoir épargné ces deux-là ?

– Peut-être qu'il n'en a pas besoin ? a suggéré Alder.

– Ou peut-être qu'il attendait le bon moment, et que celui-ci est arrivé.

À cette idée, mon estomac s'est retourné. Comme à chaque fois que j'entrevois la réalité des choses. Surtout si elle est négative, comme c'est souvent le cas. Ce qui se passait en Seconde Terre avait un rapport avec le changement technologique introduit par Forge ; c'était bien la seule chose dont j'étais sûr. Idem en Troisième Terre. Pour autant que je sache, ni l'une ni l'autre n'avait atteint le moment de vérité qui scellerait leur sort. Mais, à ce stade, la réalité m'est apparue. C'était évident.

– C'est la Terre qui compte, ai-je affirmé d'un ton sinistre. Ça l'a toujours été.

– Qu'est-ce qui te fait dire ça ?

– Parce que tout y mène, ai-je répondu, mon cerveau cogitant à toute allure. C'est en Seconde Terre que Saint Dane a poussé Mark à inventer Forge. L'évolution des dados a commencé en Première Terre – ces mêmes dados qui ont attaqué Ibara. Pour les affronter, on est allés chercher du tak sur Denduron, et c'est pour ça que tout a dégénéré sur ce territoire. Sur Quillan, les dados sont partout, et ils cherchaient à s'introduire sur la Première Terre. Ils sont déjà sur la Troisième Terre, et ils sont à nouveau en partance pour Ibara. Je suis le Voyageur en chef. Je viens de Seconde Terre. C'est comme si la Terre était le moyeu d'une roue. Elle est au centre de tout. Tous les événements qui ont entraîné la Convergence ont commencé sur Terre.

Alder y a réfléchi, puis a demandé :

– Et d'après toi, qu'est-ce que ça signifie ?

– Je pense que le moment de vérité de Seconde ou de Troisième Terre sera celui de Halla.

Alder a secoué la tête.

– Je ne sais pas, Pendragon. Malgré tout ce que j'ai vu jusqu'à présent, les concepts dont tu parles me dépassent.

– Oui, eh bien je n'ai pas beaucoup d'avance sur toi. Ce n'est qu'une théorie, mais je crois savoir ce qu'on doit faire. Si on va sur d'autres territoires, on perdra notre temps. Il faut qu'on remonte à la source. Voir ce que Saint Dane a fait sur Terre.

– Alors on part en Seconde Terre ?

– Non, en Troisième Terre. Là-bas, on pourra se servir de leurs ordinateurs pour se faire une idée de tout ce qui s'est passé. C'est là qu'on trouvera les réponses à nos questions.

Alder n'a fait aucun commentaire. Ce qui ne m'étonnait pas vraiment. C'était un simple bougre originaire d'une société primitive. Les notions que je lui débitais lui étaient totalement étrangères. Bon, moi-même je m'y retrouvais à peine, mais j'en avais vu bien plus que lui. Pourvu qu'il continue à me faire confiance.

On a poursuivi notre escalade en silence. Le cheval était costaud. Quand on a abordé le manteau neigeux, il a à peine ralenti alors qu'il pataugeait dans la couche blanche. Finalement, après avoir tourné et retourné nos dilemmes dans sa tête pendant une bonne partie du voyage, Alder a pris la parole :

– Pendragon, je ne sais pas si ta théorie est la bonne, mais il y a une chose avec laquelle je suis d'accord.

– Laquelle ?

– On ne doit pas regarder en arrière. La Convergence a commencé. Je crains qu'en retournant sur d'autres territoires on n'ait plus le pouvoir de changer les événements. Et même si on le peut encore, qu'est-ce qui empêcherait Saint Dane de les manipuler une fois de plus pour créer d'autres moments de vérité ?

Il avait tout compris. C'était exactement le raisonnement qui me dévorait depuis que j'avais découvert qu'Ibara était l'avenir de Veelox. Saint Dane était aux commandes. Plus que je ne l'aurais jamais imaginé. Il semblait pouvoir voyager dans le temps comme bon lui semblait. Nous nous contentions de le pourchasser et de prendre les flumes dans l'espoir qu'ils nous déposent au bon endroit au bon moment. Je ne sais pas pourquoi. J'ignore qui a défini les règles du jeu, mais c'est ainsi. On pouvait traquer Saint Dane d'un monde à l'autre jusqu'à la fin des temps, et il serait toujours capable de changer la donne.

– Si on veut l'arrêter, a continué Alder, il faut impérativement connaître son but. C'est l'essence même de la guerre. Le seul moyen de vaincre un ennemi est de comprendre ce qu'il veut. Sans cette connaissance, on n'aura pas la moindre chance. Il faut découvrir pourquoi on le combat depuis tout ce temps.

Alder est peut-être un type simple, incapable de comprendre des concepts modernes ou technologiques, mais en quelques mots il venait de définir avec précision notre mission. On devait arrêter de penser petit. Toute cette histoire ne concernait pas qu'un seul territoire ou même dix mondes individuels. Elle englobait Halla. Les Voyageurs, le don de Saint Dane pour changer de forme, notre propre capacité à nous soigner mutuellement, nos voyages dans le temps et même le fait de n'être que des illusions, tout était lié. Sans oublier que Saint Dane proclamait vouloir prouver sa supériorité. La question était de savoir *pourquoi* il y tenait tant. Découvrir la cause de toute cette histoire.

– Tu as raison, ai-je déclaré. Et je crois qu'on a plus de chances de trouver des réponses en Troisième Terre.

– Alors en Troisième Terre nous irons.

Au loin, on a entendu un grondement. Surpris, notre cheval s'est immobilisé.

– C'est le tonnerre ? ai-je demandé.

D'autres grondements ont retenti. Je me suis tourné vers Alder. Son regard s'est durci. Il a tendu l'oreille.

– Non, répondit-il d'un ton sinistre. La bataille a commencé. Les Bedoowans ont lancé du tak sur leurs frères. On a perdu Denduron.

Ce qu'on entendait, c'étaient les déflagrations de la bataille. On ne pouvait plus rien changer pour Denduron. Ces explosions lointaines en étaient la preuve.

– On est loin du village lowsee ? ai-je demandé.

– Non : il est de l'autre côté de la montagne. Ça te donne une idée de la puissance dévastatrice du tak. En ce moment même, des gens meurent.

– Et Denduron avec eux.

On a écouté l'écho des détonations. La neige a tremblé sous nos pieds. D'autres explosions ont retenti. La terre a tremblé à nouveau. Encore et encore. Quelque chose clochait. Le bruit et les secousses n'étaient pas synchronisés. Il se passait autre chose.

– C'est un tremblement de terre ? ai-je demandé, soudain inquiet.

Alder ne le savait pas. Il y eut d'autres détonations.

Mais on n'était plus les seuls à les entendre.

La neige a continué de trembler et de se fissurer. J'ai compris pourquoi une fraction de seconde avant que ça ne devienne évident. À une trentaine de mètres devant nous, la surface blanche semblait en ébullition. Elle s'est affaissée par pans entiers. Un peu plus loin, il s'est produit comme une avalanche en réduction. Elle n'affectait pas toute la surface du manteau neigeux, uniquement certaines zones. Là où il y avait quelque chose d'enfoui. Quelque chose que les explosions avaient réveillé. Soudain, un pan entier du glacier est comme entré en éruption, envoyant dans les airs des échardes de glace scintillantes. À travers le nuage de neige poudreuse qui s'est élevé dans le ciel, j'ai vu quelle en était la cause.

Les quigs étaient réveillés.

Journal n° 35
(suite)

DENDURON

Ces ours féroces revenaient à la vie, arrachés à leur hibernation par les explosions. Ils nous encerclaient de toute part, et on était encore loin de l'entrée du flume. On n'avait rien pour se protéger, rien du tout. On était au beau milieu d'une meute de quigs, et ils n'avaient pas l'air contents d'avoir été tirés de leur sommeil de façon si cavalière.

En voyant le premier s'élever de la neige, notre monture s'est cabrée, prise de panique.

– Hé là, hooo ! ai-je crié.

Comme si ça pouvait servir à quelque chose. La pauvre bête était terrifiée. Et je pouvais difficilement le lui reprocher. J'ai eu bien du mal à la maîtriser. Maîtriser ? Ce n'est pas vraiment le mot. Disons plutôt que je me cramponnais désespérément aux rênes pour ne pas tomber. Alder, lui, n'avait rien à quoi se retenir, uniquement moi. Le cheval a levé ses pattes avant et s'est retourné… pour se retrouver face à un deuxième quig qui venait d'apparaître juste derrière nous. J'ai dû employer mes dernières forces pour empêcher notre monture de bondir.

– Prends les rênes ! ai-je crié à Alder.

Il a tendu les bras et s'est emparé des lanières de cuir.

– Je les tiens ! a-t-il crié.

J'ai glissé sous ses bras pour descendre du cheval.

– Pendragon ! s'est écrié Alder, surpris.

– Ne bouge pas ! ai-je ordonné.

Je savais que je n'aurais pas de seconde chance. Et si le cheval s'enfuyait, je n'en aurais pas une seule. Alder a lutté pour maîtriser

323

l'animal qui se cabrait en tournant sur lui-même tel un mustang. Il a écarquillé les yeux. Il devait avoir vu la même chose que moi : le quig le plus proche nous avait repérés. S'il est possible à un animal d'avoir l'air furieux, celui-ci l'était.

— Remonte ! m'a lancé Alder.

Je l'ai ignoré. On ne pourrait jamais distancer un quig lancé à pleine vitesse sur ce canasson. Il fallait serrer les dents et lui tenir tête.

— Reste là ! lui ai-je crié à nouveau.

Alder a continué de lutter pour empêcher le cheval affolé de s'enfuir. Il semblait sur le point de perdre le combat, mais ne ménageait pas ses efforts. Il a tiré sur les rênes, forçant l'animal à baisser la tête. Il ne pourrait plus le retenir bien longtemps. Pourvu que ça soit suffisant.

Le quig a soufflé comme un phoque et s'est dirigé vers nous. Il prenait tout son temps. Bien. C'était mieux que s'il chargeait. Sinon, ç'aurait été la fin des haricots, parce que je n'étais pas encore prêt. Les autres quigs ont décrit un demi-cercle autour de lui. J'imagine qu'ils doivent avoir une sorte de code d'honneur. Celui qui est le plus proche de la proie a droit à la première bouchée. Contrairement à l'animal que j'avais affronté dans la caverne du flume, celui-ci était sacrément grand. Plus que tous ceux que j'avais vus jusqu'à présent. C'était le T. rex des quigs. C'était peut-être pour ça que les autres ne se risquaient pas à lui disputer sa proie.

— Pendragon ? a une fois de plus lancé Alder d'une voix qui se brisait, ce qui, pour lui, était l'équivalent d'une crise de panique absolue.

— C'est bon. Laisse-le venir.

— Je n'ai pas vraiment le choix !

— Je veux qu'il se rapproche.

— S'il se rapproche, comme tu dis, encore un peu et je vais sentir son haleine !

Le cheval s'est cabré, m'a cogné l'épaule et envoyé bouler. J'ai titubé, mais je ne suis pas tombé. Je n'avais pas le temps pour ça. Je me suis empressé de sauter sur notre monture pour m'emparer de la sacoche accrochée à sa selle. Celle qui contenait le tak. Le cheval se trouvait entre moi et le quig.

– Je n'aurai droit qu'à une tentative, peut-être deux, ai-je dit. À mon signal, fais-le se cabrer.

– Si je peux.

– Il le faudra bien, ai-je dit avec fermeté.

J'ai tiré la petite brique de tak et l'ai cassée en deux. J'ai glissé une moitié sous mon bras et modelé l'autre, comme pour former une boule de neige. Puis j'ai changé de main pour faire de même avec la seconde.

Le quig a rugi et s'est dressé sur ses pattes arrière. Il était prêt pour la curée.

– Pendragon ? a demandé nerveusement Alder.

– Pas encore !

Les yeux du quig ont jeté des éclairs jaunes. La faim lui faisait perdre toute prudence. À peine ses pattes avant étaient-elles retombées sur le sol qu'il a chargé. Il avait décidé que j'étais sans défense. Grave erreur.

– Vas-y ! ai-je crié.

Avec un grognement, Alder a tiré sur les rênes. Le cheval a henni et s'est dressé sur ses pattes arrière, me laissant le champ libre. Le quig n'était plus qu'à une quinzaine de mètres et me fonçait dessus. J'ai levé la boule de tak à l'horizontale, de peur de toucher le cheval, et l'ai balancée droit sur la tête du quig – où elle a explosé à l'impact.

J'ai eu l'impression de me cogner contre un mur. Le souffle m'a fait tomber. J'ai atterri sur la neige. Brutalement. Le cheval s'est abattu à côté de moi. Ma seule préoccupation était de protéger l'autre boule de tak. Si on la bousculait un peu trop, il y aurait une seconde explosion. Plus proche que la première. Bien trop proche. Je l'ai gardée tout contre mon estomac, comme un œuf précieux. Ou un produit hautement explosif. Je ne savais pas où était Alder. Je ne pouvais rien entendre, sinon mes oreilles qui carillonnaient suite à l'explosion. Il s'est mis à pleuvoir, sauf que la pluie tombait de travers. Et c'était trop froid pour être des gouttes d'eau. J'ai vite compris ce qu'il en était. J'étais bombardé par des morceaux de quig. Des bouts de chair et de fourrure s'abattaient dans une tempête de sang. J'ai vu passer un fragment d'os. Un croc a glissé sur la neige. Si je n'avais pas été complètement dans les vapes, j'aurais probablement vomi tripes et boyaux. À travers la fumée, la poussière de neige et le brouillard de sang, j'ai vu Alder qui gisait à quelques mètres de moi. J'ai rampé vers lui et je l'ai fait rouler sur le dos.

Ses yeux étaient grands ouverts, mais voilés.

— Hé ! ai-je crié tout en le secouant.

Alder a cligné des yeux, toussé, puis il a croisé mon regard.

— Je crois que le bon terme est... ouah ! a-t-il déclaré, stupéfait.

Je n'ai pas pu m'empêcher d'éclater de rire. Ce type était indestructible.

Mais on n'était pas hors de danger pour autant. D'autres quigs rôdaient tout autour de nous. J'ai regardé là où se trouvait celui que j'avais fait exploser... et vu exactement ce que j'espérais. Il ne restait plus rien du monstre, juste un amas d'os et de sang. J'ai distingué quelques machins couverts de fourrure qui devaient être des pattes. Le reste était éparpillé sur la neige – la neige rouge. Plus important encore, les autres quigs ont mordu à l'hameçon. C'était l'heure du dîner. On avait cessé de les intéresser : ils avaient un repas tout prêt et moins remuant. Ils se bousculaient déjà pour arracher un morceau de leur collègue. Si l'un s'emparait d'un bout de viande, l'autre tentait de lui arracher. C'était répugnant.

Je déteste les quigs.

Le cheval était déjà loin. Les empreintes de sabots dans la neige montraient qu'il avait préféré rentrer chez lui plutôt que de rester avec nous. Il devait en avoir sa claque des Voyageurs.

— Il faudra faire le reste du chemin à pied, ai-je dit. Tu peux marcher ?

En guise de réponse, Alder s'est relevé sur des jambes flageolantes. Il m'a dominé de toute son imposante taille, qui avoisine les deux mètres. Il présentait un drôle de spectacle, avec sa tenue de cuir aspergée de sang.

— J'ai hâte d'être ailleurs, m'a-t-il déclaré.

On s'est éloignés du carnage, pataugeant dans la neige en direction du sommet de la montagne. Il nous a fallu crapahuter pendant une bonne demi-heure avant d'apercevoir la caverne du flume. Je suis heureux de vous dire qu'on n'a pas vu d'échines de

326

quig saillir de la neige. Ils étaient occupés ailleurs. Ils avaient un déjeuner. On était presque arrivés quand Alder a posé sa main sur mon épaule.

– Regarde, a-t-il dit.

Des lumières illuminaient l'intérieur de la caverne. Ça ne pouvait signifier qu'une chose. On a parcouru les derniers mètres à toute allure, arrivant à temps pour voir les feux disparaître dans le couloir en même temps que les notes musicales. Entre nous et le flume, il y avait le squelette blanchi d'un quig. Deux des bâtons qui m'avaient servi à le tuer étaient encore coincés entre ses os, là où je les avais laissés. Apparemment, ses congénères avaient dévoré le reste. Beurk. Mais ce n'est pas le squelette du quig qui a attiré mon attention. Alder et moi regardions ce qui se trouvait derrière lui. Quelque chose qui était dans le flume. Là, juste derrière l'embouchure, sur le sol de pierre, il y avait un corps allongé. On est restés plantés là, à attendre qu'il bouge. En vain.

– Il est peut-être mort, a suggéré Alder.

Le corps a grogné. Il était en vie, mais il avait l'air mal en point. On a couru vers lui. Je suis arrivé en premier et l'ai retourné.

– C'est Patrick ! ai-je crié.

– Qui ?

– Le Voyageur de Troisième Terre.

J'ai posé ma main sur son dos et senti quelque chose qui ne me disait rien qui vaille. Je l'ai ramenée couverte de sang. Du sang frais. Celui de Patrick. Alder et moi avons échangé un regard. On savait ce qu'il restait à faire. À deux, on a saisi le Voyageur. J'ai glissé ma main souillée de sang sous son dos, là où devait se trouver la plaie, et posé l'autre sur son cœur. Alder a placé ses deux paumes sur la poitrine du blessé. Je ne savais pas quelle était la procédure à suivre, je voulais simplement de toutes mes forces qu'il guérisse. Alder a fermé les yeux. J'en ai fait autant. J'ai pensé à Patrick tel que je l'avais connu en Troisième Terre. Intelligent, vif et vaguement névrosé. J'ai revu son visage et sa façon de se déplacer. J'ai tenté de me rappeler sa voix.

Mes mains se sont réchauffées. Toutes les deux. Mais ça n'avait rien de douloureux. C'était une drôle de sensation, mais elle était rassurante, à sa façon. On était des Voyageurs, tous les

327

trois. Des frères. On faisait partie d'une réalité plus grande qu'il nous restait à découvrir. Oui, toute cette histoire cachait un vaste mystère qui nous échappait sans cesse, mais, en contrepartie, il y avait au moins une chose dont j'étais sûr et certain.

On pouvait se guérir mutuellement.

Chacun d'entre nous avait le pouvoir de sauver les autres.

La sensation de chaleur est devenue un picotement qui est remonté le long de mon bras pour envahir tout mon corps. J'ai ouvert les yeux et regardé Alder. Il avait le sourire aux lèvres. Il ressentait la même chose que moi. Ça n'a duré que quelques secondes. J'ai baissé les yeux sur notre ami Voyageur.

— Patrick ? ai-je dit doucement. Tu es là ?

Il a battu des paupières, inspiré en hoquetant, puis il a lentement ouvert les yeux. Hagards, ses yeux ont balayé la grotte avant de revenir se poser sur moi.

— Pendragon ? a-t-il fait.

— Tu sais où tu es ? ai-je demandé.

— Sur Denduron ?

J'ai acquiescé.

— Pourquoi es-tu venu ici, Patrick ? Qu'est-ce qui s'est passé ?

— On… On m'a tiré dessus, a-t-il gémi.

Il n'était pas encore totalement avec nous, mais il cherchait à reprendre ses esprits.

— Qui ? Qui t'a tiré dessus ?

— Des hommes aux ordres du Voyageur.

Drôle de réponse. J'ai regardé Alder, qui a froncé les sourcils.

— Quel Voyageur ? me suis-je empressé de demander.

Il m'a pris la main.

— Le nouveau Voyageur de Seconde Terre.

J'ai encaissé le coup. Je m'attendais à tout, sauf à ça. En trois secondes, mon esprit a envisagé un million de possibilités pour buter sur un million de culs-de-sac.

— Pendragon ? a dit Alder, très calme.

Je l'ai regardé dans l'espoir qu'il ait une réponse à me proposer. Et c'était le cas. Il ne savait peut-être pas ce qui se passait ou la signification de ce que Patrick venait de dire, mais il avait une bonne idée de ce qu'il fallait faire.

– Je suppose qu'on ne va plus en Troisième Terre, a-t-il déclaré.

– Non, ai-je répondu en reprenant mes esprits. Il est temps que je rentre chez moi.

Fin du journal n° 35

SECONDE TERRE

Mark et Courtney se retrouvèrent assis dans la même limousine qui les avait emmenés à New York. Ils ne prirent même pas la peine de chercher à s'échapper. La voiture était à l'arrêt, entourée par les gardes en chemise rouge de Naymeer. Mais cela n'avait pas vraiment d'importance : ils restaient là, la mine grise. Les événements de ces dernières minutes les avaient choqués au point de les rendre dociles.

Il y eut un renouveau d'activité autour de la limousine. L'un des gardes ouvrit la portière de Mark. Celui-ci ne réagit même pas. On aurait dit que, pour lui, plus rien n'avait d'importance. Un autre passager ne tarda pas à les rejoindre. La portière claqua et, en un rien de temps, ils se retrouvèrent en route.

Assis en face d'eux se tenait Alexandre Naymeer. Il avait l'air aussi calme et posé que Mark et Courtney semblaient défaits. Ses cheveux gris argentés étaient bien peignés. Malgré tout ce qui était arrivé, il restait impeccablement mis, comme s'ils faisaient une balade de santé.

– Enfin, nos routes se croisent, dit-il en écartant les mains en guise de bienvenue.

Mark et Courtney le dévisagèrent d'un regard vide.

– Mark Dimond et Courtney Chetwynde, a continué Naymeer. J'ai tellement entendu parler de vous que j'ai l'impression de vous connaître. Vous boirez bien quelque chose ?

Il tendit le bras vers une carafe de cristal qui semblait coûteuse. Mark et Courtney ne répondirent pas. Naymeer la reposa avec un petit rire, comme un grand-père indulgent.

– Si nous ne nous adressons pas la parole, le trajet s'annonce interminable, dit-il, malicieux.

– Vous l'avez tué, dit Courtney d'un ton catégorique. Patrick est mort.

Naymeer fronça les sourcils.

– Une terrible erreur. Cela n'aurait jamais dû arriver. Dans le feu de l'action... Mes gardes ont commis une erreur de jugement. Croyez-moi, ça me révulse.

– Vous avez détruit ma maison, ajouta Mark. C'était aussi une erreur de jugement ?

Naymeer leva les mains en signe de reddition.

– Je vous en prie, ne me jugez pas si vite. Il y a des enjeux bien plus importants.

– Plus importants qu'un meurtre ? rétorqua Courtney.

Naymeer leva un sourcil.

– Oui, en effet.

Courtney se pencha en avant.

– Mais bon sang, qui êtes-vous ? cria-t-elle.

Mark tendit la main pour l'empêcher de s'approcher trop près de Naymeer.

– Vous le savez déjà, reprit-il sans sourciller. Je suis le Voyageur de Seconde Terre.

Si Mark n'avait pas retenu Courtney, elle aurait sauté à la gorge de Naymeer.

– C'est Bobby Pendragon le Voyageur de Seconde Terre, siffla-t-elle.

– Il l'était, reprit Naymeer compatissant, mais comme il a abandonné sa charge, désormais cet honneur me revient.

– Comment pouvez-vous dire ça ? demanda Mark en luttant pour se maîtriser. Qui vous l'a dit ?

Naymeer planta son regard entre les deux Acolytes et secoua la tête.

– Après tout ce qui est arrivé, vous n'avez toujours pas compris, n'est-ce pas ?

– V-V-Vous êtes Saint Dane ? demanda Mark.

Naymeer éclata de rire.

– Certainement pas ! Je ne suis qu'un simple Voyageur. Même si je suis à son service.

Mark et Courtney en restèrent bouche bée. Naymeer était onctueux à souhait. Son accent anglais lui donnait un air supérieur. Des millions d'individus le vénéraient. Les grands de ce monde lui demandaient son avis. On ne pouvait le nier.

Mais, pour Mark et Courtney, il n'était qu'un meurtrier qui s'était rangé du côté de Saint Dane.

– Comment pouvez-vous en savoir autant sur Halla ? demanda Courtney. Je n'ai jamais entendu parler de vous, et je connais tout sur les Voyageurs.

– Peut-être, mais je commence à croire que vos connaissances ne sont pas si étendues. Vous savez ce qu'est Ravinia, n'est-ce pas ?

– C'est votre espèce de secte à la noix, répondit Courtney. Et alors ?

Naymeer leva la main pour regarder son anneau comme s'il l'admirait.

– Que savez-vous au sujet de ce bijou ? demanda-t-il.

– Je sais qu'il est à moi, grogna Mark.

Naymeer ignora son commentaire et continua :

– Vous ne vous demandez jamais comment marche tout cela ? Comment les flumes peuvent servir de conduit entre les territoires ? Quelle énergie peut bien les actionner ?

– Vous voulez rire, non ? fit Courtney, sarcastique. Bien sûr qu'on se le demande, à chaque seconde de la journée.

Naymeer retira son anneau et le leva à la lumière filtrant par les vitres de la voiture.

– Cette pierre n'a rien de particulièrement séduisant. Du moins jusqu'à ce qu'elle prenne vie. Bien sûr, vous devez savoir qu'elle est faite du même minerai qui compose les flumes ?

Courtney et Mark se regardèrent. Non. Ils l'ignoraient.

– Ça fait un certain temps déjà que les scientifiques débattent de son existence. En fait, c'est assez extraordinaire. De ce simple matériau est né tout un univers.

Mark ouvrit de grands yeux.

– Pas possible ! fit-il.

– Qu'est-ce qui n'est pas possible ? reprit Courtney. Tu sais de quoi parle ce type ?

Mark fixa Naymeer droit dans les yeux.

– Vous prétendez que les pierres qui ornent les anneaux et les flumes sont faites de matière noire ?

– De quoi ? demanda Courtney, perdue.

– On lui a donné bien des noms, expliqua Naymeer, mais tu as raison. On l'appelle communément la matière noire. Quelle que soit sa dénomination, son existence est indéniable. C'est ce matériau surprenant qui est la base même de Halla. Les planètes, les étoiles, les lunes, les civilisations, les cultures, tout ce que nous connaissons est issu de cette substance des plus basiques. C'est le plus vieux matériau qui existe. C'est aussi le plus puissant.

– Comment le savez-vous ? rétorqua Mark. Personne n'a jamais pu prouver son existence.

– Personne en Seconde Terre, précisa-t-il d'un air rusé. Mais vous avez dû vous apercevoir qu'il y a bien plus que ce seul territoire.

Mark et Courtney ne répondirent pas. Ils connaissaient fort bien l'existence des dix mondes de Halla. Ils savaient qu'il y avait forcément d'autres forces régissant leurs vies. Les flumes en étaient la preuve. Maintenant, pour la première fois, il semblerait qu'ils se retrouvent face à quelqu'un capable de répondre à leurs questions.

– Alors, qui vous l'a dit à *vous* ? marmonna Courtney.

Naymeer sourit.

– Un corbeau.

Mark et Courtney le fixèrent d'un air interrogateur. Naymeer passa à nouveau l'anneau à son doigt.

– Il y a bien des années, j'ai reçu un don. Cet anneau. Et c'est un corbeau qui me l'a apporté.

– Je sais d'où il venait, cracha Mark. De moi. On m'a fait chanter pour que je l'abandonne.

– Vraiment ? répondit Naymeer. S'il était en ta possession, pourquoi n'as-tu pas exploré ses merveilles ?

Mark ne savait pas quoi répondre à ça.

– Peut-être n'était-il pas entre de bonnes mains, conclut Naymeer.

– Quel genre de merveilles ? demanda Courtney.

Naymeer ferma les yeux comme pour évoquer un lointain passé.

– J'ai vite compris que ce don n'était pas qu'un simple bijou. Le pouvoir que recélait cette pierre m'a sauvé la vie et m'a ouvert les portes de Halla. À chaque fois que je tenais cet anneau, j'avais des visions fantastiques... incroyables. Je voyais d'autres mondes débordant d'animaux incroyables et de civilisations étrangères. Il y avait des tribus anciennes et des spectacles modernes. Tout d'abord, ça m'a fait peur, mais j'ai vite constaté que ce n'était pas que des fantasmes, ou des esprits venus me hanter. Je ne faisais qu'entrevoir l'immense réalité de Halla.

– Vous êtes allé sur d'autres territoires ? demanda Mark.

– Non ! s'empressa-t-il de répondre. Je n'ai jamais quitté la Seconde Terre. C'était inutile. Cet anneau m'a fourni toutes les réponses qu'il me fallait. Vous savez, j'ai grandi seul, dans un orphelinat. L'anneau et ses merveilles sont devenus toute ma vie.

– J'y crois pas, déclara Courtney. Un gamin ne pourrait jamais comprendre tout ça

– C'est exact. J'ai été adopté. C'est cette jeune femme qui m'a élevé. Ensemble, nous avons exploré les merveilles de Halla. Elle m'a montré tout ce qu'il y avait de bon en lui, mais aussi ses aspects les plus noirs. Nous avons formé un plan pour nous assurer que le bien triomphe.

– Nevva Winter, hoqueta Mark.

– Oui, cette chère Nevva. Je ne peux pas vraiment dire qu'elle a été une mère pour moi. Plutôt un mentor. Mais, tout autant que moi, elle est responsable de ce qui s'est passé.

– Et que s'est-il passé exactement ? reprit Courtney, impatiente. Quel est le but de Ravinia ? Qu'avez-vous promis à tous ces gens ?

Naymeer se pencha en avant. Ses yeux brillaient d'une intensité telle que Mark et Courtney se rencognèrent dans un coin de la banquette.

– Je leur donne la foi en l'avenir, répondit-il. J'ai commencé en douceur, en m'adressant aux enfants et à leurs parents. C'est la guerre qui les a menés vers moi. Pendant des années, Londres a vécu des heures bien noires. Tout le monde savait qu'il devait y avoir une autre façon de vivre. Ils sentaient qu'il y avait bien plus que ça, quelque chose de plus important, pour donner un sens à leur malheur. Pour organiser le chaos. Et c'est ce que je leur ai montré. Grâce à cet anneau, ils ont pu entrevoir d'autres mondes. D'autres civilisations. Je leur ai découvrir des possibilités bien au-delà de leurs limites. Je les ai convaincus de regarder plus loin que leurs frontières et de tout faire pour devenir des citoyens, non pas de leur ville ou de leur pays, mais de Halla.

– C'est tout ? fit Courtney, méprisante. Vous leur avez montré quelques images en trois dimensions, et ils se sont mis en rang pour vous suivre ? Ça n'arrive qu'au cinéma.

– Sauf que les films ne sont pas la réalité, rétorqua Naymeer.

Courtney se renfrogna. Naymeer continua :

– Je leur ai montré comment ils pourraient ne plus connaître de limites ni de restrictions, du moment qu'ils croyaient en moi, en ma vision de l'avenir. Tout le monde n'a pas cette prescience. Je devais attirer les bonnes personnes.

– L'élite, intervint Mark. Les seigneurs. Les élus.

Naymeer eut un sourire de fierté.

– Je suis flatté. Tu as écouté mon discours.

– On n'avait pas vraiment le choix, grommela Courtney.

– J'ai eu une enfance difficile, continua Naymeer. J'ai vite compris que la seule chance de m'en sortir était d'exceller en tout. Être le meilleur. M'élever au-dessus de la masse. Chaque monde de Halla se retrouve face au même défi : des individus jusqu'aux cités, des tribus jusqu'aux armées, des gouvernements jusqu'aux familles – à travers les âges, toutes les sociétés ont été victimes de leur tolérance pour la faiblesse. Au lieu d'encourager les forts, elles gaspillent leurs ressources pour ceux qui ne contribuent en rien à leur avancement. Halla peut être bien plus que ça. Imaginez, si notre but principal était de transcender la médiocrité ? Pensez à toutes les possibilités qui s'ouvriraient à nous ! Au lieu d'être constamment ralentis par le poids de l'échec, nous devrions récompenser ceux qui recherchent l'excellence. Les docteurs. Les scientifiques. Les professeurs. Les généraux. Les mathématiciens. Les athlètes. Ceux qui réussissent dans la finance. Les visionnaires. Les chefs. L'excellence doit trouver sa juste récompense. Il n'est plus question de tolérer l'échec et l'apathie. Une fois que cette philosophie sera largement acceptée, Halla atteindra des sommets défiant l'imagination. Permettez-moi de citer un de vos présidents les plus populaires : « Ne vous demandez pas ce que votre pays peut faire pour vous, demandez-vous ce que vous pouvez faire pour votre pays. » Telle est la philosophie de Ravinia. Celle que nous voulons répandre dans tout Halla.

– Mais vous avez déformé cette citation ! argumenta Mark. Ce n'est pas ce que voulait dire Kennedy. Il demandait que les gens ne se limitent pas à leurs petites considérations égoïstes et qu'ils prennent en compte les besoins des autres.

– Exactement, répondit Naymeer d'un air satisfait.

– Vous ne voyez qu'un aspect de l'équation, reprit Mark. Moi aussi, je peux vous citer : « Nous devons récompenser l'excellence et condamner ceux qui ne sont qu'un fardeau pour la société. » Vous avez bien dit ça, non ?

– Vous en savez plus sur moi que vous ne le laissez entendre, répondit Naymeer en souriant.

Courtney se redressa et intervint :

– Et qu'arrivera-t-il à ceux qui ne répondent pas à vos critères élitistes ? Ceux qui sont un poids pour la société ? Ils seront « marginalisés », c'est ça ? Qu'est-ce que ça veut dire ?

– Ça veut dire qu'ils n'auront plus voix au chapitre, répondit Naymeer. Quel est ce dicton que vous autres Américains aimez tant ? « Si vous n'êtes pas une partie de la solution, vous êtes une partie du problème. »

– Le problème ! cria Mark. Si quelqu'un n'a pas de talent particulier, ça ne constitue pas un « problème ». Chaque vie a sa propre valeur.

– En effet, convint Naymeer. Chaque individu doit découvrir ce pour quoi il est doué et s'en servir pour le bien commun.

— Et qui décidera de la valeur de chaque contribution ? s'écria Courtney, écarlate. Vous ? Tout le monde ne peut être un leader. Ou un génie. Que deviendrons tous ceux qui sont juste… normaux ?

— Il suffit de les encourager à être productifs, répondit Naymeer sans sourciller. S'ils choisissent de ne pas l'être, ils en subiront les conséquences.

Il appuya sur un bouton de la console flanquant son siège et s'adressa au chauffeur :

— Emmenez-nous à Horizon Un.

— C'est incroyable ! s'écria Courtney. Et les personnes âgées ? Les malades ? D'après vous, des millions de personnes doivent être mises à l'écart ?

— Croyez-moi, rétorqua Naymeer, des millions de personnes partagent ma vision des choses.

— Qui vous vient d'un oiseau, railla Courtney. Un corbeau, comme dans la nouvelle *The Raven*, d'Edgar Allan Poe. D'où Ravinia. Comme c'est mignon…

Naymeer éclata de rire.

— Tout ce que j'ai fait, c'est en appeler au bon sens de ceux qui souhaitent une vie meilleure. Ce n'est pas une question de race, de religion ou de nationalité. L'essentiel est de se concentrer sur ce qui est vraiment utile en éliminant le superflu.

— Il n'y a pas la moindre humanité dans votre discours, dit doucement Mark. On croirait entendre Saint Dane.

— C'est le plus grand compliment que vous puissiez me faire, déclara Naymeer avec un air fat.

Ils se turent tous les trois. Courtney et Mark se tinrent par la main, cherchant un illusoire réconfort. Ils ne cessaient de ressasser ce que leur avait dit l'homme assis en face d'eux. Quelques minutes plus tard, la voiture quittait l'autoroute et s'arrêtait net. Aussitôt, un des gardes de Naymeer vint ouvrir la portière. Mark et Courtney regardèrent le vieil homme.

— Vous vouliez tout voir, votre vœu va être exaucé, dit-il en descendant de voiture.

— C'est possible ? chuchota Courtney à Mark. Ce type peut-il vraiment changer l'avenir du monde entier ?

– Il n'est pas seul, répondit Mark. C'est l'œuvre de Saint Dane. Et il n'y a pas que ce monde.

Tous deux descendirent de voiture pour se voir encerclés par des gardes en chemise rouge. Deux motos précédaient la limousine et deux autres voitures noires la suivaient. Alexandre Naymeer était bien protégé.

– Suivez-moi, reprit celui-ci en s'en allant.

Mark et Courtney lui emboîtèrent le pas. Ils se trouvaient face à un immense chantier en construction. Partout, d'énormes machines poussaient des monticules de terre. On pouvait voir la première section d'un grand mur de ciment au sommet duquel étaient alignés des drapeaux rouges claquant au vent, tous frappés du symbole de l'étoile. Naymeer monta sur un échafaudage pour avoir une meilleure vue. Mark et Courtney l'y rejoignirent. Les gardes en chemise rouge n'étaient jamais bien loin et gardaient un œil sur eux.

Naymeer examina fièrement le site.

– Il n'y a pas si longtemps, ce coin était infesté d'entrepôts en ruine et de vieilles bicoques. Maintenant, c'est la propriété de Ravinia. Je compte l'appeler « Horizon Un ».

– Qu'est-ce que c'est ? demanda Courtney. Un centre commercial ?

Naymeer eut un petit rire.

– C'est le premier lotissement construit pour servir d'habitation à ceux que nous appelons la « Classe Horizon ». Nous leur proposerons des maisons familiales individuelles, des activités récréatives, des boutiques, des hôpitaux – tout ce qu'il faut pour vivre confortablement.

– Le tout entouré de bons gros murs pour s'assurer qu'ils restent à l'intérieur, commenta Mark.

– Ce n'est pas une prison, contra Naymeer. La Classe Horizon mènera une vie normale. La plupart d'entre eux travailleront hors de l'enceinte du camp. Ils auront le choix de s'y installer ou pas, bien que ce soit la meilleure des solutions, puisqu'ils n'auront pas d'autres endroits où aller. Les taudis seront rasés pour faire place au progrès. La pauvreté sera éradiquée, car il n'y aura plus d'abris pour les pauvres. Pour finir, d'immenses lotissements comme celui-ci seront édifiés dans tout le pays, puis dans le monde. Ce modèle sera ensuite reproduit dans tout Halla.

Mark et Courtney le regardèrent.

– Vous êtes sérieux ? s'exclama Courtney, stupéfaite. Vous n'entendez pas vous contenter de la Terre. Vous voulez vous étendre dans tout Halla !

– C'est ce que je me tue à vous dire ! répondit Naymeer, enthousiaste. Une fois que les sociétés seront libérées de leurs entraves, nous connaîtrons le paradis.

Mark fronça les sourcils.

– Donc, quiconque n'est pas assez bien pour vous sera jeté dans un de ces camps pour ne pas entraver la marche du progrès ?

– C'est une façon de le dire, oui, avoua Naymeer.

– On les traitera comme du bétail, râla Mark.

Naymeer haussa les épaules.

– C'est leur choix.

– Oh non ! s'écria Courtney. C'est le vôtre ! Ce n'est pas un lotissement, c'est un camp de concentration ! Que se passera-t-il en cas de problème de surpopulation ? Ou d'épidémie ? Ou de criminalité ?

Naymeer leur jeta un regard noir.

– Les fauteurs de troubles seront marginalisés.

Courtney fit la grimace. Mark serra les poings.

– En fait, la Terre a un certain retard, reprit Naymeer. On a fait davantage de progrès sur Denduron, mais là-bas tout est beaucoup plus simple. Il est plus facile d'y faire les réformes nécessaires.

– Denduron ? répéta Courtney. Qu'est-ce qu'il s'y passe ?

– Chaque territoire aura son propre leader spirituel, expliqua Naymeer. Les Voyageurs seront destitués et remplacés par des Raviniens, qui guideront chaque monde vers sa nouvelle et glorieuse destinée. Je crois que, sur Denduron, ce guide s'appelle Rellin.

Courtney en eut le vertige. Tout avançait un peu trop vite à son goût.

– Et tous répondront directement à Saint Dane, déclara Mark, sous le choc.

– Bien sûr, fit Naymeer en haussant les épaules, comme si c'était évident. Après tout, c'est sa vision. C'est lui l'architecte. Nous ne sommes que de fidèles adeptes qui croient en sa démarche.

– Pourquoi nous dites-vous tout ça ? demanda Mark, luttant pour ne pas crier. Vous savez que nous avons aidé Bobby dans sa lutte contre Saint Dane.

– J'espérais pouvoir en appeler à votre bon sens, répondit Naymeer. Vous avez joué un rôle important dans cette révolution. Vous êtes des Acolytes. Vous pouvez contribuer à définir l'avenir de la Terre.

– Non, vous voulez rire ? fit Courtney, incrédule.

– Laissez-moi vous montrer encore une chose, dit Naymeer en descendant les marches de l'échafaudage.

Courtney et Mark restèrent là en haut, à examiner le chantier d'Horizon Un.

– Et voilà, dit doucement Courtney à Mark. C'est la vision de Saint Dane pour Halla. Il veut créer une société élitiste aux dépens des gens ordinaires.

– C'est bien pire encore, reprit Mark. Saint Dane veut leur retirer tout libre arbitre et contrôler les vies.

– Vous venez ? leur lança Naymeer en se dirigeant vers sa limousine.

Mark et Courtney n'avaient pas le choix. Ils descendirent de l'échafaudage, montèrent en voiture et se laissèrent emmener sans desserrer les dents. Leur destination n'eut rien pour les surprendre. Lorsque la limousine s'arrêta enfin, ils se retrouvèrent devant le manoir de Sherwood, à Stony Brook. Chez Naymeer. Là où se trouvait le deuxième flume.

Le labrador noir de Naymeer vint accueillir son maître, qui le caressa affectueusement pendant que le chien jappait en agitant la queue.

– Je croyais que ceux qui aimaient les chiens étaient de braves gens, fit remarquer Courtney.

– Avoir la force et le recul nécessaires pour prendre des décisions difficiles ne fait pas de moi quelqu'un de méchant.

– Tout dépend des décisions en question, commenta Mark.

Naymeer haussa les épaules et regarda une des chemises rouges.

– Menez-les à mon étude.

Naymeer s'empressa de gagner la grande porte, suivi de son chien obéissant. Courtney se tourna vers Mark en fronçant les sourcils.

– Pourquoi les quigs ne sont-ils jamais là quand on en a besoin ?

On les escorta dans la maison pour les faire entrer dans une pièce chaleureuse aux murs couverts de boiseries. Mark et Courtney y étaient déjà venus. Lorsqu'elle était abandonnée. Avant que tout ne change. Naymeer s'assit derrière un grand bureau d'acajou. Des étagères de bois étaient remplies de livres à reliure de cuir. Une flambée accueillante craquait dans la cheminée. Le labrador était déjà couché devant l'âtre.

– Contrairement à ce que vous pourriez croire, dit Naymeer, reprenant le rôle du grand-père affectueux, je ne suis pas un monstre. Je crois sincèrement en Ravinia. Les mondes de Halla sont imparfaits, tous autant qu'ils sont. Vous ne pouvez pas le nier. Notre vision est de transformer Halla en utopie où la guerre sera bannie. Il n'y aura plus de conflits ni de préjugés. Est-ce si mal d'encourager la grandeur ?

– Non, rétorqua Mark, tant que ce n'est pas aux dépens de tous les autres.

Naymeer se leva et fit le tour de son bureau pour se tenir face à eux.

– S'il y a une personne en ce monde qui devrait me comprendre, Mark, c'est bien toi. Tu es un génie. Le père des dados.

Mark fit la grimace, comme si Naymeer l'avait giflé.

– Nous sommes à l'aube d'accomplir de grandes choses, continua Naymeer. À l'assemblée générale des Nations unies, ils voteront pour faire de Ravinia le leader spirituel de ce monde. Nombreux sont ceux qui adhèrent à notre façon de voir. Lorsque les Nations unies auront validé notre doctrine, plus rien ne pourra empêcher le changement. Ce que nous avons à offrir, c'est ce que tout le monde cherche désespérément. La clarté, la lumière.

Il tendit l'anneau à Mark.

– Et voici ce qui l'a engendrée. C'est la preuve indiscutable qu'il y a bien plus dans cette vie que notre propre monde. C'est ce qui donnera la foi aux peuples de Halla. Nous ne les décevrons pas.

– Je vous repose la question, dit Mark. Pourquoi nous dites-vous tout ça ?

Naymeer alla se tenir à l'autre bout de l'étude.

– Je suis un homme riche. Comme vous devez vous en douter, la quantité de dons que reçoit Ravinia défie l'imagination. Mais ce n'est pas suffisant. Pas si nous voulons nous étendre sur tout le globe.

– Que voulez-vous ? ironisa Courtney. Une donation ?

– Quelque chose comme ça.

Drôle de réponse. Il s'arrêta devant une porte fermée qui pouvait être un placard.

– Je veux que vous vous joigniez à moi. Au fil du temps, je suis sûr que vous comprendrez que ma façon de penser, *notre* façon de penser, est le seul moyen d'assurer à Halla la paix, pour l'éternité. En résumé, je suppose qu'on peut dire en effet que j'ai besoin d'une donation.

Mark regarda Courtney. Tous les deux éclatèrent de rire.

– Bien sûr ! se moqua Mark. Il doit me rester deux dollars.

Naymeer fit un sourire.

– Oh, tu as bien plus que ça.

Il ouvrit la porte du placard. Mark eut un sursaut d'étonnement. Courtney se cramponna à lui comme pour lui donner des forces. Ce qu'ils virent dans ce placard, c'était… Mark.

– Il y a bien des années, expliqua Naymeer, qui semblait apprécier les réactions que provoquait son coup de théâtre, j'ai reçu d'excellents conseils financiers. J'ai investi dans une compagnie extrêmement prometteuse. Vous en avez peut-être entendu parler. Elle s'appelle Keaton Electrical Marvels.

– KEM, dit Mark d'une voix étranglée. Vous êtes actionnaire de KEM ?

– En fait, j'en possède la moitié. C'est moi qui ai eu l'idée de faire le premier prototype de dado humain à ton image, Mark. Un hommage assez approprié, puisque tu es l'inventeur de Forge... et tes parents sont propriétaires d'un quart de la compagnie.

– Quoi ! cria Mark.

– Ah, oui. Après ton départ de Première Terre, ils s'en sont plutôt bien tirés. Grâce à ta technologie, KEM a prospéré. Leurs parts de la compagnie ont pris de la valeur. En fait, je devrais dire *tes* parts, mais comme tu leur en avais laissé le contrôle, ils ont fait ce qu'ils ont jugé bon. Ton père était un homme d'affaires de grand talent. Je suis désolé de devoir te dire qu'ils sont morts tragiquement tous les deux dans les années 1970. Dans un accident de voiture, il me semble.

Mark se laissa tomber dans un fauteuil.

– Mes parents sont morts ?

– Mes condoléances, même si ça ne devrait pas t'étonner. S'ils étaient encore en vie, aujourd'hui, ils seraient centenaires.

– Je... Je n'avais pas pensé à ça, dit Mark, ébranlé.

Courtney posa la main sur son épaule pour tenter de le consoler.

– La vie continue, déclara Naymeer d'un ton badin. (Il toucha la joue de la réplique de Mark dans le placard.) Celui-ci n'est qu'un prototype. Il n'est pas fonctionnel. Il servira de modèle aux dados de l'avenir.

– Toutes les pièces s'emboîtent, chuchota Mark à Courtney.

Naymeer referma la porte du placard tout en continuant :

– Mais je ne peux pas utiliser les fonds de Ravinia pour financer KEM : ça ne serait pas correct et, de plus, ce serait illégal. On ne tolère pas ce genre d'activités. Ce qu'il me faut, Mark, ce sont tes parts de KEM.

– Mes parts ! cria Mark. Je n'en ai pas !

– Oh que si, rétorqua Naymeer. Quand tes parents sont morts, ils n'avaient rien prévu pour leur pourcentage de l'entreprise. Et depuis, ces parts sont restées en sommeil, à prendre petit à petit de la valeur. L'essentiel des technologies que tu vois autour de toi découle de cette invention initiale que tu as apportée en Angleterre en 1937. Aujourd'hui, KEM s'étend dans le monde entier. D'après mes estimations, tes parts de la compagnie doivent valoir aujourd'hui quelque chose comme... plusieurs milliards de dollars. En gros.

Ce fut au tour de Courtney de se laisser tomber dans un fauteuil.

– En gros...

Elle ne put continuer. Les mots restèrent coincés dans sa gorge.

Naymeer se dirigea vers le duo.

– J'ai besoin de ces parts, Mark. Tu as d'ores et déjà ta place dans l'histoire. Tu peux également graver ton nom dans l'avenir. Si tu n'es pas d'accord avec mes enseignements, eh bien, tant pis. On peut toujours en discuter. Je peux faire des concessions. Mais ne gâche pas cette chance. Signe les papiers qui me donneront tes parts, et tu auras un siège à mes côtés aux Nations unies. Ensemble, nous pouvons élaborer un monde nouveau. Un Halla nouveau. On peut créer un véritable paradis terrestre, Mark. Tu peux mettre fin à la guerre. Éradiquer la faim. Pour y parvenir, il te suffit d'avoir la force de prendre des décisions difficiles, comme je l'ai fait.

Mark prit sa tête entre ses mains. Courtney garda son bras passé autour de ses épaules. Naymeer resta en face d'eux, à attendre.

Lorsqu'il répondit, Mark ne leva même pas la tête pour le regarder.

– Et si je dis non ?

– Je récupérerai tes parts de toute façon.

– Comment ? demanda Courtney.

Naymeer répondit d'un ton de reproche :

– Personne ne saura jamais que vous êtes venus ici, ni ce qui est arrivé à Mark Dimond. Le mystère restera entier, et ces parts seront à moi.

– Il faudra passer sur mon cadavre, rétorqua Mark.

Les yeux de Naymeer étincelèrent. Il sourit et dit :

– Exactement. Vous aussi, vous pouvez être marginalisés.

Soudain, la pièce trembla. Le chien de Naymeer se mit à aboyer. On aurait dit qu'un tremblement de terre secouait la maison. Le chandelier en cristal oscilla dans un tintement pur éclatant. Une lampe s'abattit à terre. Tout cela dura environ dix secondes, puis le silence retomba à nouveau.

– Qu'est-ce que c'était ? demanda Courtney, surprise.

Naymeer haussa les épaules.

– Je crois qu'on a de la visite.

Journal n° 36

SECONDE TERRE

La réalité.

Je ne sais plus ce que signifie ce mot. Tout ce que j'ai toujours cru être cette même réalité a été bouleversé. Éparpillé. Fracassé. Perdu. Plus ironique encore, après toutes les vérités qui m'ont été dévoilées, je crois que j'ai enfin une idée des enjeux du conflit auquel je suis mêlé depuis tout ce temps. De la confusion vient la clarté. Si l'on veut. Je n'ai pas encore toutes les réponses à mes questions. Je ne les aurai peut-être jamais. Mais, maintenant, je crois sincèrement qu'avec ce que j'ai appris je peux mettre fin à cette guerre.

Je sais, je l'ai déjà dit plus d'une fois, uniquement pour découvrir que Saint Dane m'avait roulé dans la farine. Une fois de plus. Et ça peut être à nouveau le cas. Ce serait facile. Au moment même où je joue mon dernier pion, ça ne m'étonnerait pas d'apprendre que je suis dans une impasse. Une ombre. Un rêve. C'est déjà arrivé, non ? Cette incertitude me ronge, mais il faut que je garde la tête claire.

J'ignore comment mettre fin à cette guerre. Pourtant, je dois passer à l'action.

Ce n'est pas sans risque. Cela implique une réalité bien plus importante, et qui m'échappe dans ses grandes lignes. Alder m'a dit que le seul moyen de vaincre son ennemi est de comprendre ce qu'il désire. Or, maintenant, je crois savoir ce que veut Saint Dane. Et, tout aussi important, je pense savoir également comment il compte y arriver. C'est énorme. Ça me donne l'espoir de pouvoir le vaincre un jour. J'y suis. J'ai compris.

346

Enfin, je crois.

Ce qui reste un mystère, c'est le moteur même du conflit. L'énergie qui propulse les flumes et tout le reste. Comment est-ce seulement possible ? Maintenant, j'ai peut-être une assez bonne idée des règles du jeu pour pouvoir continuer la partie ; quant à savoir ce qui les a créées, eh bien, le mystère reste entier. J'aimerais pouvoir faire la lumière sur tout ça. Je dois continuer de croire que tout découle de ma véritable nature. Ce que je suis vraiment. Moi et les autres Voyageurs. Au fond de moi, j'ai l'impression d'être toujours ce gamin qui a vécu quatorze ans à Stony Brook, baignant béatement dans l'ignorance des mondes qui tourbillonnaient autour de lui. Mon ancienne existence me manque. Et à chaque jour qui passe, ma famille me manque encore davantage. Je ne veux pas dire qu'avant, je m'en moquais, mais maintenant que je m'interroge sur la nature même de ma propre existence, c'est comme si j'avais perdu non seulement tous mes proches, mais aussi mes racines. Si, comme le prétend Saint Dane, nous ne sommes que des illusions, cela veut-il dire que mes parents l'étaient également ? Aussi impossible que cela puisse paraître, le fait qu'ils aient disparu sans laisser la moindre trace ne me semble plus si invraisemblable. Qu'en est-il du jour où mon père a enfin réussi à me faire tenir en équilibre sur mon vélo ? Ou de ces moments où je faisais la lecture à Shannon ? Ou de cette fois, au lac Chautauqua, où ma mère a plongé du quai pour me sauver de la noyade ? Ou quand je ramassais les crottes de Marley ? Et les dîners de Noël, nos visites à Disney World, ou quand ils guérissaient mes bobos d'un baiser ! Tout ça n'est donc jamais arrivé ?

Voilà une question que je ne devrais pas me poser, parce que la réponse me fiche la frousse. Si j'ai réalisé tout ça, c'était en partie dans l'espoir de retrouver un jour ma famille... Mais si je n'avais pas de famille à retrouver ? Ça voudrait dire que tous mes souvenirs, mes émotions, ma propre identité, tout ce qui fait que je suis *moi* est un leurre. Pas très engageant, non ? La seule façon de m'habituer à cette idée, c'est de ne pas m'y habituer. Je dois rester concentré sur l'instant présent. Tout ce que je dois encore accomplir.

Et Saint Dane, bien sûr.

Le reste viendra à temps, même si je ne suis pas certain de vouloir connaître la vérité.

Au moment où j'écris ces mots, je me prépare au dernier acte. Enfin, j'espère que ce sera le dernier. Quand j'ai terminé mon précédent journal, Alder, Patrick et moi nous tenions face au flume de Denduron, à préparer notre retour en Seconde Terre. Je voulais mettre le point final à ce moment précis, parce que j'avais l'impression de clore un chapitre. Tout ce qui est arrivé auparavant n'était qu'un prélude. Je voulais marquer le début de cette nouvelle étape, alors j'ai fini le journal et je l'ai mis en sécurité.

Le pas suivant marquera mon retour en Seconde Terre pour ce que je pense être la dernière fois. Cette histoire est revenue à son point de départ. La boucle est bouclée.

La bataille pour la Terre et celle pour Halla ne font qu'une.

Et elle va bientôt commencer.

– Il s'appelle Alexandre Naymeer, a commencé Patrick. Il habite juste au-dessus du flume.

J'étais prêt à sauter dans ce même flume pour rentrer chez moi, mais Patrick m'a convaincu d'attendre la fin de son récit. Pourquoi pas ? Le temps ne semble pas avoir d'importance. On nous déposerait au bon endroit au bon moment. On pouvait se permettre de se tenir au courant des derniers développements. Plus facile à dire qu'à faire. Chaque mot, chaque révélation, chaque retournement de situation me donnait envie de prendre le flume séance tenante. Mais je n'en ai rien fait. J'ai gardé patience. On est tous sagement restés dans cette caverne glaciale, à écouter son histoire.

Patrick nous a raconté tout ce qu'il savait sur Alexandre Naymeer et son culte des Raviniens. Il m'a expliqué comment la Seconde Terre avait changé, et comment Naymeer s'était servi de ton anneau, Mark, pour dévoiler Halla aux peuples de Seconde Terre. Et dire qu'on n'est pas censés mélanger les territoires ! J'avais envie de hurler.

Il nous a dit que Naymeer avait créé un culte voué à modeler une société idéale en éliminant ceux dont la contribution n'était pas assez importante. Que les Nations unies s'apprêtaient à voter

pour savoir si ces Raviniens devaient devenir les leaders spirituels du monde entier. Plus choquant encore, il nous a raconté les
changements qui avaient altéré la Troisième Terre. C'était la
preuve que Naymeer et ses manigances mèneraient ce monde
tout droit à la catastrophe.

La bonne nouvelle, c'est que vous deux, Mark et Courtney,
étiez rentrés chez vous. Et toi, Mark, tu n'as rien. Si seulement
tout était de ce tonneau.

– Ainsi, c'est donc vrai, ai-je déclaré lorsque Patrick a terminé.

– Qu'est-ce qui est vrai ? a demandé Alder.

– C'est la Terre qui est en jeu. Saint Dane a manipulé ce
Naymeer et ses fidèles pour qu'ils orientent la Terre sur une voie
qui divisera le monde en deux groupes. L'élite et la masse. Ce qui
est une bonne chose, du moment qu'on fait partie de l'élite.
Sinon... ouille !

– Et les autres territoires ? a demandé Alder.

– Ils prendront le même chemin ! me suis-je exclamé. Pourquoi
pas ? Il suffit de voir Quillan. Il y a Blok, ses dirigeants, et tous les
autres. Ici même, les Bedoowans et les Milagos se sont fondus en
une seule tribu pour marcher sur Denduron. Et la même chose pourrait se produire sur Zadaa. Les Rokadors sont bien plus civilisés que
les Batus. Maintenant qu'ils ont quitté leurs souterrains, qui sait
jusqu'où leur domination peut se propager ? Et sur Eelong, les Gars
ont peut-être remporté une victoire, mais, en termes d'intellect, les
Klees restent largement supérieurs. Pour peu qu'on les y pousse, ils
peuvent se retourner contre les Gars en un tournemain. C'est une
révolution inversée. Au lieu de voir les opprimés se soulever pour
renverser ses dirigeants, l'élite de chaque territoire rassemble les
ressources nécessaires pour éliminer les classes inférieures. La
Terre servira de modèle aux autres mondes.

– Et sur chaque territoire, a ajouté Patrick, les élites sont sous
l'influence de Saint Dane. Elles prendront le pouvoir, et il les
manipulera à sa guise. C'est ainsi qu'il pourra diriger Halla.

– Une telle société peut-elle exister ? a demandé Alder. Tout le
monde ne peut pas être un meneur d'hommes.

– Bien sûr que non ! me suis-je écrié. Tu as entendu ce que
Patrick nous a dit, ce qu'est devenu la Troisième Terre : elle avait

349

évolué pour devenir un monde où la population et son environnement vivaient en parfaite harmonie. Maintenant, c'est un
cauchemar. Voilà où a mené l'influence de Saint Dane. Et c'est
ce qui va arriver sur tous les territoires.

Je me suis mis à tourner comme un lion en cage dans cette
caverne.

— Saint Dane a toujours dit qu'il lui faudrait détruire Halla afin
de pouvoir le remodeler à sa guise. Je croyais qu'il préparait une
espèce de gigantesque bataille avec des armées, des bombes et
tout le tremblement. Mais c'est bien plus retors que ça. Il a
fomenté des révolutions sociales dans tout Halla. Qu'on gagne
une bataille, qu'on sauve une culture, ça n'a jamais eu la moindre
importance. Il s'agissait de créer un environnement propice pour
que ces révolutions puissent commencer.

— C'est exactement ça, a acquiescé Patrick. Ce Naymeer est un
révolutionnaire sous les traits d'un prophète.

— Il a dit qu'il était le Voyageur de Seconde Terre ? a demandé
Alder.

— C'est ce que prétendait Saint Dane, a répondu Patrick.

— Et moi, je suis quoi ?

Patrick a baissé nerveusement les yeux.

— Tu as abandonné.

J'avais envie de hurler ma colère, mais je me suis dit que je
risquais d'attirer l'attention d'un quig.

— Maintenant, Saint Dane se sert des Voyageurs pour influencer
les peuples des territoires, ai-je dit, furieux. D'abord Nevva, puis
ce Naymeer.

Patrick a ajouté son grain de sel :

— Je pense que le vote aux Nations unies est le moment de
vérité de Seconde Terre. Peut-être que, s'il tourne en défaveur de
Naymeer, son culte n'aura plus assez d'influence pour faire
encore des dégâts.

J'ai regardé tour à tour Alder et Patrick. Mon sang bouillait
dans mes veines.

— Bon, alors ça veut dire que je ne suis plus le Voyageur de
Seconde Terre ? Dur. Mais en attendant, je reste le chef des
Voyageurs.

Je me suis dirigé vers le squelette du quig, j'ai pris un des bâtons anti-dados et je l'ai extrait de la carcasse. Il a émis un bruit de succion assez peu ragoûtant. Patrick a serré les dents. Moi, j'étais au-delà de tout ça.

– Tiens, ai-je dit en le jetant à Alder.

J'ai empoigné le second bâton, celui qui était planté dans l'œil du quig. Je n'ai eu aucun mal à le retirer. Patrick avait l'air écœuré. Comme je l'ai dit, ça ne m'affectait même plus.

– Patrick, rentre chez toi ! ai-je ordonné.

– Quoi ? Non ! Je veux être là où…

– Tu dois être sur ton propre territoire. La Troisième Terre n'a pas encore atteint son moment de vérité. Nous voulions nous y rendre, Alder et moi, avant que tu ne débarques. Apprends tout ce que tu peux sur l'histoire de Ravinia et de Naymeer. Avoir une vision claire de l'avenir peut nous être utile.

– Mais les ordinateurs n'existent plus !

– Alors travaille à l'ancienne, en passant par les livres et les journaux.

– Je ne suis pas sûr qu'il y en ait encore.

– Trouve-les, ai-je rétorqué. Ce Richard ne doit pas être le dernier de son espèce. Tu peux toujours tomber sur l'information qu'il nous faudra pour faire dérailler tout ce truc.

Patrick a froncé les sourcils.

– Qu'est-ce qu'il y a ? ai-je demandé, peut-être un peu trop impatiemment.

– Ce qui se passe en Troisième Terre est si déconcertant, a-t-il répondu. C'est comme si, à chaque fois que je fermais les yeux, le monde entier changeait du tout au tout.

– Je sais. Et il est probable que ça arrivera à nouveau. Non, *j'espère* que ça arrivera à nouveau !

– Pardon ? s'est exclamé Patrick, horrifié.

– C'est le but du jeu. Une fois qu'on aura fait assez de ramdam en Seconde Terre, ça devra forcément entraîner des changements en Troisième Terre. Pour le mieux.

Ce qui n'a pas eu l'air de le réjouir.

– Je suis désolé, ai-je ajouté avec compassion. C'est là que tu nous seras le plus utile.

Patrick a acquiescé. Il savait que j'avais raison. Ça ne lui disait rien, mais il le savait. Il m'a regardé droit dans les yeux et m'a dit :

– Mais tu dois me promettre une chose. Quand la fin sera proche, appelle-moi. Je ne veux plus assister au spectacle depuis les gradins.

Je n'ai pas pu m'empêcher de sourire. Patrick était peut-être un intellectuel névrosé, mais il était un Voyageur. Un des meilleurs. Il voulait arrêter Saint Dane autant que n'importe lequel d'entre nous. Alder et moi l'avons serré dans nos bras en guise d'adieu et l'avons regardé pénétrer dans le flume pour rentrer chez lui.

– *Troisième Terre !* a-t-il lancé, puis il a attendu que les lumières l'emportent.

Avant de partir, il a regardé en arrière et m'a dit :

– N'oublie pas. Je veux être là pour la conclusion.

J'ai acquiescé, même si, en réalité, j'ignorais si je serais vraiment capable de le contacter. Je ne savais pas ce qui m'attendait chez moi. Je ne savais rien de rien. Mais je lui avais fait une promesse. Si je le pouvais, je le ferais rentrer dans le jeu. Quelques secondes plus tard, il avait disparu.

– On devrait retirer ces vêtements souillés, a suggéré Alder.

J'ai baissé les yeux sur ma tenue de cuir et de fourrure détrempée par le sang de quig.

– Non, c'est mieux qu'on apparaisse comme ça.

– On va nous prendre pour des sauvages.

– Et on aura peut-être raison, ai-je remarqué avec un sourire malicieux. Allons-y.

J'ai serré mon bâton anti-dados barbouillé de sang, je suis entré dans le flume et j'ai crié :

– *Seconde Terre !*

Alors que la pierre se réchauffait, Alder s'est avancé à mes côtés.

– Je ne suis jamais allé sur ton territoire, a-t-il dit. À quoi dois-je m'attendre ?

– J'aimerais bien le savoir.

Le voyage a été particulièrement éprouvant. Enfin, pas le trajet en lui-même, qui s'est déroulé comme d'habitude, mais les images de Halla qui flottaient dans l'espace étaient si denses qu'il était difficile d'en distinguer les détails. Les implications semblaient évidentes. Halla était en plein chaos. Des visages humains se mêlaient à des animaux, des bâtiments à des armées en marche. C'était terrifiant. Il était clair que les destinées individuelles des territoires avaient été mélangées. Mais pourrait-on encore limiter les dégâts ? Alors que je regardais ce terrible spectacle, le moins qu'on puisse dire, c'est que j'avais des doutes. En fait, je pensais qu'on n'avait pas l'ombre d'une chance.

Heureusement, le voyage n'a pas duré. Je ne savais pas combien de temps j'aurais pu supporter toute cette folie. Avant d'atterrir, j'ai réalisé que j'ignorais devant quelle porte on allait débarquer. Serait-ce dans la cave du manoir de Sherwood ? Ou dans le temple qui avait été bâti autour du flume de New York ? Quel que soit ce lieu, il nous faudrait affronter les gardes de ce type nommé Alexandre Naymeer – celui qui se prenait pour le Voyageur de Seconde Terre. J'avais hâte de le rencontrer.

Oui. J'avais *vraiment* hâte de le rencontrer.

Au moment où mes pieds ont touché le sol, j'ai aussitôt su où on se trouvait. Il faisait noir. D'après ce que Patrick m'avait dit de la cathédrale bâtie autour du flume de New York, l'endroit était vaste et bien éclairé. Ce coin ne l'était guère. On était dans la cave du manoir de Sherwood. Chez Naymeer.

Avant de reprendre mes esprits, j'ai senti une secousse traverser tout mon corps comme un courant électrique. Mes muscles se sont raidis. La tête m'a tourné. Le bâton anti-dados a glissé de mes doigts qui, soudain, n'avaient plus la force de le tenir. J'étais conscient qu'il se passait des choses autour de moi, mais j'étais trop choqué pour réagir. J'ai perçu une masse de bras et de jambes, entendu des hommes qui aboyaient des ordres. J'ai tenté de me relever et j'ai reçu une autre secousse qui m'a fait voir trente-six chandelles. Sa violence était telle que j'ai été soulevé de terre. J'ai vaguement senti qu'on me portait, mais j'étais tellement K.-O. que je n'aurais pas pu dire où ces fantômes m'emmenaient. Tout ce que je vais vous décrire maintenant, je l'ai reconstitué plus tard, quand j'ai pu y réfléchir. Sur le coup, j'étais trop choqué. On me soulevait par les bras. J'ai senti qu'on me faisait grimper des escaliers. Je le savais parce que mes pieds traînaient derrière moi et rebondissaient contre les marches au fur et à mesure qu'on montait. Une fois au sommet, on a ouvert une porte, puis on a continué de me tirer. J'ai essayé de regarder autour de moi, sans résultat. Cet endroit me disait quelque chose, mais j'étais trop dans le coaltar pour assembler les morceaux. Ce n'est que lorsqu'on m'a jeté à terre que j'ai perçu quelque chose de familier.

– Bobby ! a crié Courtney en se précipitant vers moi.

On aurait dit un rêve. Ou un cauchemar ? En tout cas, c'était bon de voir Courtney. Elle s'est assise à mes côtés et a passé ses bras autour de mon cou. Les gardes en chemise rouge qui se dressaient autour de nous me plaisaient beaucoup moins. Chacun portait un petit engin métallique. C'était avec ça qu'ils m'avaient frappé. Des tasers.

– Ça va ? Ça fait une éternité qu'on n'a pas eu de tes nouvelles ! On ne croyait pas que tu réussirais à quitter Ibara. Et... Et... (Courtney a reculé d'un air dégoûté.) Beurk ! Tu es couvert de sang !

Je me suis efforcé de reprendre mes esprits. Plus facile à dire qu'à faire. Toute la pièce paraissait tournoyer. Et mes bras n'étaient pas non plus très coopératifs. J'ai essayé de les lever, en vain. C'était l'effet du taser. J'ai alors vu qu'Alder gisait à mes côtés, dans le même état, groggy. Ses yeux étaient vaguement vitreux. Jusque-là, je ne crois pas qu'il se soit fait une très bonne opinion de la Seconde Terre.

– Mark ? ai-je marmonné à Courtney, même si mes lèvres pouvaient à peine remuer.

– Je suis là, Bobby.

J'ai entendu sa voix, de l'autre côté de la pièce – une voix que j'avais peur de ne plus jamais entendre. Elle était plus grave que dans mes souvenirs. On avait grandi ensemble. La dernière fois que je l'avais vu, il plongeait dans le flume d'Eelong au moment même où celui-ci s'effondrait. Il y avait combien de temps ? Des années ? Il s'était passé tant de choses depuis ! J'ai tourné péniblement la tête pour voir Mark assis sur une chaise à l'autre bout de la pièce. Je me suis demandé pourquoi il ne venait pas me parler, mais j'avais d'autres soucis en tête. S'il préférait la position assise, d'accord. Je ne tenais pas plus que ça à rester par terre, mais je n'avais pas le choix.

— Tu dois être Bobby Pendragon, a dit une voix.

J'ai levé lentement la tête pour voir un vieil homme à l'air distingué se diriger vers nous. Il était exactement tel que Patrick l'avait décrit. La première chose qui m'a frappé, c'étaient ses cheveux argentés impeccablement peignés. On aurait dit un casque. Ou la tête d'un robot. Pourquoi est-ce que j'ai remarqué un détail aussi insignifiant ? Il portait un costume d'homme d'affaires, mais je savais qu'on n'était pas dans un bureau. On était au manoir de Sherwood, à Stony Brook. Patrick disait la vérité. Ce type habitait au-dessus d'un flume.

Il prétendait également être le Voyageur de Seconde Terre.

J'ai repris mes esprits. C'est incroyable ce qui peut se passer quand votre sang se met à bouillir.

— Alexandre Naymeer, ai-je gargouillé.

Il a semblé choqué. Je vous jure, on aurait dit que je l'avais giflé.

— Comment peux-tu savoir qui je suis ? a-t-il demandé, comme si c'était le secret le mieux gardé de tous les temps.

J'ai regardé Courtney. Elle me fixait avec une expression où la curiosité se mêlait à la fierté. Ça m'a demandé un maximum de concentration, mais je lui ai fait un clin d'œil. Ça en valait la peine. Elle a souri aux anges. Mes forces me revenaient. Les effets du taser se dissipaient. Mais je préférais être le seul à le savoir. Je me suis tourné vers Alder. Lui aussi m'a lancé un clin d'œil, mais faiblement. Il reprenait ses esprits. Je ne savais pas s'il était prêt à se battre, mais je ne comptais pas entamer les hostilités. Du moins, pas maintenant. J'ai regardé Naymeer et je lui ai adressé le sourire le plus confiant que je puisse former avec mes lèvres engourdies.

— Je fais ça depuis bien plus longtemps que vous, Al.

J'ai vu le sang affluer à son visage. Naymeer était troublé. Je ne le connaissais guère que depuis huit secondes, mais je pouvais déjà dire qu'il avait l'habitude d'être le *big boss* et n'aimait pas se voir traiter d'égal à égal. Le fait que je vienne de débarquer d'un autre territoire et que je connaisse son nom l'avait pris de court. Merci, Patrick.

— Tu arrives juste au bon moment, a balbutié Naymeer, tentant de masquer sa gêne. Ton ami Mark et moi débattions justement de l'avenir glorieux que nous allons nous partager.

— Vraiment ? a repris Courtney, sarcastique.

Sa réaction m'a dit ce qu'il en était réellement. Naymeer voulait obtenir quelque chose de Mark, et Mark refusait de le lui donner. Je connais mes amis.

— Oui, a continué Naymeer en se dirigeant vers un gros bureau à l'ancienne. Tu n'envisageais certainement pas la seconde option, n'est-ce pas, Mark ? Surtout maintenant que tous tes autres amis sont là. Plus cette autre... personne. Et d'ailleurs, qui es-tu au juste ?

— Je m'appelle Alder, a répondu le chevalier. Je suis le Voyageur du territoire de Denduron.

— Denduron ! a piaillé Naymeer. J'ai cru comprendre que, là-bas, les événements se précipitent. Comme ce doit être passionnant !

J'avais beau être à quelques mètres de lui, j'ai senti Alder se crisper. Naymeer ignorait qu'il était à deux doigts de se prendre un mauvais coup.

— Revenons à nos moutons, Mark, a-t-il repris. Nous parlions justement de l'avenir de KEM.

KEM. La compagnie qui fabriquait les dados. Les événements se télescopaient une fois de plus. Bien sûr, je n'avais pas tous les éléments en main, mais je me doutais bien que Naymeer avait dû menacer Mark. Il semblait qu'Alder et moi avions débarqué à un moment critique. Oui, une fois de plus, le flume nous avait déposés au bon endroit au bon moment.

Mark est resté assis. Lorsqu'il a pris la parole, ce fut d'une voix calme et assurée.

— On va partir, Naymeer. Tous ensemble.

Le vieil homme a paru désarçonné, comme si Mark lui avait parlé en swahili.

— Apparemment, tu n'as pas saisi la gravité de ta situation, a-t-il repris d'un air intrigué. Tu n'as pas le choix. Si tu ne signes pas ce document qui me donne tes parts de KEM, je te ferai exécuter. La fille aussi. Et il semble que je dois également me débarrasser de deux autres Voyageurs. C'est ton choix ?

À chaque seconde, je reprenais des forces. J'ai vite parcouru la pièce des yeux. Il y avait deux gardes, chacun armé d'un taser. Deux contre deux. Mais le combat n'était pas vraiment égal. Du moins pas tant qu'Alder et moi n'aurions pas rattrapé notre retard. Pas de doute, la balle était dans le camp de Mark. Pourvu qu'il sache quoi en faire.

Il s'est levé et a dit :

– On s'en va tous les quatre, et vous allez me donner une de vos voitures.

Stupéfait, Naymeer s'est laissé tomber dans son fauteuil. Il n'arrivait pas à en croire ses oreilles. Et je n'étais pas loin de partager son impression. À ce stade, je ne comprenais plus rien à rien.

Naymeer s'est tourné vers ses gardes comme s'ils pouvaient tout lui expliquer. En vain. Les hommes de main sont toujours les derniers au courant. Il a fini par demander d'un air consterné :

– Qu'est-ce qui te fait croire que je vais accéder à ta requête ?

J'avais envie d'entendre sa réponse. Comme tout le monde, je crois, quel que soit son bord.

Mark n'a pas hésité. Il n'a même pas bégayé.

– Vous êtes quelqu'un d'important, Naymeer. Les chefs de gouvernement et les leaders religieux viennent vous consulter. Vous allez bientôt vous présenter aux Nations unies pour tenter de convaincre la planète entière de vous suivre.

– Et alors ? a demandé Naymeer, intrigué.

– Et si une personne de renom entrait ici et nous découvrait ? Deux jeunes gens que vous avez kidnappés et deux chevaliers couverts de sang venus d'un autre territoire ? D'après vous, qu'en diraient les Nations unies ?

Naymeer a parcouru des yeux la pièce et ceux qui s'y trouvaient. Apparemment, il commençait à avoir des doutes.

– Pourquoi diable laisserais-je entrer qui que ce soit ?

Mark a eu un sourire. Un vrai sourire. Je ne l'avais jamais vu si confiant. Mon vieux pote Mark Dimond avait bien changé.

– Vous êtes intelligent, Naymeer. Mais pas assez malin pour garder un œil sur nous deux pendant que vos bouledogues s'emparaient de mes amis.

– Où veux-tu en venir ? a rétorqué Naymeer, de plus en plus impatient.

Mark a fait un pas de côté, révélant une table derrière la chaise où il se tenait assis. J'ai alors compris pourquoi il ne s'était pas levé lorsqu'on nous avait jetés dans la pièce, Alder et moi. Là, sur la table, il y avait… un téléphone.

Naymeer l'a vu et a eu un léger sursaut.

– Tu n'as pas pu appeler qui que ce soit, a-t-il dit d'un air confiant, bien qu'un léger tremblement dans sa voix prouve qu'il n'en était pas absolument certain.

– Trois mots, a dit Mark. Ou plutôt trois chiffres. 911. Le numéro d'appel de la police. Je vous donne encore cinq minutes avant que des flics de Stony Brook ne viennent sonner à votre porte pour demander la raison de votre appel.

– Bravo ! s'est écriée Courtney. Vous l'avez dans l'os !

– Emmenez-les à la cave ! a lancé Naymeer à ses gardes.

L'un d'entre eux a fait un pas vers moi en levant son taser. Il me croyait encore sous le choc. Grave erreur. J'ai paré son coup et balancé ma paume contre sa poitrine. J'ai carrément senti l'air quitter ses poumons alors qu'il s'effondrait. Un bref coup d'œil par-dessus mon épaule m'a appris qu'Alder avait maîtrisé l'autre garde. Voyageurs : 2, gardes : 0. C'était bon d'être de retour chez soi.

– Alors ça, a remarqué Courtney, c'était… intéressant.

– Appelez-nous une voiture, a insisté Mark, très calme.

Naymeer est devenu si rouge que j'ai eu peur que sa tête n'explose sous l'afflux de sang. Ses yeux ont jeté des éclairs de colère. Il a voulu dire quelque chose, mais Mark lui a coupé la parole :

– On ne devrait pas tarder à entendre les sirènes.

Naymeer a décroché son propre téléphone et aboyé dans le combiné :

– Amenez une voiture à la porte. Ouvrez les grilles. Allez !

Ce type avait du mal à garder son sang-froid. Comme je l'ai déjà dit, il avait l'habitude d'être le grand patron. Ici, les rôles étaient inversés.

– Prends son arme, ai-je dit à Alder.

On a récupéré les tasers des chemises rouges. Un chacun. J'avais vraiment envie de rendre la monnaie de sa pièce à celui qui m'avait électrocuté, mais je me suis contenté de l'enjamber pour me diriger vers Naymeer. Je l'ai toisé des pieds à la tête.

– Vous savez, ai-je dit d'un air crâneur, ce n'est pas fini.

Naymeer a inspiré profondément. Il reprenait déjà son self-control. Ce type était doué. Je comprenais pourquoi tant de gens étaient prêts à le suivre.

– Peut-être, a-t-il convenu. Mais ce sera bientôt terminé.

Quelque chose m'a mis la puce à l'oreille. Peut-être était-ce sa voix pleine de confiance, ou le danger qu'il représentait. Je ne pouvais pas mettre le doigt dessus, mais un signal d'alarme s'est allumé dans ma tête. Je me suis tourné vers Courtney pour lui jeter un regard interrogateur. Elle savait précisément ce que j'avais en tête.

– Non, a-t-elle répondu, ce n'est pas Saint Dane.

Je me suis retourné vers Naymeer. Il souriait.

– Je suis flatté.

– Vous avez tort, ai-je rétorqué.

– Il faut qu'on y aille, a insisté Mark. Il vaut mieux qu'on ne nous trouve pas ici.

J'ai tourné les talons et me suis dirigé vers la porte. Alder, Courtney et Mark m'ont suivi. Avant de partir, j'ai jeté un œil à Naymeer :

– Au fait, Al, vous n'êtes plus un Voyageur. J'ai rempilé.

– Trop tard, s'est moqué Naymeer.

– C'est ça. Répétez-le assez longtemps et vous finirez peut-être par le croire.

Et j'ai passé la porte, les autres sur mes talons. Une fois dans le vestibule, les chemises rouges nous ont encerclés. L'un d'entre eux a tenté sa chance, mais Alder a brandi le taser, le forçant à interrompre son geste.

– Laissez-les passer, a dit Naymeer, debout dans l'entrée de son bureau.

Les gardes lui ont obéi. Je ne me suis même pas étonné de voir que le manoir de Sherwood n'était plus abandonné. J'aurais tout le temps de raccrocher les wagons plus tard. Il fallait qu'on s'en aille, et vite. Devant la maison, les immenses grilles en fer forgé ont coulissé, révélant une voiture noire qui attendait, le moteur en marche.

359

– Pendragon ! a lancé Naymeer.

Je me suis retourné.

– Bienvenue chez toi !

Ce type me déplaisait. Tant mieux. Il me serait plus facile de le démolir.

– Je prends le volant, a déclaré Courtney en se glissant sur la banquette.

J'ai ouvert la portière arrière et fait signe à Alder de me suivre. Il n'était encore jamais monté dans une voiture. Il n'avait aucune idée de ce qui se passait. Je l'ai accompagné. Mark a pris la place du mort. Courtney a posé les mains sur le volant.

– La police ne va pas tarder, ai-je dit.

– En effet, a répondu Mark, si toutefois je l'avais vraiment appelée. (Il m'a regardé et a souri.) On a bien des choses à se raconter.

Ainsi, il avait bluffé. Pas de doute, ce n'était plus le Mark que j'avais connu. Il ne me plaisait que davantage.

– Quand as-tu appris à conduire ? a-t-il demandé à Courtney.

– Oh, il y a longtemps, a-t-elle dit en passant la première.

– Combien de temps ?

– Environ trois secondes.

Elle a appuyé sur le champignon et la voiture a bondi. Nous voilà partis dans un crissement de pneus. Avant de passer la grande porte, j'ai jeté un coup d'œil en arrière pour voir deux des gardes de Naymeer se précipiter vers des motos.

Pourvu qu'en trois secondes Courtney ait appris à tenir un volant.

Journal n° 36
(suite)

SECONDE TERRE

— Fais gaffe ! a crié Mark.

— Non, tu crois ? a répondu calmement Courtney.

Elle a tourné le volant, évitant de peu un chien qui avait eu la drôle d'idée de faire sa promenade au moment même où une cinglée avec trois secondes d'expérience en matière de conduite appuyait sur le champignon d'une énorme voiture pour échapper à ses poursuivants. L'animal a poussé un jappement de terreur, mais a réussi à l'éviter.

Alder a fait de son mieux pour disparaître au fond de la banquette. Il n'était jamais monté dans une voiture, encore moins un bolide piloté par quelqu'un qui s'était contenté de quelques heures de cours. Enfin, je l'espérais. À nous voir zigzaguer sur toute la largeur de la route, je n'en étais pas si sûr. Pauvre Alder. Il se retrouvait en situation périlleuse dans un monde dont il ignorait tout. Pauvre de nous.

— Je crois que c'était un stop, a dit Mark, tentant de garder son calme pendant qu'on dépassait le panneau sans faire mine de ralentir.

— J'avais remarqué, a rétorqué Courtney.

Aucun d'entre nous n'a jugé bon de demander pourquoi elle n'avait pas fait ce qu'il convenait de faire dans ces cas-là.

— Je peux prendre le volant, a déclaré posément Mark.

Scriiiitch ! Courtney a freiné à mort, nous projetant en avant, Alder et moi.

— Hé là ! me suis-je écrié. On a assez d'ennuis comme ça !

361

– Très bien, a fait Courtney d'un ton vexé. Prends le volant !

Elle est descendue et s'apprêtait à faire le tour de la limousine lorsqu'elle s'est arrêtée net.

– Zut !

– Qu'est-ce qu'il y a ? a demandé Mark en prenant sa place.

– Ils arrivent.

Courtney a couru pour sauter sur le siège passager. J'ai regardé derrière moi pour voir les deux motos passer la grille du manoir de Sherwood avec des chemises rouges au guidon.

– Tu crois pouvoir t'en sortir, Mark ? ai-je demandé.

– On va bien voir.

Heureusement, il ne bégayait pas. Il avait confiance en lui. C'était le bon moment. Avant que Courtney ne puisse claquer la portière, Mark a mis le pied au plancher, et nous étions repartis.

– Tu ne conduis pas mieux que moi ! a râlé Courtney.

En guise de réponse, Mark a viré abruptement pour faire demi-tour et a mis pleins gaz. J'aurais presque pu croire qu'il savait ce qu'il faisait. Presque.

– J'étais sur le point de passer le permis, a expliqué Mark, mais je n'ai pas eu le temps.

Oui, on peut dire ça comme ça.

– On doit se trouver une cachette, ai-je dit.

– Il faut d'abord qu'on sème ces types, a corrigé Courtney.

Bien vu.

– On a un avantage, a dit Mark.

– Lequel ? a demandé Courtney.

Une nouvelle fois, il a viré abruptement, projetant Alder contre moi.

– Ça fait des années que je sillonne ces rues à vélo. Je les connais comme ma poche. Eux, non. Je ne sais pas si on peut les distancer, mais je peux leur donner du fil à retordre.

La voiture était une énorme limousine américaine. Pas vraiment un kart, question maniabilité. Ce qui valait probablement mieux. Si on avait un accident avec ce tank, on s'en tirerait avec des égratignures. Mais je devais être positif. On n'aurait pas d'accident. Il fallait garder espoir.

Mark a viré à gauche sur les chapeaux de roue. J'avais l'impression qu'on roulait à moitié inclinés, comme des cascadeurs. Alder était blanc comme un linge, mais il n'a rien dit. Je crois qu'il était tombé dans une sorte de transe zen pour éviter de perdre les pédales.

– Là ! a crié Mark en tendant le doigt.

– Où ça ? a demandé Courtney.

– Il y a un chemin de terre qui traverse le vieux cimetière de King Street !

En regardant devant moi, j'ai vu deux vieux piliers de pierre à demi éboulés entourant l'entrée d'un chemin. Courtney a jeté un regard noir à Mark.

– Tu ne penses tout de même pas...

Mark n'a pas pris le temps de répondre. Il a donné un coup de volant tout en accélérant. La voiture a dérapé, puis foncé entre les deux piliers. Il s'en est fallu de quelques centimètres, mais on est passés. On s'est retrouvés sur un chemin de terre où personne n'avait dû s'aventurer depuis des mois, sinon des années. Il était bordé d'épais buissons qui ont fouetté les flancs de la voiture.

– Au temps pour la peinture, a commenté Courtney.

La route continuait bel et bien à travers le vieux cimetière où Mark et moi passions très souvent à vélo. Il y avait là plus de pierres tombales remontant au XIXe siècle que de sépultures récentes. Mark savait très bien où il allait. Il a dirigé la lourde voiture vers un ancien mausolée de pierre et a aussitôt freiné. On s'est regardés avec de grands yeux.

– Bon, d'accord, tu *sais* conduire, a fait Courtney, stupéfaite.

Mark s'est tourné pour dire :

– S'ils n'ont pas vu la manœuvre, on est tirés d'affaire. Sinon, c'est le meilleur endroit possible pour que vous nous débarrassiez de ces types. Il ne risque pas d'y avoir de témoins.

Je n'ai pas pu m'empêcher de sourire. Mark restait un cerveau, avant tout.

– Bon sang, tu m'as manqué.

Il m'a décoché un grand sourire plein de fierté. Un instant, j'ai revu le gamin que je connaissais depuis toujours. C'est bon de retrouver ses amis !

On est descendus de voiture pour prendre position derrière les pierres tombales les plus proches de la route. Si les motos apparaissaient, on n'aurait qu'à les laisser passer avant de les attaquer par-derrière. On a attendu cinq minutes – suffisamment pour prouver que Mark avait réussi l'impossible.

C'était donc vrai. On était libres. On est restés plantés là, tous les quatre, au milieu des tombes. J'ai regardé Alder, toujours dans sa tenue de cuir ensanglantée, et je n'ai pas pu m'empêcher d'éclater de rire. Courtney a fait de même.

– J'espère que personne ne vous a vus, sinon, étant donné vos tenues, on croira que le cimetière est hanté par des fantômes de Vikings.

Mark et moi avons ri de plus belle. Alder, lui, ne comprenait pas.

– Mark, Courtney, je vous présente Alder. Le Voyageur de Denduron.

Mark lui a serré la main. Alder ne savait pas trop ce que ça signifiait, mais il a suivi le mouvement.

– On a lu beaucoup de choses sur toi. Je suis content que tu sois là.

Courtney a serré Alder dans ses bras. Là non plus, il ne savait pas très bien comment réagir, mais ça n'a pas semblé le gêner non plus.

– Pourquoi tant d'honneur ? a-t-il demandé.

– Pour nous avoir ramené Bobby.

– Il faut qu'on se trouve un abri où faire le point, ai-je dit. Pourquoi pas chez toi, Courtney ?

– Pas question. Ils nous y ont déjà trouvés une fois. Et la maison de Mark a brûlé.

– Quoi ! ai-je crié.

– On a tant de choses à te raconter, Bobby, a repris Mark. Ça pourrait prendre des mois.

– Sauf qu'on n'a pas tout ce temps devant nous, a rétorqué Courtney. C'est ici que tout se passe, Bobby. En Seconde Terre.

– Je sais, ai-je répondu. On a vu Patrick.

Mark et Courtney ont ouvert de grands yeux pleins de points d'interrogation.

– Il va bien, leur ai-je affirmé. On l'a renvoyé en Troisième Terre.

– Mais on lui a tiré dessus ! a piaillé Courtney.

– On s'est occupés de lui. Maintenant, il est guéri, je vous assure.

Je me suis arrêté là. Ce n'était pas le moment de commencer à expliquer que les Voyageurs sont des illusions et que, pour des raisons qui m'échappent complètement, on est capables de se guérir entre nous.

– Enfin de bonnes nouvelles ! s'est exclamé Mark. On en avait bien besoin.

– Je sais où on peut aller ! s'est écriée Courtney. Le bateau de mes parents est sur des cales au bord de la rivière Signet, là où ils l'amarrent chaque année, dès le 1er mai. Au fait, bon anniversaire, Bobby. Tu as dix-huit ans.

J'ai mis une seconde à digérer cette petite information.

– Ça fait… bizarre, ai-je dit.

– C'est quel genre de bateau ? a demandé Mark.

– Un grand voilier. Il y a de la place pour six. Comme il est toujours prêt à partir au cas où ils auraient envie de faire une escapade à l'improviste, il y a des vêtements à bord. Vous ne pouvez pas vous balader déguisés en hommes des cavernes, et puis, sans vouloir te vexer, Mark, je commence à en avoir marre de porter les frusques de ta mère.

Je connaissais la rivière Signet. Elle s'écoulait sur toute la longueur de l'État jusqu'au détroit de Long Island. Avant d'atteindre la mer, son eau douce devenait salée et, à ce stade, elle était assez large pour pouvoir abriter une immense marina avec plein de quais et de cales pour recevoir de petits bateaux. Le plan de Courtney était excellent, bien que l'idée d'aller là-bas me rende nerveux. Et si un policier nous arrêtait pour un contrôle de routine ? Il nous faudrait un bon bout de temps pour expliquer qui on était, pourquoi Mark n'avait pas le permis et pourquoi on était couverts de sang.

J'ai le plaisir de vous annoncer que je me suis inquiété pour rien. On est arrivés à la marina sans problème. À voir conduire Mark, on aurait dit qu'il avait fait ça toute sa vie.

À Stony Brook, il y a beaucoup d'amateurs de voile. Même si on n'était qu'au début du printemps, les quais de flottaison étaient tous submergés et la plupart des cales occupées. Dès que la période des grands gels était passée, tout le monde s'empressait de mettre les bateaux à l'eau afin de profiter de la brève saison de voile. La marina était si grande qu'il serait facile de se perdre dans ce labyrinthe de quais et d'embarcations diverses sans être vus du rivage. Mieux encore, le soleil s'était couché et, comme on était en mars, il faisait un froid de canard. On a beau aimer la voile, traîner sur son bateau quand il gèle à pierre fendre n'a rien de bien agréable. On n'a pas croisé âme qui vive. Ce qui était idéal pour ce que je comptais faire.

— Attendez-moi, ai-je ordonné au reste du groupe, et je suis monté au volant de la limousine.

— Où vas-tu ? a demandé Courtney.

— Faire un petit tour.

— Mais…

Je lui ai lancé un clin d'œil rassurant. Sous leurs yeux, j'ai passé la première, mis les gaz et descendu la rampe de ciment qui servait à lancer les bateaux. Les plaisanciers faisaient descendre leur remorque le long de la rampe jusqu'à ce que leur coquille de noix flotte, puis ils la poussaient vers le large et faisaient remonter leur remorque. Ce que je comptais faire n'était pas si différent, sauf que je ne remonterais pas. C'était la première fois que je conduisais une voiture depuis que je m'étais mis au volant de l'énorme limousine noire de Max Rose en Première Terre, ce jour où j'avais rendez-vous avec le *Hindenburg*[1]. Autant dire que je n'en savais pas plus que Courtney. Voire encore moins. Heureusement, cet engin était plus facile à manipuler que le char d'assaut de Max Rose, et je n'irais pas bien loin. J'ai descendu lentement la pente escarpée pour m'engager dans l'eau jusqu'à ce que la voiture refuse d'aller plus loin. J'ai baissé les vitres pour qu'elle coule plus vite, puis j'ai rampé par la portière pour me glisser dans les eaux glaciales du détroit de Long Island. Incroyable mais vrai, la voiture flottait. Je l'ai poussée jusqu'à ce que les flots s'engouffrent par les vitres et qu'elle devienne trop lourde pour que je puisse la manipuler. En moins de trente secondes, elle avait disparu sous la surface. Invisible.

---

1. Voir Pendragon n° 3 : *La guerre qui n'existait pas.*

J'ai pataugé pour rejoindre les autres qui me regardaient depuis la rive.

– Le prochain qui voudra lancer un bateau aura une surprise, ai-je remarqué.

– C'était vraiment nécessaire ? a demandé Courtney. Je veux dire, maintenant, on n'a plus de véhicule.

– Il le fallait, a affirmé Mark. Cette bagnole nous aurait fait repérer.

– Elle ne me manquera pas, a déclaré Alder.

Je pouvais difficilement le lui reprocher.

On a suivi Courtney le long du quai.

– N'oublions pas que tout a changé, a dit Mark en arpentant ce labyrinthe. Pourvu que, dans cette Seconde Terre-là, tes parents aient encore un bateau !

– Pourtant, il n'y a pas tant de différences que ça, a remarqué Courtney. Si tu avais raison, ce serait une sacrée déveine.

Courtney savait précisément où aller. On est passés devant des bateaux de toutes les tailles. Des hors-bord, des yachts à moteur et des voiliers de croisière. Tout au bout d'un des quais, on est tombés sur un navire de taille moyenne avec un drapeau rouge flottant en haut du mât. Il m'a collé le plus grand choc que j'aie reçu depuis un bon bout de temps, et ce n'est pas peu dire. Le fanion était flanqué du symbole de l'étoile.

Courtney a croisé mon regard.

– C'est une longue histoire, a-t-elle commenté. Commençons par nous changer.

Les Chetwynde équipaient toujours leur bateau pour la saison. On a trouvé plein de vêtements propres et secs, même si ce n'était pas exactement mon style. Les Chetwynde étaient des marins d'eau douce. Il y avait surtout des pantalons kaki et des chaussures-bateau usagées. J'ai aussi trouvé des tee-shirts et quelques pulls légers. J'ai choisi un maillot blanc et un sweat brun foncé. Alder a pris un pull vert bouteille, Courtney un sweat à capuche bleu marine. Mais, avant de les passer, on devait se laver. Les Chetwynde avaient prévu un flacon de savon biodégradable qu'on pouvait jeter droit dans la mer.

– L'eau risque d'être froide, ai-je prévenu Alder.

— Pas plus que les rivières de Denduron, a-t-il répondu.

Oh, c'est vrai. Sur ce territoire, ils n'avaient pas l'eau chaude.

Pendant que Courtney se changeait en bas dans la cabine, Alder et moi avons retiré nos cuirs souillés de sang et les avons jetés, puis on s'est glissés dans la rivière pour se laver du mieux qu'on pouvait. Bon, se baigner dans l'eau salée n'est pas l'idéal, mais c'était mieux que rien. En plus de notre couche de crasse, il fallait qu'on se débarrasse de tout ce sang séché. Malgré le froid, ça faisait du bien. C'est peut-être symbolique, si l'on veut, mais j'avais l'impression de me réhabituer aux sensations que j'attribuais à mon monde. Bien sûr, en général, je ne vais pas me baigner dehors en mars, mais c'était tout de même bien agréable. D'une certaine façon, ça me « recentrait ». J'étais en terrain familier. J'étais chez moi.

Il était temps d'apprendre à quel point ce terrain familier avait cessé de l'être.

Courtney trouva du thon en boîte et des crackers rangés dans un Tupperware en plastique pour éviter qu'ils se dessèchent. Ce n'était pas vraiment un repas de roi, mais c'était mieux que rien. Je crevais de faim. Une fois habillés, on s'est assis pour casser la croûte.

— Regarde-nous, a fait Courtney avec un petit rire. On fait très BCBG avec nos pulls et nos pantalons kaki.

— C'est quoi, des BCBG ? a demandé Alder.

Comment expliquer ça à un chevalier ? J'ai tenté le coup :

— Des gens riches et conservateurs qui s'habillent tous de la même façon.

— Comme les Bedoowans ?

Ça m'a fait rire, et pourtant ce n'était pas si loin de la réalité.

— Oui, comme les Bedoowans. Revus et corrigés par Armani.

Mark et Courtney ont éclaté de rire. Voir Alder dans des vêtements deux fois trop petits ne les aidait guère à reprendre leur sérieux. On aurait dit un gosse de rupins devenu trop grand pour ses frusques. Le pantalon lui arrivait aux chevilles et ses manches couvraient à peine ses poignets. En le regardant, on a ri de plus belle. Alder nous a imités, même s'il ne comprenait pas vraiment pourquoi. Un bon moment. C'étaient mes meilleurs amis au monde. Non, dans tout Halla. Mark et Courtney m'avaient épaulé depuis le début de cette aventure, que ce soit par la pensée ou en payant de leur personne. C'était leur histoire autant que la mienne. Et maintenant, sans doute devrait-on affronter sa conclusion tous ensemble. Ça me semblait normal, comme si c'était écrit depuis le début. Quoique, ça fait bizarre de tenir ce journal maintenant que Mark et Courtney sont là pour voir de leurs yeux ce qui m'arrive. Mais je dois continuer. Qui sait comment tout cela va finir, et qui sera encore là pour lire ces journaux ?

– J'ai toujours su que tu n'avais pas abandonné, a dit Mark.

Aussitôt, les rires se sont tus. Voilà qui avait coupé court au côté festif de la réunion. L'humeur est devenue sombre.

– Et pourtant, je l'ai fait, ai-je répondu. Je voulais mettre le point final. Et j'ai vraiment cru que tout était terminé.

– On ne te reproche rien, Bobby, a repris Courtney. On ne savait pas ce qui s'était passé ni pourquoi on n'arrivait pas à te contacter.

– J'avais perdu mon anneau de Voyageur. Mais je l'ai retrouvé.

– J'aimerais pouvoir en dire autant, a dit Mark d'un ton lugubre. (Il a levé la main pour montrer que l'anneau n'était plus à son doigt.) Tout est de ma faute.

– Ce n'est pas vrai, s'est empressée de corriger Courtney.

On a passé plusieurs heures à se mettre au courant des derniers développements. Ce qui faisait beaucoup. Ils m'ont raconté tout ce qui s'était passé depuis que j'avais laissé Courtney en Première Terre pour partir à la recherche de Mark. J'ai appris la vérité sur KEM et la façon dont on avait dupé Mark pour que la compagnie récupère Forge afin de créer les premiers dados. Et aussi comment Nevva avait bel et bien sauvé les parents de Mark, puis menacé de les exécuter s'il refusait de lui donner son anneau – cet anneau fait du même matériau que les flumes. La matière sombre. La fondation même de Halla. Alors ça, je ne savais pas quoi en penser.

Ils nous ont raconté l'histoire de Naymeer, du culte ravinien et du lotissement Horizon, et, plus important encore, du vote imminent aux Nations unies. Entre leur récit et celui de Patrick, j'étais sûr de savoir tout ce qui s'était passé sur Terre.

C'était bien la seule chose dont j'étais sûr.

– Patrick est retourné en Troisième Terre, ai-je dit. Il va chercher à savoir comment Naymeer et son culte ravinien ont pu influencer les événements. D'après ce que j'ai cru comprendre, ce vote aux Nations unies est le moment de vérité de Seconde Terre.

– C'est aussi ce qu'on s'est dit, a précisé Mark.

Courtney a secoué la tête d'un air consterné.

– Comment tous ces gens peuvent-ils se laisser influencer par un fou pareil ? Un fou plutôt classe, mais un fou quand même !

– Chacun croit ce qu'il veut bien croire, ai-je répondu. Je l'ai vu dans tout Halla. Naymeer et les gens comme lui disent ce que le peuple veut entendre. Tout le monde pense mériter une vie meilleure, et tous les Naymeer du monde prétendent pouvoir transformer ce rêve en réalité.

– L'herbe est toujours plus verte, a renchéri Mark.

– Exactement. Il ne faut pas sous-estimer les peuples. C'est un cocktail détonant, mais Naymeer l'a poussé encore plus loin. Il leur prouve par A plus B que l'univers est bien plus vaste qu'ils ne le pensent. Qu'il y a autre chose que leurs existences banales… Imaginez un chef religieux qui raconte à ses disciples qu'il peut les conduire au paradis, mais qui peut également le leur montrer ! C'est ce que fait Naymeer. Et il suffit de le suivre, même si ses idées sont dangereuses.

– Mais Halla n'est pas le paradis, a remarqué Courtney.

– Non, mais il démontre qu'il y a bien une autre réalité que celle que nous connaissons. C'est assez spectaculaire en soi. À partir de là, Naymeer peut faire monter la sauce à sa guise. Ça ne m'étonne pas qu'il ait tant de fidèles. Saint Dane doit boire du petit lait.

– Tu sais où est ce démon à présent ? a demandé Alder.

– Non, a répondu Mark. Il a pris la forme d'un des hommes de Naymeer, ce qui veut dire qu'il doit faire partie des gens influents de Ravinia. En dehors de ça, il ne s'est pas montré.

– Mais il n'y a pas de quoi en faire un fromage, non ? a lancé Courtney. Nous n'avons plus qu'à aller aux Nations unies et les convaincre de voter contre Ravinia.

On l'a regardée tous les trois d'un œil vide.

– Oh, arrêtez, je plaisante ! a-t-elle repris en levant les yeux au ciel. Je sais bien que c'est impossible !

– Alors, que peut-on faire ? a demandé Mark.

Personne n'a pu lui répondre. Ça semblait sans espoir. Drôle de sentiment. Quel que soit le territoire où j'avais pourchassé Saint Dane, j'avais toujours trouvé un moyen de m'immiscer dans le conflit en cours. Et là, sur mon monde d'origine, je me retrouvais dans une impasse.

– Naymeer est la clé, a proposé Courtney. Il *est* Ravinia. Sans lui, tout ça ne signifie plus rien. Si on peut l'arrêter, Ravinia n'aura plus de raison d'être.

Ce qui m'a donné une idée. Fugace, mais une idée tout de même. Même si j'avais du mal à croire qu'elle ait pu me traverser l'esprit. Du moins à ce moment-là. On n'était pas encore désespérés au point d'y avoir recours. Pourvu qu'on n'ait pas déjà passé ce stade. Et pourtant, je ne pouvais pas la rayer de la liste des possibilités.

– Il y a un moyen, ai-je dit. C'est une solution de dernier recours, mais...

– Courtney ? a lancé une voix depuis l'extérieur.

C'était une voix de femme. On s'est tous figés. J'ai montré du doigt la lanterne à pile qui éclairait la cabine. Mark l'a aussitôt éteinte.

– Courtney, chérie, tu es là ? a repris la voix.

L'intéressée a ouvert de grands yeux.

– C'est ma mère, a-t-elle chuchoté.

Une autre voix a retenti, une voix d'homme cette fois-ci.

– Tout va bien, chérie. Viens, sors de là.

J'ai regardé Courtney. Elle a hoché la tête.

– Mon père.

Personne ne savait quoi faire. Il n'y a pas plus idiot, non ? On débattait de l'avenir de tout ce qui existe, et pourtant nous étions terrifiés à l'idée d'être surpris par les parents de Courtney, comme des gamins qui font l'école buissonnière. Il faut croire que les vieux réflexes ont la vie dure. Courtney a réagi la première. Elle nous a fait signe de garder le silence et s'est dirigée vers la trappe. J'ai pu jeter un œil entre les rideaux recouvrant le hublot pour la voir monter sur le pont.

Son père et sa mère l'attendaient sur le quai.

– Salut, a-t-elle dit d'une voix de petite fille soumise. Vous venez faire un tour en mer ?

– Chérie ! s'est écriée sa mère avec soulagement.

Elle a couru serrer sa fille contre son cœur.

– Tu n'as rien ! a-t-elle crié, en larmes. On croyait... On croyait...

– C'est rien, maman. Tout va bien. Je suis désolée de vous avoir causé du souci.

Le père de Courtney les a rejointes.

– C'est fini, a-t-il dit, également en larmes. Maintenant, tu es avec nous. Tout va bien se passer.

– Oui, a renchéri Courtney. Rentrons à la maison.

Elle a tenté d'entraîner ses parents le long du quai, loin du bateau. Et de nous. Ses parents n'ont pas fait mine de bouger.

– Je suis désolée, chérie, a repris sa mère. On a fait ce qu'on croyait être pour le mieux.

– Que veux-tu dire ? a demandé Courtney, méfiante.

M. Chetwynde s'est tourné vers le bateau et a crié :

– Mark ! Tu peux sortir, mon garçon.

Mark s'est raidi. Il m'a jeté un regard comme pour dire : « Et quoi encore ? »

– Et toi aussi, Bobby.

La tête m'a tourné. Ce n'était pas possible. À leurs yeux, il y avait des années que j'avais disparu sans laisser de traces. Et durant tout ce temps, en Seconde Terre, personne n'avait vu Bobby Pendragon, personne n'en avait plus entendu parler. Comment pouvaient-ils savoir que j'étais là ?

– Ce doit être Saint Dane, ai-je chuchoté.

– Et Nevva, a ajouté Mark.

Alder ne savait comment réagir.

– Il n'y a qu'une façon d'en être sûr, a-t-il déclaré.

– Non, ai-je répondu. Reste là. Je vais m'en occuper. (Je me suis tourné vers Mark.) Il vaut mieux y aller.

Il a acquiescé. On est passés par la trappe.

372

Courtney était toujours sur le quai, dans les bras de ses parents. Lorsqu'elle a vu Mark, Mme Chetwynde a fondu en larmes.

– Tu n'as rien. (Elle s'est tournée vers son mari.) Il n'a rien.

Lorsque je suis sorti sur le pont, j'ai bien cru qu'ils allaient tomber dans les pommes. Et je ne pouvais guère les blâmer. Bobby Pendragon était revenu d'entre les morts. Ou du moins il venait de quitter le fichier des personnes disparues. Mme Chetwynde a dû poser sa main sur l'épaule de son mari pour qu'il la soutienne. Ils avaient vraiment l'air sous le choc. Si c'était bien Saint Dane et Nevva Winter, ils faisaient un sacré numéro d'acteur. Mais au bénéfice de qui ?

Courtney s'est arrachée des bras de ses parents et a essuyé une larme.

– Maman, papa, vous feriez mieux de rentrer à la maison et de nous laisser.

– J'aimerais bien, ma chérie, a répondu M. Chetwynde. Mais c'est trop important.

– Qu'est-ce qui est si important ? a demandé Courtney.

M. Chetwynde avait l'air nerveux. Il a passé la main dans ses cheveux, nous laissant tous voir la même chose : un tatouage vert sur son bras. L'étoile. La marque des Raviniens. Pas de doute, les Chetwynde étaient des adeptes de Naymeer.

– On peut t'aider, Courtney, a sangloté Mme Chetwynde. Tu ne sais pas ce que tu fais. On peut tout arranger. Pour nous tous.

Courtney a reculé, s'éloignant d'eux pour se rapprocher de nous.

– Maman, qu'est-ce que vous racontez ?

– Il le fallait, a insisté Mme Chetwynde.

Soudain, des projecteurs se sont allumés, illuminant le rivage comme en plein jour. On était dos à la mer. On n'avait nulle part où aller. Devant les lumières blanches, plusieurs feux rouges clignotants sont apparus. Des gyrophares. La police. Les Chetwynde avaient appelé la police.

Derrière eux s'est découpée la silhouette d'un homme. Il marchait lentement, comme s'il avait tout son temps. Il savait qu'on ne risquait pas de lui échapper.

– Quatre ans, a-t-il dit. Ça fera bientôt quatre ans que je suis sur cette affaire. J'étais persuadé que je ne la résoudrais jamais… jusqu'à aujourd'hui.

Il est sorti de l'ombre pour venir se poster à côté des Chetwynde. Il portait un costume bon marché tout froissé, comme s'il avait dormi avec. Son visage ne me disait rigoureusement rien. Par contre, Mark et Courtney le connaissaient très bien.

— Capitaine Hirsch ! a crié Mark.

— Salut, les gars, a-t-il répondu. Il faut croire qu'on va enfin découvrir ce qui est arrivé à Bobby Pendragon. Cette ville, cet État et une bonne partie du pays sont impatients de le découvrir. Et tout cas, moi, j'ai hâte de savoir.

SECONDE TERRE

— Salut, Bobby, a dit chaleureusement le policier. Je m'appelle Jim Hirsch. Bien des gens se sont inquiétés pour toi. Et ta famille. On a beaucoup de choses à se raconter.

Mon cerveau s'est figé. Non. C'était impossible. De tous les retournements de situation qu'on m'avait balancés dans les pattes, c'était le plus surréaliste. J'ai regardé Courtney d'un air suppliant.

— Le capitaine Hirsch enquête sur ta disparition depuis le début, a-t-elle expliqué. (Elle a regardé le policier et a demandé d'un air bravache :) C'est bien vous, non ?

Hirsch l'a regardée d'un air intrigué.

— Qui voulez-vous que ce soit ? Sauf que maintenant, je suis chef de la police.

Courtney m'a jeté un regard soucieux. Elle pensait la même chose que moi. Était-ce Saint Dane ? Pas moyen de s'en assurer. Au moins, ce type ne semblait pas comprendre la question.

— Les Raviniens nous ont passé un coup de fil, a expliqué M. Chetwynde. Ils ont dit que tu t'étais introduite dans leur manoir avec Mark, Bobby et un autre jeune homme. Ils ne voulaient pas que la police s'en mêle, mais il n'y avait pas d'autre solution. Alors on a appelé le chef Hirsch.

— Et vous vous êtes dit qu'on viendrait probablement se cacher ici, a complété Courtney.

Les Chetwynde ont acquiescé.

— Bon, où sont Naymeer et ses clowns en chemise rouge ? a demandé Courtney.

– Ce sont de braves gens, Courtney, s'est empressée de répondre Mme Chetwynde. Ils ne veulent pas d'ennuis. Ils nous ont laissé décider ce qu'il convenait de faire.

– Oui, je m'en doute, a répondu Courtney d'un ton sarcastique. Sont-y pas mignons ?

– Un peu de respect ! l'a admonestée M. Chetwynde.

– Où étais-tu, Courtney ? a repris Mme Chetwynde. Pourquoi t'es-tu introduite chez quelqu'un d'aussi important ? Pourquoi lui avoir volé une voiture comme tu l'as fait ?

– Et où est l'autre jeune homme qui vous accompagnait ? a ajouté M. Chetwynde.

– Ne restons pas ici dans le froid, a fait Hirsch. Allons là où on pourra en parler tranquillement.

– Genre, au commissariat ? a lancé Mark.

En guise de réponse, Hirsch a haussé les épaules.

Pour moi, le temps s'est ralenti. Le moment était crucial. On était tout au bout du quai, à trente mètres du rivage. Il devait y avoir d'autres policiers près des projecteurs. Inutile d'espérer pouvoir passer en force. Surtout que ces policiers étaient armés. À ce stade, je ne pensais pas qu'on soit considérés comme dangereux, mais ça pouvait changer très vite. Pourtant, il fallait qu'on fasse quelque chose. Si on se livrait à la police, que feraient-ils de nous ? Croyaient-ils que j'avais fait disparaître ma famille ? Est-ce qu'ils nous boucleraient dans une cellule ? Tout ce qu'ils avaient contre nous, c'était ce vol de voiture, et peut-être une violation de domicile. Mais, même s'ils oubliaient ces petits détails, on serait coincés au commissariat pour un bon bout de temps. En plus, je me retrouverais sous le feu des projecteurs, ce qui ne me plaisait guère non plus. Et Alder ? Comment pourrait-on expliquer sa présence ? Si on se rendait à la police, il ne faudrait plus compter faire capoter le plan de Naymeer et son culte. La Seconde Terre serait perdue. Halla également. Ce serait la fin. C'était hors de question. Il ne restait plus qu'une chose à faire.

– Alder ! ai-je crié. Tu veux bien venir ?

En fait, il attendait juste sous la trappe. Je l'avais à peine appelé qu'il a passé la tête par l'ouverture. En le voyant, M. et Mme Chetwynde ont eu un mouvement de recul. Ils l'ont regardé comme s'il était un extraterrestre... D'ailleurs, ce n'était pas loin de la vérité. C'était une vraie armoire à glace. Un guerrier. Avec ses vêtements trop petits, il avait l'air encore plus baraqué. Une force de la nature. Hirsch s'est crispé. Je pense qu'il ne s'attendait pas à voir apparaître un type bâti comme un colosse. Il a jeté un bref coup d'œil vers le rivage comme s'il hésitait à appeler des renforts. Mais il ne l'a pas fait. La situation était trop incertaine. Alder est descendu du bateau pour me rejoindre.

Je me suis tourné vers lui pour lui parler. Peu m'importait si tout le monde entendait ce que j'avais à lui dire. S'ils savaient ce que j'avais en tête, eh bien, tant pis. L'essentiel, c'était qu'on soit sur la même longueur d'onde, lui et moi.

– Écoute-moi bien. La police veut nous mettre en garde à vue pour nous interroger sur la disparition de ma famille. Ils sont du bon côté. Ils ne nous veulent aucun mal. Mais si on les suit, on sera hors jeu.

– Compris, a répondu Alder, très calme.

Je me suis tourné vers Mark et Courtney.

– Désolé, les amis, mais vous allez devoir affronter la situation tout seuls.

– Pas de problème, a fait Mark, confiant.

– Oui, pas de lézard, a renchéri Courtney.

Hirsch a fait un pas en avant. Ses yeux sont passés nerveusement de l'un à l'autre.

– Ne... Ne nous emballons pas. Partons tous ensemble vers le rivage, d'accord ?

J'ai levé la main. Ce qui l'a arrêté net.

– Jim, vous ne voudrez peut-être pas me croire, mais on n'est pas des criminels.

– Je n'ai pas dit que vous...

– Je sais. J'ai compris. Vous ne savez pas ce qu'il se passe, et vous voulez juste en parler et résoudre ce mystère. Je suis désolé, mais on n'a pas le temps pour ça.

Hirsch a secoué la tête comme s'il n'en croyait pas ses oreilles.

– Que... Vous n'avez pas le temps ? Désolé, fiston, mais quatre personnes ont disparu depuis un bon bout de temps déjà et...

On ne l'a pas laissé finir sa phrase. Alder et moi avons sauté du quai et plongé dans les eaux froides de la rivière. Je ne pouvais qu'imaginer la surprise de tous ceux qui assistaient à notre évasion. Pourvu qu'ils restent cloués sur place quelques instants encore avant que Hirsch n'appelle ses chiens de chasse. On a nagé vers le quai suivant. Une fois atteint, on est restés dessous quelques secondes pour concocter un nouveau plan d'action.

– Séparons-nous, ai-je hoqueté. Nage sous l'eau le plus longtemps possible. Cache-toi sous les pontons. Prends tout ton temps et ne fais pas de bruit. Éloigne-toi le plus possible des lumières avant d'aborder le rivage. (J'ai tendu le bras vers la rivière.) Sur l'autre rive, après la grande route, il y a une balançoire tout en haut d'une colline escarpée. Ce n'est pas très loin. Je t'y retrouverai.

Alder n'a même pas pris le temps de répondre. Il a inspiré profondément, puis, après un dernier clin d'œil rassurant, s'est coulé dans les flots. C'était un pro. Il y arriverait, je n'en doutais pas une seule seconde. Quant à moi, eh bien, je n'étais pas sûr de pouvoir en dire autant.

– Bobby ! a lancé Hirsch. Ne fais pas ça ! Tu n'as rien à craindre !

– Ouais, ai-je marmonné. Pour l'instant.

J'ai plongé pour passer sous le quai. Il faisait noir. Et froid. Ce serait plus dur que prévu. Je n'y voyais goutte. Heureusement que je connaissais ce coin comme ma poche. Chaque ponton faisait environ deux mètres de large avec des bateaux amarrés de chaque côté. Je savais qu'il y avait une réserve d'air en dessous. J'ai sorti la tête de l'eau et me suis cogné contre des planches de bois. J'espérais passer d'un quai à l'autre, nageant sous l'eau pour refaire le plein d'air sous chacun d'eux, progressant peu à peu vers le rivage. Ils étaient bâtis comme des doigts, s'étirant dans toutes les directions pour former un vrai labyrinthe flottant. J'ai lutté contre l'envie de rester sous ce même ponton et de gagner le rivage à partir de là – mais ce serait probablement le premier endroit où ils chercheraient. Comme Alder avait remonté le courant, j'ai décidé de le descendre. J'ai inspiré profondément, rempli mes poumons, et j'ai plongé en direction du quai suivant. J'avais du mal à voir où il se trouvait exactement. Je ne voulais pas émerger trop tôt et risquer de me faire

378

repérer. J'ai gardé un œil braqué vers le haut en espérant distinguer l'ombre du ponton. En fait, les projecteurs me facilitaient la tâche : les reliefs anguleux des passerelles se découpaient sous leur lumière crue. Je suis arrivé à destination et j'ai refait surface sous les planches.

– Dispersez-vous ! criait Hirsch à ses hommes. Deux sur chaque quai !

Il avait deviné notre manœuvre. Quoique, pas la peine de s'appeler Sherlock Holmes pour le deviner. Mais savoir ce qu'on préparait était une chose, nous trouver en était une autre. Comme je l'ai déjà écrit, il y avait beaucoup de quais et encore plus de bateaux. J'ai inspiré profondément et plongé à nouveau. C'était risqué, parce que je devais manœuvrer entre les quilles de quelques voiliers plus grands que les autres. Il y avait tant de cachettes possibles et autant d'obstacles où me cogner le crâne. Je devais être rapide, silencieux et prudent. Droit devant moi, l'ombre d'un yacht de croisière à coque plate me dominait de sa masse sombre. Je suis passé dessous pour émerger sous le quai...

Et entendre des pas juste au-dessus de moi. Les claquements secs ont résonné dans l'espace confiné. M'avaient-ils repéré ? J'ai regardé vers le rivage pour voir des faisceaux de lampes torches filtrer entre les planches.

– Doucement, doucement ! a crié une voix. Il ne faut pas le rater !

– Je ne vois rien ! a répondu une autre voix sur le même ton.

Bien. Du moment qu'ils se criaient dessus en martelant les planches, ils ne risquaient pas d'entendre ce qui se passait sous leurs pieds. Moi, par contre, je savais où ils étaient. J'ai attendu qu'ils arrivent juste au-dessus de moi, puis j'ai inspiré profondément avant de plonger tout droit vers le fond. Je me suis dit que ça me rendrait plus difficile à repérer. Ces eaux étaient si glauques que la lumière ne pouvait pas pénétrer bien profond. Je me suis forcé à flotter entre deux eaux, sans bouger. Le pinceau des lampes soulignerait le moindre mouvement. J'ai attendu jusqu'à ce que mes poumons soient au bord de l'explosion, puis je me suis lentement laissé dériver vers le haut. Lorsque mon visage a crevé la surface, je me suis retenu d'inspirer profondément de peur qu'ils ne m'entendent. J'ai eu tout autant de mal à empêcher mes dents de claquer. J'étais gelé. J'ai perçu un éclair de lumière derrière moi et je me suis retourné pour constater qu'ils m'avaient dépassé et continuaient leur chemin le long du quai. Pas question d'attendre qu'ils reviennent. J'ai donc inspiré, plongé et, d'une bonne détente, je me suis propulsé vers le ponton suivant.

J'avais de plus en plus de mal à voir au fur et à mesure que je m'éloignais des projecteurs. Ils avaient moins de chances de me repérer, mais je courais le risque de m'assommer en heurtant la coque d'un bateau. J'ai perdu toute notion de direction. Je ne savais plus reconnaître le bas du haut, encore moins le prochain quai. Je n'avais pas le choix : je devais. J'ai cessé de nager et je me suis laissé porter par l'air que contenaient mes poumons. Quand j'ai crevé les flots, je me suis retrouvé à quelques mètres du ponton, entre les coques de deux gros voiliers.

– Le voilà ! a crié une voix.

Elle semblait venir de loin. Devais-je plonger sous le quai et chercher à m'échapper ou sortir de l'eau pour leur rentrer dans le lard ? S'ils s'étaient éparpillés sur l'ensemble de la marina, il était fort possible que je ne doive affronter qu'un ou deux policiers. Mes dents qui claquaient me conseillèrent de choisir l'option bagarre. Au moins, ça me réchaufferait.

Avant que j'aie officiellement pris ma décision, j'ai entendu les bruits étouffés d'un combat. Ce n'était pas moi qu'ils avaient repéré, mais Alder. J'ai pris appui contre un bateau en exerçant une poussée et j'ai nagé à découvert pour voir Alder à une cinquantaine de mètres de moi sur le rivage. Il n'était pas seul. Les policiers s'approchaient de lui. J'ai pu voir qu'effectivement ils s'étaient éparpillés tout le long de la marina pour nous chercher, ce qui signifiait qu'il n'en restait plus qu'une poignée sur le rivage. Inutile de dire qu'ils n'avaient pas beaucoup de chances face à Alder. Il faudrait bien plus que deux policiers pour en venir à bout – à moins qu'ils ne lui tirent dessus, mais j'en doutais fort.

En un tournemain, Alder s'est débarrassé des deux flics. Ces pauvres bougres ne savaient pas à qui ils avaient affaire, mais ils l'ont vite découvert. Le combat a été aussi bref que violent. En quelques secondes, ils se retrouvèrent à terre, inconscients ou souhaitant l'être. Alder n'a pas attendu les autres : il a disparu dans l'obscurité. J'aurais bien poussé un cri de victoire si je n'étais pas en train de patauger au milieu de la marina. Il fallait encore que je trouve un moyen de m'en sortir.

J'ai plongé et continué jusqu'au quai. Comme il ne me semblait pas y avoir de policiers au-dessus de moi, j'ai poursuivi vers le rivage, sous les planches du ponton. J'ai entendu des cris lointains. Des ordres. Les policiers commençaient à s'inquiéter sérieusement. Certains devaient s'être lancés à la poursuite d'Alder, ce qui voulait dire qu'il y en aurait moins à mes trousses. Mon moral est remonté d'un cran. J'avais ma chance.

Après avoir sinué au milieu des bateaux pendant plusieurs minutes, mes pieds ont touché le fond. J'étais presque arrivé. Il était temps de sortir de l'obscurité. J'ai plongé une fois de plus pour prendre appui contre le fond… et, arrivé à la surface, me retrouver face à un mur de pierre. Le quai sous lequel je me trouvais était bâti parallèlement à une paroi rocheuse qui s'élevait des flots, s'étendant sur une trentaine de mètres de chaque côté de moi. Je ne savais pas où j'étais. C'était un mur de soutènement au sommet duquel était bâtie la cabane des autorités portuaires. Comme on était à marée basse, le quai se trouvait à plusieurs dizaines de centimètres sous le sommet. Si je voulais sortir par ce côté, il me faudrait escalader ce mur de pierre glissant. C'était à la fois un coup de chance et une corvée. Grimper cette paroi humide et couverte de coquillages ne serait pas une partie de plaisir. Et pourtant, elle me protégerait du rivage et des regards indésirables. En tout cas, il fallait surtout que j'évite de glisser et de retomber dans l'eau. Je ne me ferais pas mal, mais le bruit me trahirait certainement.

L'escalade a été une vraie torture. Entre les algues glissantes qui collaient aux parois et le limon qui s'y incrustait, c'était comme gravir une pente savonneuse. À une ou deux reprises, j'ai glissé, je suis retombé à l'eau et j'ai retenu mon souffle en attendant de voir si quelqu'un m'avait entendu. C'était vraiment exaspérant. Et le froid n'arrangeait rien. J'avais du mal à convaincre mes doigts de tenir le coup. J'ai commencé à croire que, tout compte fait, me rendre à la police de Stony Brook n'était pas une si mauvaise idée. Ils étaient dans le camp des gentils, non ? Peut-être pourrais-je les convaincre que ce Naymeer ne mijotait rien de bon. Sinon, comment arriverait-on à l'arrêter par nos propres moyens ? Je pouvais peut-être mettre la police de notre côté en racontant toute mon histoire, qui sait ? Alors que j'étais là, plongé dans l'eau froide, tout seul, *très* seul, je commençais à me dire qu'il valait mieux chercher de l'aide.

J'ai fait une dernière tentative pour atteindre le sommet. Et j'y suis arrivé. Pas vraiment de façon élégante, mais je l'ai fait. Quand je me suis retourné, ce que j'ai vu m'a définitivement ôté toute idée de me rendre à la police.

Le dénommé Hirsch se tenait sous un réverbère dans le parking de la marina, à une trentaine de mètres. C'était le type qui n'avait cessé de me chercher depuis ma disparition de Seconde Terre, le chef de la police locale. Cependant, il se tenait à côté d'une grosse limousine noire et parlait à quelqu'un assis à l'arrière. Or les policiers ne conduisent pas de limousines. Sur le capot, audessus de chaque phare, il y avait un petit drapeau rouge flanqué du symbole de l'étoile. Je ne voulais pas virer complètement parano, mais quelle que soit la personne qui se trouvait dans la limousine elle devait faire partie du culte de Naymeer. Alors pourquoi Hirsch lui parlait-il ? Le policier était-il impliqué dans tout ça ? Pire : et si la police tout entière en faisait partie ? J'avais envie de hurler de rage. Il faut croire que ceux que je prenais pour des alliés ne l'étaient pas tant que ça.

J'ai attendu que Hirsch me tourne le dos pour passer mes jambes par-dessus le rebord et filer vers la cabane des autorités du port. Mes jambes étaient si glacées que je pouvais à peine les plier. Je me suis accroupi derrière le petit bâtiment et j'ai scruté les alentours, cherchant un moyen de m'échapper. Plusieurs policiers continuaient de fouiller les quais. Certains aidaient leurs camarades qui avaient eu le malheur de tomber sur Alder. Je devais en déduire que les autres étaient partis à sa recherche dans les bois qui entouraient la marina. Donc, mieux valait ne pas passer par là. Autant rester au bord de la rivière en me cachant derrière les embarcations en cale sèche.

Je me suis donc accroupi et suis parti le plus vite possible. Quelques secondes plus tard, j'étais au milieu de centaines de bateaux. Autant me chercher dans un labyrinthe. Il leur faudrait une sacrée chance. À chaque fois que je contournais un voilier, mon moral remontait d'un cran. J'allais m'en sortir. Ensuite, il ne me resterait plus qu'à retrouver Alder. La rivière passait sous un pont surélevé qui servait de porte vers le New Jersey. La marina se prolongeait en dessous. C'est dire à quel point ce pont était haut perché. La couverture parfaite. J'allais courir dans cette direction lorsque j'ai entendu des sirènes. J'ai regardé en arrière pour voir plusieurs voitures de police, tous gyrophares dehors, tourner sur la route donnant sur la marina. Il y avait également une ambulance. Pourvu que ce soit pour les policiers et pas pour Alder. Quoi qu'il en soit, ils se dirigeaient dans la direction opposée. J'étais libre.

À présent, il s'agissait d'atteindre l'autre bout de la rivière. Et pour ça, je devais regagner la route. Pas question de retourner dans la flotte. La nationale suivait une longue jetée qui marquait l'endroit où l'eau douce de la rivière se chargeait de sel. La route était large et bien éclairée. Trop bien éclairée. Et très passante. Je suis resté en bordure, prêt à sortir du couvert des buissons, à me demander comment parcourir la distance restante. Devais-je partir en courant au risque de me faire repérer par les automobilistes ? Ou marcher d'un air tout naturel ? Ça me prendrait plus de temps, mais ça diminuerait les risques de me faire prendre. J'ai décidé d'y aller à petites foulées, tout simplement. À Stony Brook, les gens faisaient tout le temps du jogging. Voir quelqu'un courir à côté d'une route n'avait rien d'inhabituel, quelle que soit l'heure du jour ou de la nuit. Je me suis donc mis dans l'esprit d'un marathonien du dimanche et suis parti sur le bas-côté.

Personne ne m'a arrêté. Je suis arrivé au bon endroit, j'ai traversé la route et à nouveau plongé dans les buissons. Maintenant, j'étais du même côté de la rivière que la balançoire où j'avais rendez-vous avec Alder. Je n'aime pas me montrer négatif, mais je craignais qu'ils ne l'aient interpellé. Après qu'il s'était débarrassé de ces deux policiers, j'imagine que les recherches avaient dû s'intensifier. Il avait pris des risques pour détourner l'attention, mais s'ils l'avaient capturé ? Le livreraient-ils aux Raviniens ? Et que pourrait-il raconter à la police ? Il y avait bien trop d'éventualités toutes plus horrifiantes les unes que les autres, alors j'ai décidé d'arrêter de me faire un sang d'encre et je me suis contenté d'espérer qu'il soit au rendez-vous.

Je ne sais pas qui a installé cette corde sur la rive de la Signet, mais, aussi loin que je me souvienne, elle a toujours été là. Elle se trouve tout en haut d'une pente escarpée permettant d'atteindre une hauteur respectable avant de plonger dans la rivière. Vous parlez d'un grand frisson. C'est une excellente façon de passer un chaud après-midi d'été. Bon, par une nuit froide de mars, ce n'était pas l'idéal, mais je n'avais pas l'intention de plonger. Je me suis frayé un chemin au milieu des buissons en me demandant combien de temps je devrais attendre Alder.

Je n'aurais pas dû m'en faire.

— J'ai bien cru que tu n'arriverais jamais, a dit Alder quand j'ai atteint la clairière à la balançoire.

Il était là, assis sous un arbre d'un air tout naturel, comme s'il se reposait un peu avant de plonger. Du coup, je me suis dit que j'étais idiot de m'être inquiété pour lui.

— Il faut qu'on se trouve un endroit chaud où passer la nuit, ai-je dit. Je suis crevé.

Ç'avait été une journée incroyablement longue qui avait commencé sur Denduron. On avait besoin de recharger les batteries.

— Ton territoire est bien agité, a déclaré Alder. Comment pouvez-vous vivre dans un tel chaos ?

Je n'avais jamais considéré les choses de cette façon, mais il avait raison. Comparée au monde simple de Denduron, la Seconde Terre devait ressembler à une espèce de jeu vidéo frénétique. Et, au milieu de toute cette folie, on aurait bien du mal à trouver une cachette sûre. On devait certainement être recherchés. Où aller ? On pouvait toujours s'introduire dans un magasin, mais on risquait de déclencher un signal d'alarme. On pouvait trouver une maison isolée et espérer qu'il n'y ait personne, mais si ses occupants revenaient ? J'ai pensé aux histoires de prisonniers évadés que j'avais lues. Où se cachaient-ils en général ? Dans des églises ? Chez leur copine ? Quelque part dans un fossé ? On ne pouvait pas aller dans un endroit ayant le moindre rapport avec moi ou mes amis, parce que c'est là qu'on nous chercherait en premier. Je connaissais cette ville comme ma poche et je ne pouvais pas imaginer une seule cachette où l'on puisse être en sécurité.

Sauf une.

– Où va-t-on ? a demandé Alder.

– Au dernier endroit où ils penseront à nous chercher.

En attendant, on est restés là pendant près de deux heures, à grelotter dans nos vêtements mouillés. De notre perchoir, on a observé la marina par-dessus les arbres. Tout d'abord, elle a bourdonné d'activité. L'ambulance est repartie, emportant les deux agents qu'Alder avait mis K.-O. Peu après, on a vu s'éloigner la longue limousine.

– Je croyais que les soldats locaux étaient les bons ? a demandé Alder.

– Moi aussi. Tout a changé.

Finalement, une longue file de voitures de police est partie à son tour. Ils savaient qu'on avait mis les bouts. La chasse à l'homme était ouverte. Alder et moi avons attendu encore une demi-heure pour être sûrs qu'ils ne reviendraient pas, puis on est redescendus vers la marina. Oui, on y est retournés. Quelques minutes plus tard, on se retrouvait bien au chaud dans le bateau confortable des Chetwynde. On a même fini notre thon aux crackers. Pourquoi pas ? C'était bien le dernier endroit où ils viendraient nous chercher. On a retiré nos vêtements mouillés pour les mettre à sécher à la proue. Après avoir fini notre repas et s'être enveloppés de couvertures, on s'est installés pour la nuit. On a décidé de faire des quarts de deux heures. Il valait mieux que quelqu'un monte la garde au cas où mon idée de génie s'avère idiote. Alder s'est endormi le premier. Avant même que j'aie pu lui souhaiter bonne nuit, il ronflait déjà.

Drôle de sensation. Me voici devenu un fugitif dans mon propre monde. Dans ma ville natale. Comme s'il n'était pas déjà assez difficile d'arrêter Naymeer ! Maintenant, il fallait se garder non seulement de ses nervis, mais aussi de la police. Alors que j'étais allongé sur cette couchette, secoué par les vagues, je n'avais pas la moindre idée de ce que je devais faire.

J'ai passé les deux heures de mon tour de garde à rédiger ce journal. J'ai trouvé un bloc-notes dans un sac étanche. M. Chetwynde devait s'en servir... eh bien, à tenir le sien. C'est là que j'ai terminé mon journal n° 35, puis je l'ai mis dans un compartiment, sous des outils de navigation. Il serait mieux là que sur moi. Si je devais à nouveau me mettre à l'eau, mes écrits seraient fichus. Je me suis dit que, à un moment ou à un autre, les Chetwynde tomberaient dessus et te le donneraient, Courtney. Bon, d'accord, c'est un peu tiré par les cheveux, mais comme je n'ai rien trouvé d'autre à faire, j'ai commencé mon journal n° 36. Pourquoi pas ? Sans lui, je n'aurais eu que mes inquiétudes pour me tenir compagnie.

Quand j'en ai eu assez d'écrire, mon tour de garde touchait à sa fin. J'avais hâte de poser ma tête sur l'oreiller et de prendre enfin un repos bien mérité...

C'est alors que mon anneau a pris vie.

Tout d'abord, j'ai pensé à réveiller Alder. Non, je retire ce que je viens d'écrire. La première chose qui m'a traversé l'esprit fut : *Il faut vraiment que ça m'arrive maintenant ?* Réveiller Alder a été la seconde. Or je ne l'ai pas fait. Quoi qu'il puisse arriver, j'aurais tout le temps de lui en faire part plus tard. Au moins, l'un d'entre nous serait reposé. J'ai pris l'anneau et je l'ai posé à côté de moi sur la couchette. Je voulais que mon corps cache sa lumière pour qu'elle ne réveille pas Alder. L'anneau a grandi et brillé de mille feux pendant que retentissaient les grappes de notes musicales sortant du tunnel entre les territoires. Quelques instants plus tard, tout était terminé. L'anneau était redevenu normal. À côté, il y avait un morceau de papier déchiré portant des inscriptions. On aurait dit qu'un liquide quelconque l'avait éclaboussé, mais il faisait trop noir pour en être sûr. Je l'ai tenu près du hublot pour que la lumière de la lune l'éclaire. Aussitôt, j'ai vu ce qui l'imprégnait.

Du sang. Du sang frais.

TROISIÈME TERRE

Patrick Mac, le Voyageur de Troisième Terre, était de retour sur son propre territoire. Rien ne vaut son chez-soi. Hélas, son monde ne ressemblait plus du tout à celui qu'il avait connu.

Il se retrouva dans le flume situé sous les ruines de la cathédrale où ils s'étaient introduits en Seconde Terre. Le culte ravinien était peut-être toujours actif en Troisième Terre, mais ils ne se rassemblaient plus à cet endroit. Patrick n'avait aucune envie de traîner ici. Cela lui rappelait le moment où on lui avait tiré dessus.

Il monta les escaliers menant au quartier en ruine qu'était le Bronx, à New York. Depuis qu'il était allé en Seconde Terre, le décor lui semblait un peu moins étrange qu'à son départ. En regardant ces immeubles à demi effondrés, il pouvait imaginer à quoi ils ressemblaient quelques centaines d'années plus tôt. Il n'y avait pas un chat dans les rues. On aurait dit une ville fantôme. Patrick resta là, sous le choc, à examiner l'évidence. Voilà à quoi menaient les enseignements de Naymeer. C'était ce que voulait Saint Dane. Ce territoire n'était plus que désolation.

Patrick avait beau avoir peur de retourner chez lui, voir le cauchemar qu'était devenue la Troisième Terre alluma en lui une étincelle… de colère. Son monde était aussi proche de la perfection qu'il est possible de l'être. Le peuple de la Terre avait tout compris. Naymeer et son culte avaient changé tout ça. Cette soi-disant élite avait mené la Terre à sa perte. Il en avait la preuve : elle était là, tout autour de lui. Patrick avait une mission à remplir : faire en sorte que tout cela n'arrive pas. Il devait aider Pendragon à modifier le passé. Une fois de plus.

Le Voyageur en chef lui avait demandé de fouiller les archives pour trouver toutes les informations disponibles sur le culte des Raviniens. Tout ce qui pouvait les empêcher de poursuivre leur plan démentiel. S'il existait quelqu'un capable de le faire, c'était bien Patrick. Il décida d'aller chercher aux racines du mal. Chez la seule personne qui semblait avoir une vision cohérente du passé. Il devait voir Richard, le vieux bibliothécaire. Celui-ci lui avait dit que toutes les archives de l'époque avaient été détruites, et pourtant il semblait en savoir long sur ce qui était arrivé. Oui, se dit Patrick, Richard serait sa principale source de renseignements. Mais où le trouver ? Il s'était fait tabasser par les Raviniens. Avait-il survécu ? Les gens qui s'étaient occupés de lui avaient dit qu'ils allaient l'emmener à l'hôpital. Mais lequel ? Patrick ne savait rien de cette nouvelle Troisième Terre. Combien de temps s'était-il écoulé depuis son départ ? Le flume l'avait bien déposé en Troisième Terre, mais *quand* ? Richard avait-il été agressé plus tôt dans la journée, ou il y avait des années de cela ?

Patrick décida d'aborder ces questions l'une après l'autre. C'était le seul moyen d'éviter la panique. Il devait se calmer et agir de façon logique. Son point de départ était évident. Il devait retourner à la bibliothèque.

Ce fut une bien longue marche jusqu'au centre-ville. Il n'y avait plus de métros ni de taxis dans les rues. Plus il progressait vers le sud, plus il y avait de monde. New York était encore vivante. À peu près. La plupart des passants circulaient à vélo, mais, lorsqu'il franchit le pont pour aborder l'île de Manhattan, il vit des bus antédiluviens rouler sur les avenues. Il aurait bien voulu en prendre un, mais il n'avait pas un sou en poche. Il se résigna à faire tout le trajet à pied, comme la dernière fois, lorsqu'il était allé de la bibliothèque au flume.

Cela lui prit plusieurs heures, mais Patrick finit par arriver à destination. Lorsqu'il regarda la façade de pierre de la bibliothèque, son moral tomba dans ses chaussettes. Ce bâtiment jadis fier était taché de vilaines marques noires – les séquelles de l'incendie qu'avaient allumé les Raviniens. Décidément, il n'avait pas beaucoup d'espoir d'y trouver Richard. Mais, comme il ne savait pas où aller, il força ses jambes douloureuses à monter les escaliers.

Le hall était endommagé, mais pas totalement détruit. Patrick fit quelques pas vers la pièce où Richard avait caché la couverture du livre ravinien, mais il n'alla pas bien loin. Le couloir était impraticable. Apparemment, c'était là que l'incendie avait été le plus destructeur. Des poutres carbonisées s'étaient effondrées, bloquant le passage. Inutile de vouloir passer. Patrick retourna dans le hall et chercha une autre direction. Lorsqu'il voulut revenir sur ses pas, Patrick se figea. Là, au centre du hall brûlé, se tenait Richard. Il était si mince et si pâle qu'un instant Patrick crut se trouver face à un fantôme.

– Vous êtes revenu, fit le vieillard dans un souffle.

Patrick s'empressa de le rejoindre.

– Vous allez bien ?

– Tout dépend de ce qu'on entend par « bien », ironisa Richard. Je suis toujours en vie. Est-ce suffisant ?

Patrick n'en revenait pas. Il ne s'attendait pas à tomber sur Richard si rapidement. Il avait des millions de questions à lui poser et n'arrivait pas à en trouver une seule.

– Ça fait combien de temps ? demanda-t-il. Qu'ils ont mis le feu à la bibliothèque, je veux dire.

Richard lui jeta un drôle de regard. Patrick comprit qu'il venait de poser une question ridicule. Le vieil homme ignorait tout des voyages dans le temps et entre les territoires.

– Pourquoi cette question ? demanda Richard. Êtes-vous allé sur un autre territoire de Halla ?

Ou peut-être pas. Patrick oubliait que Naymeer avait dévoilé au monde entier l'existence de Halla il y avait des siècles de ça.

– Que savez-vous de Halla ? demanda-t-il.

– Assez pour comprendre qu'on nous a promis un monde meilleur et qu'on nous a trompés, répondit-il avec colère. C'est tout ce qui compte, non ?

– En effet, reprit Patrick d'un ton sinistre.

– Hier.

– Hier quoi ?

– C'est hier qu'ils ont brûlé la bibliothèque et m'ont envoyé à l'hôpital.

– Oh. D'accord.

– Pourquoi êtes-vous revenu ? demanda Richard. Toujours en quête de réponses, professeur ?

Patrick dressa la tête.

– Plus que jamais !

Richard acquiesça d'un air las. Il releva sa manche droite, dévoilant une affreuse tache rouge sur son avant-bras.

Patrick eut un sursaut de surprise.

C'était une cicatrice. Là où il y avait eu un tatouage en forme d'étoile.

– Voilà, pour commencer, dit Richard.

– Vous êtes l'un d'entre eux ? demanda Patrick, stupéfait.

– Je l'étais. Jusqu'à ce que j'apprenne la vérité.

– Racontez-moi, supplia Patrick. Je dois savoir. Tout.

– Pourquoi ?

– Pour tenter de les arrêter.

Richard eut un reniflement sceptique. Il le regarda droit dans les yeux et déclara :

– Êtes-vous assez fort ?

– Pour les arrêter ? Je n'en sais rien.

– Non, je veux savoir si vous êtes assez fort pour supporter la vérité.

À son ton peu engageant, Patrick fit la grimace.

– Il le faudra bien.

Richard acquiesça et partit d'un pas traînant vers l'intérieur de la bibliothèque. Patrick le suivit le long d'un interminable couloir au sol de marbre fendillé. Ils ne tardèrent pas à atteindre une petite pièce avec un lit défait poussé contre le mur du fond. Des vêtements éparpillés jonchaient le sol, et il planait un relent de fumée et de linge sale. Sur un vieux bureau tout égratigné, il y avait un petit réchaud.

– Vous habitez là ? demanda Patrick, incrédule.

– Maintenant, c'est tout mon univers, répondit le vieil homme en farfouillant dans des amas de vêtements et de papiers gras. Un vrai petit nid douillet, non ?

390

– Ce n'est pas vrai, corrigea Patrick. Maintenant, votre monde est dans ces livres.

À ces mots, Richard s'arrêta net et parut se radoucir.

– Merci, dit-il sincèrement. C'est un univers à l'agonie. Il y a longtemps que je m'en suis lassé.

Il trouva alors ce qu'il cherchait : des clés de contact.

Quelques minutes plus tard, Richard et Patrick remontaient Broadway dans une antique voiture à essence. Richard était au volant. Patrick se cramponnait au siège passager. Cette bagnole tombait en ruine. À chaque cahot, les suspensions rebondissaient et grondaient comme si elles allaient déclarer forfait. Patrick jeta un coup d'œil inquiet au vieil homme. À son grand soulagement, Richard semblait aller mieux. Une lueur nouvelle brillait au fond de ses yeux. Apparemment, il aimait bien conduire.

– Ça fait dix ans que je n'ai pas sorti ce tas de ferraille, expliqua-t-il. Impossible de trouver de l'essence. Alors je me contente de démarrer le moteur de temps en temps pour le garder en état.

– Où va-t-on ? demanda Patrick.

– Chercher les réponses à vos questions.

– Je croyais que toutes les archives relatives au début du XXIe siècle avaient été détruites.

– C'est le cas. Enfin, presque toutes. Des documents ont circulé. On les a cachés. J'en ai assez lu pour reconstituer le puzzle. Mais je ne vous emmène pas voir de vieux papiers. Vous allez pouvoir toucher du doigt la réalité. (Il ouvrit la boîte à gants pour en tirer un bloc-notes auquel un crayon était attaché et le tendit à Patrick.) Tenez, prenez des notes. On va commencer votre cours d'histoire.

Patrick accepta le bloc-notes, mais se contenta de le tenir sur ses genoux. La façon de conduire de Richard l'effrayait tant qu'il n'arrivait pas à détacher ses yeux de la route.

– C'était un genre de prophète, commença Richard. Ou du moins c'est ce qu'on disait de lui. Il promettait le paradis. Tout ce que ses fidèles avaient à faire pour y accéder, c'était adopter sa façon de penser.

– Vous parlez de Naymeer ?

– Qui d'autre ? Il a permis aux gens d'entrevoir d'autres mondes. « Halla », comme il l'appelait. Et ils n'ont pas marché, ils ont couru. Tous veulent vivre dans un monde meilleur : il n'y a rien de plus naturel. Halla n'avait rien à voir avec un quelconque au-delà où l'on n'accéderait qu'après la mort. Non, il était là, tout autour de nous, tout le temps. Pour y entrer, il suffisait de prouver qu'on en était digne.

– En n'ayant aucune faiblesse, ajouta Patrick.

Richard lui jeta un regard en coin.

– Vous en savez plus que vous ne laissez paraître, hein, professeur ?

– J'apprends vite. Comment Naymeer pouvait-il leur montrer ces autres mondes ?

– Il possédait un anneau, continua Richard. Il prétendait qu'il était fait du matériau qui avait créé tout ce qui existait. Il ne s'est pas élevé beaucoup de voix pour mettre sa parole en doute. Ils se rassemblaient en foule dans le Bronx, face à un tunnel souterrain. Naymeer le faisait prendre vie et leur montrait des visions de Halla.

– Le flume, marmonna Patrick.

– Oui, le flume. On raconte que c'était un sacré spectacle.

– C'était il y a bien longtemps, souligna Patrick. Comment est-ce que tout a pu si mal tourner ?

– Oh, dans un premier temps, tout s'est bien passé. Naymeer a instauré un système basé sur la récompense et la punition. Ceux qui, selon lui, le méritaient avaient droit à une vie de luxe et de confort. Ceux qui, toujours selon lui, étaient un poids pour la société ne recevaient rien du tout. Non, pire que ça. On leur retirait tout ce qu'ils avaient, y compris leur dignité.

– Et les malades ou les personnes âgées ?

– Pas d'exceptions. Une fois que vous étiez jugé et considéré comme un poids mort, vous n'aviez plus le moindre droit, et vous étiez obligé de vivre dans ces immenses camps qu'ils appelaient les lotissements Horizon. Il y en avait des milliers répartis dans le monde entier. C'est là qu'ils parquaient ceux qui ne « contribuaient » pas à la société. On les traitait en esclaves. De temps en temps, l'un d'entre eux prouvait sa valeur et rejoignait les élites, mais en général ils passaient toute leur vie entre le lotissement et le boulot qu'on leur affectait afin de faire tourner les rouages du système.

– Et ils n'avaient pas le droit de voir le reste de Halla ?

– Ils n'avaient aucun droit, tout court, rétorqua Richard. On les traitait comme des sous-hommes. Les lotissements Horizon étaient des taudis où le crime et les épidémies étaient monnaie courante.

– C'est incroyable, fit Patrick, stupéfait.

– Ce qui est incroyable, c'est que tant de gens les ont laissé faire. C'était le but ultime de Ravinia. L'essence même de leur philosophie. Ils pensaient que la société ne pouvait prospérer qu'en récompensant l'excellence et en écrasant les faibles.

Patrick secoua tristement la tête.

– Pourtant, la société s'est effondrée.

– Pas si l'on en croit les Raviniens. Ils sont toujours là, vous savez. D'après vous, qui m'a presque battu à mort ? Ils n'ont pas renoncé. Pour eux, nous sommes dans une phase de transition avant que la société ne se relève de ses cendres pour atteindre son apogée, ou des âneries dans ce genre.

– Vous étiez l'un d'entre eux, souligna Richard en regardant le vieil homme.

– J'ai accepté leur tatouage, mais je n'étais jamais vraiment des leurs. Si je les ai rejoints, c'est uniquement pour que la bibliothèque reste ouverte, afin de perpétuer la mémoire de ce monde. La vérité. Mais je n'étais *pas* des leurs.

– Pourquoi tiennent-ils tant à dissimuler ce qui s'est passé ? demanda Patrick.

Richard lui jeta un regard en coin.

– Regardez autour de vous. La réalité n'a pas vraiment tenu ses promesses, ou plutôt les leurs. Ils craignent que si la majorité apprend ce qui est vraiment arrivé, ça puisse entraîner une révolution.

– Pourquoi vous êtes-vous débarrassé de l'étoile ?

Tout d'abord, Richard ne répondit pas. Patrick vit ses yeux se remplir de larmes. Il n'insista pas. Il attendit qu'il soit prêt.

– Je suis un vieil homme. Je n'en ai plus pour longtemps, et ça me convient. J'en ai déjà bien trop vu. J'ai joué le jeu, pour faire ce que je trouvais juste, mais tout le monde a ses limites. J'ai dansé en enfer, mais je n'ai jamais pactisé avec le diable. Quand j'ai appris la vérité, j'ai atteint mes limites. Alors j'ai tenté d'effacer cette étoile.

Patrick l'a dévisagé avec de grands yeux. Le vieil homme lui a rendu son regard à travers ses larmes.

– Maintenant, fiston, je vais vous montrer la vérité. Qui sait ? C'est peut-être vous qui déclencherez cette fichue révolution.

Richard se concentra à nouveau sur sa conduite. Patrick ne posa pas d'autres questions. Il avait déjà l'impression de lui en avoir déjà trop demandé. Pouvait-il lui faire confiance ? Il n'en savait rien. Mais, où qu'ils aillent, Patrick était sûr qu'il y trouverait les réponses à ses questions. Des réponses qui, avec un peu d'espoir, aideraient Pendragon et Alder à arrêter cette démence qui s'emparait peu à peu de la Seconde Terre.

Richard continua vers le nord. Ils quittèrent l'île de Manhattan et traversèrent ce qui avait été des banlieues huppées. Dans la Troisième Terre qu'avait connue Patrick, un magnifique décor champêtre s'étendait à cet endroit même. Maintenant, il n'y avait que des arbres racornis, des maisons abandonnées par lotissements entiers et des ordures – beaucoup d'ordures, des carcasses de voitures jusqu'aux papiers gras. Il y avait des lustres que la voie express n'avait pas été rénovée. Elle ressemblait plus à une toile d'araignée qu'à une route.

– Le coin est toujours habité, remarqua Richard. Ces gens vivent comme des tribus sauvages et restent groupés pour se protéger mutuellement. Croyez-moi, les étrangers ont tout intérêt à ne pas traîner par ici.

– Vraiment ? Et nous alors ?

– Mettons qu'on n'a plus qu'à espérer que cette vieille guimbarde ne nous lâche pas, répondit Richard d'un ton lourd de mauvais présages.

Ils roulaient ainsi depuis à peu près une heure lorsque Patrick commença à remarquer quelques changements. Tout d'abord, ils passèrent devant de petites structures de ciment à demi écroulées qui s'étendaient de chaque côté de la voie express.

– Ce sont des postes de garde, dit Richard comme s'il devinait ce que pensait Patrick. À une époque, ces guérites étaient occupées par des soldats armés.

– Pour quoi faire ?

– Pour écarter les curieux. Si on n'avait rien à faire ici, on ne passait pas ce périmètre. Il s'étend comme ça sur des kilomètres.

– Que protégeaient-ils ?

Richard ne répondit pas et Patrick préféra ne pas insister.

Une fois passé les bunkers abandonnés, les signes de civilisation devinrent de plus en plus rares. Les arbres se firent plus denses, leur feuillage plus épais. C'était bien la première chose agréable que Patrick ait vue dans cette nouvelle Troisième Terre.

– C'est joli par ici, remarqua-t-il sans réfléchir.

– C'était bien le but du jeu, répondit Richard d'un ton rogue. Si on vous amenait ici, d'abord, on vous faisait traverser cette belle forêt verdoyante. Je suppose que c'était pour que les gens se calment et croient qu'on les emmenait dans un coin sympa.

– On amenait des gens ici ? Pourquoi ? Où est-on ?

– On appelait cet endroit Stony Brook.

Patrick lui jeta un regard surpris.

– Stony Brook ?

– Vous en avez entendu parler ? répondit Richard, tout aussi étonné.

Patrick ne savait trop comment répondre à ça.

– Je connais des gens qui viennent de là.

Richard eut un petit rire sceptique.

– Ce n'était pas le même patelin. Personne ne vient de Stony Brook.

Patrick n'insista pas. Il ne tarderait pas à apprendre tout ce qu'il devait savoir. La forêt qu'ils traversaient n'avait rien à voir avec celle que connaissait Bobby Pendragon. Patrick n'arrivait pas à concevoir pourquoi on pouvait conduire des gens dans la ville natale du Voyageur de Seconde Terre. Ils parcoururent plusieurs kilomètres au milieu des arbres jusqu'à ce que les bois s'ouvrent sur un long mur de pierre qui, un jour, avait été blanc, mais était maintenant d'un gris sale. Il s'étendait sur plusieurs centaines de mètres avant de décrire un angle de chaque côté pour continuer loin du champ de vision de Patrick. Aux quatre coins, il y avait de grandes tourelles rondes au toit pointu. Au centre, de grandes portes en fer forgé béaient sur des gonds rouillés.

– On dirait une forteresse, remarqua Patrick.

– Je crois que c'était bien ça à l'origine. Ceux qui arrivaient ici avaient l'impression d'accéder à un domaine à part. Pour autant que je sache, ça fait bien cent ans qu'elle est abandonnée.

– Comment avez-vous découvert son existence ?

– Je vous l'ai dit, il reste quelques archives cachées par-ci par-là. Les gens s'échangent des informations interdites. Je suis tombé sur un vieil ordre de transfert envoyant un énorme convoi de « relos » à Stony Brook. Jusque-là, je n'avais encore jamais entendu ce nom. Ni celui de relos, d'ailleurs. Plus je creusais et plus j'en apprenais. (Richard se tourna vers Patrick, une lueur malicieuse dans l'œil.) Et dès que j'ai commencé à assembler les morceaux, je n'ai pas pu m'empê-cher d'aller voir par moi-même. (La lueur se transforma en larmes.) Maintenant, vous ne pouvez imaginer à quel point je le regrette !

Richard mit pleins gaz pour franchir la grande grille rouillée.

L'avant du camp n'était guère qu'une immense cour déserte de la taille de la moitié d'un terrain de football. Son étendue était couverte de poussière et de mauvaises herbes qui jaillis-saient des fissures dans l'asphalte. Au-delà, face à la grille, s'élevait une structure complexe, avec des colonnes de pierre qui rappelèrent à Patrick le sanctuaire évoquant une cathé-drale que les Raviniens avaient édifié au-dessus du flume du Bronx. Inutile de dire qu'il avait connu des jours meilleurs. De grands morceaux de marbre étaient tombés des gravures ornant le frontispice au-dessus des piliers. Mais, aussi décrépit soit-il, le bâtiment restait majestueux.

– Qu'est-ce que c'est ? demanda Patrick.

– La porte de l'enfer, répondit Richard en descendant de voiture.

Patrick s'empressa de suivre le vieil homme qui traversait la cour d'un pas traînant vers les imposantes colonnes.

– Ça vaut le coup d'œil, non ? demanda Richard en cours de route. Qui sait ce qui pouvait passer par la tête de ceux qui se retrouvaient là ? Apparemment, on leur disait qu'ils allaient voir les merveilles de Halla.

– Le flume du Bronx n'était pas là pour ça ?

Richard s'arrêta pour regarder Patrick.

– Ce truc dans le Bronx était strictement réservé aux Raviniens. Celui-ci était pour tous les autres. On les y amenait en bus. Je crois qu'ils débarquaient à l'endroit précis où nous nous trouvons. On les menait sous ces piliers. D'après ce que j'ai lu, ils étaient tous là de leur plein gré, même s'ils ont dû se demander pourquoi il y avait des gardes armés dans ces miradors.

Patrick leva les yeux pour voir les tourelles circulaires à chaque angle du mur d'enceinte. Soudain, cet endroit ressemblait plus à une prison qu'à un château enchanté.

– Qui amenait-on ici ? demanda-t-il.

Richard se mit à trembler comme une feuille.

– Dans un premier temps, les faibles. Les personnes âgées, les handicapés, ceux qui souffraient de maladies incapacitantes. Mais, peu à peu, ils se sont montrés de moins en moins regardants. Quiconque habitait un lotissement Horizon pouvait se retrouver ici un jour ou l'autre.

– Je n'aime pas la tournure que prend cette histoire, fit Patrick d'une voix grave.

– Ah non ? fit Richard. Je pensais que vous vouliez connaître la vérité ?

– C'est vrai, répondit fermement Patrick.

– Je crois que le terme qu'ils employaient était… marginalisé. C'est ce qu'ils faisaient des relos. Ils les marginalisaient.

Il marcha vers les colonnes. Patrick jeta un coup d'œil au camp désert. Il avait un nœud dans l'estomac. Il n'avait qu'une seule envie, filer d'ici le plus vite possible, mais en effet il devait apprendre la vérité. C'était sa mission, après tout. Il suivit Richard jusqu'à une double porte métallique d'allure massive. L'un des panneaux était entrouvert. Juste assez pour qu'on puisse se glisser à l'intérieur.

– J'ai dû la forcer, expliqua Richard. Si les serrures n'étaient pas rongées par la rouille, je n'y serais jamais arrivé. Même après avoir arrêté d'utiliser ce centre, ils ne voulaient pas laisser entrer les curieux.

Richard se glissa dans l'ouverture. Patrick le suivit. Ils se retrouvèrent dans un grand hall tout en marbre. La seule lumière provenait du soleil qui s'infiltrait par les hautes fenêtres. Patrick vit que l'endroit était entouré de colonnes de marbre austères.

– On dirait un tombeau, commenta-t-il à voix basse.

Richard lui jeta un regard en coin, eut un petit rire ironique, puis se dirigea vers l'autre bout de la pièce, où un escalier descendait dans le noir. Le bibliothécaire s'y engagea sans hésiter. Patrick ne le suivit pas tout de suite. Dès qu'il vit les marches, tout s'emboîta dans sa tête. Il sut sans l'ombre d'un doute ce qu'ils allaient trouver là en bas. Par contre, il ignorait ce que cela signifiait. Or, pour le savoir, il lui fallait suivre Richard.

Patrick avait à peine descendu quelques marches qu'il constata que son intuition était la bonne. Là, à l'autre bout d'un sous-sol très simple aux murs de ciment, il vit l'embouchure du flume.

– C'est le manoir de Sherwood, chuchota-t-il.

– Je ne connais pas ce manoir de Sherwood, répondit Richard. Pour moi, on dirait plutôt une maison des horreurs. (Il entra dans la gueule du flume et continua :) D'après les comptes rendus que j'ai compilés, Naymeer lui-même présidait aux cérémonies. Les pauvres bougres qu'ils appelaient « relos » étaient emmenés dans cette salle, où on leur disait d'entrer dans ce tunnel. Naymeer et son anneau étaient là pour les accueillir et activer cette machine infernale. Les gens étaient aspirés, et on ne les revoyait plus jamais. C'est ainsi que les Raviniens se débarrassaient de ceux qu'ils jugeaient inutiles.

– Non ! s'écria Patrick. Ça ne tient pas debout !

Il était trop fébrile pour se soucier de discrétion.

– Les flumes ne fonctionnent que pour les Voyageurs. Les autres ne doivent pas s'en servir. C'est trop dangereux.

– Dangereux ? reprit Richard d'un ton moqueur. Ces pauvres bougres ont été exécutés ! C'est assez dangereux pour vous ?

– Non, répéta Patrick. Les flumes ne tuent pas.

– Alors, qu'est-ce qui leur est arrivé ? rétorqua Richard. Ils sont rentrés là-dedans et n'en sont jamais ressortis. Par milliers ! Si quelqu'un ne correspondait pas au profil du bon petit Ravinien, soit on en faisait un esclave, soit on le classait parmi les relos et on l'envoyait ici. Voilà ce qu'ils voulaient cacher, professeur. Un génocide. Et il a duré plusieurs dizaines d'années. Quand Naymeer a été trop vieux pour continuer son œuvre, il a transmis son anneau à ses Acolytes. C'est comme ça qu'il les appelait : ses Acolytes. Les Raviniens ont purgé le monde de tous ceux qu'ils considéraient comme inférieurs ou qui n'adhéraient pas à leur philosophie. Ce n'était pas une question de race, de religion ou de politique. Il importait uniquement de savoir si un individu pouvait leur apporter quelque chose ou pas. Quiconque passait du bon côté de la ligne était quelqu'un d'intelligent, de productif, et il vivait une existence bien remplie. Si on se retrouvait du mauvais côté, on pouvait devenir un relo et être envoyé ici. Il s'agissait de réduire la population, de soulager un système déjà trop lourd pour permettre aux élites de prospérer. C'est comme ça qu'ils ont pu prendre le pouvoir. Si quelqu'un les menaçait, hop ! ils le faisaient disparaître.

Patrick se mit à tourner comme un lion en cage tout en secouant la tête.

– Ce n'est pas possible.

– Pourquoi ? reprit Richard. Parce que vous refusez de croire que des humains puissent être capables de telles horreurs ? Qu'ils puissent exterminer leurs ennemis sans états d'âme ? L'histoire prouve le contraire, professeur. Les Raviniens également. Hé, à côté du massacre du Bronx, ce qui s'est passé ici n'est qu'une rigolade !

Patrick se tourna vers lui.

– Le massacre du Bronx ?

– Ça non plus, vous n'en avez jamais entendu parler ? Et vous vous dites professeur ?

– Un professeur complètement perdu, répondit Patrick en marchant vers lui. C'est quoi, ce massacre du Bronx ?

Richard renifla.

– C'est le commencement de toute cette histoire. L'événement qui a donné le pouvoir aux Raviniens. Ils ont montré ce dont ils étaient capables et ont pris le monde entier en otage.

Patrick faisait de son mieux pour contrôler sa voix et ses émotions.

– Richard, c'est quoi, ce massacre du Bronx ? répéta-t-il.

Patrick entendit alors une détonation sèche. On aurait dit un pétard. Le bruit se répercuta entre les parois du flume.

– Qu'est-ce que c'était ? demanda Patrick.

Il regarda Richard. Le vieil homme tourna vers lui des yeux vitreux. Il ouvrit la bouche pour parler, mais s'effondra avant d'avoir pu dire un mot. Patrick tendit les bras pour le rattraper.

– Richard ! s'écria-t-il.

Patrick retira sa main pleine de sang. Celui de Richard. On lui avait tiré dessus. Patrick leva les yeux. Le coup ne pouvait venir que d'un seul endroit : des profondeurs du flume. Et Patrick se tenait au centre de son embouchure.

– Je suis désolé, dit-il en allongeant le vieil homme sur le sol, avant de s'enfuir à toutes jambes.

Il plongea sur le côté alors que deux autres détonations retentissaient. Les balles ratèrent leur cible pour frapper les marches. Patrick accéléra, montant les marches quatre à quatre. Ce n'était pas qu'une question de survie. Il savait qu'il lui fallait transmettre ces informations à Pendragon. Celui-ci devait savoir que Naymeer et les Raviniens se servaient des flumes pour exiler leurs ennemis Dieu sait où. Ces mêmes flumes étaient devenus l'arme ultime de Saint Dane dans sa quête pour contrôler Halla. Il n'avait plus besoin de détruire ceux qui ne correspondaient pas à ses plans – il n'avait qu'à les envoyer ailleurs. Mais où ? Impossible de le dire.

Il y avait également ce « massacre du Bronx ». Que s'était-il passé exactement ?

Patrick atteignit le haut des escaliers, se glissa dans l'ouverture entre les portes métalliques et courut vers la voiture. Il l'atteignit sans se faire tirer dessus et plongea derrière le volant. Patrick n'avait jamais conduit un engin comme celui-ci. Il avait l'habitude des véhicules électriques silencieux de sa Troisième Terre. Mais il avait vu Richard à l'œuvre. Il tourna la clé de contact. Le moteur se mit à gronder.

– Oui !

Il appuya sur l'accélérateur et tourna le volant. La voiture dérapa sur l'asphalte, soulevant un nuage de poussière et de gravier. Pied au plancher, Patrick visa les grandes grilles. La vieille bagnole couina et protesta, mais bondit en avant et prit de la vitesse. À chaque seconde, il se sentait plus assuré. Il allait s'en tirer, il en était sûr. Il lui suffisait de deviner comment conduire cet engin jusqu'au Bronx. Il ne voulait pas abandonner Richard, mais il n'avait pas le choix. Il devait atteindre le deuxième flume. Il devait rejoindre Bobby.

Il n'était plus qu'à une dizaine de mètres de la sortie lorsqu'un énorme camion apparut droit devant la voiture, barrant la sortie de toute sa longueur. Patrick n'était pas un conducteur expérimenté et, même s'il avait réagi au quart de tour, il roulait trop vite. Il freina à mort. Trop tard. Il emboutit le flanc du camion. Le choc fut violent. Patrick fut projeté contre le pare-brise. Il sentit à peine le verre brisé et rebondit sur le siège, choqué. La tête lui tournait. Il était blessé. Gravement. Il le savait. Il n'arriverait jamais au flume. Il s'efforça de ne pas perdre conscience. Il devait prévenir Pendragon.

Il tenta de reprendre son souffle, puis trouva le bloc-notes que Richard lui avait donné. Il constata que son bras droit était inerte, probablement cassé. Il se servit donc de sa main gauche pour écrire. Il toussa, envoyant une brume écarlate maculer la page. Patrick savait qu'il ne lui restait plus beaucoup de temps. Pour cela, il lui suffisait de regarder la mare de sang qui s'étendait sous ses pieds. Il devrait exprimer tout ce qu'il savait en un minimum de mots. Alors qu'il écrivait, des gouttes de sang tombèrent sur la page. Il lutta contre le vertige qui montait en lui et se mit à réfléchir. Quels termes utiliser ? Quels mots ?

Il finit d'écrire et retira son anneau de Voyageur.

– Seconde Terre, fit-il d'une voix faible.

À son grand soulagement, l'anneau prit vie. Il lutta pour rester conscient encore quelques secondes. Tout tournait autour de lui. Il aurait bien aimé que l'anneau fonctionne plus vite. Des lumières jaillirent. Le portail était ouvert. Son dernier geste fut de saisir les feuilles de papier ensanglantées et de les jeter dans l'ouverture.

Il y était arrivé. Il avait rempli sa mission. L'anneau reprit sa forme normale.

Patrick était seul. Il n'y avait pas un seul Voyageur pour lui venir en aide. Pour le guérir. Pour lui sauver la vie. Il avait déjà échappé à la mort. Cette fois-ci, il n'aurait pas cette chance.

– Bonne chance, Pendragon.

Tels furent les derniers mots de Patrick, Voyageur de Troisième Terre.

Journal n° 36
(suite)

SECONDE TERRE

— Qu'est-ce qu'il raconte ? demanda Alder, à moitié endormi, en roulant sur sa couche.

Je me suis cramponné aux feuilles ensanglantées. Le message était cryptique et précipité. En fait, il était à peine lisible. Pourvu que ce soit juste parce que Patrick, habitué aux ordinateurs dernier cri, avait du mal à écrire à la main. Non, mais qu'est-ce que je racontais ? Patrick était mal barré. Ou pire. Ce papier était taché de sang, ce qui ne présageait rien de bon.

— C'est un message de Patrick, ai-je répondu.

Alder s'est redressé, soudain bien éveillé.

— Il a appris quelque chose à propos de Naymeer ?

J'ai acquiescé et je lui ai tendu la note. Il l'a prise délicatement, sentant l'humidité qui l'imprégnait, m'a jeté un regard inquiet et a lu ce que Patrick avait écrit : « *N. exile ennemis via flume. Comm. massacre du Bronx.* »

Alder la lut à haute voix, deux fois.

— « N. » désigne Naymeer ? a-t-il demandé.

— Ça semble logique.

— C'est quoi, un Bronx ?

— Là où se trouve l'autre flume.

— Comment Naymeer peut-il exiler des gens par le flume ? On ne peut les prendre qu'en compagnie d'un Voyageur.

— À moins que la Convergence ait changé tout ça, ai-je précisé d'un ton lugubre.

— Et où Naymeer les envoie-t-il ?

Je me suis assis et me suis frotté les yeux. J'étais à la fois vidé et sur les nerfs.

– Je ne sais pas. Et s'il les envoyait nulle part ? Il y a une différence entre l'exil et la mort.

– Le flume n'est pas un engin de mort, Pendragon, a corrigé Alder.

Le petit mot de Patrick éveillait plus de questions que de réponses, mais au moins il a consolidé quelque chose dans mon esprit.

– Patrick dit que tout a commencé par ce massacre du Bronx, ai-je fait d'un ton pensif. Voilà qui ressemble fort à un moment de vérité.

Alder a acquiescé.

– C'est peut-être la première fois que Naymeer s'est servi du flume pour exiler ses ennemis ?

– Ou les assassiner, ai-je ajouté.

– Quoi qu'il en soit, il faut l'en empêcher, a affirmé Alder.

J'ai baissé les yeux. Je n'aimais pas le tour que prenaient mes propres réflexions. Cette mesure désespérée que j'avais envisagée un peu plus tôt commençait à devenir bien plus qu'une simple possibilité. Malheureusement.

– À quoi penses-tu, Pendragon ? a demandé Alder d'une voix douce.

– Tout ça nous dépasse complètement, ai-je répondu. Tu l'as dit toi-même. Ce territoire est une vraie ruche. Tu as raison, plus que tu ne le penses. On n'a pas affaire à des tribus primitives ou à des conflits localisés. Le problème est global. Crois-moi, altérer le cours des événements au niveau mondial n'est pas simple. Naymeer a beaucoup de fidèles. Son culte est sur le point d'être reconnu par les Nations unies. C'est une organisation internationale. Je ne vois pas comment on pourrait les convaincre qu'il les mène sur une voie dangereuse. Je ne saurais pas par où commencer.

– Mais on doit essayer, a marmonné Alder.

– Crois-moi, on ne peut pas se charger de quelque chose d'aussi important. Notre seul espoir, c'est de voir les choses à notre niveau.

Alder a hoché la tête d'un air pensif.

404

– Tu as une idée ?

J'ai inspiré profondément, mal à l'aise, avant de continuer :

– Tout tourne autour de Naymeer. Il est le centre de cette histoire. Saint Dane tire les ficelles, mais c'est lui le porte-parole de Ravinia.

Alder m'a jeté un regard grave. Je crois qu'il voyait où je voulais en venir. Ça ne me plaisait pas plus que lui.

– Si on supprime Naymeer de l'équation, Ravinia pourrait s'écrouler.

– Tu penses vraiment comme moi ?

– Oui. On doit essayer de l'emmener hors de Seconde Terre. Si on retire la tête, le corps mourra.

– Il faudra l'attirer au flume, a déclaré Alder, pensif. Ce sera difficile. Il est bien gardé.

– Ce serait impossible, oui. Donc, il ne nous reste plus qu'une chose à faire.

Alder l'a formulé le premier :

– Tu suggères qu'on le tue ? Qu'on assassine un Voyageur ?

Présenté ainsi, ça semblait encore plus grave, mais c'était exactement ce que j'avais en tête. J'ai acquiescé. Je n'arrivais pas à y croire moi-même. Je pensais vraiment qu'on allait devoir se résoudre à tuer Naymeer.

– À moins que tu n'aies une meilleure idée, ai-je déclaré, plein d'espoir.

Alder s'est adossé à la coque. Je ne crois pas l'avoir jamais vu aussi concentré. Aussi sérieux. J'ai attendu sa réponse, mais il est resté silencieux, plongé dans ses pensées.

– Dis-moi quelque chose, Alder ! ai-je crié. Est-ce que je suis cinglé ?

Alder, lui, est resté très calme. Il a parlé d'une voix douce, mais pleine d'autorité :

– On a fait bien des choses qui allaient à l'encontre de notre devoir de Voyageurs. Assassiner quelqu'un rentre certainement dans cette catégorie.

– On a pris les décisions qu'on devait prendre, ai-je corrigé, sur la défensive. Si on n'avait pas violé quelques règles, les moments de vérité de bien des territoires auraient mal tourné.

– Serait-ce vraiment si terrible ? s'est empressé de répondre Alder.

Là, je n'en croyais pas mes oreilles.

– Un peu ! À presque tous les coups, on a arrêté Saint Dane !

– Mais à quoi bon ? a argué Alder. Malgré tous nos efforts, il est sur le point de prendre le contrôle de Halla. Je ne peux pas m'empêcher de me demander ce qui se serait passé si on avait respecté les règles. Serait-ce pire que la situation dans laquelle on se trouve aujourd'hui ?

Je commençais à m'échauffer. Alder était en train de remettre en question tout ce qu'on avait accompli en tant que Voyageurs.

– Je ne suis pas d'accord, ai-je rétorqué. Tout ce qu'on a fait pour arrêter Saint Dane est justifié.

– Je serais d'accord si on l'avait mis hors d'état de nuire une bonne fois pour toutes, a répondu Alder, toujours aussi calme. Or ce n'est pas le cas.

J'aurais bien voulu riposter, sauf qu'il avait raison. Les batailles qu'on avait menées jusque-là n'avaient aucune importance. En dépit de tout ce qu'on avait fait, en dépit de nos victoires, Saint Dane était sur le point de mettre la main sur Halla.

– Alors que doit-on faire ? me suis-je écrié, à bout de patience. Tout laisser tomber ?

– Non, s'est empressé de répondre Alder. Je dis qu'on doit utiliser toutes les méthodes possibles avant de faire quelque chose qu'on sait être mal. Une fois de plus.

– Bien sûr que oui ! ai-je lancé. Tu crois vraiment que je *veux* tuer qui que ce soit ?

Nous sommes restés silencieux quelques instants. Je devais me calmer. Alder était de mon côté. Nous disputer ne servirait à rien.

– Supprimer une vie est un acte effrayant, a continué Alder. C'est peut-être un pas de trop. Si on assassine quelqu'un de sang-froid, ce sera peut-être l'acte qui nous rabaissera au niveau de Saint Dane…

– Oui, ai-je répondu honnêtement.

Alder y a réfléchi encore un instant, puis a demandé :

– Tu n'as encore jamais tué personne, n'est-ce pas, Pendragon ?

J'ai secoué la tête. À partir du moment où je suis devenu un Voyageur, j'ai connu la mort et la destruction, mais je n'ai jamais provoqué ni l'une ni l'autre. Même dans l'affaire du *Hindenburg*, c'est Gunny qui a laissé partir la fusée détruisant le dirigeable. Pas moi.

J'ai avalé ma salive avant d'admettre :

– Je ne suis même pas sûr d'en être capable.

– Mieux vaut ne pas le savoir.

– Quelles autres options nous reste-t-il ?

– Une seule. S'il le faut, c'est moi qui tuerai Naymeer.

Alors là, je m'attendais à tout, sauf à ça.

– Hein ? Pourquoi ?

– Prendre une vie est mal, a expliqué Alder. Néanmoins, s'il faut en passer par là pour arrêter les Raviniens et remettre la Seconde Terre sur le droit chemin, je crois que la fin justifierait les moyens. Si cela permet d'éviter un massacre, encore plus. Si cela met fin à la Convergence et si cela protège Halla, encore davantage. Mais je crois aussi que tu ne dois pas le faire toi-même.

– Pourquoi ? Quelle différence ?

– Tu es le Voyageur en chef, Pendragon. Tu es un modèle. Tu l'as toujours été. Tu dois t'élever au-dessus des autres. Si Halla reprend son cours normal, bien des gens verront en toi leur guide. Je crois que c'est ce qui est écrit. Si on veut vraiment représenter les forces du bien, tu ne dois pas devenir un assassin. S'il fallait en arriver là, je suis sûr que Halla serait perdu pour de bon et que Saint Dane remporterait la victoire finale.

Tout ça me semblait logique. On était les bons. Du moins, c'est ce que j'ai toujours pensé. Oh, on a commis des erreurs et on n'a pas toujours suivi scrupuleusement les règles, mais nos intentions étaient pures et nos actions étaient justifiées. Je n'en ai jamais douté. Mais là, tout était différent. Tuer quelqu'un de sang-froid... C'était une sacrée transgression, bien plus que de mélanger les territoires. Je n'étais pas sûr qu'il vaille mieux qu'Alder s'en charge à ma place, mais j'étais prêt à accepter cette possibilité. Saint Dane m'a dit plus d'une fois que notre lutte ne concernait pas uniquement Halla, mais qu'il s'agissait aussi d'un duel entre lui et moi. Il veut démontrer qu'il m'est supérieur. Je ne sais toujours pas à qui il entend le prouver, mais il y a forcément une puissance dominante dans le coup. Peut-être que je me faisais des illusions en croyant qu'approuver un meurtre sans le commettre moi-même m'absolvait de toute responsabilité. Ça ressemblait plutôt à un détail technique. Mais s'il s'agissait vraiment d'un combat entre Saint Dane et moi, je devais me persuader que jouer les grands seigneurs en refusant d'avoir du sang sur les mains était la bonne solution.

– D'accord, ai-je fini par dire. On va tenter d'exiler Naymeer de Seconde Terre. Si on échoue et qu'il faut prendre des mesures plus radicales, je te laisserai faire. Mais pas si ça entraîne la perte de ce territoire.

– Très bien. Mais n'oublie pas que tu auras beaucoup plus à perdre si tu ne me laisses *pas* faire.

Cette sinistre sentence a résonné dans ma tête alors que je m'allongeais sur ma couchette et fermais les yeux.

– Il faut que je dorme, ai-je dit. Demain, une longue journée nous attend. Réveille-moi dans deux heures. On a beaucoup à faire.

Seconde Terre

Au commissariat de Stony Brook, Courtney et Mark se retrouvèrent assis devant cette même table où le capitaine Hirsch les avait interrogés il y avait bien des années de cela. Maintenant, c'était le *chef* Hirsch. Pour Mark et Courtney, c'était quelqu'un de bien. Un ami. À l'époque, il se souciait vraiment de ce qui était arrivé à Bobby et à sa famille. Ils avaient confiance en lui.

Plus maintenant.

Hirsch n'était pas leur ennemi, mais lui et la police de Stony Brook s'opposaient à leur mission, à savoir contrer Naymeer et les Raviniens. Mark et Courtney savaient que, quoi qu'il arrive, ils devaient l'empêcher de mettre la main sur Bobby et Alder.

Hirsch les laissa seuls pendant près d'une heure dans cette pièce triste et dépouillée avant de venir les retrouver. Durant tout ce temps, Mark et Courtney n'échangèrent pas un mot. Ils savaient que des yeux les surveillaient derrière le miroir sans tain qui occupait tout un mur. Lorsque Hirsch finit par revenir, il était accompagné d'un agent en uniforme qui alla immédiatement se poster au fond de la pièce, les bras croisés. Hirsch leur avait apporté des chips et des canettes de soda. Ils les ignorèrent. Hirsch retira sa veste de costume grise et s'assit face aux deux amis.

– Alors ? demanda-t-il tout naturellement. Où étiez-vous passés ?

Une question toute simple dont la réponse était incroyablement compliquée.

Courtney attaqua la première :

– Je suis partie, comme ça, dit-elle abruptement. Déjà, il y avait eu cet accident qui m'avait envoyée à l'hôpital, et chez moi la situation était de plus en plus tendue. Quand les parents de Mark sont morts, je n'ai pas pu le supporter. Alors je suis partie. Je sais, j'ai eu tort. Que voulez-vous que je vous dise ?

– Où es-tu allée ? demanda Hirsch après avoir bu une gorgée de Coca.

Courtney tenait à ce que ses réponses collent le plus près possible à la réalité, au cas où elle se contredirait par la suite.

– À New York. Je suis passée d'un hôtel à l'autre, j'ai fait des petits boulots pour gagner ma vie.

– Tu sais, on pourrait vérifier tout ça, déclara Hirsch sans prendre de gants.

– C'est vraiment si important que ça ?

Mark fit la grimace. Il craignait que Courtney ne se montre un peu trop agressive et ne fasse une bêtise. Hirsch n'insista pas. Il préféra se tourner vers Mark.

– Et toi ? Au fait, je suis désolé.

Mark préféra jouer le rôle du fils endeuillé qui avait perdu ses parents dans un accident d'avion.

– Merci. On était ensemble, Courtney et moi. On… se baladait, quoi.

– D'accord. Pourquoi ?

– Je ne sais pas, répondit Mark d'un ton évasif. C'est dur de perdre ses parents et de se retrouver seul au monde. Je ne voulais pas aller vivre chez ma tante, dans le Maryland.

– Mark est mon ami, ajouta Courtney. Je voulais l'aider dans cette passe difficile.

– Sans prévenir tes parents ?

– À la place de mon père, vous m'auriez laissé partir ?

Hirsch acquiesça d'un air pensif.

– Pourquoi vous êtes-vous introduits chez Alexandre Naymeer ?

Mark allait répondre, mais Courtney le devança :

– C'est faux. Pourquoi prétendre une chose pareille ? On est allés dans le parc, mais on n'est pas entrés à l'intérieur. A-t-il des preuves ? Est-ce qu'on lui a volé quelque chose ?

– Heu, oui, une voiture.

Courtney eut une hésitation. Elle avait décidé de nier en bloc. Et il était probable que Naymeer ne voulait pas qu'on sache ce qui s'était réellement passé, lui non plus.

– Vous pensez que c'est nous qui avons volé cette bagnole ? Prouvez-le !

– On l'a retrouvée au fond de la rampe d'immersion de la marina, répondit Hirsch d'une voix dépourvue d'émotion.

– Ça ne veut pas dire que c'est nous qui l'y avons mise, rétorqua Courtney. C'est vrai, on s'est enfuis. Et alors ? On n'a rien fait de mal ! On n'a pas à s'expliquer.

Mark posa la main sur le bras de Courtney pour la calmer.

Hirsch ne réagit pas. Il se contenta de les regarder tour à tour.

– Vous avez dix-sept ans tous les deux, finit-il par dire. Vous êtes mineurs. Personne ne vous a vus pendant quatre mois, et soudain vous sortez de nulle part en compagnie d'un type qui, lui, a disparu corps et âme il y a quatre ans – et sa famille également. Il me semble que vous devez des explications à pas mal de monde.

Courtney repoussa la main de Mark et se leva :

– Ce n'est pas nous qui vous intéressons, cracha-t-elle, c'est Bobby ! Ce qui lui est arrivé. C'est ce que vous voulez vraiment savoir, non ?

Mark lui jeta un regard paniqué qui signifiait très clairement : « Tais-toi ! »

– Je ne suis pas votre ennemi, Courtney, dit Hirsch, très calme.

– Alors cessez de nous traiter comme des coupables !

Hirsch toisa les deux jeunes gens. Mark eut l'impression qu'il se demandait comment poursuivre.

– Je ne sais pas ce qui s'est passé à la résidence de Naymeer, convint Hirsch. Il n'a pas porté plainte, donc ce n'est pas une affaire criminelle.

– Bien ! rétorqua Courtney. Dans ce cas, on peut rentrer chez nous.

Elle partit vers la porte. Fermée. Elle agita la poignée, puis se tourna vers Hirsch d'un air furieux.

– On n'a pas droit à un avocat ?

– Vous n'êtes pas en garde à vue, répondit patiemment Hirsch. Je pensais simplement que vous pourriez éclaircir tous ces mystères. Ce n'est pas trop demander, non ?

– Non, en effet, répondit Courtney. Sauf qu'on ne sait rien. On est tout aussi surpris que vous. Bobby est réapparu ce soir sans crier gare. Il avait besoin d'un endroit où dormir, et je lui ai proposé le bateau de mes parents. Avant qu'il ait pu nous raconter son histoire, vos troupes de choc ont débarqué. C'est tout.

Hirsch dévisagea Courtney qui lui rendit son regard. Le policier se tourna alors vers Mark.

– Quelle est ta version ?

Mark haussa les épaules. Il chercha comment contredire le moins possible les déclarations de Courtney.

– La même. On rentrait chez nous, Courtney et moi, quand on est tombés sur Bobby.

– Et son ami, l'armoire à glace ? D'où sort-il ?

Courtney retourna à la table à grandes enjambées furieuses.

– Vous n'avez donc rien écouté ? On n'en sait rien ! On se pose les mêmes questions que vous.

Le regard de Hirsch se perdit entre les deux amis. Il poussa un soupir, s'adossa à la chaise et entreprit de retrousser ses manches comme s'il se préparait à faire un travail physique.

– Vous vous souvenez de ce journal que j'ai lu il y a des années, peu après la disparition de Bobby ? Celui qui parlait de flumes et de territoires. Comment s'appelait le lascar qui l'avait volé ? Ah, oui. Andy Mitchell. Je devrais peut-être y jeter de nouveau un coup d'œil.

– Je… Je vous l'ai déjà d-d-dit, bégaya Mark. C'est m-m-moi qui l'avais écrit.

– Peu importe, je voudrais bien le relire.

Lorsqu'il eut fini de retrousser ses manches, Mark et Courtney la virent au même instant. Là, tatouée sur son bras, il y avait une étoile verte.

– Vous êtes un Ravinien, fit Mark dans un souffle.

– Pourquoi, ça vous dérange ? répondit Hirsch.

– C'est comme ça que vous avez été promu chef de la police ? demanda Courtney.

Mark fit à nouveau la grimace. Décidément, elle ne pouvait s'empêcher de chercher la bagarre. Hirsch eut un rictus moqueur, se leva et se dirigea vers le miroir, qu'il se mit à fixer. Mark et Courtney se regardèrent.

– À quoi vous jouez ? lui lança Courtney. Quelqu'un vous donne ses instructions ?

Hirsch s'empressa de se détourner du miroir. Il n'avait plus rien du policier calme et amical qu'il avait toujours été. Son irritation commençait à percer. Il retourna à la table.

– Tout serait tellement plus facile si vous me disiez la vérité, grinça-t-il.

– C'est bizarre, dit Courtney.

– Quoi ? demanda Hirsch d'une voix qui se brisait.

– C'est nous qui sommes censés être sur le gril et c'est vous qui êtes nerveux. Est-ce que quelqu'un vous met la pression, quelqu'un qui se trouverait derrière ce miroir ?

Hirsch allait répondre, mais ne put trouver les bons mots. Mark fixa Courtney d'un air sévère. Elle se contenta de hausser les épaules. Hirsch se mit à tourner comme un lion en cage. Pas de doute, il était sur les nerfs. Il fixa longuement le sol, plongé dans ses pensées. Soudain, le téléphone posé sur la table se mit à sonner, le faisant sursauter.

– Eh bien, remarqua Courtney, vous êtes vraiment à cran !

Hirsch s'empara du combiné avant qu'il sonne à nouveau. Il ne dit rien. Il ferma les yeux et écouta. Quelles que soient les paroles entendues, il était clair que cela ne lui plaisait pas. Il acquiesça comme si la personne à l'autre bout du fil pouvait le voir.

– Les nouvelles sont mauvaises ? demanda Courtney.

Hirsch jeta un bref coup d'œil au miroir et reposa délicatement le combiné.

– Hé, ça va ? demanda Mark, sincèrement inquiet.

Courtney et lui aimaient bien Hirsch. Dans le temps, il leur était venu en aide.

413

– Est-ce que vous pouvez me dire quelque chose ? demanda le policier. N'importe quoi.

Pour Mark, on aurait dit une tentative désespérée de résoudre un problème insoluble. Courtney et lui répondirent de la même façon : d'un haussement d'épaules. Hirsch parut se tasser. Il avait l'air d'un chien battu. Il secoua la tête comme s'il se résolvait à faire quelque chose qui ne lui plaisait pas du tout.

– Fichez-moi le camp, dit-il au policier qui avait observé en silence toute leur conversation.

Celui-ci obéit sans poser la moindre question. Avant de passer la porte, il jeta un regard confus à Mark et Courtney, puis s'en alla sans un mot.

– À quoi vous jouez ? demanda Courtney. Je pense qu'il vaut mieux que vous appeliez mes parents.

Hirsch prit sa veste et se dirigea à son tour vers la porte.

– J'espère que tout se passera bien, dit-il. Vous êtes de bons gosses. Faites ce qu'on vous dit, et tout ira bien. Bonne chance.

Et il s'en alla sans un regard en arrière. Courtney resta là, à fixer la porte. Mark ne fit pas un geste.

– Est-ce que ce petit discours t'a fait le même effet qu'à moi ? demanda Courtney.

– Ça ne me plaît pas du tout, répondit Mark en se levant. Il se passe quelque chose.

– Que va-t-on faire ?

– S'en aller d'ici.

Mark partit vers la porte, mais il avait à peine fait quelques pas qu'elle s'ouvrit en grand.

– Maman ? Papa ? lança Courtney.

Ceux qui entrèrent n'étaient ni l'un ni l'autre. Ce furent deux des chemises rouges de Naymeer. Ils portaient les mêmes masques que lorsqu'ils avaient capturé Mark et Courtney chez les Chetwynde.

– Non, non, non ! s'écria Courtney.

Elle ramassa une chaise et la jeta à la tête du premier garde. Il se baissa, et le projectile alla heurter le sol. Impossible de

414

sortir de cette pièce. Courtney se précipita vers le miroir et le martela de ses poings.

– Vous ne pouvez pas faire ça ! cria-t-elle aux inconnus qui se trouvaient derrière. Vous n'êtes pas au-dessus des lois !

Ce fut la dernière chose qu'elle dit avant qu'une odeur citronnée envahisse la pièce.

Journal n° 36
(suite)

SECONDE TERRE

On allait partir à la recherche de Naymeer.

Selon mon plan, on devait agir avant l'aube. Alder et moi étions recherchés par la police. Il fallait qu'on aborde les rues de Stony Brook comme… eh bien, comme deux types recherchés par la police. En plein jour, on ne pourrait jamais se cacher. Pas dans une banlieue aussi peuplée. Il nous faudrait atteindre notre destination avant le lever du soleil.

Quant à l'attaque proprement dite, elle aurait lieu juste avant l'aube. Notre cible ? Le manoir de Sherwood, là où habitait Naymeer. C'était logique d'aller le chercher là-bas. On avait longuement débattu de l'éventualité de l'assassiner, mais ce n'était pas notre priorité. On espérait pouvoir l'emmener au flume et l'envoyer hors de ce monde. Le flume se trouvait au manoir de Sherwood, et avec un peu de chance, Naymeer y serait également. De même, on aurait plus de possibilités de pouvoir s'emparer de lui dans son intimité. Une fois en public, entouré de ses gardes et de ses fidèles, il ne fallait pas espérer l'approcher. Et si on pouvait s'introduire dans le manoir aux premières heures du jour, avec un peu de chance, les gardes seraient un peu plus relax. Bon, d'accord : avec *beaucoup* de chance. Il y avait un million de possibilités que cette histoire tourne mal, mais c'était tout ce que j'avais pu concocter.

Alder m'a réveillé à 3 h 30 du matin. J'étais loin d'être reposé, mais il faudrait faire avec. Il nous restait encore environ trois heures avant le lever du soleil. Je dirais qu'il nous fallait grosso

416

modo une heure pour nous rendre au manoir de Sherwood. On s'est habillés en vitesse, on s'est aspergé le visage d'eau et on a fini les dernières provisions que les Chetwynde avaient accumulées en prévision de leur prochaine balade en mer. On s'est regardés, on a hoché la tête et on est partis sans dire un mot.

Ç'aurait été trop risqué de s'aventurer dans les rues. J'ai donc guidé Alder au milieu des jardins de Stony Brook. Je n'ai eu aucun mal à retrouver mon chemin. Jusqu'à l'âge de quatorze ans, je les avais explorés de fond en comble, souvent en compagnie de Mark. Alder et moi avons cavalé sur des rails de chemin de fer, traversé des parkings d'école et des terrains de foot et contourné des piscines privées. Tant que possible, on est restés sur des sentiers traversant des bois vierges de toute construction. Rien de plus facile. On a couru tout le long. On était en bonne condition physique, tous les deux. Je crois que l'anticipation de ce qui allait se passer ensuite nous faisait oublier la fatigue. On savait que chaque pas nous rapprochait de la grande confrontation.

On est arrivés sans problème à la propriété pour se cacher derrière une haie bordant le jardin situé en face de l'imposant manoir. De là, on avait une vue imprenable sur notre cible.

– Je suppose que tu as un plan, Pendragon, a chuchoté Alder.

– Pas vraiment. Tout ce que je peux envisager, ce sont les points négatifs. D'abord, il y a les gardes. On ne sait pas combien ils sont. Mais c'est bien le cadet de nos soucis. Ils ont beau être armés, je ne crois pas qu'ils nous tireraient dessus.

– Pourquoi ?

– Parce que Saint Dane ne les laissera pas faire. Enfin, je l'espère. Il veut qu'on soit là jusqu'au bout. On peut franchir ce mur, mais on ne sait pas ce qu'ils ont comme système de sécurité.

– Un système de sécurité ?

– Des caméras, des détecteurs de mouvements, des micros, tout ce qui pourrait les alerter si quelqu'un s'introduisait chez eux.

– Je ne comprends rien à tout ça, a dit le chevalier de Denduron.

– Ça veut dire qu'ils ne tarderont pas à savoir qu'on est là. La seule solution, c'est d'essayer de se débarrasser des gardes et d'entrer de force. J'imagine que la chambre de Naymeer doit être à l'étage. La plus grande se trouve au premier, à gauche du grand hall. S'il est chez lui, c'est là qu'on le trouvera. Il faut qu'on s'empare de lui et qu'on l'emmène au sous-sol.

– Il ne se laissera pas faire, a remarqué Alder.

– C'est un vieillard. Si on arrive jusque-là, il ne nous résistera pas bien longtemps.

– Et si on n'y arrive pas ? Si on est séparés ? Ou si Naymeer n'est pas là ?

– Quoi qu'il puisse se passer, va tout droit vers le flume. Ce sera notre seule chance de nous en sortir.

– Pour aller où ?

– En Troisième Terre, me suis-je empressé de répondre. C'est bien la seule chose dont je sois sûr. Il faut découvrir ce qui est arrivé à Patrick. Si on a la chance d'avoir Naymeer avec nous, on verra bien si notre coup d'éclat a ramené ce territoire à la normale. Si on doit partir sans lui, c'est là qu'on se regroupera.

– Il y a un troisième scénario, m'a rappelé Alder. Si on trouve Naymeer, mais qu'on ne peut pas l'emmener au flume, tu devras me laisser faire ce qui doit être fait.

– Tu en es sûr ?

Alder m'a regardé droit dans les yeux.

– Non, mais je sais en être capable.

J'ai pris son bras et l'ai serré.

– Tu es comme un frère pour moi. Il n'y a personne d'autre que je voudrais avoir à mes côtés. Pour être franc, je préférerais être ailleurs, mais puisqu'on n'a pas vraiment le choix, je suis heureux que tu sois là.

Alder a éclaté de rire.

– Content de voir que tu n'as pas perdu ton sens de l'humour !

J'ai haussé les épaules.

– C'est à peu près tout ce qu'il me reste.

Marchant à croupetons, on a quitté la pelouse du voisin pour nous diriger vers le manoir Sherwood. On a progressé rapidement au pied du mur, tels des commandos, cherchant l'arbre que Mark et Courtney escaladaient à chaque fois qu'ils se rendaient au flume. J'ai retenu mon souffle. Serait-il toujours là ? Question sécurité, ce n'était pas l'idéal. S'ils tenaient vraiment à protéger

Naymeer, la première chose qu'ils feraient serait de l'abattre. Mais quand j'ai tourné l'angle du mur, j'ai poussé un soupir de soulagement. L'arbre était toujours là. Au temps pour la sécurité. On s'est arrêtés à sa base et on a levé les yeux.

– Il peut y avoir quelque chose au sommet pour bloquer le passage, ai-je chuchoté. Des barbelés, par exemple. Fais attention.

Alder m'a fait la courte échelle et j'ai escaladé le tronc. Une fois en haut, j'ai regardé des deux côtés, cherchant quelque chose qui puisse déclencher une alarme. Ou nous empêcher de continuer. Rien en vue. Bizarre. Naymeer était une personnalité pour le moins controversée. On pourrait croire qu'il serait mieux protégé que ça. Or il ne semblait pas y avoir beaucoup de différences avec l'époque où ce manoir était abandonné. Dur pour lui, bien pour nous. J'ai aidé Alder à grimper à son tour. Je voulais qu'on reste le moins longtemps possible sur ce mur. À peine Alder m'avait-il rejoint que j'ai passé mes jambes de l'autre côté et que je me suis laissé glisser. Un petit bond de quelques dizaines de centimètres, et j'étais à terre, à l'intérieur du domaine. Je me suis accroupi contre le mur en espérant pouvoir me rendre invisible.

Un instant plus tard, la silhouette massive d'Alder se laissait tomber à côté de moi. On était rentrés. Pas de signal d'alarme, pas de projecteurs pour illuminer la cour, pas de chiens de garde pour se précipiter sur nous. Jusqu'à ce moment, je n'arrivais pas à croire qu'on puisse atteindre Naymeer. Maintenant qu'on était arrivés jusque-là, je commençais à changer d'avis. J'ai donné une tape sur l'épaule d'Alder. Toujours à croupetons, on a couru sur la pelouse vers la maison. On a atteint un gros buisson qui avait poussé à côté de la rambarde du porche. On s'y est collés le temps de faire le tour pour se retrouver face à la porte. Toujours pas un seul garde en vue. Soudain, je me suis dit que cela pouvait signifier que Naymeer n'était pas chez lui. Voilà qui expliquerait l'absence de toute mesure de sécurité. Alder et moi étions peut-être en train de jouer les commandos alors qu'il se trouvait à l'autre bout du monde. J'ai préféré ne pas m'étendre là-dessus. Si Naymeer n'était pas là, eh bien tant pis ! Ça ne nous empêcherait pas de prendre le flume pour aller chercher Patrick.

419

J'ai gravi les marches de bois en faisant de mon mieux pour ne pas les faire grincer. La prochaine étape serait de passer la grande porte. C'est là que le feu d'artifice commencerait. Elle serait probablement reliée à une alarme. Dès qu'on tenterait de la forcer, ce serait la cohue.

– Est-ce qu'on l'enfonce ? a chuchoté Alder.

– Je crois que c'est la seule façon, ai-je répondu.

On a fait un pas en arrière, prêt à décocher un bon coup de pied au panneau, histoire de déclencher le son et lumières.

– Attends, ai-je dit soudain.

Je suis allé tourner la poignée... et la porte s'est ouverte. Elle n'était même pas fermée à clé ! J'ai regardé Alder en haussant les épaules. Je n'y comprenais plus rien. S'il y avait des lacunes niveau sécurité dans le parc, il devait bien y avoir quelques alarmes au moins dans la maison elle-même. Et pourtant non. Alder et moi pouvions rentrer comme si on était chez nous. Il m'a suivi à l'intérieur, j'ai fermé la porte derrière lui, et on s'est tournés tous les deux vers les escaliers...

Pour se retrouver face à face avec le chien de Naymeer.

On s'est figés sur place. Tout d'abord, j'ai cru avoir affaire à un quig, mais c'était bien son gentil labrador noir. Il s'est assis au bas des marches, les oreilles dressées, la tête penchée sur le côté comme pour dire : « Mais qui diable êtes-vous ? »

Je me suis agenouillé et j'ai tendu la main en un geste amical. Je voulais lui gratter la tête, puis le renvoyer.

Ce n'est pas ce qui s'est passé.

Le chien ne devait pas avoir compris le signe universel de la main tendue, parce qu'il s'est mis à aboyer. Fort. *Vraiment* fort. Comme la maison était silencieuse, ça a fait l'effet d'un coup de tonnerre. J'ai compris pourquoi Naymeer n'avait pas besoin d'un système d'alarme élaboré tant qu'il avait ce clébard. Le compte à rebours avait commencé. Il fallait trouver Naymeer avant que ses gardes ne nous tombent dessus. On a foncé vers les escaliers au moment où une des chemises rouges faisait son apparition, sortant des profondeurs du manoir. Un garde. Un seul. Non, mais qu'est-ce qu'ils avaient en tête ? Il leur faudrait faire mieux que ça s'ils voulaient nous empêcher d'atteindre Naymeer. On a sauté tous les deux sur ce pauvre bougre. Il n'avait pas une chance. Il a tenté de dégainer son taser. J'ai plongé sur ses jambes, les pieds en avant, le faisant basculer. Au passage, Alder lui a décoché un coup de poing. Il n'y avait pas trois secondes que le garde était entré dans la pièce, et il était déjà K.-O.

J'ai couru vers les escaliers.

– Pendragon ! m'a lancé Alder.

Ça m'a étonné qu'il parle si fort. Quoique, comme Lassie chien fidèle nous aboyait toujours après, il était inutile de vouloir garder le silence. J'ai jeté un coup d'œil en arrière pour voir Alder s'agenouiller auprès du garde inconscient.

– Laisse-le ! ai-je ordonné.

– Regarde ! a dit Alder, ignorant mon injonction.

– Viens ! Il n'est certainement pas seul !

– C'est bien ce que je crains.

Son ton était si grave que je me suis arrêté et retourné. D'un bond, j'ai descendu les marches, passant devant le labrador pour aller m'agenouiller aux côtés d'Alder. Celui-ci a levé la main. Il tenait quelque chose. Une oreille. Celle du garde. Tout d'abord, j'en ai eu la nausée. Puis je me suis demandé pourquoi le cheva-lier brandissait un trophée aussi dégoûtant. Ma troisième idée a été la bonne. Je la lui ai prise des mains. Elle avait quelque chose de bizarre. Bon, je n'avais encore jamais tenu une oreille coupée, mais elle n'avait rien d'humain. J'ai regardé le garde. Il gisait la tête sur le côté, un trou à la place de l'oreille. Le coup de poing d'Alder la lui avait arrachée. Il n'y avait ni sang ni plaie. Dans le trou, j'ai vu un circuit informatique tordu.

– C'est un dado ! me suis-je exclamé.

– Bien sûr ! a répondu une voix depuis l'autre bout du vestibule.

On s'est retournés d'un bond, Alder et moi, pour voir Alexandre Naymeer s'encadrer dans la porte de son bureau. Il portait une robe de chambre pourpre sur un pyjama. Même à cette heure, il était toujours aussi impeccablement mis, comme une gravure de magazine représentant d'élégants millionnaires de Las Vegas ou quelque chose comme ça.

– Toute ma garde personnelle se compose de dados, a repris Naymeer. Ils font un excellent travail !

Même si son maître était là, le chien a continué d'aboyer.

– Nevva ! a ordonné Naymeer. Au pied !

L'animal s'est aussitôt tu et a couru vers lui.

– Vous avez appelé votre chien Nevva ? ai-je demandé.

– Le nom de mon ancienne nounou. Je crois que vous la connaissez ?

Je n'ai pas répondu. Depuis mon départ d'Ibara, je n'avais pas eu une seconde à lui consacrer. Est-ce qu'elle rôdait toujours dans le coin ? Pouvait-elle avoir pris la forme d'un chien ? C'était peu probable.

– Je vous en prie, vous vous joindrez bien à moi ? a ajouté Naymeer.

Il a tourné les talons pour regagner son bureau, nous laissant seuls dans le vestibule.

– Trop bizarre, ai-je murmuré.

Alder a rejoint le vieil homme, et j'ai suivi Alder. Lorsqu'on est entrés dans la pièce, Naymeer se dirigeait vers son bureau pour ramasser ce qui ressemblait à une télécommande de téléviseur.

– Je suis heureux que vous soyez là, tous les deux, a dit Naymeer, très calme. Ça nous évite de prendre la peine de vous traquer.

Tout ça aurait été normal et très cordial s'il n'avait pas employé le terme « traquer » – un mot qui n'avait rien de chaleureux. Pourtant, avec ses manières accueillantes et son accent anglais, il nous donnait l'impression d'être ses invités.

L'un des murs comportait un immense écran extra-plat que je n'avais pas remarqué la première fois. Apparemment, il était branché sur CNN, la chaîne d'informations en continu.

– Ça m'étonne que vous soyez arrivés si tôt, a continué Naymeer. Vous pensiez vraiment qu'on serait tous dans les bras de Morphée ?

Il avait raison, bien sûr, mais je n'ai pas répondu. Je ne voulais pas lui donner cette satisfaction.

– Je ne dors plus beaucoup, a-t-il repris. Il se passe trop de choses. J'ai déjà pris mon petit déjeuner. Voulez-vous manger quelque chose ?

En guise de réponse, on l'a dévisagé. Il a haussé les épaules et pointé la télécommande vers l'écran. Aussitôt, les nouvelles ont disparu et l'image s'est divisée en plusieurs écrans plus petits. J'ai reconnu les images retransmises par des caméras de surveillance couvrant l'ensemble du domaine sous tous les angles imaginables. Alder s'est crispé. Il n'avait pas l'habitude de regarder la télé. La technologie n'est pas son fort. La simple vue d'une brosse à dents électrique aurait suffi à lui faire perdre les pédales.

— Ça ne vous a pas étonnés de pouvoir arriver jusqu'ici aussi facilement ? a demandé Naymeer.

Il nous a désigné les écrans. On a vu une rediffusion simultanée de plusieurs bandes enregistrant notre progression. On courait depuis la maison d'en face, on marchait collés au mur, on grimpait à l'arbre et on cavalait vers le manoir. Et dire qu'on se prenait pour des commandos ! Ils n'avaient pas cessé de nous surveiller.

— Quelle est cette magie ? a demandé Alder, bouche bée.

— C'est le système de surveillance dont je t'avais parlé. Zut !

— Inutile de dire qu'il ne sera pas aussi facile de sortir d'ici, a ajouté Naymeer.

Il a pointé à nouveau la télécommande. Les écrans ont changé pour montrer ce qui ressemblait à une retransmission en direct venant de ces mêmes caméras de surveillance. Plusieurs chemises rouges prenaient position près de la grande porte et d'autres aux quatre coins du mur d'enceinte. Bref, on était tombés dans un piège.

— Qu'importe ! a repris Naymeer, jovial. Je suis sûr que vous n'avez pas l'intention de partir si vite. Pas après vous être donné tout ce mal rien que pour me voir. (Il a remis la chaîne d'informations et s'est assis derrière son bureau.) Vous m'avez surpris en pleine préparation du conclave de ce soir. J'espère que vous me ferez l'honneur d'y assister. Vous serez mes invités.

— C'est quoi, un conclave ? ai-je demandé.

— Un rassemblement de fidèles, en petit nombre, a répondu Naymeer avec un geste évasif de la main, comme si ce n'était qu'une formalité. Quoique, celui de ce soir sera un peu plus mouvementé qu'à l'ordinaire. Nous devons nous préparer en vue du grand soir de demain.

– Que va-t-il se passer demain ? a demandé Alder.

Naymeer a écarquillé les yeux.

– Vous voulez rire ! C'est demain que l'assemblée générale de l'ONU va voter ! Cet événement décidera de l'avenir de la race humaine, pas moins ! (Une lueur malicieuse s'alluma dans ses yeux.) Et de l'avenir de Halla.

J'avais envie de sauter sur le bureau, de le prendre par le col de sa robe de chambre et de l'entraîner vers le flume sans autre forme de procès. Et j'aurais pu tenter ma chance si l'écran de télévision n'avait pas retenu son attention.

– Chut ! a-t-il dit en regardant les images.

Alder et moi avons levé les yeux. Sur l'écran, on interviewait un homme à la peau noire. Selon le présentateur, il s'agissait du professeur Haig Gastigian, de l'université de New York, et chef d'un groupe appelé la « Fondation ». Mark et Courtney nous en avaient parlé. C'était cette voix de la raison que tout le monde semblait écouter.

Sur l'écran, il déclarait :

– Dire que toute cette histoire est allée trop loin serait bien en deçà de la réalité. Si l'assemblée générale des Nations unies est prête à laisser une seule entité régler toutes les questions morales, ce sera du fascisme pur et simple. Il y a beaucoup de gens qui refusent de laisser ces Raviniens imposer leurs valeurs au reste du monde sans rien dire. Dès aujourd'hui, nous allons manifester devant le siège des Nations unies, et nous continuerons jusqu'à l'heure du vote. En outre, pour montrer notre force et notre unité, un grand rassemblement aura lieu demain soir…

Naymeer a éteint la télé et jeté la télécommande sur son bureau d'un air dégoûté.

– Gastigian et ses gens s'appellent la Fondation, a-t-il fait d'un ton railleur. La fondation de quoi ? De l'échec ? De l'excuse ? Des pleurnicheries ? S'ils croient qu'une bande de bons à rien peuvent nous arrêter rien qu'en faisant du tapage ! C'est précisément pour ça qu'on est devenus si puissants. Ravinia encourage à prendre des décisions positives et à prendre en main son destin, pas à geindre et à refuser toute réforme. Est-ce qu'ils comprennent que leurs jérémiades et leur négativité provoqueront leur chute ?

Il y avait bien des choses à débattre avec Alexandre Naymeer, mais pas maintenant. Pas ici. J'ai jeté un coup d'œil à Alder et hoché la tête. C'était le moment.

– Je ne me lasse pas de vous écouter, ai-je dit alors qu'on se dirigeait vers son bureau. Mais d'abord, on va faire un petit voyage.

– Pardon ? a demandé Naymeer, stupéfait.

– Et, s'il vous plaît, ai-je ajouté, pas de jérémiades.

– Que…

Alder lui a pris le bras et l'a tordu derrière son dos.

– Vous me faites mal ! a-t-il protesté.

– Chut ! On ne geint pas !

– Ne cherchez pas à résister et tout ira bien, a déclaré Alder.

Naymeer s'est laissé faire.

– Vous comprenez bien à quel point tout cela est inutile ? a-t-il déclaré.

– C'est ce qu'on va voir, ai-je répondu en me dirigeant vers la porte.

Alder m'a suivi, entraînant Naymeer. Le chien dénommé Nevva est resté assis sur le canapé sans émettre le moindre gémissement de protestation. Apparemment, cette Nevva-là était tout aussi loyale que l'originale. Lorsqu'on est sortis du bureau, quatre gardes en chemise rouge munis de tasers se sont avancés vers nous.

– En arrière ! leur a ordonné Naymeer. Vous risqueriez de me blesser !

Les gardes ont eu l'air surpris – ou, comme je l'ai déjà écrit, pour autant qu'un dado puisse avoir l'air surpris. Ils se sont bousculés pour nous laisser le passage. J'ai couru vers la porte donnant sur la cave et le flume.

– Allez ! ai-je ordonné après l'avoir ouverte.

Alder a poussé Naymeer dans l'escalier. Je me suis tourné vers les dados.

— Vous, les clowns, vous nous attendez là. On n'en a pas pour longtemps.

Et j'ai refermé la porte, les laissant plantés là.

— À quoi bon ? a demandé Naymeer alors qu'Alder le faisait descendre dans le sous-sol. Vous croyez qu'en m'emmenant loin de la Seconde Terre, vous allez changer quelque chose ? Ravinia est trop puissante pour s'arrêter à un seul homme. Tout va continuer comme prévu, avec ou sans moi. Vos efforts sont vains.

— Peut-être, ai-je répondu. Ou peut-être pas. On va le savoir dans deux minutes.

— Quoi ? Comment ?

— On va voir le futur.

On s'est arrêtés devant la porte donnant sur le flume. J'ai pris une seconde, le temps de toucher l'étoile pyrogravée sur le panneau de bois.

— Il y a peu, cette étoile représentait quelque chose de vraiment extraordinaire. Quelque chose de bien plus important que chacun d'entre nous. Elle représentait Halla. Mais vous vous en êtes emparé et vous en avez fait quelque chose de petit. Un symbole de haine. Vous en êtes fier ?

Naymeer a levé un sourcil.

— Qu'est-ce qui te fait croire que cette étoile a jamais représenté autre chose que Ravinia et sa poursuite de la perfection ?

J'avais envie de le gifler. Surtout s'il avait raison. Je ne voulais pas croire qu'on avait mis ces étoiles à toutes les portes uniquement pour marquer les étapes de la croisade de Saint Dane. C'était une possibilité trop terrible pour être envisagée. Donc, je ne l'ai pas fait. J'ai ouvert la porte et fait signe à Alder de l'emmener dans la cave.

— On va voyager tous ensemble, ai-je dit en entrant dans le flume. Je ne veux pas que ce type puisse s'échapper et…

Le flume s'est animé.

Il s'est mis à craquer et à se tordre alors que des lumières apparaissaient dans ses profondeurs. J'ai jeté un regard à Alder. Je n'aurais pu dire pourquoi. Il n'en savait pas plus que moi.

— C'est mon jour de chance, a fait Naymeer avec un sourire plein de confiance. Il semble que je vais avoir d'autres invités.

J'ai sauté du flume et suis resté là, à côté d'Alder et Naymeer, le dos au mur. Les pierres grises du tunnel sont devenues transparentes comme du cristal. Une ombre est apparue. Une grande ombre. Un Voyageur venait d'arriver. Il est sorti lentement des profondeurs du flume pour se dresser, dos à la lumière.

Celle-ci n'a pas reflué. Ce qui ne pouvait avoir qu'une signification.

– Je suis honoré de voir que vous êtes venus assister à mon retour, a déclaré Saint Dane. Je présume que vous avez fait connaissance ?

– On va l'emmener loin d'ici ! ai-je crié.

Saint Dane a éclaté de rire.

– Pourquoi feriez-vous ça ? Vous ne voulez pas rater le meilleur moment, non ?

– Allons-y ! ai-je grondé à Alder.

J'ai pris son bras pour l'attirer vers le flume. Peu m'importait si Saint Dane me barrait le passage. J'étais prêt à le bousculer. Il fallait qu'on exile Naymeer de Seconde Terre. Qu'on change le futur.

Ç'allait être plus dur que prévu. D'autres silhouettes sont apparues dans le flume, formant deux rangées à l'ordonnance quasi militaire. Et elles se dirigeaient vers nous.

On s'est arrêtés d'un bloc, Alder et moi.

– Des dados, a-t-il déclaré.

Tous portaient la même chemise rouge que les gardes de Naymeer. Celui-ci avait raison. Il serait autrement plus coton de sortir de cette maison que d'y entrer.

Mais on n'allait pas renoncer si vite. J'ai repéré les deux bâtons anti-dados qu'on avait rapportés de Denduron. Ils étaient toujours sur le sol de terre battue, là où je les avais laissés à mon arrivée, lorsque j'avais reçu une décharge de taser.

– Lâche-le, ai-je dit à Alder tout en plongeant vers les bâtons.

Alder a repoussé Naymeer. Je me suis emparé d'une des armes et j'ai lancé l'autre au chevalier de Denduron.

Saint Dane restait toujours là, au beau milieu du flume, les jambes écartées, les bras croisés. Il n'avait pas l'intention de bouger.

– Pourquoi fais-tu toujours des difficultés, Pendragon ? a-t-il demandé d'un ton ennuyé.

– Parce que… heu… c'est comme ça, ai-je répondu.

Et le combat s'est engagé.

Les dados se sont avancés au pas de course de chaque côté de ce démon. Leur cible était évidente : nous. J'ai brandi mon bâton et frappé le premier de la ligne. Aussitôt, j'ai senti se dissiper l'énergie qui le propulsait. J'ai retiré mon arme et je me suis aussitôt tourné vers le suivant. Manifestement, ils ne comprenaient rien à ce qui leur arrivait. J'ignore d'où venaient ces dados, mais certainement pas de Quillan. Ils ne savaient pas de quoi ces armes étaient capables. On avait une chance.

Naymeer s'est précipité hors de la cave. Je m'en fichais. Notre priorité était de sortir de ce piège pour nous rendre en Troisième Terre, là où l'on pourrait concevoir un nouveau plan d'attaque. Alder affrontait les dados un par un. Les cadavres commençaient à s'empiler, mais d'autres chemises rouges s'écoulaient sans cesse du flume. Beaucoup d'autres.

J'ai entendu Alder hoqueter. Il avait été touché. Mais par quoi ? Un taser ? La crosse d'un canon ? Il a titubé. Je me suis précipité pour empêcher les dados de l'approcher. Mais je ne suis pas allé bien loin. Ils étaient trop nombreux. J'ai reçu un coup sec sur la nuque et je suis tombé en avant, lâchant mon arme. Alder était déjà K.-O. J'étais à genoux, sur le point de le rejoindre. J'ai reçu encore un coup sur la tempe qui m'a envoyé contre le sol. La dernière chose que j'ai vue, c'est le sourire de Saint Dane.

– Il faut toujours que tu te compliques la vie, a-t-il dit.

Journal n° 36
(suite)

SECONDE TERRE

— Comment te sens-tu ?

C'était une voix grave qui m'était vaguement familière. Comment je me sentais ? Je n'étais pas sûr de vouloir connaître la réponse.

— Comme si un bus m'avait renversé, ai-je dit d'une voix rauque.

Bon, c'est vrai que je n'ai encore jamais été renversé par un bus, mais il ne fallait pas beaucoup d'imagination pour conclure que ça devait s'en rapprocher. J'ai lutté pour m'extirper du puits sombre de l'inconscience tout en sachant que, lorsque je verrais où j'étais, je préférerais sans doute être ailleurs. J'ai ouvert les yeux. Du moins je crois. C'était difficile à dire, vu que tout était plongé dans les ténèbres.

— Alder ?

— Il va bien, a répondu la même voix grave.

Qui était-ce ? Pourquoi cette voix m'était-elle familière ? J'ai cligné des yeux. Ça n'a rien changé, à part me donner mal au crâne. Ne plus cligner des yeux. J'étais allongé sur quelque chose de doux. Au moins, quelqu'un avait veillé à mon confort. Quelle que soit cette personne, je l'en remerciais.

— Par ici, Pendragon !

La troisième fois a été la bonne. J'ai reconnu cette voix. J'aurais préféré perdre à nouveau conscience. J'ai regardé mes pieds pour le voir debout à mon chevet, éclairé par une lampe située au bout du canapé où j'étais allongé. La lumière basse soulignait ses traits, comme lorsqu'on pose une torche électrique contre son menton pour se faire une tête de démon. Mais Saint Dane n'a pas besoin d'effets spéciaux pour être effrayant. Il me dominait de toute sa taille, tel un vautour, son crâne chauve plongé dans l'ombre.

– Te voici de retour parmi nous, a-t-il dit chaleureusement, comme s'il le pensait vraiment. J'avais peur que tu ne rates les festivités. Ferme les yeux, je vais allumer.

Quelle courtoisie ! Il ne voulait pas m'éblouir. Vraiment mignon ! Je l'aurais remercié si je n'avais pas plutôt eu envie de l'étriper.

Il s'est dirigé vers un panneau de contrôle et a appuyé sur un bouton. La lumière s'est peu à peu accrue, et j'ai pu distinguer clairement l'espace où je me trouvais. On aurait dit la salle d'attente d'un cabinet médical, mais je voyais mal Saint Dane m'emmener voir un médecin. Il y avait deux canapés, des fauteuils et des tables. Un mur entier était couvert de lourds rideaux rouges qui devaient cacher une fenêtre. J'étais allongé sur un divan repoussé contre la cloison d'en face. J'avais toujours mal au crâne. Je ne savais pas si j'avais reçu un coup sur le crâne ou une décharge de taser. Les deux, probablement. Au final, eh bien, je me sentais comme quelqu'un qui s'est fait renverser par un bus.

Saint Dane a marché vers moi. Il y avait un bon moment qu'il avait perdu ses cheveux gris, qui avaient brûlé jusqu'à la racine, mais, à part ça, il n'avait pas changé depuis notre toute première rencontre. Il était toujours aussi grand et se tenait droit comme un i. Il portait son éternel costume noir et avait toujours ce regard d'un bleu glacial qui semblait s'incruster jusque dans ma tête. Et il me flanquait toujours la chair de poule.

– Je peux vous poser une question ? ai-je demandé d'une voix mal assurée.

– Si tu faisais autrement, tu me décevrais.

– Vous en avez combien, de ces costards ? Vous les envoyez à la blanchisserie ou vous jetez l'ancien pour en mettre un neuf à chaque fois que vous voulez faire votre petite impression ?

Saint Dane a gloussé.

– Est-ce vraiment important ?

– C'était une blague, idiot.

Saint Dane a bien des défauts, mais en plus il n'a aucun sens de l'humour. Sauf quand je l'amuse. Ce qui, malheureusement, arrive assez souvent.

– Heureux de te voir de si bonne humeur. C'est le moment en effet. Notre lutte tire à sa fin. Nous devrions fêter ça.

– Ou vous devriez aller vous faire cuire un œuf.

Saint Dane a penché la tête sur le côté.

– J'ai bien peur de ne pas comprendre ta remarque, Pendragon, mais j'imagine que c'est une provocation. Or, il est inutile d'entretenir la moindre hostilité entre nous. Ça n'est plus d'actualité.

– Je préfère en juger par moi-même.

Il s'est installé en face de moi sur une chaise. J'ai tenté de m'asseoir également, mais ma pauvre tête préférait que je reste allongé. Et, de toute façon, je n'avais pas besoin de me montrer poli avec ce type.

– Tu comprendras bientôt que je dis vrai, a repris calmement Saint Dane. La Convergence est en marche. Les territoires se fondent jusqu'à ne plus faire qu'un, comme je l'avais anticipé. Notre duel est presque terminé.

– Vous en parlez toujours comme s'il s'agissait d'un concours entre nous deux.

– Oh, mais ça l'est. Ça l'était.

– Dans ce cas, pourquoi est-ce que personne ne me l'a dit dès le départ ? Il ne peut pas y avoir de compétition lorsque seul un concurrent connaît le règlement.

– C'était la seule manière de procéder, a expliqué Saint Dane. L'avenir de Halla dépend de ce combat. Si tu avais compris les enjeux dès le départ, la démonstration n'aurait pas été juste.

– Quelle démonstration ?

– La quête pour le contrôle de Halla n'a jamais été subordonnée à la taille des armées, à la force physique ou même à la technologie. C'était la lutte entre deux bases philosophiques différentes. Déterminer quelle est la meilleure façon d'influer sur une destinée. Par hasard ou par une volonté délibérée. Bien sûr, je vote pour la seconde solution. Toi et tes semblables, vous préférez vous laisser ballotter par les événements. Si tu avais su que cette question était au cœur de notre affrontement, tu n'aurais pas vraiment eu l'occasion d'illustrer ta philosophie.

J'ai fini par m'asseoir. Peu importe si j'avais l'impression d'avoir un marteau-piqueur dans la tête.

431

– Quelle philosophie ? Je n'ai pas de philosophie.

– Oh si. À chaque fois que tu as dû choisir, tu as pris pour postulat que les peuples de Halla savent ce qui est bon pour eux. Je me trompe ?

Je n'ai pas répondu.

– Press t'a dit qu'il ne fallait pas entremêler les territoires. Chaque culture, chaque société, chaque monde, chaque *individu* devrait avoir l'occasion de suivre sa propre destinée sans interférences. Je me trompe ?

– Non.

– Bien sûr. Et je n'ai pas arrêté de te démontrer par A + B que les habitants de Halla prennent toujours de mauvaises décisions.

– Parce que vous les influencez ! ai-je crié.

– Uniquement pour te prouver que j'ai raison. Tu crois vraiment que les batailles qu'on a menées sont les seules périodes sombres de toute l'histoire de Halla ? Pendragon ! Je sais que tu n'es qu'un adolescent, mais même toi tu dois savoir que chaque monde porte son héritage de guerres et de violences qui n'ont rien à voir avec moi. Je n'ai pas inventé la notion même de conflit. Au contraire, j'entends bien y mettre fin.

J'avais de plus en plus mal au crâne, et pas uniquement parce que je m'étais fait tabasser.

– Et alors ? me suis-je exclamé. Que voulez-vous prouver ? Admettons que vous disiez la vérité. Une fois de plus. Mettons que tout ce qui s'est passé entre nous n'était jamais qu'un long débat philosophique avec les peuples de Halla en guise de pions. Pourquoi ? À qui cherche-t-on à prouver qu'on a raison ? *Qui* tire les ficelles, Saint Dane ? Et quel est le premier prix ? Si cette guerre touche vraiment à sa fin, vous pouvez bien me dire ce qu'il y a en jeu. Ça ne changera rien.

Il a cligné des yeux. Je l'ai vu. Mais il n'a pas répondu tout de suite. Je ne pouvais pas imaginer meilleure preuve.

J'ai souri.

– Ce n'est pas fini, n'est-ce pas ?

– Tout s'est terminé le jour où tu as abandonné, Pendragon ! m'a-t-il craché au visage. C'était l'ultime preuve de faiblesse. Tu es incapable de prendre des décisions pénibles. Tu te défiles face à l'adversité. Tes prétendus principes moraux ont précipité ta chute. Lorsque tu as enterré le flume d'Ibara, tu as rendu possible la Convergence.

– Ce qui ne change rien au fait que tout n'est pas terminé, non ? ai-je repris pour l'asticoter.

Saint Dane s'est assombri. Ses yeux ont jeté des éclairs. Il s'est levé d'un bond, s'est dirigé vers le panneau de commandes et a appuyé sur un autre bouton. Les rideaux rouges qui masquaient tout un pan du mur ont coulissé. J'ai lutté pour me redresser et voir ce qu'ils dévoilaient. C'était une longue fenêtre de verre, mais elle ne donnait pas sur l'extérieur. Mark, Courtney et Patrick m'avaient longuement décrit cette baraque, mais j'ai tout de même reçu un choc. J'en avais entendu parler, cependant le voir de mes yeux… eh bien, c'était une autre paire de manches. Ça m'a coupé le souffle.

La fenêtre donnait sur une immense salle qui ressemblait à une cathédrale, ou à un théâtre. Il y avait des rangées entières de sièges verts, tous pointés dans la même direction et séparés par une allée centrale. Ce spectacle était conforme à ce que mes amis avaient décrit. Ce n'était ni une cathédrale ni un théâtre. Là, à une dizaine de mètres des premiers sièges, s'ouvrait le flume.

– Ça te rappelle quelque chose ? a demandé Saint Dane. C'est le flume qu'on a déterré à côté des rails du métro du Bronx. Maintenant, c'est le conclave de Ravinia.

La chambre où l'on se trouvait était une sorte de loge privée située à un étage au-dessus des sièges. Au fond de l'amphithéâtre, il y avait un grand escalier. J'ai vu toute une foule descendre les marches pour s'installer. Ils auraient aussi bien pu venir à la messe, alors. Ou voir un film. Ou assister à une représentation théâtrale. Toutes les origines, tous les âges étaient représentés. J'ai vu des familles avec des petits enfants et d'autres qui étaient venus seuls. Ils étaient plutôt bien habillés. Certains portaient ce qui ressemblait à des costumes traditionnels d'autres pays, ou même des uniformes militaires. Ils se sont installés rapidement et en silence. Plusieurs des gardes en chemise rouge se chargeaient de mener les gens à leur siège, comme des ouvreurs de cinéma. Ils n'étaient pas armés. Je me suis demandé si ces gens savaient qu'ils avaient affaire à des robots.

À l'avant, il y avait deux pavillons sur des hampes, un de chaque côté du flume. Un drapeau américain et un fanion rouge frappé d'une étoile. On est restés là, Saint Dane et moi, à regarder la foule s'installer. Il m'a laissé contempler le spectacle pendant plusieurs minutes avant de reprendre :

— Ce conclave est un prototype, a-t-il expliqué. Le premier. Ce modèle sera reproduit dans tout Halla. Je peux bien te le dire, si je n'ai jamais douté du résultat final, les choses ne se sont pas passées exactement comme je l'avais prévu.

— Qu'est-ce qui est différent ? ai-je demandé.

— Je m'attendais à ce que ce soit toi qui prennes la tête des Raviniens.

J'ai éclaté de rire.

— Moi ? Vous vous imaginiez que j'allais devenir comme ce Naymeer ?

Saint Dane a acquiescé.

— Combien de fois t'ai-je proposé de te joindre à moi ? J'étais sûr que tu finirais par entendre raison et prendre place à la tête du mouvement. Je me trompais. Ce n'était pas écrit. Je ne sais si je dois t'en féliciter ou te prendre en pitié.

— Ça n'avait pas la moindre chance d'arriver.

— Il faut le croire. Ainsi, cet honneur a échu à Naymeer. Maintenant, c'est lui le Voyageur de Seconde Terre et le meneur de la révolution. Dommage pour toi.

— À quoi rime tout ça ? ai-je demandé en désignant la grande salle qui se remplissait à vue d'œil. Que font-ils là ?

— Naymeer a reçu les clés de Halla, a répondu Saint Dane en désignant l'anneau de Voyageur passé à mon doigt. Une clé qui était également à ta disposition, sauf que Naymeer, lui, n'a pas peur de s'en servir pour autre chose que l'échange de courrier. Il a ouvert la porte aux élus. Aux Raviniens. Ils seront l'avant-garde d'un nouveau Halla. Le même phénomène se produira sur tous les territoires. La vérité d'un monde plus vaste sera révélée à quiconque se montrera digne d'ouvrir la voie. Ceux qui se trouvent là en bas sont les premiers. Chaque jour, d'autres les rejoignent. Ils ne sont pas forcément riches ou puissants, mais ils partagent la même philosophie. Ils ne tolèrent rien d'autre que la perfection.

– La perfection n'est pas de ce monde, ai-je rétorqué.

Ses yeux ont jeté des étincelles. Ses lèvres se sont retroussées en un sourire moqueur.

– Pas encore.

J'avais vraiment envie de lui sauter à la gorge.

– On ne tolérera plus la faiblesse. À aucun niveau. Nous n'aurons plus qu'un seul but : faire progresser nos sociétés. Tout ce qui compte, c'est le bien commun. Il n'y aura plus de place pour le doute ou la pitié.

– Ni pour l'humanité, ai-je ajouté.

– L'humanité n'est rien d'autre que la fatalité de l'échec. Or nous refusons de l'accepter. Notre but est bien trop important pour ça.

– Et quel est ce but exactement ?

– Créer une utopie.

Là, j'y ai réfléchi un moment. Saint Dane croyait vraiment œuvrer pour le plus grand bien de Halla. L'ennui, c'est que dans son monde idéal il n'y avait pas de place pour la majorité de ceux qui le peuplaient déjà.

– Et la Troisième Terre ? ai-je demandé. Vous avez détruit une société idéale. Ce n'est pas ma définition d'une utopie.

– Ce n'est plus la question, Pendragon. Dans Halla, il y a dix territoires, mais seulement sept mondes. Chacun devra être démoli et débarrassé de ses imperfections avant de pouvoir vraiment s'épanouir. Ce qui se passe sur Terre n'est qu'un début.

– Est-ce que ces gens là en bas savent qu'ils mettent en branle un processus qui débouchera sur la destruction de leur propre société ? ai-je demandé.

Saint Dane a eu un petit rire. Je l'amusais. Une fois de plus.

– Ils savent qu'il faudra faire des sacrifices. Ils sont prêts à l'accepter. Une partie de leur force découle du fait qu'ils peuvent faire des choix difficiles. C'est pour ça qu'il est si important de révéler la vraie nature de Halla. Ils comprennent qu'il y a autre chose que les quelques années qu'ils passeront sur ce monde. Ils œuvrent pour créer une vie éternelle qui, pour eux, citoyens de

Halla, tendra vers la perfection. C'est ce qui se passera sur tous les mondes. Tout commencera par des conclaves tels que celui-ci. Les plus forts se lèveront pour parachever l'unité de Halla. Il n'y aura plus de barrières.

Maintenant, tout devenait clair, et de plus en plus angoissant. La Convergence allait créer un seul Halla, unifié sous le contrôle de Saint Dane. Pour la première fois, je commençais à voir comment il pouvait y parvenir.

– Vous êtes un pur hypocrite, vous savez ? ai-je demandé.

– Comment ça ?

– Toute votre philosophie est basée sur le fait que les peuples des territoires n'arrêtent pas de faire des choix stupides et égoïstes qui, à long terme, se retournent contre eux. Et pourtant, c'est exactement ce que vous exploitez. Vous tentez ces gens en leur promettant une existence parfaite. Vos « élus » ne sont-ils pas aussi égoïstes que tous les autres ? J'en conclus que l'égoïsme est une bonne chose du moment qu'il vous permet d'obtenir ce que vous voulez.

– Il y a une différence, a répondu Saint Dane. C'est vrai, par l'intermédiaire de Naymeer, j'ai influencé tous ces gens. Je les ai tentés. Je leur ai donné l'espoir d'un monde meilleur. Mais, dans ce cas précis, c'était mon choix, et c'était le bon. Si Halla doit prospérer, il n'y a pas d'autre solution. Ils se contentent de reconnaître ce fait.

J'ai regardé ce démon, qui continuait de fixer la foule qui s'écoulait dans la salle. Celle-ci était maintenant presque remplie.

– Alors qu'est-ce que vous avez prouvé exactement ? Que les gens gardent toujours l'espoir d'améliorer leur vie, rien de plus.

– J'ai démontré qu'ils n'y arriveront jamais si on les laisse faire. Ils ont besoin d'être guidés par une autorité supérieure. Quelqu'un qui ait une véritable vision. Quelqu'un comme moi. Et maintenant, cette vision va devenir réalité.

– C'est de la folie. Vous ne pouvez pas créer deux classes différentes d'hommes et croire que les gens ordinaires de ce monde vous laisseront faire. Pas question !

– Alors comment expliques-tu la position des Nations unies ? Demain, cette voix auguste et respectée du monde entier votera pour adopter notre mode de pensée positive et en faire un standard international. Peut-on imaginer une meilleure validation ? Les gens veulent des réponses simples à leurs questions, Pendragon. Ils désirent qu'on leur montre la voie vers un monde meilleur. Ils en ont assez de traîner les poids morts de la société. Ravinia leur donne une chance de s'épanouir au lieu de se contenter de survivre.

– Et qu'arrivera-t-il à ceux qui ne correspondent pas à ce profil ?

– Ils auront d'importantes fonctions à remplir. On aura toujours besoin de travailleurs capables d'effectuer des tâches simples.

– Des esclaves, ai-je dit avec dédain.

– Appelle-les comme tu voudras.

– Ils chercheront à vous arrêter, ai-je averti.

– Ils le regretteront, a-t-il répondu d'un ton lourd de signification.

Avant que j'aie pu lui demander ce qu'il voulait dire par là, une porte s'est ouverte au fond de la salle. Deux dados en chemise rouge sont entrés, suivis par deux autres. Ils n'étaient pas trop de quatre pour maîtriser Alder.

– Ah, notre ami de Denduron ! s'est exclamé Saint Dane. Juste à temps !

Alder avait les mains liées devant lui. J'imagine qu'il avait dû donner du fil à retordre aux dados.

– Ça va ? lui ai-je demandé.

Il a hoché la tête. J'ai vu un gros hématome violacé sur sa joue et me suis demandé combien de dados il avait mis au tapis avant qu'ils parviennent à le maîtriser. Deux des chemises rouges sont reparties, les deux autres se sont postées de chaque côté de la porte. Il fallait s'attendre à ce qu'il y ait encore du grabuge.

– Regardez ! s'est exclamé Saint Dane en désignant la fenêtre panoramique. Ça va commencer.

On s'est avancés, Alder et moi, pour jeter un coup d'œil en bas. La salle était bondée. Il n'y avait plus un siège libre. Les lumières se sont éteintes. J'ai senti un frisson d'anticipation parcourir l'assemblée. Tout le monde attendait avec impatience ce qui allait se passer… quoi qu'il arrive. Un projecteur s'est allumé, et son faisceau a éclairé une silhouette solitaire qui se dressait non loin de l'entrée du flume. C'était Naymeer. Il portait une longue robe sombre qui le faisait ressembler à un moine. Tout le monde a retenu son souffle, comme s'ils étaient en présence d'une rock star ou quelqu'un comme ça.

Sa voix amplifiée a résonné dans la salle :

– Contemplez la gloire de Halla !

Naymeer a levé le poing. Des rayons laser ont jailli de son anneau, illuminant la pièce de mille couleurs. Les lumières ont dansé sur les visages des spectateurs qui ont lâché un soupir collectif. Ils avaient l'air serein, comme si des anges minuscules les couvraient de baisers. J'étais bien moins impressionné. C'étaient les mêmes lumières qui jaillissent du flume à chaque fois qu'on l'active. Bon, d'accord, je ne les avais jamais vues sortir d'un anneau de Voyageur, mais à part ça ce spectacle n'avait rien de nouveau pour moi. Je me suis surpris à caresser mon propre anneau. Je ne savais pas qu'il contenait une telle puissance. J'ai jeté un coup d'œil à Alder. Il fixait la scène, le visage dénué d'expression.

Les lumières ont éclairé le flume. Aussitôt, les pierres grises constituant le tunnel se sont mises à luire. Naymeer avait activé le processus. La roche est devenue transparente comme du cristal. Les lumières ont jailli du flume lui-même. Est-ce que quelqu'un était en route ? Une boule de lumière a jailli de l'ouverture dans un éclair éblouissant. Lorsqu'il s'est résorbé, ç'a été mon tour d'en rester bouche bée. Des images en trois dimensions flottaient devant l'embouchure du flume.

Des visions de Halla.

– La cité de Faar, sur Cloral, a annoncé Naymeer.

J'ai vu la ville en question perchée sur une montagne surgie du fond des mers. Des sous-marins l'entouraient, comme suspendus dans l'espace. C'était incroyable. L'image était transparente, mais très claire. Je n'arrivais pas à en détacher mes yeux, et je pense que je n'étais pas le seul. Je comprenais maintenant pourquoi Naymeer exerçait une telle influence, lui et sa promesse d'autres mondes.

– Sur Cloral, Faar sera la résidence de Ravinia, a résonné la voix de Naymeer. Tout comme le village de Lyandra sur Eelong.

Et Xhaxhu sur Zadaa. Chaque monde aura son propre conclave de Ravinia, comme nous ici même, à New York.

Maintenant, mon estomac était aussi douloureux que ma tête. On aurait dit un rêve devenu réalité. Ou plutôt un horrible cauchemar. Aussi stupéfiant, aussi réaliste soit-il, je n'arrivais pas à comprendre pourquoi ces gens l'acceptaient si facilement. Je veux dire : je savais que ces images étaient bien réelles, mais pour eux cela aurait aussi bien pu être un hologramme animé. Pourquoi semblaient-ils le croire sur parole ?

La réponse n'a pas tardé. Des ombres sont apparues dans l'image et se sont avancées. J'ai vite compris que ce n'était pas que des ombres, mais de véritables êtres humains qui sortaient du tunnel. Les images de Cloral ont été avalées par le flume comme s'il était un aspirateur à lumières. Quelques instants plus tard, la pierre est redevenue noire, et un projecteur a éclairé un groupe de cinq personnes qui se tenait devant l'embouchure. Je n'en ai pas reconnu un seul.

Il y avait deux hommes et trois femmes à l'apparence on ne peut plus ordinaire, portant des vêtements de Seconde Terre. Ils restaient plantés là, main dans la main. Dès que la lumière les a éclairés, ils ont levé les mains d'un air triomphant. La foule enthousiaste s'est dressée tel un seul homme pour mieux les applaudir. Un autre groupe a couru depuis les coulisses pour accueillir les nouveaux venus. Ils se sont étreints et embrassés comme s'ils retrouvaient des parents de retour d'un long voyage – ce qu'ils étaient.

La voix de Naymeer s'est élevée à nouveau :

– Nos derniers Voyageurs, de retour de Cloral, où ils ont bien profité des merveilles de ce monde aquatique.

– Alors c'est donc vrai, a dit Alder. N'importe qui peut voyager entre les mondes.

– Avec l'aide de Naymeer, ai-je précisé.

– Aujourd'hui, a continué ce dernier, dans tout Halla, les Raviniens se rassemblent pour partager notre point de vue et planifier notre avenir. Nous ne sommes pas seuls. Il n'y a plus de limites. La vie recèle bien plus que ce que nous pouvions imaginer. Et nous pouvons partager ces merveilles. Nous, les élus. Les visionnaires. L'élite.

– Comme je l'ai dit maintes et maintes fois, a repris Saint Dane, la Convergence a abattu les barrières entre les mondes.

J'ai alors compris comment Naymeer pouvait convaincre ses fidèles de la réalité de Halla. Il lui suffisait de leur montrer. De les laisser explorer d'autres univers. C'était bien une Convergence. J'en avais pas mal vu au cours de ma carrière de Voyageur, mais ce spectacle était certainement le plus incroyable. Pourtant, il était bien réel. Trop réel. Ravinia allait effectivement se répandre dans tout Halla, divisant les classes et entremêlant les destinées des territoires. La vision de Saint Dane devenait réalité.

Un groupe de chemises rouges s'est empressé d'aller escorter les nouveaux venus et leurs proches vers la sortie. Le projecteur s'est à nouveau posé sur Naymeer, qui se tenait au centre du flume. Il a levé les mains. Aussitôt, la foule s'est tue.

– Bientôt, ils partageront avec nous les merveilles qu'ils ont contemplées – des merveilles qu'à terme vous pourrez tous voir de vos yeux. Mais d'abord, nous devons reconnaître le miracle qui va se produire ici, sur notre monde. Demain sera le jour historique qui marquera le début d'un nouveau Halla. Demain, si tout se passe comme prévu, les Nations unies feront de nous la voix de ce monde.

Des acclamations se sont élevées. Les spectateurs semblaient fous de joie. Pas de doute, à travers Naymeer, Saint Dane les avait bien manipulés. Ils adhéraient totalement à Ravinia et à sa philosophie. Pourquoi pas ? On leur faisait miroiter la possibilité de visiter d'autres mondes. Ce devait être stupéfiant de savoir que l'univers était bien plus vaste qu'ils ne le croyaient, et qu'ils étaient les seuls à avoir le droit d'en profiter. Somme toute, c'est un peu l'équivalent de ce qui m'était arrivé, sauf que j'avais surtout vu le côté négatif. Mais, apparemment, ces gens n'en avaient pas la moindre idée. Oh non.

Une fois de plus, Naymeer a levé les mains.

– Bien que ce soit une grande joie, nous devons rester humbles. N'oublions pas que nous avons encore des opposants. Ceux qui refusent de comprendre. Ceux qui ne partageront jamais la gloire de Halla. Ils ont droit à notre compassion.

La foule n'a rien dit. Je n'ai pas vraiment ressenti beaucoup de compassion. Non, mais pour qui se prenaient-ils ? Comment avait-on pu leur laver le cerveau pour qu'ils se croient supérieurs ? J'ai jeté un coup d'œil à Saint Dane. Il arborait un petit sourire. Ce qui me suffisait comme réponse. Saint Dane les avait convaincus. À travers Naymeer, il les avait poussés à l'assister dans son assaut final contre Halla. Tandis qu'Alder et moi nous tenions dans cette pièce, à côté de l'architecte de toutes ces horreurs, je ne voyais pas comment nous pouvions encore déjouer son plan. Je commençais à admettre que Saint Dane avait raison. Il avait remporté la victoire. Plutôt démoralisant, comme idée.

– En ce moment même, a continué Naymeer, hors des murs sacrés de ce conclave, un groupe s'est rassemblé pour protester contre notre existence même. Je vous le dis, lorsque les enseignements de Ravinia seront institutionnalisés, de telles démonstrations triviales appartiendront au passé.

Les spectateurs ont acquiescé d'un air pensif. Bande de bouffons.

– Au temps pour la liberté d'opinion, ai-je remarqué.

Saint Dane n'a pas réagi.

– À l'aube d'une décision d'une telle importance historique, je voudrais inviter certains de nos détracteurs à nous rejoindre. Qu'ils voient notre véritable raison d'être. Qu'ils aient un avant-goût des merveilles de Halla.

Un murmure soucieux s'est élevé. Ils ne s'attendaient pas à ça. Comment pouvait-il proposer d'inviter la plèbe dans leur petit temple parfait ? Naymeer a levé les mains pour ajouter :

– Je vous promets une soirée que personne n'oubliera de sitôt. Y compris nos détracteurs. Je vous prie de m'accorder encore un peu de votre patience et de votre compréhension.

Les lumières de la salle se sont rallumées. Naymeer s'est éloigné du flume pour marcher au beau milieu de l'allée centrale. Six gardes n'ont pas tardé à se joindre à lui, l'entourant d'un cocon protecteur. Ils sont passés sous les regards pleins d'adoration, mais aussi d'incertitude, des Raviniens. Le petit groupe s'est dirigé vers le fond de la pièce et a gravi les escaliers.

– Que se passe-t-il ? ai-je demandé.

Saint Dane s'est éloigné de la fenêtre et est parti vers le mur opposé. Là, il y avait un autre rideau rouge plus petit que celui qui dissimulait la grande fenêtre donnant sur le flume. Il a coulissé de la même façon, révélant une seconde fenêtre. Il nous a fait signe de le rejoindre. Je n'en avais aucune envie, mais il fallait bien que je voie ce qui se passait.

Alder et moi avons obéi à contrecœur et j'ai regardé par la fenêtre la rue en contrebas. Il faisait nuit. On était dans ce quartier familier du Bronx où se trouvait la station de métro abritant le flume. Mark et Courtney m'avaient décrit la grande structure de marbre dans laquelle on se trouvait. On devait être au deuxième ou troisième étage. Je pouvais voir les escaliers donnant sur la rue... Une rue bondée. De manifestants. Ils brandissaient des pancartes proclamant : NOUS, LE PEUPLE... LIBERTÉ ET JUSTICE POUR TOUS ! Selon Saint Dane, ils étaient la lie de la société, les minables assistés qui ne faisaient qu'épuiser les ressources de ce monde. De là où je me trouvais, ils avaient l'air de gens tout à fait ordinaires. Des gens ordinaires *furieux*. Je pouvais les entendre psalmodier : « À bas Naymeer ! À bas Naymeer ! »

Une longue rangée de chemises rouges les empêchait de monter les marches. Contrairement aux dados qui se trouvaient à l'intérieur, ceux-ci étaient armés. Avec leurs tasers, ils étaient plutôt imposants. Soudain, les slogans se sont transformés en huées. J'ai regardé juste en dessous de la fenêtre pour voir qu'un podium était installé sur les escaliers menant au bâtiment du conclave. Quel que soient le déroulement des prochaines minutes, ç'avait été planifié. Un groupe de chemises rouges est descendu des marches pour entourer le podium. Naymeer n'a pas tardé à en faire autant. Il est monté sur l'estrade pour contempler ses nombreux adversaires.

— Mes amis, a fait sa voix amplifiée par les haut-parleurs.

Pas de doute, il avait tout prévu. On avait même installé une sono. La foule a hurlé de plus belle, ce qui n'a pas entamé la patience de Naymeer. Il a levé les mains pour les faire taire, mais ces personnes n'étaient pas aussi obéissantes que celles de l'intérieur. L'assistance n'a pas cessé de hurler avec colère :

— À bas Naymeer ! À bas Naymeer !

442

L'intéressé a gardé son calme.

– Je vous en prie, a-t-il poursuivi. Je comprends votre inquiétude.

Ces gens ne s'en laissaient pas compter. Bien. Ils ont continué à le huer. Cela a duré une bonne dizaine de minutes. Naymeer n'a pas renoncé. À chaque fois qu'il les enjoignait de l'écouter, ils criaient encore plus fort. Finalement, ils en ont eu assez, ou ils ont décidé de lui laisser une chance. En tout cas, ils se sont tus.

– Avant de nous juger, je voudrais inviter certains d'entre vous à entrer voir ce qu'est exactement Ravinia.

S'il est possible à toute une foule d'avoir l'air surpris, c'était le cas. Apparemment, ils ne s'attendaient pas à ça. Et ils ne semblaient pas savoir que faire de cette invitation inattendue. Naymeer s'est mis à désigner des membres de l'assistance au hasard.

– Vous, vous et vous. Emmenez votre fille. Et vous, jeune homme, retrouvons-nous à l'intérieur, si vous voulez bien.

Lentement, ceux qu'il avait désignés se sont avancés un par un pour monter les marches menant à l'intérieur du bâtiment du conclave. Les dados se sont écartés pour les laisser passer.

– Oui, venez ! les a encouragés Naymeer. N'ayez pas peur.

Les élus n'avaient pas l'air sûrs d'eux, mais ils montaient néanmoins les marches. Une poignée de chemises rouges les a escortés à l'intérieur. Avant que le dernier volontaire ne les suive, il s'est retourné et a levé les bras en signe de victoire et de défi. La gamine qui devait être sa fille a fait de même. La foule les a acclamés, puis s'est remise à scander ses slogans. Mais maintenant, ils semblaient accuser ceux qui étaient à l'intérieur.

– À bas Naymeer ! À bas Naymeer !

Je me suis tourné vers Saint Dane.

– Est-ce que vous avez déjà invité des opposants à rentrer ?

– Non, a-t-il répondu froidement. Et c'est dommage de devoir en arriver là.

Il s'est écarté de la fenêtre, nous laissant digérer cette déclaration de mauvais augure. Qu'est-ce qui se passait exactement ?

– Ça ne me dit rien qui vaille, ai-je chuchoté à Alder.

On a suivi Saint Dane jusqu'à la fenêtre intérieure. Les Raviniens étaient aussi disciplinés que la foule là-dehors était houleuse. Lorsque Naymeer est apparu au bas des escaliers, ils se sont tournés vers lui et l'ont regardé poliment. En silence. Pas d'encouragements, pas d'acclamations. Après Naymeer et ses chemises rouges sont venus les étrangers. J'en ai compté dix, dont trois enfants. Ils ne semblaient pas effrayés, plutôt nerveux et intimidés. Tous les regards se sont posés sur eux. Ils se serraient les uns contre les autres pour se rassurer tout en s'avançant vers le flume. L'un d'entre eux a vu l'embouchure du tunnel et a fait signe aux autres. Tous ont contemplé, bouche bée, le passage entre les territoires.

Naymeer avait repris sa position, près de l'embouchure du flume.

– Venez donc par ici, a-t-il dit avec chaleur, les invitant à avancer.

Il les a amenés à l'avant de la salle, où ils se sont massés devant l'ouverture.

– Voilà, a repris cordialement Naymeer. Merci de vous être joints à nous. Croyez-moi, c'est une soirée que vous n'oublierez pas de sitôt, ni vous ni vos amis là-dehors. Vous allez pouvoir toucher du doigt la puissance et la majesté de Halla.

Des signaux d'alarme ont résonné dans ma tête. Il y avait un os. Pourquoi ces gens se regroupaient-ils comme ça devant le flume, comme... des moutons ? J'ai soudain repensé à ce que Patrick avait écrit.

N. exile ennemis via flume.

Alors c'était ça ? Ces pauvres bougres allaient servir d'exemple ? Est-ce ainsi qu'il entendait leur montrer la puissance de Halla ? Mon esprit carburait à toute allure. Il fallait que je fasse quelque chose, mais quoi ?

– Aaah ! s'est exclamé Saint Dane, quelques retardataires sont arrivés !

On a baissé les yeux pour voir les chemises rouges amener deux autres manifestants. Sauf que ceux-ci étaient bien moins dociles que les précédents. Les chemises rouges les tenaient par le bras et les poussaient vers le flume. Ils ne se débattaient pas : ils savaient que ça ne servirait à rien. Mais ils ne se laissaient pas faire pour autant. À leur passage, les spectateurs ont échangé des murmures nerveux. Eux aussi comprenaient que quelque chose n'allait pas.

Alder s'est raidi. J'avais les jambes en coton. J'ai pressé mon visage contre la vitre, le cœur battant. Les deux nouveaux venus n'étaient autres que Mark et Courtney.

Alder a chuchoté la suite du message de Patrick.

– *Comm. massacre du Bronx.*

– Oui, a confirmé Saint Dane. C'est là que tout va commencer pour de bon.

Journal n° 36
(suite)

SECONDE TERRE

J'ai fait volte-face pour tenir tête à Saint Dane.

– Qu'est-ce qu'il se passe ?

Saint Dane a pris son air fat. J'ai horreur de ça – je l'ai déjà dit, non ?

– Tu as prédit que les ennemis de Ravinia tenteraient d'arrêter le mouvement, a-t-il déclaré. Lorsqu'ils comprendront quelles sont les conséquences de leur rébellion, leur volonté de révolte disparaîtra d'elle-même.

Mark et Courtney se sont fait escorter doucement mais fermement auprès des autres manifestants. Ils se sont retrouvés blottis devant le flume, tous les douze. Ce qu'ils ne voyaient pas, c'est qu'un groupe de chemises rouges se positionnait derrière eux pour les encercler, leur ôtant toute possibilité d'évasion.

Naymeer est allé se poster au centre du flume et leur a fait face.

– Je suis sûr que vous avez entendu des rumeurs concernant les mondes de Halla, a-t-il annoncé aux nouveaux venus. Elles sont vraies. Tous ceux qui se trouvent dans cette salle ont contemplé ses merveilles. Aujourd'hui, ce soir même, vous allez avoir le même privilège.

Il a levé la main. Des lumières ont jailli de son anneau. Les manifestants se sont blottis encore plus fort alors que le flume s'activait.

Naymeer a continué son discours, mais, peu à peu, sa voix rassurante de gentil grand-père a pris un ton plus menaçant. Il a toisé le groupe et a déclaré :

446

— Lorsque nos opposants apprendront ce qui va découler de cette soirée, ils comprendront également que l'ascension de Ravinia est inévitable. Il ne peut y avoir d'opposition.

Sur ce, Naymeer a battu en retraite pour révéler la lumière qui apparaissait dans les profondeurs du flume. Le groupe est resté paralysé sur place, à fixer le tunnel comme des cerfs pris dans la lumière des phares d'une voiture. Mark et Courtney ont tenté de s'éclipser, mais les chemises rouges s'y attendaient et les ont repoussés. Mark avait l'air soucieux, et Courtney était manifestement terrifiée. Les spectateurs ont murmuré entre eux. Ils n'avaient pas la moindre idée de ce qui se passait. Tout comme moi.

Non, je retire ça. J'avais une petite idée. Je craignais qu'on ne soit sur le point d'assister au « massacre du Bronx ».

— Arrêtez ça ! ai-je crié à Saint Dane.

Il est resté très calme, les bras croisés.

— Voyons, pourquoi le ferais-je ?

Ces gens allaient devenir des victimes. Qu'ils soient exilés au fin fond de Halla ou exécutés purement et simplement, ils ne reverraient jamais ce territoire. Ils allaient devenir un exemple pour le monde entier, la preuve qu'il ne fallait pas défier les Raviniens. Naymeer avait promis aux siens une utopie. Il allait proposer bien pire à ceux qui se dressaient sur son chemin. Ils allaient être sacrifiés au nom de Ravinia. C'était le début du règne de Naymeer sur Terre…

Et Mark et Courtney se retrouvaient en première ligne.

J'ai couru vers la table installée contre le mur opposé.

— Gardes ! a crié Saint Dane, pas vraiment concerné par mon geste.

Les chemises rouges se sont précipitées vers moi. Trop tard. Alder s'est jeté sur les dados et les a renversés de toute sa masse. Je me suis emparé de la table et l'ai balancée contre la fenêtre. Saint Dane s'est écarté du chemin. Pas grave : ce n'était pas lui que je visais. J'essayais de casser le verre. Mais la table l'a juste fendillé, créant une véritable toile d'araignée sans parvenir à briser la fenêtre.

Alder s'est dressé devant les deux chemises rouges, les empêchant de s'en prendre à moi. Comme il avait les mains liées, le

447

combat était un peu plus équitable. Pas moyen de savoir combien de temps il pourrait les occuper ainsi, mais je n'en aurais pas pour des heures. Saint Dane s'est posté devant la fenêtre, face à moi. La lumière croissante provenant du flume a rempli la grande salle en contrebas, soulignant sa silhouette.

— Tu dois vraiment toujours retarder l'inévitable ? a-t-il demandé d'un ton ennuyé.

— Eh bien… oui, ai-je répondu.

Il était juste au bon endroit. Devant la fenêtre fendillée. C'était le moment d'en profiter. J'ai foncé droit sur lui. Il a ouvert de grands yeux pleins de surprise, mais n'a pas eu le temps de réagir. Je lui ai donné un bon coup de tête en pleine poitrine, le repoussant contre la fenêtre. La vitre déjà bien abîmée a cédé, et on a été projetés dans le vide. On est tombés dans un blizzard de fragments de verre, droit sur les pauvres bougres qui se trouvaient juste en dessous. Je me suis cramponné à la veste de Saint Dane pour qu'il me serve de coussin et amortisse le choc. Si quelqu'un devait se casser quelque chose, je préférais que ce soit lui. C'est vrai que je n'y avais pas vraiment réfléchi, mais je suppose que j'espérais me vautrer sur une bande de Raviniens bien confortable qui n'arriverait pas à se planquer à temps.

Je ne sais pas sur quoi on a atterri, mais ce fut loin d'être en douceur. J'ai pris conscience d'un amas de bras et de jambes sur fond de hurlements alors que les spectateurs cherchaient à s'échapper. J'étais secoué, mais pas blessé. Je me suis reçu sur Saint Dane, puis j'ai roulé contre le dossier des fauteuils les plus proches. Cependant, lorsque j'ai levé les yeux, il n'était plus là. Non, pardon : il était toujours là, mais il avait changé. Il s'était transformé. Il était devenu un type propret aux cheveux courts vêtu d'un polo rouge. Il s'est redressé, manifestement indemne.

— Arrêtez-le ! a-t-il crié en me désignant du doigt.

Personne ne l'a écouté. Ils ne voulaient pas avoir affaire à moi. Au contraire, ils ont reculé, comme si j'étais radioactif. Pour Saint Dane, c'était peut-être l'élite, mais, pour moi, ce n'était que des lâches.

Crac ! J'ai levé les yeux pour voir qu'on avait balancé une des chemises rouges par la fenêtre. Alder était à nouveau opérationnel. Le garde est tombé comme une pierre dans un déluge de morceaux de verre. Il a atterri sur le dossier d'une chaise, sur lequel il a rebondi comme une balle. Oui, c'est vrai : les dados peuvent rebondir.

Tout autour de nous, c'était le chaos. Entre le flume qui s'activait et les corps qui pleuvaient, les Raviniens n'avaient qu'une seule idée en tête : sortir de là. Ils se sont massés dans l'escalier.

Des lumières éblouissantes ont illuminé la salle. Je n'avais plus beaucoup de temps devant moi.

– Courtney ! ai-je crié. Mark !

Je suis monté sur une chaise pour voir les chemises rouges pousser le groupe de manifestants terrifiés vers le flume. Courtney m'a entendu et s'est tournée vers moi :

– Bobby !

Elle ouvrait de grands yeux épouvantés. Elle a tenté de reculer, mais une chemise rouge l'a prise par la taille et l'a poussée en avant. Vers le flume. À ce stade, les autres membres du groupe avaient compris que quelque chose n'était pas normal. Ils ont tenté de résister, mais le cercle des dados s'est refermé sur eux, les obligeant à avancer vers la lumière. J'ai sauté du fauteuil au milieu du flot des Raviniens, prêt à tout pour venir en aide à ces pauvres gens. Et à Mark et Courtney. Mais pas moyen d'avancer : toute une foule s'écoulait en sens inverse, me bloquant le passage. J'étais coincé. Les notes de musique s'échappant du flume ont augmenté en intensité. Je suis monté sur le dossier d'un fauteuil juste à temps pour voir un groupe de manifestants disparaître dans le tunnel en même temps que quelques chemises rouges.

Mark s'est frayé un chemin vers moi. Un instant, j'ai cru qu'il allait réussir à s'extirper de la foule, mais il s'est retourné et a tendu les mains vers Courtney. Il se souciait davantage de sa sécurité à elle que de la sienne. C'était tout Mark. Mais ce geste lui a coûté cher. Une chemise rouge est apparue derrière eux et les a repoussés vers la grappe de victimes. La lumière les a tous enveloppés. La musique était assourdissante. Peu après, tout s'est arrêté. Les lumières se sont éteintes, la musique s'est tue. Le dernier son que j'ai entendu a été l'écho de la voix de Courtney criant « Bobby ! ».

Le massacre du Bronx.

Ils étaient partis. Mais pour où ? Étaient-ils morts ? Ou exilés dans un endroit inconnu ? Quoi qu'il en soit, Naymeer avait bien fait passer son message. Ne pas toucher aux Raviniens, sinon gare. Je n'arrivais pas à croire que Mark et Courtney puissent être morts. Je devais me persuader qu'ils étaient juste… partis. Sinon, ça m'aurait anéanti. Savoir qu'ils étaient là, quelque part, et avaient besoin de mon aide me redonnait des forces. Tant mieux, parce que j'étais loin d'être tiré d'affaire.

Naymeer n'était plus là. Saint Dane non plus. Mais les chemises rouges si. Du haut de mon fauteuil, j'ai vu plusieurs d'entre eux se frayer un chemin dans ma direction. J'allais descendre de mon perchoir lorsque j'ai senti mes jambes se dérober sous moi. Le dado qu'Alder avait balancé par la fenêtre était loin d'être hors d'état de nuire. Il m'a fait tomber, mais j'ai aussitôt réagi en lui décochant un bon coup de pied. Je l'ai atteint au genou. Brutalement. C'était peut-être un dado, mais sentir sa jambe céder sous la violence de l'impact m'a retourné l'estomac. Ça ne l'a pas arrêté pour autant. C'était un robot après tout. Il allait empoigner ma chemise lorsqu'on l'a soulevé de terre et balancé comme une poupée.

Alder s'est dressé devant moi. Les mains libres. Il avait réussi à se détacher.

— Ne restons pas là, a-t-il dit.

Je me suis relevé d'un bond et j'ai regardé autour de moi, cherchant une porte de sortie. J'ai pensé au flume, mais il y avait trop de Raviniens et de chemises rouges sur le chemin. Il était plus logique de se mêler au flot humain qui se massait autour de l'escalier pour s'enfuir.

— Suivons la foule ! lui ai-je ordonné.

On a plongé au milieu des Raviniens, les dados toujours à nos trousses. Notre meilleur espoir était de garder un maximum de monde entre eux et nous. Je doutais fort que les dados fassent du mal aux Raviniens dans leur hâte de s'emparer de nous. Après tout, ils étaient l'élite. L'avenir de Halla. Mais ils nous serviraient

450

également de boucliers humains. Au diable la politesse ! Je les ai bousculés sans ménagement. On a réussi à atteindre les marches et on a joué des coudes pour les grimper. Je regardais sans arrêt autour de moi pour garder un œil sur nos poursuivants. Ils étaient toujours au bas de l'escalier et avaient autant de mal à traverser la foule des Raviniens que nous. Un instant, j'ai vraiment cru qu'on allait s'en sortir, jusqu'à ce qu'on atteigne le haut des marches pour sortir du bâtiment.

La rangée de chemises rouges chargée de contenir les manifestants était toujours là.

Les gardes se sont empressés de canaliser les Raviniens d'un côté du bâtiment, là où deux colonnes de dados fendaient la foule, formant un chemin au milieu des manifestants furieux. Une rangée de bus était déjà là, moteurs en marche, pour les emmener loin de toute cette folie. Mais, pour nous, ce n'était pas la bonne direction. Le couloir des dados était trop étroit : ceux-ci ne manqueraient pas de nous repérer. Même si on atteignait un bus, ils ne nous laisseraient jamais monter à bord. Non, il fallait quitter la foule et tenter notre chance de notre côté.

Les manifestants se pressaient contre la rangée de chemises rouges. Ils étaient des milliers, tous prêts à prendre d'assaut le conclave.

– Regarde, Pendragon ! a crié Alder.

Un groupe de chemises rouges venait de sortir de la salle du flume et se dirigeait droit vers nous. On était piégés entre eux et l'autre rangée de dados. Dans quelques instants, ils allaient nous submerger. Je n'ai trouvé qu'une seule chose à faire.

Déclencher une émeute.

– Ils ne reviendront pas ! ai-je crié à la foule en colère. Naymeer les a tous tués !

Dans d'autres circonstances, ç'aurait été parfaitement irresponsable, comme de brailler « au feu ! » dans une salle de cinéma bondée. Mais il ne s'agissait pas de circonstances ordinaires. L'effet a été instantané. La foule est devenue violente. Certains se sont enfuis, effrayés, mais la plupart d'entre eux ont brisé la ligne de chemises rouges pour prendre d'assaut le conclave. Les gardes en ont passé quelques-uns au taser dans une tentative bien futile de les repousser. Impossible : ils étaient trop nombreux. Les chemises rouges se sont fait piétiner. Maintenant, la foule déchaînée se dirigeait vers nous. On est restés plantés là, incapables de bouger. J'ai jeté un coup d'œil en arrière pour constater que les dados lancés à nos trousses venaient de décider qu'il était plus important de protéger Naymeer que de s'emparer de nous. Ils sont rentrés dans le bâtiment au pas de course pour fermer les grandes portes. Le conclave s'en sortirait sans dommage. Je n'étais pas sûr de pouvoir en dire autant d'Alder et de moi.

Le chevalier m'a pris par le bras et entraîné sur notre droite. J'avais l'impression d'être un ailier courant derrière un buteur. Alder a repéré un coin moins peuplé que les autres et a foncé dans le tas. J'ai dévalé les escaliers en bousculant pas mal de monde. À vrai dire, ils étaient si nombreux qu'ils m'ont aidé à rester debout. On se serait cru dans un flipper à l'ancienne. Alder, lui, ne rebondissait pas : il fauchait. Je ne sais pas combien de personnes il a renversées. Trop. Ces gens étaient des victimes. Grâce aux Raviniens, ils entrevoyaient le début d'une existence misérable, une existence qu'ils n'avaient pas méritée. Je n'aimais pas l'idée qu'elle doive commencer par une démonstration de violence, mais il fallait qu'on sorte de là. Ça ne nous a guère pris plus d'une minute pour arriver au bas des marches, derrière la foule. J'ai pris le bras d'Alder pour lui intimer l'ordre d'arrêter. On s'est retournés et on a vu les manifestants battre du poing contre les portes du bâtiment austère, galvanisés par le désir de savoir ce qui était arrivé à leurs amis.

– Il faut qu'on s'en aille d'ici, ai-je dit à Alder avant de partir en courant.

Plus on s'éloignait du bâtiment du conclave, plus la foule se raréfiait. On avait réussi. On leur avait échappé. Mais la soirée ne faisait que commencer. J'ai vu une bouche de métro et fait signe à Alder de me suivre au bas de l'escalier. Je ne savais pas où aller. N'importe où, du moment que c'était le plus loin possible des Raviniens. Comme on n'avait pas d'argent, on a dû sauter par-dessus le tourniquet pour marcher jusqu'à la plate-forme et attendre la prochaine rame. Je dois dire qu'une fois de plus Alder m'a étonné : il m'a suivi sans poser la moindre question. Je ne peux même pas imaginer ce qui devait lui passer par la tête alors qu'il était confronté à ce monde totalement étranger qu'était la Seconde Terre. Ou peut-être que tout ça ne le dérangeait pas. Après tout, on avait des préoccupations autrement plus importantes que de savoir ce qu'était un métro.

Heureusement, une rame est vite arrivée. Les portes se sont ouvertes et Alder m'a suivi à l'intérieur. On est allés s'asseoir à l'arrière du wagon presque désert. C'était la première occasion de reprendre notre souffle depuis que j'avais vu Mark et Courtney entraînés vers... – j'ai préféré ne pas finir cette phrase.

– D'après toi, que leur est-il arrivé ? a demandé Alder.

– Je ne sais pas. Je n'arrive pas à croire qu'on les ait... exécutés, comme ça. Dans quel but ?

– Pour éliminer des ennemis et intimider ceux qui restent, a répondu Alder.

– Oui, mais Patrick a écrit que Naymeer exilait ses ennemis. Comme je l'ai déjà dit, exiler et exécuter, ce n'est pas la même chose.

– Dans ce cas, pourquoi appelle-t-on ce moment le « massacre du Bronx » ?

Bonne question. Je préférais ne pas le savoir. Tout ce que je voulais, c'était avoir Mark et Courtney à mes côtés. Je crois que j'étais sous le choc. Sinon, comment expliquer qu'après tout ce qu'on venait de voir je puisse rester opérationnel sans paniquer ? On était en route vers Manhattan. À chaque arrêt, le wagon embarquait des passagers supplémentaires. Je ne savais plus quoi faire. Après avoir passé tout ce temps à sauter d'un territoire à un autre, c'était bizarre de me retrouver chez moi sans savoir où aller. Je devais réfléchir, mais je n'arrêtais pas de revoir Mark et Courtney engloutis dans le flume. Je me suis juré de découvrir ce qui leur était arrivé, d'une façon ou d'une autre.

La rame s'est arrêtée à une station particulièrement encombrée. Je n'aurais pas su dire quel était l'arrêt. Le quai était bondé, et les passagers ont dû jouer des coudes pour descendre avant la fermeture des portes. Tout au bout de la rame, j'ai vu monter un policier, un bon vieux flic new-yorkais en uniforme. Ça n'avait rien d'inhabituel, sauf qu'il avait l'air de chercher quelque chose.

453

Ou quelqu'un. Ou deux personnes… Nous, par exemple. Mais le pire restait à venir. Il n'était pas seul : une chemise rouge ravinienne l'accompagnait. Tous deux examinaient les visages des passagers. Ce qui voulait dire que la police de New York et les Raviniens étaient de mèche. Les implications étaient énormes. Ça signifiait que les Raviniens avaient déjà leur place au sein même des institutions gouvernementales.

— Faut qu'on y aille, ai-je chuchoté, entraînant Alder vers la porte.

Il y a eu un tintement. Les portes ont commencé à se refermer. J'ai tendu les bras pour les en empêcher. Pas question de se retrouver pris au piège dans un train en mouvement. On n'allait pas leur faciliter les choses. À mon tour de guider Alder au milieu de la foule. Mais on ne pouvait pas être aussi audacieux que dans le Bronx. Mieux valait ne pas attirer l'attention. Non seulement les Raviniens étaient après nous, mais on avait aussi la police aux trousses. On était des fugitifs, comme à Stony Brook. Cependant, il serait plus facile de se fondre dans la foule à Manhattan que dans ma banlieue. Quoique, les murs ont des oreilles. Il fallait qu'on se trouve une cachette sûre.

J'ai guidé Alder hors de la station de métro pour découvrir qu'on était au beau milieu de Times Square. Alder a fini par s'arrêter net. J'imagine que se voir bombardé par les sons et les lumières d'un des carrefours les plus actifs de tout Halla était un peu trop pour un chevalier issu d'un village primitif. Il est resté figé sur place, à regarder cette intersection bruyante. Je n'ai pas voulu m'interposer. Il y avait peu de risques qu'on soit interpellés par la police ici. Les trottoirs étaient bondés de touristes. On passerait inaperçus.

Du moins, c'est ce que je croyais jusqu'à ce que mon regard se pose sur l'écran vidéo géant qui dominait le croisement.

— Pendragon, c'est toi ! s'est écrié Alder.

Lui aussi l'avait vue. C'était une photo qui devait avoir été prise par les caméras de surveillance du manoir de Sherwood. C'était l'agrandissement d'un cliché au gros grain, mais, pas de doute, c'était bien moi. Une vision stupéfiante en soi, mais la légende rédigée sous ce cliché était encore pire. Sous mon visage présumé coupable, on pouvait lire : BOBBY PENDRAGON – SUSPECT DANS UNE AFFAIRE DE TERRORISME.

C'était un bulletin d'informations. Un avertissement. Le son était coupé, mais les mots qui défilaient en bas de l'écran étaient bien assez éloquents : RECHERCHÉ SUITE À UNE AGRESSION AU CONCLAVE DE RAVINIA. EXTRÊMEMENT DANGEREUX. SI VOUS LE VOYEZ, NE L'APPROCHEZ PAS. PRÉVENEZ LA POLICE.

Une autre photo a remplacé la mienne. Celle d'Alder. Le chevalier a eu un sursaut de surprise. Elle provenait également d'une caméra de surveillance. Une autre légende inquiétante a défilé, demandant à quiconque voyait ces deux dangereux terroristes de prévenir la police. Difficile de décrire ce que j'ai ressenti. On était entourés de milliers de personnes, et pourtant je me sentais extrêmement seul. Pire : nu. C'était comme dans ces rêves où l'on se retrouve en slip devant toute une foule. Sauf qu'on nous accusait de bien pire. Je me retrouvais fugitif dans mon propre monde.

– Ils vont se lancer à notre recherche, a fait Alder d'une petite voix qui ne lui ressemblait guère.

– C'est encore pire que ça. Ça veut dire qu'ils contrôlent les médias. Ils ne parlent pas d'une douzaine de personnes qui auraient disparu dans le Bronx, uniquement de nous deux. L'influence des Raviniens atteint tous les niveaux de la société.

– Alors c'est vrai, a-t-il dit d'un ton défaitiste. Nous arrivons trop tard.

L'image d'Alder sur cet écran géant a été remplacée par une autre. Celle de l'homme qu'on avait vu ce matin à la télé, chez Naymeer. Une fois de plus, il n'y avait pas de son, uniquement une bande défilant en bas de l'écran. On déclinait son identité : HAIG GASTIGIAN – UNIVERSITÉ DE NEW YORK. Puis est venu le commentaire : LE PROFESSEUR CONDAMNE DÉCISION IMMINENTE DES NATIONS UNIES. APPELLE À UNE MANIFESTATION MONDIALE CONTRE NAYMEER ET LES RAVINIENS.

– Peut-être pas, ai-je dit. Ce type est le fondateur de l'opposition aux Raviniens. Comment se font-ils appeler déjà ? La Formation ? Non : la Fondation.

– Et alors ?

– C'est peut-être la dernière personne avec un minimum de pouvoir qui soit encore de notre côté.

Une heure plus tard, Alder et moi arrivions à Washington Square Park, au bas de la Cinquième Avenue. On y est allés à pied, de peur de se faire repérer si on prenait le métro. Ce parc était au cœur de l'université de New York, là où travaillait Gastigian. Il était relativement facile à trouver : il m'a suffi de jeter un œil dans les pages blanches d'un annuaire. Il n'y avait pas beaucoup de Haig Gastigian. En fait, il n'y en avait qu'un, à Greenwich Village, non loin de l'université. Son adresse était sur Sullivan Street, une jolie petite rue paisible plantée d'arbres et bordée d'immeubles en brique. Il a été facile de trouver l'adresse de Gastigian, beaucoup moins de lui parler. J'ai su qu'on était au bon endroit lorsqu'on a tourné à l'angle de Sullivan Street pour voir quelques types à l'air peu commode postés sous un réverbère devant la maison de Gastigian.

– Des gardes, a dit Alder, lisant ma pensée.

– Bonne initiative. Quand on s'affronte aux Raviniens, il vaut mieux se montrer prudent.

On a repéré d'autres hommes en place à chaque intersection, visiblement prêts à tout. Ils avaient l'air relativement ordinaire, mais pas le genre de types à qui on va chercher des noises. Ils étaient baraqués et n'avaient pas l'air de plaisanter. Ils avaient sans doute entendu parler de ce qui s'était passé au conclave des Raviniens et semblaient assoiffés de vengeance.

– Prends l'air inoffensif, ai-je dit en marchant vers le bâtiment.

– Comment on fait ?

– Souris et ne prends pas de posture défensive.

– Et s'ils nous attaquent ?

– Laisse-les faire.

On avait à peine fait quelques pas qu'on s'est senti suivis. Je n'avais pas besoin de me retourner pour savoir qu'il y avait deux armoires à glace derrière nous. Gastigian n'avait peut-être pas de caméras dernier cri comme Naymeer, mais sa protection était tout aussi efficace. Avant qu'on ait pu monter les marches menant chez Gastigian, ils se sont approchés.

– N'oublie pas, ai-je chuchoté. Tu es inoffensif.

456

Alder a arboré un sourire si faux qu'il était plus inquiétant qu'amical.

– Laisse tomber, ai-je dit. Contente-toi de ne taper personne.

– Je peux vous aider, les gars ? a dit l'un des plus baraqués du lot, qui s'interposait entre nous et la porte.

– On voudrait s'entretenir avec le professeur Gastigian, ai-je répondu avec un maximum de politesse.

Deux autres brutes ont rejoint la première. Ils se sont regardés. De toute évidence, ils n'avaient pas l'intention de nous laisser le voir.

– Vraiment ? a fait le premier type d'un ton sarcastique. Et pourquoi ?

– On détient des informations qui sont susceptibles de l'intéresser, ai-je répondu honnêtement. À propos des Raviniens.

Les brutes se sont regardées à nouveau. Ils n'avaient pas vraiment l'air d'être des lumières. Je ne savais pas si c'était une bonne chose ou pas.

Le type s'est approché. Il faisait bien une demi-tête de plus que moi et était même plus grand qu'Alder. J'ai tenu bon en espérant que celui-ci n'allait pas déclencher la bagarre.

– J'ai une idée, a-t-il dit. Prenez un rendez-vous. Le professeur est très occupé.

– Je suis Bobby Pendragon, ai-je tenté.

Les gardes m'ont jeté un regard vide. J'ai inspiré profondément et ajouté :

– C'est nous qui avons attaqué le conclave de Ravinia ce soir même.

L'armoire à glace a froncé les sourcils. Il a ouvert la bouche pour parler, mais rien n'en est sorti. À la place, une voix masculine a résonné depuis l'interphone près de la porte :

– Laissez-le entrer.

Il faut croire que le professeur Gastigian avait bien des yeux et des oreilles électroniques, tout compte fait.

Il habitait dans un appartement tout simple avec une jolie vue sur Washington Square Park. C'était exactement ce qu'on attendait de l'habitation d'un professeur de philosophie : petit, propre, avec des livres partout. Alder et moi avons dû retirer plusieurs volumes du canapé avant de nous asseoir.

Lorsque Gastigian est entré dans le salon, il portait un plateau avec une théière et trois tasses. Il nous traitait en invités. Par contre, ceux qui gardaient la porte nous ont bien laissé comprendre qu'on n'était pas les bienvenus. Gastigian devait avoir une soixantaine d'années, avec une peau sombre et des cheveux d'un blanc lumineux qu'il coiffait en arrière. Il portait de grandes et grosses lunettes venues tout droit des années 1970, si bien que ses yeux semblaient faire le double de leur taille. Il était vêtu d'un pull à boutons, d'un nœud papillon bleu et marchait légèrement courbé en traînant un peu la patte. Si je devais tourner un film et choisir quelqu'un pour interpréter un professeur de philosophie, c'est lui que je prendrais.

– C'est vrai, ce qu'on dit ? a-t-il commencé. Vous êtes des terroristes ?

– Tout dépend de la définition qu'on donne à ce terme, ai-je répondu. Cherche-t-on à semer la terreur ? Non. Cherche-t-on à empêcher les Raviniens de nuire ? Absolument. Donc, à leurs yeux, ça fait de nous des terroristes. Et j'imagine que pour eux vous en êtes un aussi.

Gastigian m'a décoché un petit sourire.

– Appelez-moi Haig.

Je crois que je lui plaisais bien. Tant mieux. Ces derniers temps, plus grand monde ne semblait m'apprécier. Il nous a servi du thé. En général, ce n'est pas ma boisson préférée, mais je crevais de faim. Alder aussi, d'ailleurs. On ne s'est pas fait prier pour vider nos tasses et faire un sort aux gâteaux secs un peu rances qu'il nous a proposés.

Haig a pris sa propre tasse et s'est adossé au fauteuil, l'air tout à fait détendu.

– La crédulité des gens ne cessera jamais de m'étonner. Les promesses que Naymeer profère quotidiennement sont des mensonges éhontés. Il leur dit ce qu'ils veulent entendre, comme un politicien en pleine campagne électorale. Ce serait risible si la masse ne l'écoutait pas et si son idéologie n'impliquait pas la persécution du plus grand nombre. Ceux dont je suis devenu la voix. Ceux qui seront exclus de son grand dessein. Et croyez-moi, je ne suis pas le seul. On ne va pas rester tranquillement dans notre coin en attendant que ce fasciste nous dévore tout crus. (Il a bu une gorgée de thé avant de reprendre :) Alors, messieurs, dites-moi : comment vous êtes-vous retrouvés en position de rendre la monnaie de sa pièce à Naymeer, hmmm ? Je dois avouer que, jusque-là, je n'avais encore jamais pris le thé avec des terroristes.

Je n'avais pas eu l'occasion de réfléchir à ce que j'allais lui raconter. Ce devait être la dernière personne au monde qui ait encore une chance d'empêcher les Raviniens de nuire, mais j'avais peur qu'après m'avoir entendu il ne nous jette à la porte. J'ai décidé que la seule façon de faire était encore de lui dévoiler toute la vérité.

– Ça risque de ne pas vous plaire, l'ai-je prévenu.

– Dans tout ce que j'entends ces derniers temps, il n'y a pas grand-chose qui me mette en joie. Alors allez-y.

– Bien. L'ennui, c'est que tout ce que raconte Naymeer n'est pas entièrement faux. Vous aurez peut-être du mal à le croire, mais c'est vrai : Halla existe bel et bien. Il y a effectivement d'autres mondes que celui-ci. Vous dites être la voix de ceux qui seront exclus de son grand dessein ? Vous n'avez pas vraiment idée de leur nombre réel. Ce qui se passe ici va se répandre dans tous ces mondes. Si on n'y met pas un terme maintenant, ce sera la fin de tout.

Haig a porté la tasse à ses lèvres, mais sans boire. Il m'a fixé un long moment, puis a reposé la tasse sur sa soucoupe, la soucoupe sur la table, avant de s'adosser au fauteuil en croisant les bras.

– Je suis tout ouïe.

Alder et moi avons passé une heure à lui raconter tout ce qu'il devait savoir, du moins dans les grandes lignes. On a passé sous silence bien des aspects de notre combat contre Saint Dane. En fait, on a carrément évité d'en parler. On s'est surtout concentrés sur Naymeer, la façon dont il utilisait les flumes pour montrer à ses élus les autres mondes de Halla et comment il espérait créer une race supérieure de surdoués aux dépens de tous ceux qui n'avaient pas de talents particuliers. Haig nous a écoutés sans rien dire. Plus attentif que le colosse qui gardait sa porte, et qui semblait s'être endormi. Haig ne nous a jamais quittés des yeux. En plus d'enregistrer ce qu'on lui disait, je crois qu'il cherchait également à décider si, oui ou non, on était fous à lier. S'il en concluait qu'on était mûrs pour l'asile, je ne pourrais guère le lui reprocher.

J'ai terminé en disant :

— Ce qui s'est passé ce soir au conclave n'était qu'un avant-goût du mal qu'ils peuvent faire.

— Le massacre du Bronx, a ajouté Alder.

— Il n'y a pas d'autre façon de le dire, ai-je repris. Si on lui en donne le pouvoir, Naymeer fera subir le même sort à tous ceux qui peuvent constituer une menace. La crainte d'être emmené là-bas et jeté dans le flume fera taire ses ennemis. Je pense que si les Nations unies reconnaissent Ravinia, rien ne pourra plus les arrêter. C'est pour ça que je suis venu vous trouver. Vous êtes la voix de l'opposition. La voix de la Fondation, et celle de la raison. Il faut à tout prix l'empêcher de nuire. Tout de suite.

J'ai pris ma tasse de thé avant de me rappeler qu'elle était vide. Peu importait. Il fallait que je trouve une contenance. Tout plutôt que de croiser le regard interrogateur de Haig. Il a soupiré et s'est levé en passant les doigts dans sa chevelure blanche. Il transpirait. Il était ébranlé.

— Je sais, ai-je ajouté. C'est dur à avaler.

— Pas tant que ça.

Il s'est levé et a retroussé sa manche. Son bras portait le tatouage en forme d'étoile qui nous était désormais familier. Alder s'est redressé comme s'il avait reçu une autre décharge de taser. J'ai probablement fait de même.

— Je… Je ne comprends pas, ai-je hoqueté.

— J'ai vu une bonne partie de ce dont vous m'avez parlé, a repris Haig. J'ai assisté au conclave et contemplé des images de tout Halla. Je suis un convaincu.

— Mais…, ai-je réussi à lâcher.

Haig a rabaissé sa manche avant de retourner à son fauteuil. Il s'est penché en avant, posant ses mains sur ses genoux, et a repris avec passion :

— Savoir que nous ne sommes pas seuls dans l'univers est à la fois effrayant et passionnant. Mais au lieu de voir en cette réalité une occasion d'améliorer le sort de tout un chacun, Naymeer et les siens s'en servent pour parvenir à leurs fins élitistes. Oui, j'ai été un Ravinien. Par le passé. En tant que professeur, je suis assez bien noté. Donc ils m'ont sélectionné. Mais une fois que j'ai compris ce qu'il en était vraiment, j'ai démissionné. Je ne voulais pas en faire partie. Au contraire, j'ai usé de mon savoir et de mon influence pour bâtir la Fondation. J'ai été le premier à m'élever contre les Raviniens. Je suis sûr qu'ils aimeraient bien me voir mort ou me jeter dans le flume comme ces pauvres bougres ce soir même. Pourquoi croyez-vous que j'aie besoin de la protection de ces gardes ? Sans eux, je suis sûr que je serais déjà six pieds sous terre. Donc oui, Alder, Pendragon, je vous crois.

J'avais envie de sauter par-dessus la table pour le serrer dans mes bras. On avait un allié. Un vrai. Quelqu'un d'influent.

– Il y a donc peut-être encore un espoir ! me suis-je exclamé.

Haig a secoué gravement la tête.

– De l'espoir ? C'est un concept bien fragile. Malgré tout ce que j'ai fait, j'ai bien peur d'avoir lutté contre des moulins à vent. Ravinia est devenue très puissante. Naymeer est considéré comme un des leaders de ce monde. Les gens croient en lui. Ils ne veulent pas voir le revers de la médaille.

– Alors c'est tout ? On va laisser tomber, comme ça ?

– Non, a-t-il répondu d'un ton résolu. Il reste encore une possibilité. Une ultime chance, si on veut. Le vote des Nations unies est pour demain soir. Bien sûr, nous avons prévu une manifestation devant leur quartier général en plein centre-ville. Mais le véritable événement se déroulera ailleurs au même moment. Partout dans le monde, la Fondation a fédéré tous ceux qui ont peur des Raviniens. J'oserais même dire que Naymeer a plus de détracteurs que de partisans. La majorité silencieuse, si l'on peut dire. J'espère atteindre le nombre de soixante-dix mille personnes. Les yeux du monde seront braqués non seulement sur les Nations unies, mais aussi sur nous. Les hommes de la rue. On ne se laissera pas faire. Il est grand temps de se faire entendre. On est assez nombreux pour ça et on va le prouver par une démonstration de force.

– C'est incroyable, ai-je dit. Vous croyez vraiment que ça va influencer le vote de l'ONU ?

Haig a haussé les épaules.

461

– Qui peut le dire ? Au moins, on nous verra dans le monde entier. Ça les convaincra peut-être de réfléchir à ce que professe Naymeer et à ce qu'il représente. Et maintenant que vous êtes venus me trouver, vous pouvez me servir.

J'ai regardé Alder, qui a haussé les épaules.

– Comment ? ai-je demandé.

– Tu es célèbre, Bobby Pendragon. Quelques années plus tôt, ta disparition et celle de ta famille ont fait la une des journaux. Un mystère fascinant qui n'a jamais été résolu, du moins jusqu'à maintenant. Ton retour et l'histoire que tu raconteras démontreront que Halla est une chance pour tous et pas seulement pour les Raviniens. Naymeer a confisqué la vérité sur Halla, la gardant pour lui et ses séides, en en privant ceux qu'il jugeait indignes. Tu peux changer tout ça. Tu peux dire la vérité au monde entier. Proclamer que les merveilles de Halla appartiennent à tous. En agissant ainsi, tu redonneras la foi à l'homme de la rue. Qui sait ? Une fois qu'il connaîtra la vérité, ça lui donnera peut-être la volonté de rejeter Naymeer et son culte élitiste.

J'en avais le vertige. Haig voulait que je prenne la parole devant soixante-dix mille personnes, non, devant le monde entier pour lui révéler la vérité à propos de Halla. Comment pourrais-je faire ça ? C'était une sacrée requête. Une énorme responsabilité. D'un autre côté, Haig avait peut-être raison. Ça pouvait marcher. Et pourtant, ma première idée a été de dire non. C'était contraire à ce qui, d'après l'oncle Press, était le devoir numéro un des Voyageurs. On n'était pas censés entremêler les territoires. On devait les laisser suivre le cours naturel de leur destinée. Expliquer la nature de Halla aux habitants de la Terre me semblait contraire à ces règles.

Mais tout avait changé. Qui sait, maintenant que la Convergence avait commencé, les règles n'étaient peut-être plus les mêmes ? De nombreuses personnes étaient déjà au courant de l'existence de Halla. Hé ! grâce à Naymeer, les Raviniens voyageaient déjà vers d'autres territoires. Les flumes se transformaient en autoroutes aux heures de pointe. Peut-être que garder le silence à propos de Halla ne servait qu'à laisser le champ libre à Naymeer. Si les siens connaissaient la vérité, pourquoi pas tous les autres ?

C'était un sacré coup de poker, mais j'ai décidé que Haig me tendait sur un plateau une occasion inespérée. Une plate-forme d'où je pourrais m'adresser au monde entier. J'avais dit à Alder qu'on n'était pas de taille à changer l'opinion et qu'on devait penser à notre niveau. Je me trompais. Haig nous offrait la possibilité de toucher le monde entier. Le jeu en valait la chandelle. De plus, qu'avait-on à perdre ?

– D'accord, ai-je déclaré. Je ne sais pas ce que je leur dirai, mais je vais essayer.

Haig m'a donné une petite tape amicale sur le genou.

– Bien ! s'est-il exclamé. Qui sait ? Peut-être que ta mission de Voyageur t'a mené à ce moment. Ne le laisse pas passer, Pendragon. Ton discours face au monde sera peut-être décisif pour sauver Halla.

J'ai regardé Alder qui a eu un sourire peu convaincu.

– Si on ne se fait pas arrêter avant, a-t-il dit, ne plaisantant qu'à moitié.

– Ça ne risque pas, a tranché Haig. Ce soir, vous êtes mes invités. Passez la nuit ici. Commandez des pizzas, ou ce que vous mangiez sur... comment s'appelle ton monde, Alder ? Dent dure ?

– Vous n'êtes pas tombé loin, a répondu Alder, qui avait l'air de bien s'amuser.

Haig a sauté sur ses pieds d'un air enthousiaste.

– Mes amis, pour la première fois depuis bien longtemps, je commence à croire qu'on a une chance.

Alder et moi avons suivi ses instructions à la lettre. On a commandé une pizza. Au pepperoni. Elle était délicieuse. Alder a bu du Coca pour la première fois de sa vie et n'a pas aimé ça. Je ne sais pas pourquoi. Peut-être qu'il serait plus branché Pepsi. Haig nous a installés dans sa chambre d'amis, où il y avait des lits jumeaux. Comparé aux endroits où on avait dû dormir ces derniers temps, c'était le grand luxe. J'ai passé quelques heures à écrire mon journal pour me remettre les idées en place. Ç'a été plus pénible que d'habitude, parce que je ne savais pas si Mark et Courtney auraient une chance de le lire un jour.

Non. Pas question. Je dois rester positif. Mark, Courtney, un jour, vous lirez tout ceci. Point barre. Depuis le premier jour, écrire ces journaux comme si je vous parlais directement m'a aidé à ne pas perdre la raison, et je ne vais pas m'arrêter maintenant. Sachez qu'en ce moment même je me fais un sang d'encre pour vous, mais je crois également que vous allez bien et qu'un jour on sera réunis. Vous pouvez compter là-dessus.

Cette nuit-là, on s'est endormis avec le vague espoir que, malgré tout ce qui était arrivé, tout ce qui avait mal tourné, il y avait encore une chance que le peuple de Seconde Terre reprenne ses esprits. Il fallait bien trouver une raison de positiver. Comme l'a dit quelqu'un, sans espoir, on n'a plus rien.

J'ai mis longtemps à trouver le sommeil. J'étais épuisé, mais l'image de ces pauvres gens – Mark et Courtney inclus – balancés dans le flume ne cessait de me hanter. J'ai tenté de déterminer ce qu'on ferait si la manifestation de Haig échouait et que les Nations unies passaient leur résolution, mais je n'y arrivais pas. C'était trop déprimant. Un problème à la fois.

Quand je me suis enfin endormi, ç'a été d'un sommeil de plomb. Je crois qu'Alder aussi. On ne s'est réveillés qu'aux alentours de midi. Haig avait déjà préparé le petit déjeuner. Ou peut-être était-ce le déjeuner. En tout cas, c'était un véritable festin composé d'œufs, de bacon, de gaufres et d'autres délices que je n'avais pas vus depuis mon séjour au Manhattan Tower Hotel. Pendant que Haig vaquait à ses préparatifs, Alder et moi nous nous sommes collés devant la télévision. On a vu des bulletins d'informations montrant des membres de l'assemblée générale de l'ONU arrivant à New York pour le vote de ce soir. On a aussi parlé de ceux qui venaient pour la manifestation. C'était comme un jour de Coupe du monde, avec des avions bondés débarquant des hordes de supporters dans les aéroports. Pour une fois, on voyait comment les choses se déroulaient des deux côtés. Nombreux étaient ceux qui n'adhéraient pas au culte élitiste de Naymeer. Voire qui s'en inquiétaient. C'étaient des hommes et des femmes comme les autres qui se demandaient ce que leur vie allait devenir sous ce nouveau régime particulièrement effrayant.

On a également vu d'autres bulletins d'actualités parlant de la chasse aux terroristes. En l'occurrence, nous. Ils ont aussi abordé l'étrange disparition de Bobby Pendragon et de sa famille. En fait, les commentateurs pensaient que, depuis ce petit tour de passe-passe, j'étais allé m'entraîner dans un camp de terroristes au fin fond de l'Asie. Incroyable. La machine de propagande de Naymeer tournait à plein tube. Mais j'y ai vu un bon présage. Il rappelait aux gens qui était Bobby Pendragon. Ça pourrait me servir ce soir, quand je raconterais ma véritable histoire au monde entier.

Oh, misère.

Finalement, vers 15 heures, Haig a regagné son appartement.

– Aaah ! s'est-il exclamé. Je vois qu'on ne vous a pas encore arrêtés !

– Jusque-là, ça va, ai-je répondu.

– C'est le moment d'y aller. Deux voitures vous attendent devant la porte. Suivez-moi.

Alder et moi nous nous sommes levés en prenant nos pulls.

– Hé, vous ne nous avez jamais dit où doit se dérouler cette manifestation, ai-je remarqué.

Haig a eu un sourire plein de fierté.

– J'ai réussi à louer un des endroits les plus réputés de tout New York. Voire du monde entier.

– Vraiment ? Où ça ?

– Le Yankee Stadium, a-t-il annoncé avec un petit clin d'œil. On part pour le Bronx ! On ne va certainement pas passer inaperçu !

Et il a quitté son appartement d'un pas léger.

Alder et moi sommes restés figés sur place. Sa déclaration nous avait fait l'effet d'un coup de poing à l'estomac.

– C'est quoi, le Yankee Stadium ? a demandé Alder, mal à l'aise.

– Un stade de sport, ai-je répondu d'une voix blanche. Là où se produit l'équipe de base-ball la plus célèbre.

– Et c'est vraiment grand ?

– Immense. Tu vois l'arène du château bedoowan ? Eh bien le Yankee Stadium est dix fois plus grand.

– Et il est dans le Bronx ?

J'ai acquiescé.

– Soixante-dix mille personnes rassemblées au même endroit. Tous des ennemis de Ravinia.

Soudain, on est restés plantés là, à ruminer la même idée noire.

– Pendragon, a fini par dire Alder lentement, est-il possible que les horreurs auxquelles on a assisté hier soir au conclave des Raviniens… ne soient *pas* le massacre du Bronx ?

Journal n° 36
(suite)

SECONDE TERRE

Alder avait eu la même idée que moi. Le soir d'avant, on avait vu douze personnes jetées dans le flume. On ne savait toujours pas ce qu'elles étaient devenues, mais, même si ces gens avaient été exécutés, était-ce là un massacre légendaire dont on oserait à peine parler dans les siècles à venir ? La disparition d'une douzaine de personnes ferait-elle craindre les Raviniens au point de mettre le monde entier à genoux ?

Tout d'un coup, ça semblait bien peu probable. C'était une tragédie, mais elle n'aurait certainement pas un tel impact. La disparition de *soixante-dix mille* personnes, par contre…

– Il faut empêcher ça, a déclaré Alder.

– Comment ? ai-je rétorqué. En ce moment même, tous ces gens affluent du monde entier. Tu crois vraiment qu'ils vont annuler tout le truc sur notre bonne parole ?

– Pense à ce qui va arriver autrement, a répondu Alder, bien plus calme que moi. Soixante-dix mille personnes sont peut-être en danger. Un vrai massacre, pas de doute.

– *Peut-être !* On ne peut pas en être sûr. Et si on se trompait ? Comme l'a dit Haig, c'est peut-être le meilleur moyen d'arrêter Naymeer. Et Saint Dane. Si, par miracle, on réussit à empêcher cette manifestation, on pourra dire adieu à notre dernière chance de sauver Halla.

– Si on ne l'empêche *pas*, ce sera le moment de vérité de Seconde Terre et le commencement du règne de Naymeer. On a la possibilité de sauver des milliers de vies et de changer le

467

cours de l'histoire. C'est notre meilleure chance d'éviter le pire.

— À moins qu'on ne se trompe, ai-je répété.

On s'est fixés du regard. Que faire ? On ne le savait ni l'un ni l'autre. J'ai pris mon pull et suis parti vers la porte.

— On n'arrivera à rien en restant plantés là.

On a passé la porte pour descendre les marches menant à la rue. Deux 4 × 4 noirs nous y attendaient, ainsi que plusieurs gardes du corps.

— On doit monter avec Haig, ai-je dit au premier type qu'on a trouvé.

Avant qu'il ait pu répondre, la première voiture a démarré. Le grand chef était déjà en route. En guise d'excuse, le garde a haussé les épaules. Je n'ai pas perdu de temps et me suis dirigé vers le second SUV. On a sauté sur la banquette, Alder et moi, et refermé aussitôt la portière. Derrière le volant, il y avait une armoire à glace au cou presque aussi épais que sa tête. Il s'est tourné vers nous.

— Hé, comment se fait-il que vous ayez droit à un traitement de faveur, les gamins ?

Je n'étais pas d'humeur à expliquer quoi que ce soit, surtout à quelqu'un qui me traitait de gamin.

— Démarrez, ai-je rétorqué.

Il a haussé les épaules et fait vrombir le moteur.

— Bah ! a-t-il repris. Le professeur m'a dit de vous emmener à tel endroit, alors c'est ce que je vais faire. C'est mon boulot. Mais je me demandais pourquoi vous aviez droit à un traitement de VIP alors que…

— Démarrez ! ai-je répété, plus fort cette fois-ci.

Il a obéi. D'un coup, nous étions partis.

Comme le trafic n'était pas très important, on a pu filer vers le centre-ville et le Bronx. Et la possibilité d'un massacre.

— Vous avez un téléphone ? ai-je demandé au chauffeur.

— Ouais. Je vous le passe ?

— Oui.

Il a pris son téléphone cellulaire posé sur le siège d'à côté et me l'a lancé.

— Et pas d'appels longue distance !

— Il faut que je parle au professeur Gastigian. Vous avez son numéro ?

— Il n'a pas de portable, a répondu le garde du corps.

— Vous voulez rire ! Quelqu'un dans sa voiture doit forcément en avoir un !

— Non. Le professeur a horreur de ces machins. Il a interdit à ses proches d'en avoir. Il dit qu'on s'en est sortis pendant longtemps sans en avoir besoin.

— Jusqu'à aujourd'hui, ai-je grogné en rejetant le téléphone inutile sur le siège avant.

— Je ne sais pas quoi faire, Pendragon, a dit Alder d'un ton moins confiant que d'habitude. Je n'arrive pas à comprendre ton territoire.

— On peut encore se tromper. Détruire un stade bondé… eh bien, ce n'est pas une mince affaire. Naymeer est très puissant, mais, à moins qu'il ne dispose d'armes de destruction massive, on devrait s'en sortir.

Le chauffeur s'est retourné et m'a regardé d'un drôle d'air.

— Est-ce que je suis censé savoir de quoi vous parlez, vous deux ?

— Non, a-t-on répondu en chœur.

— J'espère que tu as raison, a repris Alder. Mais mon instinct me dit le contraire.

Le mien également. On avait d'abord cru que cette manifestation sauverait Halla, et maintenant on craignait qu'elle ne devienne la pire catastrophe de toute l'histoire. Le massacre du Bronx. Patrick l'avait décrit en ces termes. On en avait conclu qu'il s'agissait de l'incident du flume. Mais cet événement serait vite oublié s'il devait arriver quelque chose d'horrible dans un stade bourré de monde. Naymeer était-il capable de mijoter une telle diablerie ? Et dans quel but ? Semer la peur ? Intimider ses opposants ? Ou est-ce que le fait de voir ses adversaires rassemblés en si grand nombre au même endroit était trop tentant ? D'un coup de baguette magique, il pouvait éliminer ses opposants les plus actifs. Le reste du monde le laisserait-il faire ? Ou aurait-il trop peur de lui pour le traduire en justice ?

D'ailleurs, comment pouvait-on exterminer un stade entier ? Ça me semblait sacrément tiré par les cheveux. Je ne cherchais pas à me persuader que tout irait bien, mais la vérité c'est que, même si on avait la preuve que les spectateurs étaient en danger, on ne pouvait rien faire pour les aider.

J'étais déjà allé bien des fois au Yankee Stadium. Je suis supporter des Yankees. Ou plutôt je l'étais. Je ne sais même plus qui fait partie de l'équipe, ou qui est leur entraîneur. Ou qui a remporté les quatre dernières Coupes du monde. Et dire que le base-ball était si important pour moi ! Mon père m'a emmené voir plein de matchs. Il nous a même invités à assister à la finale de la Coupe du monde, l'oncle Press et moi. Le Yankee Stadium tient une place privilégiée dans mon cœur.

Lorsqu'on a traversé le pont pour sortir de Manhattan, on l'a aussitôt vu. J'ai aperçu les immenses lettres bleues familières dominant le rebord du stade et j'ai brièvement fait le vœu de revoir un match, un jour. N'importe lequel. N'importe où. Autant souhaiter qu'il me pousse des ailes.

Les parkings entourant le stade étaient déjà bondés. La manifestation était en cours.

— Où va-t-on ? ai-je demandé au conducteur.

— On va rentrer à l'intérieur par le flanc gauche, a-t-il répondu. Je n'ai jamais mis les pieds sur le terrain. Les Yankees me donneront peut-être un autographe.

C'était officiel : ce type était un crétin.

En voyant le stade, Alder a ouvert de grands yeux.

— Tu n'exagérais pas. Cet endroit est colossal.

Le dispositif policier était tout aussi important. Ce doit être habituel quand il y a des manifestations d'une telle ampleur. Surtout lorsqu'elles rassemblent des milliers de gens en colère. Alder et moi avons baissé la tête pour le cas où un policier trop zélé nous reconnaisse et décide de donner l'alarme pour arrêter les « dangereux terroristes ». On a continué le long du mur, parallèlement à la troisième base. La police nous a fait signe d'entrer sans y regarder de plus près. Alors qu'on tournait vers la porte, j'ai remarqué quelque chose. Là, garée dans la rue face au stade, il y avait toute une file de bus. On aurait dit ceux qui avaient ramassé les Raviniens après que le conclave s'était terminé de façon abrupte. Je n'y aurais prêté aucune attention s'il n'y avait pas eu quelqu'un posté devant la portière de chacun d'entre eux. Non, pas quelqu'un. Un dado en chemise rouge. Que faisaient-ils là ? Ce n'était pourtant pas une manifestation de Raviniens.

J'ai donné un coup de coude à Alder et je lui ai désigné les bus.

– Ce n'est pas bon signe, a-t-il déclaré gravement.

On n'a pas eu le temps de se demander ce que ça voulait dire. On nous faisait signe d'avancer par la porte ouverte. On était arrivés. J'avais beau être déjà venu bien des fois au Yankee Stadium, au premier coup d'œil à la structure elle-même j'étais toujours aussi impressionné, ne serait-ce qu'à cause de sa taille. Une journée au stade est plus qu'un simple match, c'est aussi une expérience sensorielle. J'aime voir cette pelouse proprement taillée et le terrain impeccable. On a passé les portes, puis l'enclos des releveurs pour s'engager sur la piste d'échauffement. Pour un fan de base-ball, c'était comme un rêve devenu réalité. Dommage que je n'aie pas pu en profiter.

Alder, lui, était tellement soufflé qu'il a baissé les épaules comme s'il cherchait à s'enfoncer dans la banquette. Ce n'était pas comme si on allait assister à un match, mais ce spectacle n'en était pas moins impressionnant. Le stade était bourré à craquer. Littéralement. Il ne devait pas y avoir un seul siège de libre. On ne pouvait même pas voir les allées : des spectateurs se tenaient assis sur les marches. Une immense scène était érigée sur le deuxième but, avec une rampe de projecteurs et une rangée d'énormes haut-parleurs. On se serait crus à un concert de rock. Et ce n'était pas qu'une clause de style : sur la scène, il y avait bien un type en train de chanter en s'accompagnant d'une guitare. J'ai eu l'impression de le reconnaître, même si je n'aurais pas su dire son nom. En tout cas, mes parents l'écoutaient beaucoup. J'imagine qu'en son temps il devait être assez populaire, mais je doute qu'il ait jamais joué devant tant de monde. L'écran géant du champ central diffusait son image alors qu'il chantait un vieux morceau dont j'ignorais le titre.

Les spectateurs avaient été autorisés à descendre sur la pelouse pour venir devant la scène. Ils s'y massaient, épaule contre épaule. Derrière la scène, par contre, il n'y avait personne. Juste deux limousines, sans doute pour emmener les musiciens. Même les bords du terrain étaient noirs de monde. Inutile de compter trouver un siège libre. L'un dans l'autre, c'était une manifestation réussie. Le professeur Gastigian avait fait son boulot. C'était bon de voir que tant de monde était prêt à s'élever contre Naymeer et les Raviniens. Et ce n'était certainement qu'une fraction de ceux qui, de par le monde, s'opposaient à ses idées. Ça m'a redonné un peu d'espoir.

Et ça m'a aussi flanqué une frousse de tous les diables. S'il se passait quelque chose dans ce stade, n'importe quoi, beaucoup de monde en souffrirait. Il semblait démentiel d'envisager que Naymeer puisse tenter une opération de cette envergure. Mais, chaque jour, il se produit des événements que l'on croirait impossibles.

Le chauffeur nous a conduits à l'arrière de la scène, où était déjà garé un semi-remorque interminable.

– Le professeur est là-dedans, a-t-il dit. Et si vous voyez un Yankee, n'oubliez pas mon autographe, hein ?

– C'est quoi, un Yankee ? a demandé Alder.

Le chauffeur lui a jeté un regard méfiant.

– D'où tu viens ? De Mars ?

– De Denduron, plus exactement.

Comme j'en avais ma claque d'échanger des vannes avec ce type, je suis descendu de voiture. À peine avais-je ouvert la porte qu'un mur sonore m'a percuté de plein fouet. À part ce vieux type sur scène, les spectateurs chantaient et psalmodiaient en chœur. Ils ondulaient d'avant en arrière tout en scandant des slogans semblables à ceux des manifestants devant le conclave : « Nous, le peuple », « Liberté et justice » et « Les hommes naissent tous égaux. » Où que je me tourne, je recevais une nouvelle onde de choc. Contrairement aux manifestants devant le conclave, ceux-ci étaient très calmes. Il y avait des policiers partout, mais personne ne cherchait la bagarre. Tous levaient des pancartes faites maison ou tout simplement leurs mains. C'était un événement totalement paisible et positif. Peut-être qu'ils se conduisaient correctement parce qu'ils savaient que le monde entier les regardait. Ou peut-être étaient-ils convaincus que leur combat était perdu d'avance et que cette fête était un baroud d'honneur. Il y avait des caméras de télévision partout, surtout sur l'épaule de cameramen qui couraient dans tous les sens pour ne rien rater. C'était un spectacle impressionnant. Pourvu qu'il ne dégénère pas.

Alder et moi avons couru vers le camion et grimpé les quelques marches de métal menant à une porte. Une fois à l'intérieur, on s'est retrouvés dans un véritable studio de télévision. Un mur entier était consacré à une série de petits écrans montrant en direct ce que retransmettaient les caméras qui arpentaient le stade. Certaines étaient braquées sur le chanteur-guitariste, mais la plupart montraient les visages des spectateurs. Aussi différents qu'ils puissent être, ils avaient tous la même expression où la tristesse se mêlait à la frayeur. Tous redoutaient de voir leur monde changer, et certainement pas pour le mieux.

Deux techniciens étaient assis devant les écrans, plus un type qui devait être le réalisateur, puisqu'il n'arrêtait pas de donner ses directives.

– Caméra un, plan panoramique gauche. Qu'on voie des visages. C'est bon ! Quatre, paré à reculer depuis la guitare. C'est bon ! Fondu en trois, fondu en six. Super !

Et ainsi de suite. Ç'aurait été plutôt intéressant si je n'étais pas obsédé par la crainte d'un génocide imminent.

– Pendragon ! Alder ! a crié le professeur Gastigian.

Haig s'est dirigé vers nous depuis l'autre extrémité du camion, une liasse de papiers en main. De toute évidence, il était surexcité. Ses yeux brillaient.

– N'est-ce pas merveilleux ? a-t-il annoncé. Il y a là soixante-dix mille spectateurs au bas mot. Les Nations unies ne pourront pas nous ignorer. (Il nous a tendu ses papiers.) Regardez. Des e-mails. Par centaines. Non : par milliers ! En provenance du monde entier. Tous nous assurent de leur soutien contre les Raviniens.

– Professeur, il faut qu'on parle de quelque chose d'important.

– Que peut-il y avoir de plus important que ce qui se passe ici ? Viens voir !

Il nous a menés vers les écrans de télé et a désigné ceux qui se trouvaient le plus à droite.

473

– Regarde. Les Nations unies.

Sur plusieurs écrans, on voyait des images de la manifestation qui se déroulait devant le siège de l'ONU. Des centaines de personnes brandissaient des pancartes en criant des slogans. C'était un événement aussi pacifique et impressionnant que celui du Yankee Stadium.

– Oui, c'est formidable. Mais il est possible que…

– Regarde-les, a repris Haig. Rien qu'aux Nations unies, ils sont cinq mille. Et ces images sont diffusées dans le monde entier, en direct. Sur toutes les chaînes. Y compris celles d'informations.

– Le vote est pour quand ? a demandé Alder.

– En ce moment même. Le résultat va bientôt tomber. Le monde entier a les yeux braqués sur nous. Je veux croire qu'il en est de même pour l'assemblée générale. Voilà qui leur donnera matière à réflexion.

– Écoutez, professeur, ces gens sont peut-être en danger…

– Bien sûr ! C'est même la raison pour laquelle ils sont là ! (Il s'est penché vers le réalisateur et a ajouté :) N'oubliez pas de faire un maximum de gros plans des spectateurs. Le monde doit voir qu'on est juste des hommes comme les autres.

Haig était trop surexcité pour m'écouter. On aurait dit une balle de ping-pong rebondissant aux quatre coins de la caravane. Mais je devais insister.

– Quelque chose peut se produire. Là, maintenant.

– Je l'espère bien, a répondu Haig. Tu es prêt à monter sur scène ?

Monter sur… ? Ah oui. J'avais oublié. Haig voulait que je m'adresse à la foule. Au monde entier. Que je leur parle de Halla. Mais je n'étais pas prêt.

– Non, écoutez, en passant devant le stade, on a vu des bus avec des gardes en chemise rouge et…

– Ils veulent nous faire peur, c'est tout. Tu es sûr de ne pas vouloir y aller ? C'est le moment idéal.

– Professeur ! J'essaie de vous dire qu'en ce moment même, il est possible que Naymeer complote pour nuire à tous ces gens ! Ici et maintenant !

Haig m'a enfin regardé. J'avais réussi à attirer son attention.

– D'accord, je t'écoute, a-t-il dit.

– Alder et moi avons entendu parler d'un événement appelé le « massacre du Bronx ». Après hier soir, où on a vu de nos yeux le sort que Naymeer réserve à ses adversaires, qui nous dit qu'il ne va pas tenter quelque chose de tout aussi horrible ici même ? Soixante-dix mille de ses adversaires sont réunis au même endroit. Une telle occasion ne se représentera pas de sitôt !

Haig a eu l'air secoué. Je suis sûr qu'il pensait la même chose que nous. S'il se passait quelque chose de moche, comment pourraient-ils faire évacuer tous ces gens le plus vite possible ? Ce serait impossible.

J'ai regardé ces écrans télé montrant des milliers de visages. Je n'arrivais pas à imaginer qu'ils puissent courir à la catastrophe. Le type à la guitare avait fini son tour de chant, et maintenant, un acteur quelconque et son actrice de femme étaient sur la scène et parlaient du danger que représentaient les Raviniens. Les spectateurs avaient cessé de psalmodier. Tous les yeux étaient rivés sur le couple. J'ai regardé l'écran alors que l'image se braquait sur un groupe de gens, puis passait d'un visage à un autre. J'ai alors vu des individus tous différents avec des existences dissemblables, des gens qui, selon les Raviniens, étaient la lie de la société. Je me suis imaginé la même chose se reproduisant dans tout Halla. Les Batus et les Rokadors, les Milagos et les Novans. Les mondes changeraient, mais ces regards terrifiés resteraient les mêmes.

Comment Saint Dane pouvait-il penser que ces gens ne valaient rien ? D'accord, ce n'était peut-être pas des génies. Ils n'avaient pas tous forcément un don ou une vocation. Ce n'était peut-être pas des meneurs d'hommes ou des visionnaires. Mais ils se souciaient de leur avenir et de celui des autres. Leur présence en ces lieux en était la preuve. Tous ces hommes et ces femmes avaient une famille, des amis. Ils s'inquiétaient pour eux tout autant que les « élus » de Naymeer. C'était même pour ça qu'ils étaient venus des quatre coins du monde. Ça ne comptait pas, peut-être ? En regardant cette mer de visages, j'ai compris quelque chose qui avait échappé à Naymeer. Et à Saint Dane. C'étaient *eux* les élus, tous ces gens ordinaires qui étaient la vie et l'âme de ce monde. Et de tous les autres. La perfection n'existe pas. C'est dans le cœur et l'esprit de gens comme ceux-ci – de l'homme de la rue – que réside ce qui empêche le chaos de s'installer. Ils sont le sel de Halla.

Et c'est pour ça que Saint Dane veut les éliminer. J'ai été moi-même témoin des innombrables horreurs que ce démon a déclenchées. Ce n'est qu'à ce moment, en regardant les visages de ses prochaines victimes, que j'ai vraiment entrevu l'étendue de son essence maléfique.

Sous mes yeux, une des caméras a continué de scruter la mer de visages. Curieusement, elle est passée sur un type qui ne regardait pas dans la même direction que tous les autres. C'était si bizarre que ça m'a fait sursauter. En fait, il regardait droit dans l'objectif, comme s'il savait qu'il était là. Il arborait même un petit sourire. La caméra a continué son chemin pour montrer d'autres membres de la foule qui, eux, fixaient la scène.

– En arrière ! En arrière ! ai-je crié au type coiffé d'écouteurs qui commandait les prises de vues.

Celui-ci s'est tourné vers moi.

– Fiche-moi la paix ! a-t-il aboyé avant de reprendre son travail.

Je suis allé me poster face à lui et lui ai crié au visage en désignant l'écran où j'avais repéré ce type :

– Il faut que je voie quelque chose sur cette caméra !

L'homme aux écouteurs s'est tourné vers Haig.

– C'est qui, ce gosse ? a-t-il demandé.

– Je suis le grand méchant terroriste, ai-je répondu. Faites ce que je vous dis, ou c'est *vous* que je vais terroriser !

Le type m'a regardé en fronçant les sourcils. Puis, tout à coup, son visage s'est décomposé. Il m'avait reconnu.

– C'est *toi* ! s'est-il étranglé. Celui qui a disparu !

– Ouais, moi aussi, je suis enchanté. Maintenant, ramenez cette caméra en arrière.

– Obéissez, je vous prie, a insisté Haig.

Le cameraman était secoué. Il a passé ses doigts sur les manettes alignées devant lui comme s'il ne savait pas quoi faire.

– Heu… Quelle caméra ?

– Celle-là ! ai-je hurlé en désignant l'écran.

– Je peux revenir en arrière tant que vous voulez, a-t-il marmonné nerveusement.

– Alors qu'est-ce que vous attendez !

Le type a tripoté quelques boutons pendant qu'on scrutait l'écran. Il a fini par trouver la bonne commande et les images ont défilé en arrière.

– Stop ! ai-je crié. Repartez de ce point !

Il a appuyé sur PLAY. On a regardé la même image que j'avais repérée quelques instants plus tôt. La caméra a parcouru l'océan de visages, tous tournés dans la même direction, puis est passée sur celui qui fixait l'objectif.

– Hé, il est bizarre, lui, a marmonné le technicien.

– Faites un arrêt sur image ! ai-je ordonné.

Le technicien a obéi. J'ai regardé droit dans les yeux de l'homme au sourire. Je le connaissais. C'était le type aux cheveux courts vêtu d'une chemise de golf que j'avais vu au conclave. C'était Saint Dane.

– Qu'est-ce qu'il y a, Pendragon ? a demandé Alder.

– C'est un Ravinien. Il était présent au conclave.

– Tu en es sûr ? a repris Haig.

J'ai posé ma main sur l'épaule du type aux écouteurs.

– Où est-il assis ?

– Heu… sur le terrain, près des abris.

Je me suis précipité vers la porte. Alder m'a rattrapé au moment où j'allais sortir.

– Qui est cet homme ?

– Saint Dane. Il a pris cette apparence après qu'on est tombés de la fenêtre du conclave. Alder, il est là.

– Je viens avec toi.

– Non, reste avec Haig. Veille à ce qu'on ne lui fasse pas de mal.

– Que vas-tu faire ?

– Je n'en sais rien.

J'ai quitté la caravane et fait le tour de la scène au pas de course pour rejoindre la foule retenue par des barrières de sécurité bleues. Entre moi et les abris s'étendait un véritable océan humain. J'ai plongé en avant, tentant de me déplacer le plus vite possible sans renverser personne. La foule était assez calme : tout le monde écoutait les acteurs. Les gens se sont poussés pour me laisser passer. Pour eux, j'étais sans doute juste un gamin qui devait absolument aller aux toilettes. J'ai réussi à atteindre l'extrémité de l'abri et parcouru des yeux les rangées de sièges. Elles faisaient une vingtaine de mètres de long, et il y avait des centaines de personnes de l'autre côté. Je n'avais pas la moindre chance de trouver Saint Dane. En fait, ça n'a pas été nécessaire.

C'est lui qui m'a trouvé.

Pendant que tout le monde avait les yeux braqués sur la scène, le type dont Saint Dane avait pris l'apparence me regardait *moi*. Il se tenait au premier rang et mangeait du pop-corn. Du pop-corn ! Nos regards se sont croisés. Il m'a fait un petit signe de la main. J'ai continué mon chemin jusqu'à ce qu'on se retrouve face à face de chaque côté de l'abri. Il avait l'air d'un type tout à fait normal venu passer un bon moment au stade.

— C'est un sacré spectacle, non ? m'a-t-il lancé. J'espère que tu en profites bien !

— Que va-t-il se passer ?

— Je ne peux pas te le dire, ce serait de la triche ! a-t-il répondu. Regarde !

Il a désigné l'immense écran vidéo au-dessus des gradins. Il diffusait une image en direct de l'immense amphithéâtre de l'ONU. Pas de doute possible : tout le monde pouvait reconnaître l'immense logo des Nations unies derrière le podium. Je l'avais vu dans un million de films, mais là, c'était pour de vrai. La salle était bondée. Un homme en costume à l'air très sérieux se tenait derrière le podium. Quel était son titre déjà ? Secrétaire général ? Général secrétaire ? Président ? Grand Manitou ? Peu importe. C'était lui le *big boss*. Lui qui tenait entre ses mains l'avenir de Halla.

Dans le stade, les gens se sont tournés vers ce même écran. Sur la scène, l'acteur s'est tu. Un silence presque surnaturel est retombé. Difficile de croire qu'une telle foule puisse se taire aussi vite.

Nous y étions. C'était le moment où on allait annoncer le résultat du vote. Je savais que, d'une façon ou d'une autre, dans quelques secondes, j'assisterais au moment de vérité de la Seconde Terre. Et de Halla. L'homme s'est éclairci la gorge, s'est avancé vers le micro et s'est adressé à la foule en anglais :

478

– Nous vivons des temps troublés, a-t-il commencé. Nous parlons de paix dans le monde, mais ce but reste insaisissable. Les Nations unies ont été créées pour promouvoir la paix, la sécurité et la coopération internationale. Notre mandat est le même aujourd'hui, mais les défis sont bien différents. Aujourd'hui, l'économie est globale. La technologie a fait rétrécir notre planète, et pourtant les conflits entre peuples, nations, idéologies et tribus continuent de rendre inopérante toute paix durable. Le chemin que nous suivons depuis si longtemps ne cesse de se détériorer. Il faudra un changement aussi dramatique que positif pour éviter un avenir bien sombre. Le monde a besoin d'une nouvelle vision, d'un nouvel espoir. Non pas pour une seule nation, mais pour toute la planète. C'est dans cet esprit qu'aujourd'hui l'assemblée générale des Nations unies a voté, à la quasi-unanimité, pour désigner le conclave de Ravinia comme conseiller spirituel des nations membres de l'ONU…

Je n'ai pas entendu la suite du discours. Il a été couvert par les huées de la foule. Et aussi des sifflets, et même des sanglots. Je me suis tourné vers Saint Dane. Il a haussé les épaules d'un air innocent et froncé les sourcils comme pour dire « désolé ».

Notre dernier espoir s'était évanoui. Aussi impressionnante que puisse être cette manifestation, elle n'avait convaincu personne. Je suis resté planté là, parmi les membres de la Fondation, redoutant sincèrement ce qui allait arriver à tous ces gens sous ce nouvel ordre mondial qu'Alexandre Naymeer – ou plutôt Saint Dane – leur préparait.

Soudain, les huées ont été couvertes par un autre bruit sourd. Un grondement de plus en plus sonore. Tout d'abord, j'ai cru que c'était le tonnerre, mais le ciel était dégagé. Tous les yeux se sont tournés vers l'écran, mais ce n'était pas lui qui émettait ce bourdonnement. C'était trois gros hélicoptères de type militaire qui venaient d'apparaître au-dessus du stade. Ils sont entrés dans l'espace aérien du Yankee Stadium, survolant la foule tels des oiseaux de proie à la recherche de leur prochain repas, pour s'immobiliser au-dessus du champ extérieur désert. Aussitôt, ils ont largué trois cordes, une par hélicoptère, qui se sont déployées jusqu'au sol. Sous les yeux stupéfaits de la foule, des Raviniens en chemise rouge se sont laissé glisser le long des cordes, tels des commandos.

En même temps, les grilles donnant sur l'extérieur se sont ouvertes et les bus sont entrés sur le terrain – ces mêmes bus qu'on avait vus devant le stade. J'ai regardé autour de moi pour voir comment réagissaient les policiers. Sauf qu'il n'y en avait plus un seul. Pas un uniforme bleu en vue.

Je me suis tourné vers Saint Dane. Il était parti, lui aussi. Ça m'a étonné. J'aurais cru qu'il voudrait être aux premières loges pour assister au massacre du Bronx.

Journal n° 36
(suite)

SECONDE TERRE

L'un des hélicoptères a atterri au centre du stade. Les deux autres sont restés à basse altitude et ont continué de dégorger des dados. Les bus sont arrivés à droite comme à gauche, leurs pneus labourant la terre. Une fois à l'arrêt, les portières se sont ouvertes, libérant d'autres chemises rouges.

La foule n'a pas paniqué. Pas encore. Tous ont reculé, comme repoussés par l'arrivée soudaine et spectaculaire des chemises rouges. Je crois qu'ils étaient plus désorientés qu'autre chose. Et pourtant, tout le monde semblait s'accorder sur le fait qu'ils feraient mieux d'aller voir ailleurs s'ils y étaient. Ceux qui se tenaient à l'avant de la scène sont remontés sur les gradins. Ceux qui y étaient déjà ont reflué vers les sorties. Ce n'était toujours pas la cohue, juste un mouvement de masse…

Qui n'a pas duré.

Des dados sont apparus aux sorties et ont repoussé ceux qui cherchaient à s'échapper. Ils ne voulaient pas les laisser passer. Il y avait une grande différence entre ces dados-là et ceux que j'avais vus jusqu'à présent. Ceux-ci n'étaient pas armés de tasers.

Mais de mitrailleuses.

J'ai regardé vers les niveaux supérieurs. La même chose s'y produisait. Des dados s'écoulaient de toutes les issues pour bloquer le chemin. Personne n'était autorisé à sortir. Au sol, la situation était encore plus dramatique : les gens tentaient de se frayer un chemin pour quitter le terrain.

La surprise était en train de se transformer en terreur.

La foule s'écoulait autour de moi, mais les spectateurs n'avaient nulle part où aller et butaient contre les premiers gradins déjà bondés. Ils ne tarderaient pas à paniquer. Ils chercheraient à briser le barrage des dados. Et que se passerait-il ensuite ? Est-ce que ces chemises rouges tireraient dans le tas ? Serait-ce le début du massacre du Bronx ? Allaient-ils exécuter de sang-froid des milliers d'innocents ?

— Mes amis ! a lancé une voix rassurante dans les haut-parleurs du stade.

J'ai regardé la scène, où un nouveau venu avait pris la parole. C'était Alexandre Naymeer. Il était là, seul sur l'estrade, revêtu de sa robe pourpre. Son visage est apparu sur l'immense écran.

La foule a réagi au quart de tour. Certains l'ont hué, d'autres ont fondu en larmes, d'autres encore lui ont crié de dégager de là. Naymeer n'en avait cure. Il est resté là, un sourire bienveillant aux lèvres, regardant toute cette agitation comme s'il était fier de son petit effet. Il avait l'air heureux comme un roi. En effet ! On venait de lui offrir les clés de son royaume sur un plateau.

— Le choix est fait, a résonné sa voix. Notre noble cause a été reconnue à sa juste valeur. Un avenir brillant nous attend, mais il y a encore tant à faire !

Certains lui ont crié de se taire. D'autres ont cherché à monter sur scène, mais ont été repoussés par les dados arrivés par bus et par hélicoptère. Ce cauchemar avait été minutieusement planifié.

— Aujourd'hui n'est qu'un début, a continué Naymeer. C'est un jour qui, pour les générations futures, marquera le moment de vérité de Halla. Celui où nous prenons en main notre destinée et commençons à forger l'existence qui nous est due.

Ça ne pouvait pas durer. La foule ne le permettrait pas. Cette histoire allait mal tourner, et vite. Pourtant, malgré toute cette folie, j'ai gardé mon calme. Sans doute parce que j'étais impuissant. Quel que soit le résultat, il m'échappait largement.

Ou peut-être pas.

Le professeur Gastigian était la voix du peuple. S'il voulait s'élever contre Naymeer, il aurait besoin d'un porte-parole. Je ne pouvais peut-être pas sauver les malheureux piégés dans ce stade, mais je devais essayer d'en faire sortir au moins un : Haig. Il fallait qu'il survive. Je me suis frayé un chemin vers la caravane de télévision en bousculant plus d'une personne en cours de route.

– Si vous êtes là aujourd'hui, a continué Naymeer, c'est parce que vous l'avez choisi. Au lieu de réaliser votre potentiel, vous avez préféré laisser d'autres en décider pour vous.

Sa voix se faisait à nouveau tranchante. Le grand-père bienfaisant se transformait en juge impitoyable.

– Vous avez choisi de détruire plutôt que construire. De critiquer plutôt que proposer. Au lieu de travailler pour améliorer votre sort, vous vous contentez d'être un fardeau pour vos supérieurs.

Naymeer s'est mis à arpenter la scène en pointant un doigt inquisiteur sur la foule. Il commençait à s'échauffer. Ce n'était qu'un prélude à quelque chose qui ne me disait rien de bon.

– C'est pourquoi je vous plains. Si nous devons bâtir un monde meilleur, nous ne ferons plus preuve d'une indulgence coupable. Nous ne tolérerons plus la léthargie, la paresse, l'inaction. Vous avez choisi votre propre destin. Vous auriez pu vous épanouir dans la gloire de Halla. À la place, vous serez balayés par la prochaine vague de purification.

Sur ce, il a levé la main. Un seul rayon de lumière a jailli de son anneau pour se diriger vers le ciel. La foule a poussé une exclamation de surprise collective. Les gens ont cessé de se masser vers les sorties. Tout le monde s'est figé, comme hypnotisé par cette incroyable vision.

Je ne me suis pas arrêté pour autant. J'avais une mission à accomplir. La pelouse était presque entièrement dégagée. Les quelques traînards restaient plantés là, à fixer cet incroyable spectacle provenant de l'anneau de Naymeer. Ou plutôt de celui de Mark. Le faisceau semblait se prolonger à l'infini. Il avait peut-être déjà atteint l'espace pour continuer plus loin encore. Qu'est-ce que c'était ? Qu'est-ce que cela signifiait ?

Une ombre est apparue sur la scène. Quelqu'un qui avait franchi les barrages de sécurité. J'ai détourné les yeux du faisceau lumineux pour voir qui était ce courageux intrus.

C'était Alder. Il devait être monté sur le podium par l'arrière. Les gardes ne s'attendaient pas à un assaut venu des coulisses.

J'ai eu l'impression que le temps ralentissait. Alder faisait ce qui était sa spécialité : prendre les choses en main. C'était un guerrier. Un chevalier. À chaque fois que mon cerveau se paralysait et que je voyais la défaite proche, lui passait à l'action. Quelle que soit cette lumière issue de l'anneau de Naymeer, elle ne présageait rien de bon. Alder devait avoir tiré la même conclusion, c'est pourquoi il avait réagi au quart de tour. Il a couru le long de la scène. Sa cible : Naymeer. J'ai retenu mon souffle, attendant l'inévitable choc.

Qui n'est pas venu. Alors qu'Alder s'apprêtait à sauter sur Naymeer, deux gardes en chemise rouge sont montés sur la scène, chacun d'un côté. Ils tenaient leur mitraillette à hauteur de la hanche. Les armes étaient braquées sur lui.

– Alder ! ai-je hurlé pour le prévenir.

Mais il n'avait aucune chance de m'entendre. Et même s'il le pouvait, ça n'aurait rien changé. J'ai bifurqué pour courir vers l'estrade. Vers mon ami.

Les deux armes ont crépité en crachant la mort. Le choc a été si brutal qu'il a fauché Alder dans son élan et l'a fait tomber de la scène. Ç'a été si rapide et si violent que je me suis arrêté net. Alder a atterri sur la terre de l'avant-champ et n'a plus bougé. Son sang s'est mélangé à la poussière. Des cris d'horreur se sont élevés. La violence avait commencé. Et Alder ne bougeait plus. Naymeer n'avait pas détourné les yeux du faisceau de lumière. Je crois qu'il n'était même pas conscient de ce qui s'était passé. Il fixait le rayon comme si lui-même restait bouche bée devant sa splendeur. Et Alder était toujours inerte. Je me suis remis à courir. Je pouvais encore sauver mon ami. Le faire revenir à la vie.

Sauf que je n'en ai pas eu l'occasion.

Avant que j'aie pu l'atteindre, deux chemises rouges m'ont plaqué au sol. Tout ce que je voulais, c'était venir en aide à Alder. Poser mes mains sur lui. Le ressusciter par un simple effort de volonté. J'ai donné un coup de coude à l'un des dados et je l'ai atteint en pleine tête, le projetant en arrière. L'autre m'a serré dans ses bras en une étreinte que j'ai cherchée à briser, en vain.

– Alder ! ai-je crié désespérément. Ça va aller ! Tu ne vas pas mourir !

Deux autres dados ont rejoint celui qui m'avait empoigné. Ils m'ont entraîné. Loin du Voyageur.

– Alder ! ai-je hurlé. Tiens bon !

Je n'avais pas assez de force pour me libérer. Je ne pourrais pas poser mes mains sur Alder. Quelle que soit la magie propre aux Voyageurs, celle qui nous faisait accomplir l'impossible, on m'empêcherait de l'exercer. Je ne pouvais rien faire pour venir en aide à mon ami, mon camarade. Celui qui m'avait toujours suivi sans poser la moindre question. Le chevalier qui m'avait sauvé la vie tant de fois. Alder était mort.

Mort comme il avait vécu : en luttant pour ce qu'il savait être le bien. Je n'ai même pas réagi. C'est vrai. Que vouliez-vous que je fasse ? J'étais peut-être sous le choc, ou je refusais d'admettre ce que je venais de voir de mes yeux. Peu importe. Je n'arrivais pas à accepter que le chevalier de Denduron gisait dans la poussière, raide mort. Non, pas lui. Alder était invincible. Je savais qu'à un moment ou à un autre il faudrait bien que je me fasse à cette idée, mais pas maintenant, parce que mon cauchemar ne faisait que commencer.

J'ai lutté désespérément pour me débarrasser des dados. Mais ce n'était qu'une perte d'énergie. Ils m'ont entraîné vers l'autre côté de la scène, loin de Naymeer. Le chef des Raviniens n'avait pas bougé. Le faisceau de lumière provenant de son anneau s'est élevé tout droit dans le ciel. J'ai entendu un coup de tonnerre, ou du moins quelque chose qui y ressemblait. Ce pouvait aussi bien être les barrières entre les territoires qui s'effondraient. Puis un autre rayon a jailli parallèlement au premier, comme si celui-ci avait rebondi sur quelque chose. La lumière a frappé le sol devant la scène dans un grand bruit évoquant une explosion. Le sol a tremblé. L'impact a été tel qu'il nous a renversés comme des quilles. Les dados ont lâché prise. J'ai bien failli me dégager, mais ils étaient trop rapides. Ils se sont à nouveau emparés de moi et m'ont emmené. Je n'ai pas quitté l'avant-champ des yeux. Le sol s'est mis à luire. Quelle que soit la nature de cette lumière, elle était chaude. De la fumée s'élevait du point d'impact.

Les deux rayons ont disparu. Naymeer a contemplé son travail, hoché la tête d'un air satisfait, puis est descendu de l'estrade.

Qu'avait-il fait exactement ? La lumière s'est répandue sur le terrain dans un nuage de fumée, faisant crépiter le sol comme un hamburger sur un gril. Tous les yeux du stade étaient braqués sur ce phénomène. Sauf les miens, bien sûr. Les dados m'avaient entraîné derrière la scène.

J'ai vu Naymeer descendre les marches menant en coulisse. Deux dados l'y ont accueilli pour l'escorter vers l'hélicoptère qui avait atterri dans l'arrière-champ. Quelle que soit la suite des événements, Naymeer ne serait pas là pour le voir. Ou peut-être voulait-il regarder le spectacle d'en haut.

La porte de la caravane de télévision s'est ouverte en grand, et deux autres chemises rouges en sont sorties. Ils encadraient le professeur Gastigian. Ils devaient avoir également compris à quel point il était important. Haig tentait de se dégager, en vain : un vieil homme comme lui ne pouvait guère tenir tête à deux dados. D'ailleurs, ses efforts n'étaient pas vraiment fructueux. Je ne pouvais rien faire pour l'aider. Pas plus qu'Alder. Je n'étais qu'un poids mort. Ils ont entraîné Haig vers l'hélicoptère prêt à partir. Curieusement, moi aussi. Les rotors de l'énorme engin se sont mis à tourner. Naymeer est monté à bord, suivi de peu par Haig, qu'on a jeté dans la cabine. Puis ç'a été mon tour. Les chemises rouges m'ont mené devant la porte et poussé à l'intérieur. J'ai heurté le sol de la cabine et tenté de me remettre aussitôt sur pied, mais un dado m'a suivi et fait tomber à nouveau. Il s'est dressé au-dessus de moi en me menaçant de sa mitraillette. Je ne risquais pas de me sauver.

On a refermé la portière de l'extérieur. Le dado déjà à bord a tendu la main pour la verrouiller. Les rotors ont émis leur bruit saccadé. L'appareil a tressailli. Quelques secondes plus tard, on était en vol.

L'hélicoptère ressemblait à un transport de troupes de l'armée. En gros, c'était une grande coque volante avec des banquettes de chaque côté. Haig était affalé sur le sol. Je n'ai pas vu Naymeer. Il devait être dans le cockpit. J'ai roulé sur moi-même pour ramper vers le hublot. Je voulais voir ce qui se passait en bas. Le dado ne m'en a pas empêché. Il devait bien se douter que je n'irais nulle part. L'hélicoptère s'était élevé rapidement, dominant les deux autres, m'offrant une vue imprenable sur le stade. Le devant de la scène était en flammes. Ce qui, du sol, ressemblait à un banal incendie était bien différent vu du ciel. Ce n'était pas seulement de l'herbe qui brûlait : le phénomène dessinait un symbole. Un symbole très précis. Oui, c'était bien celui de l'étoile. Mus par la curiosité, les manifestants cherchaient à s'en approcher. Maintenant que Naymeer était parti en hélicoptère, ils devaient croire que le spectacle était terminé. Je pouvais les voir se presser les uns contre les autres en tendant le cou pour apercevoir le symbole, comme si tout ça n'était qu'un grand tour de magie.

Oh, c'était spectaculaire, pas de doute. Mais ce n'était pas qu'un tour.

Les flammes semblaient animées d'une volonté propre. Au lieu de s'éteindre, elles n'ont pas arrêté de croître. Ce n'était pas un incendie ordinaire. Il rampait sur le sol comme s'il voulait disparaître dans la terre. Il dégageait une fumée grasse qui cachait presque les flammes. Et comme si ce spectacle n'était pas encore assez surréaliste, l'étoile s'est mise à tourner comme un objet physique. Tel un dygo démoniaque, elle s'est enfoncée dans la terre, forant ce qui, au premier coup d'œil, ressemblait à un puits. Mais au fur et à mesure qu'elle creusait, j'ai vu qu'il y avait bien plus que ça. Là où passait l'étoile, elle laissait derrière elle un tunnel aux parois grises. Une vision que je ne connaissais que trop.

Là, au centre du Yankee Stadium, un monstrueux flume venait de naître. Il était largement plus grand que tous ceux que j'avais vus jusqu'à présent. Son embouchure devait bien faire trente mètres de large.

– C'est quelque chose, non ? a fait une voix depuis l'arrière de l'hélico.

C'était le dado en chemise rouge. Mes antennes se sont dressées. Jusque-là, ces robots étaient muets. Pourquoi celui-ci serait-il différent ?

J'aurais dû m'en douter. Il a baissé sa mitraillette, levé les bras et s'est transformé. Oui, c'était bien Saint Dane. Je n'ai pas réagi. Plus rien ne pouvait me surprendre. J'avais l'impression de flotter comme dans un rêve. D'un air tout naturel, ce démon s'est dirigé vers l'autre extrémité de la cabine et s'est assis confortablement.

– Ce n'est pas *moi* que tu dois regarder, Pendragon, a-t-il déclaré. Le spectacle ne fait que commencer.

Que voulait-il dire ? J'ai baissé les yeux pour voir que l'étoile était désormais si profondément enfoncée dans le flume qu'elle n'était plus qu'un point lumineux. Au bout d'un moment, elle s'est éteinte. Un autre genre de lumière l'a vite remplacée, une lumière qui m'était familière. Tout d'abord, ça n'a été qu'une lueur faible au fond du couloir vertical. Ce flume tout neuf était en train de s'animer.

C'est là que j'ai compris sur quoi tout cela allait déboucher. La démonstration d'hier soir au conclave n'était qu'un prélude. On attaquait le plat de résistance. Ce qui était arrivé à Mark et Courtney, et à toutes ces autres malheureuses victimes, allait se répéter… multiplié par soixante-dix mille.

J'allais assister au massacre du Bronx.

Saint Dane n'a même pas pris la peine de regarder. Il se tenait assis, très droit, les bras croisés sur sa poitrine.

– La Fondation est bien courtoise de nous permettre de faire passer une telle déclaration d'intention, a-t-il dit.

– Quelle déclaration d'intention ? ai-je craché. Que les Raviniens peuvent tuer des milliers de personnes ?

– Le peuple de la Terre a fait son choix, Pendragon, a repris Saint Dane d'un ton définitif. Il a accepté la philosophie des Raviniens. Pourtant, il reste des réfractaires. Ce qui va se passer aujourd'hui leur démontrera que notre pouvoir ne connaît pas de limites.

– Vous voulez dire que vous allez semer la terreur pour être sûr que plus personne n'osera s'opposer à vous.

– Oui, a répondu froidement Saint Dane. Il ne nous restera plus qu'à passer aux autres territoires pour y répéter ce processus.

La fumée entourant le flume s'est mise à tournoyer comme une tornade. La lumière a continué de croître.

– La peur est un excellent instrument, non ? a remarqué Saint Dane. En tout cas, elle a contribué à remplir ce stade pour cette manifestation. Bien que le professeur ici présent se réserve la part du lion.

Le professeur Gastigian a enfin bougé. Depuis qu'on l'avait jeté sur le sol de l'hélicoptère, il était resté prostré. Je croyais qu'il n'osait pas bouger de peur de se prendre un mauvais coup. Plus maintenant. Il s'est assis lentement, m'a regardé, puis m'a souri. Oui, il a souri. Drôle de réaction... Sa cause n'avait pas pu se faire entendre. Son mouvement allait se faire écraser. Sa grande manifestation pacifique avait tourné au désastre. Cependant, on aurait dit que ça ne le dérangeait pas.

Bon, d'accord, je me suis trompé en affirmant que plus rien ne pouvait m'étonner. La preuve.

Alors qu'il était toujours assis sur le plancher de cet hélicoptère, le professeur Haig Gastigian s'est mis à changer de forme. Mon estomac s'est noué. Le cauchemar ne faisait que commencer. Quelques secondes plus tard, le professeur n'était plus là.

À sa place se tenait Nevva Winter.

Je suis tombé contre la cloison de l'appareil comme si on m'avait poussé. En tant que Voyageur, j'en avais vu de belles, mais je n'avais encore jamais reçu un tel choc.

– Bien joué, Nevva, a dit Saint Dane. Aucun doute, tu sais organiser une fête.

Nevva s'est relevée en époussetant son pantalon. Elle portait un costume noir ressemblant à celui de Saint Dane. Ses cheveux sombres étaient toujours aussi parfaitement peignés.

– Merci, a-t-elle répondu. C'est si gratifiant de voir un plan se dérouler à la perfection.

– Je n'en ai jamais douté, a répondu Saint Dane.

Je commençais à perdre les pédales. Il y a longtemps que je ne sais plus distinguer ce qu'est la réalité. Il fallait que je me raccroche à quelque chose de tangible avant de devenir fou à lier.

– C-C-Combien de temps ? ai-je bégayé.

– Combien de temps ai-je endossé l'identité du professeur Gastigian ? a demandé Nevva. Oh, un an environ. Bien assez pour me servir de ses relations afin d'organiser ce petit raout.

– Tout ça était une mise en scène ? ai-je dit d'une petite voix. Tous ces discours contre les Raviniens, ces manifestations, ces interviews – votre seul but était de gagner la confiance de tous ces gens afin de les attirer dans ce stade ?

Nevva a acquiescé en souriant d'un air innocent.

Saint Dane avait commis bien des actes horribles. Il avait monté des tribus, des peuples les uns contre les autres. Même des criminels. Et pourtant, c'était bien l'acte le plus vil qu'il ait conçu. Nevva et lui avaient organisé un massacre de sang-froid, une démonstration de violence telle que Halla n'en avait jamais connue. Traiter ces deux-là de monstres serait leur faire un compliment. Ils étaient l'incarnation même du mal. Je ne pouvais pas les regarder en face. Je me suis tourné vers le hublot pour voir luire l'immense embouchure du flume. En plissant les yeux, j'ai distingué ses parois. Elles étaient devenues transparentes comme du cristal.

Et il commençait à tout aspirer.

Les spectateurs l'ont senti en premier. Cet immense trou incroyable au centre du terrain les attirait dans ses profondeurs. Ce n'était pas particulièrement spectaculaire, mais bien efficace. Tout d'abord, ils n'ont pas compris ce qui se passait. Ils se sont cramponnés aux rambardes, se sont serrés les uns contre les autres, ont griffé le sol – tout plutôt qu'être engloutis par ce tourbillon de lumière et de fumée. Heureusement, le bruit des rotors de l'hélico était assez fort pour couvrir leurs hurlements.

– Nevva, ma chérie ! s'est exclamé Naymeer.

Le vieil homme est sorti du cockpit. Il s'est dirigé droit vers Nevva, les bras grands ouverts, comme s'il accueillait une fille prodigue. Ou une nounou. Il est vrai qu'en Première Terre c'était Nevva qui l'avait élevé.

– Tout s'est passé comme sur des roulettes. J'espère qu'on ne t'a pas trop bousculée.

– Pas du tout, Alexandre. Félicitations.

– Pour nous tous !

Je me tenais adossé au fuselage. Sans ça, je crois que je me serais effondré. Mon cœur battait la chamade. Je respirais si fort que j'étais au bord de l'hyperventilation. En dessous de nous, des milliers de personnes étaient promises à une mort certaine, et ceux-là papotaient comme de vieux copains. J'ai jeté un coup d'œil au hublot pour voir des spectateurs entraînés sur la pelouse, tentant désespérément de plonger leurs doigts dans la terre pour se retenir. Mais c'était inutile. J'ai vu d'autres silhouettes dégringoler des étages supérieurs pour s'abattre sur la foule en contrebas. D'autres encore se sont accrochés aux rambardes et sont restés suspendus en équilibre précaire alors que cette force irrésistible les entraînait vers le bas.

Naymeer s'est précipité vers le hublot pour regarder en bas. Il a froncé les sourcils.

– Ce n'est pas encore terminé ? a-t-il grogné, impatient. Je devrais déjà être aux Nations unies. Ou à la Maison-Blanche. Ou n'importe où du moment qu'il y a une caméra, que je puisse m'adresser au monde entier. Combien de temps ça va prendre ?

Ce type parlait de ce qui se passait là en bas comme si ce n'était qu'un léger inconvénient.

– Ça ne tardera pas, Alexandre, a répondu Nevva avec un petit rire. Même tout petit, tu as toujours été trop impatient.

– Alexandre, a répété Naymeer d'un ton songeur. Voilà un nom bien ordinaire. Je devrais peut-être me faire anoblir. *Sir* Alexandre. Qu'est-ce que vous en dites ?

– Si tel est ton désir, ça peut s'arranger, a affirmé Saint Dane. Tu ne mérites pas moins.

Naymeer a eu un sourire satisfait. Il a baissé à nouveau les yeux et s'est exclamé :

– Regardez ! On dirait qu'ils sont aspirés par la bonde d'un évier. En fait, c'est assez ridicule !

C'est là que j'ai craqué.

En un instant, tout ce que je ressentais – un tourbillon de choc, d'horreur et de confusion – s'est concentré en une seule émotion. La colère. Tout ce qui s'était passé durant ces dernières minutes a défilé dans ma tête. Les visages tristes de ceux d'en bas, le communiqué de l'ONU, Saint Dane mangeant du pop-corn, les prédateurs héliportés, les chemises rouges, la peur, la panique, l'expression de tous ces gens qui ne savaient pas qu'on les attirait dans un piège, l'anneau de Naymeer, ce nouveau flume mons-trueux, Nevva.

Nevva Winter.

Par-dessus tout, je me suis rappelé la mort violente d'Alder, mon ami de Denduron. Tout m'est revenu en un flot impétueux d'images qui s'est terminé sur le visage d'Alexandre Naymeer et son air d'autosatisfaction irritant. Naymeer. Le fondateur de Ravinia. L'horreur incarnée. Le meurtrier en masse. Il serait difficile de décrire la colère que je ressentais, mais je vais faire de mon mieux.

J'ai sauté sur Naymeer. Manifestement, c'était bien la dernière chose à laquelle il s'attendait. Mes deux mains se sont refermées sur son cou. J'aurais pu serrer un bon coup et lui ôter la vie ici et maintenant, mais ç'aurait été trop facile.

– Pendragon ! s'est exclamée Nevva avec une surprise non feinte.

Mon regard a croisé celui de Naymeer. Son visage virait au violacé. Il n'arrivait pas à parler. Normal, lorsque des doigts vous écrasent la trachée-artère. J'ai lu la terreur dans ses yeux. Et ça m'a plu.

– Non, Pendragon ! a hurlé Nevva. Il y a d'autres solutions.

Je ne sais pas pourquoi elle prenait la peine de me parler. Après tout ce qu'elle avait fait, s'imaginait-elle vraiment que je la croirais ? Je n'avais qu'une seule chose en tête : la vengeance. Je voulais la peau de Naymeer. Un type qui avait si peu de respect pour la vie humaine ne méritait pas d'exister. J'ai tiré ce sale petit bonhomme sur le plancher de l'hélico jusqu'à la portière. D'un coup de pied, j'ai abaissé la poignée, déverrouillant la serrure, et l'ai ouverte d'un autre coup de pied. Le vent s'est engouffré dans l'habitacle, soudain rempli du rugissement des hélices. Naymeer s'est débattu, en vain. Il n'était pas assez fort pour m'échapper. J'étais au bord de la démence. Plus rien ne pourrait m'arrêter. Je l'ai forcé à regarder par l'ouverture. En dessous de nous, les manifestants se cramponnaient à tout ce qui passait à leur portée pour éviter d'être aspirés dans le flume.

– Regardez ! lui ai-je braillé à l'oreille. C'est ça, votre brillant avenir ? C'est ça, la perfection que doivent atteindre les citoyens du monde ? L'exécution massive de tous ceux qui ne sont pas conformes à votre idéal ?

Il a fermé les yeux. Il ne voulait pas voir ça. Il refusait de l'accepter. Mais il le fallait.

– Regardez, j'ai dit ! ai-je repris. Voici votre paradis. Votre utopie.

– Bravo, Pendragon, a déclaré Saint Dane.

Il a marché vers le centre de l'hélico et s'est immobilisé, les mains croisées dans le dos. Il n'a pas fait un geste pour m'arrêter.

– Je savais que tu avais ta part d'ombre. La seule chose qui m'étonne, c'est qu'elle ait mis si longtemps à remonter à la surface.

– Ne vous approchez pas de moi ! ai-je crié au démon tout en poussant Naymeer plus près du vide.

– Je n'en ai pas l'intention, a-t-il répondu, très calme. Maintenant, c'est à toi de jouer.

– Laisse-le, Bobby, a insisté Nevva avec ce qui ressemblait à de la compassion.

Mais j'étais bien au-delà de tout ça. Mes doigts se sont crispés sur le cou de Naymeer. Il a fini par baisser les yeux. Je ne crois pas qu'il se souciait enfin des gens qui étaient aspirés dans le flume. Il avait surtout peur de tomber.

– Au fait, Pendragon, a demandé Saint Dane, sais-tu que le Voyageur de Troisième Terre est mort ? Il s'appelait Patrick, il me semble. Des gardes raviniens l'ont tué en Troisième Terre. Alder de Denduron gît là en dessous de nous, mort également. Mark et Courtney ne sont plus de ce monde, eux non plus. C'est triste. Tu as perdu tous tes amis en si peu de temps ! Maintenant, tu tiens entre tes mains le sort du responsable de ce gâchis. Littéralement. Survivra-t-il pour gouverner le monde ? Ou paiera-t-il de sa vie celles qu'il a sacrifiées ? C'est à toi d'en décider.

J'entendais ce que Saint Dane me disait, mais je ne quittais pas Naymeer des yeux. C'était vrai : il était responsable de tout ça. C'était un Voyageur, et il s'était servi des avantages de sa situation pour prendre du pouvoir. Bon, il était sous l'influence de Saint Dane, mais ça n'avait pas d'importance. C'était lui qui avait fait son choix. Il avait décidé tout seul comme un grand de créer Ravinia. De condamner la moitié de la population de la Terre. D'exécuter des milliers de gens. Et mes amis.

– Tuer quelqu'un n'est pas si difficile, a fait Saint Dane, sa voix réduite à un grondement sourd. Pour peu qu'on ait de bonnes raisons.

L'hélicoptère se trouvait juste au-dessus du flume. Dans quelques secondes, les premières victimes allaient s'abîmer dans le vide.

493

– Écoute-moi, Bobby, a supplié Nevva. Ça ne te ressemble pas. Rien ne t'oblige à faire ça.

Si je n'avais pas été hors de moi, j'aurais pu croire qu'elle avait raison. Mais vu l'état dans lequel je me trouvais, ses mots ont glissé sur moi. La Seconde Terre était fichue. La quête de Saint Dane pour conquérir Halla touchait à sa fin. Je tenais par le cou l'homme qui avait choisi de mettre tout ça en œuvre. À travers ce tourbillon d'émotions et de folie, j'ai eu un moment de lucidité absolue. J'ai alors compris que ce qui allait se produire dans quelques instants était inévitable. Tout ce qui était arrivé depuis ce jour où j'étais parti pour suivre l'oncle Press m'avait mené ici et maintenant. Les batailles pour les territoires, nos succès et nos défaites, les morts et les sacrifices, la tristesse et la solitude. J'avais tout perdu. Ma vie, mes amis, mon chez-moi. Et ma famille. Où était ma famille ? *Où était ma famille ?*

Tout ça n'était qu'un prélude. C'était maintenant que tout se jouait.

– Ne fais pas ça ! a supplié Nevva.

– Elle a raison, a ajouté Saint Dane. Ne fais pas ça. Fais donc preuve de cette même faiblesse qui t'a poussé à te terrer sur Ibara. C'est pour ça que tu as échoué, Pendragon. Tu n'as pas l'étoffe d'un leader.

J'étais si furieux que j'en tremblais. Un bref instant, j'ai cru entendre des bruits venant d'en bas. Des hurlements. J'ai partagé leur frayeur. C'était l'horreur absolue. Je ne pouvais plus le supporter. Il fallait que quelqu'un paie l'addition.

J'ai poussé Naymeer hors de l'hélicoptère.

Il a hurlé en tombant tout droit dans le flume. Nos regards se sont croisés. Longuement. J'ai pu entrevoir sa surprise et sa terreur alors qu'il diminuait dans mon champ de vision. En ce bref moment, j'ai savouré ma vengeance. C'était bon.

Puis Saint Dane a éclaté de rire.

– Enfin ! a-t-il déclaré d'un air triomphant.

Je me suis retourné d'un bond, m'accrochant aux rebords de la porte, la décharge d'adrénaline pulsant toujours dans mes veines.

– Maintenant, Pendragon, tout est fini pour de bon.

Je n'ai pas pu trouver les mots pour lui demander ce qu'il voulait dire par là. Il s'en est chargé :

– C'était le moment de vérité. La dernière épreuve, Pendragon. Et tu as échoué.

Aussi longtemps que je vivrai, ces mots me hanteront.

J'ai baissé les yeux pour assister aux derniers instants d'Alexandre Naymeer. Il est tombé tout droit dans le flume. Il a disparu, puis, quelques instants plus tard, une boule de lumière et de fumée a jailli de l'ouverture pour filer vers le ciel. Droit sur nous. On s'est pris de plein fouet une décharge de lumière et d'énergie qui ne pouvait avoir été projetée que par quelque force démoniaque. L'hélicoptère s'est cabré avant de partir en vrille. On se serait cru emporté par une tornade. J'ai dû me cramponner aux montants de la porte pour ne pas tomber. De son côté, Nevva a fait de même. Saint Dane, lui, est resté immobile. Il n'a même pas vacillé. Et il n'a pas cessé de rire. Le pilote ne contrôlait plus son appareil. Tout ce que je pouvais dire, c'est qu'on était en mouvement. Mais où allait-on ? Entre la fumée et les lumières aveuglantes, j'ai perdu tout sens de l'orientation. On pouvait aussi bien monter dans le ciel ou être à deux doigts de s'écraser au sol. De l'autre côté des hublots, il n'y avait qu'une masse blanche lumineuse. La force gravitationnelle a augmenté, me poussant vers l'autre côté du fuselage. Puis il y eut un moment de répit. À travers la fumée presque solide, j'ai pu distinguer quelque chose. On était tombés comme une pierre jusqu'aux gradins les plus élevés du stade, et notre chute se poursuivait.

La voix de Saint Dane s'est élevée au-dessus du gémissement des moteurs et des hurlements de terreur :

– Et maintenant, tout va enfin pouvoir commencer pour de bon.

Une seconde plus tard, le flume nous avalait.

Journal n° 36
(suite)

SECONDE TERRE

Une lumière aveuglante a jailli par les hublots. L'hélicoptère s'est mis à tournoyer si vite que j'en ai eu le vertige. Je me suis cramponné en attendant le choc qui ne tarderait pas, lorsqu'on irait se fracasser contre le terrain du stade ou le rebord du flume.

Mais non. Au lieu de heurter quelque chose, l'appareil a accéléré. Ç'a été si brutal que j'ai été projeté au plafond. Ou contre le plancher. Pas moyen de savoir. Il n'y avait plus que du blanc. Je me suis cramponné à quelque chose, mais l'hélicoptère a bondi une fois de plus, me faisant lâcher prise. J'ai replié les bras sur ma tête pour me protéger avant de me fracasser le crâne contre une des parois de l'engin fou. Or, plusieurs secondes se sont écoulées sans que je heurte quoi que ce soit. C'était impossible ! L'hélicoptère n'était pas si grand. Je me suis dit que j'étais peut-être passé par la porte ouverte. Était-ce un bien ou un mal ? Étais-je libre ? En chute libre ? Ou allais-je me faire découper en rondelles par les rotors ? Tout ce que je pouvais faire, c'était me cramponner et me préparer au pire.

J'étais pris dans une cacophonie. Se mêlaient le gémissement des moteurs, les crissements du métal tordu, les hurlements des gens du stade… et la musique du flume. Je ne savais même pas si je tombais ou flottais. Avais-je été aspiré dans cet immense tunnel ? Je n'avais plus aucun repère.

Le bruit a fini par diminuer. Le fracas de l'hélico condamné s'est mêlé aux hurlements des spectateurs pour ne donner qu'un bruit blanc. Du temps a passé. Combien ? Pas la moindre idée. Le

496

bruit blanc a fini par retomber pour ne plus laisser entendre que la musique du flume. Je n'avais plus peur de m'écraser contre quelque chose. Pas de doute, je flottais. Je suis resté ainsi un bon moment, les yeux fermés et les bras autour de la tête. Combien exactement ? Des secondes ? Des années ? J'avais perdu toute notion du temps.

J'ai lentement baissé les bras et ouvert les yeux. Ce que j'ai vu m'a semblé incroyable. Je flottais dans le vide. Seul. L'hélicoptère n'était plus là. Pas la moindre trace de Saint Dane et Nevva. On aurait dit que je voyageais dans le flume, mais ce n'était pas comme les autres fois. Tout autour de moi flottaient des images de Halla. Elles se mêlaient les unes aux autres, si denses que je ne pouvais même pas distinguer le champ d'étoiles qui s'étendait au-delà. J'ai vu des visages que je reconnaissais. Pas des individus, mais différents peuples, issus de divers territoires. Des Batus, des Novans, des Africains, des Gars, des Klees, des Asiatiques… Une véritable mer formée de milliers de visages qui se chevauchaient. Et j'ai aussi entendu leurs voix. Elles ne disaient rien de particulier. C'était plutôt un chœur de mots aléatoires, une mélopée reposant sur une note unique.

J'étais étrangement calme et plus curieux qu'effrayé. Que signifiait tout ça ? Contrairement aux voyages habituels, je n'avais pas l'impression de bouger. Plutôt de flotter dans cet océan de visages. Est-ce qu'ils pouvaient me voir ? Étais-je devenu l'un d'entre eux ? Mon destin était-il d'être banni dans ces limbes ? Était-ce là que Naymeer avait exilé ses ennemis ?

J'ai vu une première étoile. Puis une autre. Les visages spectraux ont lentement disparu, comme soufflés par une brise céleste, laissant apparaître le champ d'étoiles. Tout redevenait normal, et pourtant il y avait quelque chose qui ne collait pas. Lorsque les visages ont fini de fondre, j'ai compris que je ne me trouvais pas devant les parois transparentes du flume. Je flottais dans l'espace. Mais c'était impossible. Comment aurais-je pu survivre à ça ?

Une nouvelle image m'est alors apparue. Plusieurs, en fait. Tout d'abord, elles étaient brouillées par les nombreux visages qui m'entouraient toujours. Tout est devenu plus clair lorsqu'ils ont fini par disparaître. C'était comme de longs filaments de fumée blanche qui s'entrecroisaient sur le champ d'étoiles sans pour autant former un schéma reconnaissable. Ils m'ont fait penser aux traces que laissent les réacteurs d'avion dans le ciel. Il y en avait des dizaines qui, tous, décrivaient un angle différent. Certains se croisaient droit devant moi, d'autres me dépassaient pour s'étendre à l'infini. Je flottais dans un labyrinthe en trois dimensions fait de lignes sans commencement ni fin.

Au moment même où les derniers visages s'évanouissaient, j'ai reconnu ces traînées. Ce n'était pas des nuages. Elles étaient bien solides. Elles semblaient faites d'une sorte de cristal brillant et transparent. La lumière des étoiles se reflétait sur leur surface aux multiples facettes, les faisant scintiller. Je savais que je les connaissais : je les avais déjà vues bien des fois, quoique sous une perspective différente.

J'avais sous les yeux les autoroutes traversant Halla. Autant dire les flumes... mais vus du dehors. Tous. C'était un réseau complexe qui semblait n'avoir ni commencement ni fin. Bien sûr, je savais que ce n'était pas le cas. Ces chemins reliaient entre eux les territoires de Halla. Les conduits qui nous permettaient de voyager à travers le temps et l'espace. C'était une vision grandiose. Face à tant de splendeur, je me sentais bien minuscule.

Mais du coup cela m'a poussé à me demander où j'étais exactement. Je n'avais pas non plus l'impression d'être un astronaute flottant dans l'espace. Je sais, ça paraît complètement idiot, mais j'avais le sentiment de ne pas être là. Comme si cette vision n'était qu'un produit de mon imagination qui ne s'accompagnait d'aucune sensation physique. Ce n'était pas non plus comme si j'étais endormi quelque part, en train de rêver. J'étais vraiment là – et en même temps je ne l'étais pas. Je faisais partie de ce que je voyais, mais n'étais qu'un fantôme. Je ne saurais pas le décrire autrement. J'ignorais également depuis combien de temps j'étais là. Une minute ? Une heure ? Un milliard d'années ? J'avais l'impression reposante, presque mystique, de faire partie du continuum spatio-temporel sans pour autant subir ses contraintes. De même, je n'aurais pas su dire si ça me plaisait ou pas. C'était comme ça, voilà tout.

C'est alors que tout est tombé en morceaux.

Les flumes de cristal se sont allumés comme des néons remplis de gaz. La musique est revenue, elle aussi. Contrairement à tous mes autres voyages, où ces notes étaient un compagnon rassurant, celles-ci étaient graves, brutales, furieuses. Et étouffées, comme si le son restait captif à l'intérieur des flumes. Il a augmenté en volume tout en se faisant encore plus chaotique. La lumière est devenue de plus en plus intense, me faisant plisser les yeux. La musique s'est emballée en un crescendo cauchemardesque qui devait forcément déboucher sur quelque chose.

Et c'était exactement ce qu'il se passait. Alors que la musique atteignait son sommet, que la lumière était devenue si éblouissante qu'elle noyait les cieux dans une nappe blanche, l'un des flumes a explosé dans un bruit de tonnerre. Des fragments de cristal ont jailli dans toutes les directions. Une autre explosion l'a vite suivie. Puis une autre. Et chaque nouvelle détonation libérait les sons prisonniers du flume, remplissant l'univers de débris chaotiques et de musique discordante. Lorsqu'un flume se brisait, sa lumière s'éteignait. Des morceaux de cristal de toutes les tailles possibles ont sillonné l'espace. Certains faisaient près d'un kilomètre de long, d'autres n'étaient que des poussières scintillantes. Des éclats ont volé tout autour de moi, et pourtant je ne ressentais pas physiquement leur passage, ce qui renforçait cette impression de ne pas être vraiment là, du moins pas en personne.

Sous mes yeux horrifiés, les explosions ont continué. L'une après l'autre. Trois à la fois. Le fragment d'un flume a heurté un autre tunnel encore intact, le brisant en deux. C'était un spectacle violent, terrifiant. Ce que je voyais de mes yeux n'était autre que la destruction des autoroutes sillonnant Halla. Comme en une ultime insulte, j'ai vu un énorme météore de cristal foncer droit sur moi. Je ne savais pas comment réagir. Étais-je en danger ? Allait-il m'écraser comme un moucheron ? Ou passer à travers moi ? Après tout, je n'étais qu'un fantôme. Alors, quand le mur de cristal a empli tout mon horizon, j'ai fait la seule chose qui m'a semblé appropriée.

J'ai fermé les yeux.

SECONDE TERRE

Le conclave de Ravinia était bondé. Il y avait plus de monde que jamais. Chaque siège était occupé par un fidèle. On avait même dû refuser du monde. Il n'y avait pas assez de places, tout simplement. Ceux qui étaient arrivés en retard devaient se contenter de s'asseoir sur les marches devant le bâtiment de marbre et attendre d'avoir des nouvelles des heureux veinards qui avaient pu rentrer.

À l'extérieur du conclave, l'atmosphère était nettement différente de la dernière fois. Même si des gardes en chemise rouge et la police de New York assuraient la sécurité, ce n'était pas nécessaire. Il n'y avait pas de manifestants. Au contraire : à part les Raviniens venus assister au conclave, les rues étaient désertes. Personne n'avait osé s'approcher à moins de trois cents mètres du lieu du rassemblement. Les événements du Yankee Stadium avaient fait leur effet. Les Raviniens étaient au pouvoir. Tout le monde les craignait.

Pourtant, les adeptes de Naymeer n'avaient pas le cœur à fêter ça. À l'intérieur comme à l'extérieur du bâtiment, l'ambiance était tendue. Le monde entier avait eu vent des rumeurs au sujet de ce qui s'était passé au Yankee Stadium. Qu'étaient devenus les spectateurs présents ce soir-là ? Tout ce qu'on savait, c'était que, ce 12 mars, soixante-dix mille personnes étaient entrées au Yankee Stadium, mais que nul n'en était ressorti. Les télévisions montraient des hélicoptères arrivant au-dessus du stade et Naymeer montant sur scène. Il levait la main... et c'était tout. Les caméras s'étaient arrêtées – toutes en même temps. Ce qui s'était passé après le geste de

500

Naymeer demeurait un mystère. La retransmission s'était interrompue. Les cassettes étaient vierges.

Bien des Raviniens avaient leurs propres théories. La plupart d'entre eux avaient assisté à la bousculade lors du précédent conclave, lorsque douze infidèles avaient été exilés dans le flume. S'était-il passé quelque chose d'équivalent lors de la manifestation ? C'était la seule explication logique, à l'exception d'un détail mineur : il n'y avait pas de flume au Yankee Stadium. La terre autour du monticule du lanceur était noircie, l'herbe ravagée. Apparemment, il y avait eu un incendie. Mais c'était tout. Il n'y avait rien qui puisse indiquer qu'un flume s'était ouvert à cet endroit même. Il n'y avait pas un seul témoin. Personne pour décrire comment un tunnel infernal s'était ouvert au beau milieu du stade pour engloutir plusieurs dizaines de milliers de personnes.

Le mois suivant, les équipes de base-ball reviendraient. Peu après, le Yankee Stadium serait désaffecté pour être transformé en musée. Un stade neuf et plus moderne remplacerait ce bâtiment. Celui-ci finirait par être passé au bulldozer, son emplacement recouvert, et il sombrerait dans l'oubli. Le mystère ne serait jamais résolu, puisqu'il n'y avait pas un seul témoin. La peur, elle, ne se dissiperait jamais. La peur de Ravinia. Basée en partie sur des faits, en partie sur des mythes. La disparition inexplicable de soixante-dix mille personnes était horrible en soi, mais ce n'était rien à côté de ce dont Ravinia était capable. Plus personne ne se lèverait pour les défier. Tout le monde aurait peur d'eux.

C'était le moment de vérité. La Seconde Terre leur appartenait.

Les rumeurs les plus folles sillonnèrent les quatre coins du globe pour tenter d'expliquer ce qui s'était passé. À part le mystère entourant ce qu'on finirait par appeler le massacre du Bronx, tout le monde voulait savoir ce qui était arrivé à Alexandre Naymeer. Depuis ces dernières images dramatiques diffusées en direct du stade, plus personne n'en avait entendu parler. On s'attendait à ce qu'il apparaisse en public ou fasse une déclaration quelconque, surtout après ce vote historique par lequel l'ONU accordait sa confiance aux Raviniens. Pourtant Naymeer était toujours porté disparu. Le conclave de

Ravinia de ce soir-là allait se dérouler dans l'incertitude, et l'atmosphère qui y régnait était un mélange de soulagement et de crainte. D'espoir et d'horreur. Tout s'était passé comme l'avait prévu Naymeer. Ravinia était sur le point de devenir une force capable de déterminer l'avenir du monde.

Cependant il lui manquait son chef. Les Raviniens qui se rendaient au conclave entendaient bien recevoir des réponses à leurs questions.

Les lumières s'éteignirent. Les Raviniens se turent. Un projecteur éclaira le podium situé à côté de l'embouchure du flume. Tout le monde espérait voir Alexandre Naymeer prendre le micro. Ils avaient besoin de lui.

Mais il ne viendrait pas. C'est un autre homme qui apparut en pleine lumière. Quelqu'un que les Raviniens connaissaient bien. Ou du moins le croyaient-ils. Il semblait toujours être aux côtés de Naymeer pour lui faire des suggestions et aider leur chef à créer un monde nouveau. Il s'appelait Eugène.

Ou plutôt Saint Dane.

Son visage bon et ouvert les calma et les angoissa en même temps. Pourquoi Naymeer n'était-il pas là ? Ce soir, Eugène portait un costume noir au lieu de sa chemise rouge typiquement ravinienne. Un autre signe indiquant quelque chose d'anormal. Habituellement, Eugène avait toujours le sourire, mais pas ce soir. Il avait l'air très sérieux. Un murmure s'éleva de la salle. Eugène leva la main. La foule se tut et attendit.

– Mes amis, commença Eugène d'un ton grave, Alexandre Naymeer est mort.

La foule poussa une exclamation de surprise collective. Leur pire crainte venait de se confirmer.

– Je vous en prie, reprit la voix amplifiée par les haut-parleurs. Allons, chut…

Un peu plus tard, la foule se calma, lui permettant de continuer sans interruption, malgré les sanglots incontrôlables de quelques membres du public.

– Alexandre Naymeer n'était pas un jeune homme. Nous savions que ses jours étaient comptés. Il était mortel, comme nous tous. L'excitation liée aux événements récents s'est révélée trop intense pour son corps fatigué. Sa mort a été paisible et sans douleur, son cœur de lion mettant un terme à une existence bien remplie.

Certains se mirent à pleurer en assimilant cette nouvelle. D'autres hochèrent la tête et échangèrent des regards compatissants. L'idée que Naymeer le demi-dieu puisse être humain le rendait plus accessible. Ils ne l'en aimaient que davantage. En dépit de sa grandeur, il était l'un d'entre eux. Sa mort le faisait passer du statut de leader à celui de légende.

– Aussi triste et affligeante que puisse être cette nouvelle, continua Eugène d'un ton résolu, l'heure n'est pas au deuil. Certes, nous devons regretter la disparition d'un grand homme tel que lui, mais nous devons également comprendre qu'elle est arrivée au moment de son triomphe.

Les spectateurs acquiescèrent. Ils étaient d'accord. Ils voulaient quelque chose à quoi se raccrocher.

Et Saint Dane ne demandait qu'à le leur offrir.

– C'est là que se pose la question : que devons-nous faire maintenant ? Porter le deuil et retourner dans l'obscurité ? Après tout ce que nous avons accompli ? Tout ce qu'*il* a accompli ?

La foule murmura. Apparemment, cette idée leur déplaisait.

– Devons-nous oublier ce qui nous a amenés en ce lieu et nous lamenter comme si nous n'étions rien sans notre leader ?

Quelques « non ! » ont retenti.

– Si nous renonçons maintenant, cela voudra dire que nous ne valons pas mieux que ceux que nous méprisons. Notre avenir ne peut dépendre d'une seule personne. C'est cette vision que nous partageons qui fait notre force. C'est ce que Naymeer nous a enseigné. C'est ce que le monde entier attend de nous. Ce que Halla attend de nous.

La foule commençait à s'échauffer. L'heure n'était plus aux gémissements.

– Renoncer à notre rêve maintenant serait faire insulte à la mémoire d'Alexandre Naymeer, à nos croyances et à nos valeurs. Sa dépouille charnelle n'est peut-être plus de ce monde, mais son esprit est vivant en chacun de nous.

Un tonnerre d'applaudissements le salua.

Eugène – Saint Dane – sourit.

– En ce moment même, des Raviniens de Seconde Terre ont été envoyés sur Denduron pour assister les Bedoowans dans leur guerre contre les Lowsees. Des stratèges ont débarqué sur Zadaa pour aider les Rokadors à préparer leur insurrection contre les Batus, qui sont puissants, mais primitifs. L'île d'Ibara sera bientôt assiégée. Et ici même, chez nous, les événements dramatiques qui se sont déroulés non loin d'ici ont cimenté notre pouvoir. Les peuples de Seconde Terre vont se scinder en deux camps. Soit ils accepteront notre philosophie, soit ils nous craindront et se verront marginalisés. Nous sommes sur le point d'entrer dans un nouveau monde. Un nouveau Halla. Tel est l'héritage d'Alexandre Naymeer. Nous ne devons pas y renoncer.

La foule l'acclama. Tout ce qu'on leur avait promis allait devenir réalité. Leur culte de l'excellence avait pris racine et ne cesserait de croître, même sans Naymeer pour le guider.

Eugène leva la main pour calmer l'enthousiasme de la foule.

– Naymeer avait prévu tout ça. Il a anticipé bien des choses, y compris sa propre fin. Il savait que ses jours étaient comptés. C'est pourquoi il a eu la sagesse de désigner un héritier pour poursuivre son œuvre.

Une fois de plus, la foule marqua sa surprise. Eugène continua, profitant de son avantage.

– Notre vaisseau est vaste, mais il a besoin d'un capitaine. Quelqu'un pour le guider. Quelqu'un qui ait l'expérience nécessaire. Et il faut du sang neuf. Il existe un individu à qui Alexandre Naymeer a appris la voie de Halla. Ensemble, ils ont visité d'autres territoires pour apprendre les coutumes et les idiosyncrasies qui font leur spécificité. Ils ont rompu le pain avec les chefs de tous ces territoires, forgeant des alliances et posant les fondations qui déboucheront sur ce bien commun qui est notre but à tous. C'est la personne en qui Naymeer plaçait sa confiance. Celle qui nous servira de guide. C'est le visage de la nouvelle Seconde Terre et du nouveau Halla. Amis raviniens, je vous présente… notre avenir !

Un projecteur éclaira l'intérieur du flume. Et là, revêtue de la robe pourpre jadis portée par Alexandre Naymeer, se dressait Nevva Winter.

Face à cette vision, la foule ne sut comment réagir. Il y eut plus de murmures inquiets que d'acclamations, de sursauts que d'applaudissements. Nevva ne s'en offusqua pas. Elle se tourna vers Eugène.

Vers Saint Dane.

Il hocha la tête d'un air rassurant.

Nevva leva les bras comme pour étreindre le conclave tout entier. D'une voix assurée, elle déclara :

– Ce n'est pas ma personne qui importe. Ni aucun d'entre nous. Ce qui compte, c'est nous, nous tous. Nous, l'élite. Les élus. Les seigneurs. Nous sommes Ravinia !

Elle leva alors la main droite – celle qui portait l'anneau. De la lumière jaillit de la pierre, activant le flume. Le tunnel se transforma aussitôt en cristal scintillant. Nevva fit un pas de côté, et une boule de lumière grandit dans le tunnel, tel un météore crépitant d'énergie.

La foule ouvrit de grands yeux.

La lumière se massa dans l'embouchure du flume pour former une image. Un visage. Celui d'Alexandre Naymeer.

– Mes amis, lança l'image désincarnée d'une voix qui éveilla d'étranges échos dans le bâtiment du conclave. Un premier territoire de Halla est désormais entre vos mains. Vous et vous seuls déciderez de son avenir. Ne portez pas mon deuil. Perpétuez mon œuvre. Par l'intermédiaire de Nevva, je serai là pour vous, tous jusqu'au dernier. Pour Halla. Pour Ravinia.

L'image de Naymeer explosa en une éruption de lumière pour se transformer en une étoile à trois dimensions. Personne ne frémit. Tout le monde resta figé sur place, à regarder le spectacle comme si cette étoile était l'essence même de Naymeer revenue d'entre les morts.

Nevva se tourna vers Eugène.

– C'est fini, n'est-ce pas ? demanda-t-elle. Après tout ce temps, c'est enfin fini ?

– C'est fini, répondit Saint Dane d'un ton assuré. Et *maintenant*, tout peut commencer.

Journal n° 36
(suite)

SECONDE TERRE

Je n'ai pas ressenti le moindre impact. Mais j'ai perçu quelque chose d'autre. L'effet de la gravité. Je n'étais plus suspendu entre ciel et terre, si c'est bien là où je me trouvais. J'avais plutôt l'impression d'être allongé. D'autres sensations sont revenues. Le froid, par exemple. De l'air caressait ma peau. J'ai aussi entendu des bruits. Le gémissement sourd du vent dans le lointain. Je n'étais pas blessé, du moins je ne croyais pas. En tout cas, je n'avais mal nulle part. Je me suis demandé si j'étais mort. Mais comme je ne savais pas ce qu'on est censé ressentir dans ce cas-là, je ne pouvais pas en être sûr.

Où que je sois, je gisais face contre terre. J'ai entrouvert un œil pour voir que j'étais étalé sur un sol nu de terre brun clair. Ou de sable. Pas moyen de le dire. J'ai tendu la main pour toucher. C'était bien de la terre. Bon, c'est vrai, il n'y avait pas de quoi en faire un fromage, mais pour moi, c'était important. Ça voulait dire que j'étais sur une surface solide. Dans un endroit bien réel. Restait à savoir où il se trouvait exactement.

Je me suis assis pour contempler... rien du tout. Ou presque rien. J'ai fait un tour complet sur moi-même pour voir encore plus de néant. Et pourtant, cet endroit semblait bien concret. Je me suis dit que j'étais peut-être au beau milieu d'un désert et qu'il n'y avait rien à des kilomètres à la ronde. L'air était brumeux, encombré de particules de poussière formant un brouillard dense. Je n'avais aucune notion des distances. Mon champ de vision s'étendait-il sur dix centimètres ou dix kilomètres ? Pas la moindre perspective. Je ne savais pas où j'étais. Je ne savais pas *quand* j'étais.

Je me suis senti bien seul, tout d'un coup.

Oui. J'étais totalement, misérablement seul. J'avais perdu la bataille de Halla. Et celle de Seconde Terre. J'étais devenu un assassin. La plupart de ceux qui comptaient pour moi étaient morts. Je n'avais pas pu me montrer à la hauteur. Saint Dane avait fait précisément ce qu'il avait dit qu'il ferait. Ce qu'il avait prédit. Il avait fait tomber les territoires de Halla afin de pouvoir les remodeler et les gouverner à sa façon. Maintenant, Halla était sous la coupe d'un dictateur.

Je suis resté assis dans la poussière, tout seul, incapable de bouger. Et je ne *voulais* pas remuer un pouce. De toute façon, je n'aurais pas su où aller. Tout ce que je voulais, c'était m'allonger, fermer les yeux et me laisser recouvrir par les tourbillons de sable. J'étais mort et enterré. Je n'avais plus aucun avenir. D'ailleurs, il n'y avait plus d'avenir qui en vaille la peine. Je ne pensais pas être mort, mais j'aurais préféré l'être.

C'est alors que j'ai entendu une voix.

Tout d'abord, j'ai cru que c'était mon imagination. Ou le vent qui me jouait des tours. Ce n'était ni très fort ni très distinct. C'était peut-être quelqu'un qui parlait dans le lointain, et la brise emportait ses paroles jusqu'à moi, comme un souvenir chuchoté.

Je l'ai encore entendu. Plus proche cette fois-ci. Et plus clair. Un seul mot couvrant les hurlements du vent.

– Bobby !

Je connaissais cette voix. Elle m'était familière, mais pas moyen de l'identifier. C'était comme si la réponse était là, aux confins de ma conscience, attendant que je finisse par mettre la main dessus. J'ai regardé autour de moi sans rien voir, sauf cette brume poussiéreuse. J'étais sûr de n'entendre que la voix d'un fantôme.

Puis mes yeux ont surpris un mouvement. Une ombre. Quelqu'un dans ce désert. J'ai essayé de mieux le distinguer, dans l'espoir de ne pas être prisonnier dans des limbes sans commencement ni fin. L'ombre s'est rapprochée. C'était bien quelqu'un, et il se dirigeait vers moi. Je n'ai pas pu me relever. Je

507

n'avais pas assez de force. L'ombre s'est avancée fièrement, comme si elle savait très bien ce qu'elle faisait. Qui que ce soit, il n'avait rien d'un fantôme. Il semblait porter un long manteau ouvert battant au vent.

Mon cœur s'est arrêté. Littéralement. Je n'arrivais plus à respirer. J'avais enfin dépassé mes propres limites pour contempler la vérité. Or c'était incroyable. Ça dépassait l'entendement. Ce fantôme était bien un homme. Ou cet homme était bien un fantôme. Il est sorti du brouillard pour apparaître devant moi.

J'ai enfin distingué son visage. Ça faisait des années que je ne l'avais pas vu, et je ne pensais pas le revoir un jour. Mais il m'avait fait une promesse. Il m'avait dit qu'un jour nous serions à nouveau réunis. Mais c'était il y a bien longtemps. Et il s'était passé tant de choses depuis que j'avais perdu espoir.

Je n'aurais pas dû.

Il avait tenu sa promesse.

L'oncle Press est un homme de parole.

— Salut, fiston, a-t-il dit d'un ton tout naturel. Tu as eu une dure journée ?

Il était tel qu'il m'était apparu en ce jour désormais bien lointain où j'étais parti de chez moi. Ses cheveux étaient toujours aussi longs et mal peignés. Il était toujours aussi mal rasé. Il portait toujours une chemise brune et un jean. C'était bien son long manteau que j'avais vu battre au vent. Il s'est dressé devant moi en affichant ce sourire qui me manquait tant. J'avais un million de choses à lui dire, mais je n'ai pu en sortir qu'une :

— Je suis désolé, ai-je murmuré.

— Lève-toi, Bobby.

J'ai obéi, je me suis levé avec lenteur et j'ai fait face à mon oncle.

— Hé ! a-t-il fait avec un sourire malicieux, depuis quand es-tu plus grand que moi ?

J'ai fait un bond pour le serrer dans mes bras. Je n'ai pas pu m'en empêcher. Et ce n'est pas tout : j'ai fondu en larmes. Oui, je me suis mis à chialer comme un môme. J'avais l'impression d'avoir à nouveau six ans. Je crois que c'est son contact qui m'a fait craquer. Il était bien réel. Ce n'était ni une ombre ni une illusion créée par mon désir de le revoir. C'était bien l'oncle Press. On est restés comme ça un long moment. Il m'a laissé pleurer tout mon saoul en me tapotant le dos, me laissant profiter à fond du soulagement de retrouver au moins un membre de ma famille. C'était si réconfortant. Je crois que je serais resté ainsi pour l'éternité si je n'avais pas entendu une autre voix, féminine celle-là, qui s'adressait à moi :

– C'est bon, ça suffit ! a-t-elle dit, sarcastique. Si ça continue, tu vas me faire pleurer *moi*, et il vaut mieux éviter ça !

Je me suis retourné pour voir une fille en salopette bleue avec des lunettes aux verres teintés de jaune. Elle se dressait là, les bras croisés sur sa poitrine, campée sur ses jambes, à me regarder tel un parent désapprobateur.

– Salut, Pendragon, a dit Aja Killian. Pourquoi as-tu mis si longtemps ?

Je suis resté planté là, sonné. J'ai ouvert la bouche, mais je n'ai rien pu dire. Une ombre s'est avancée dans son dos, sortant de cette étrange brume. C'était un grand baraqué qui est venu se tenir à côté d'Aja. Il m'a fait un signe de la main. Une fois de plus, il portait l'armure d'un chevalier bedoowan.

– Je sais que tu as essayé de m'aider, a dit Alder.

J'étais toujours cloué sur place, bouche bée, incapable de penser ou d'assimiler ce que je voyais.

– Ça... Ça va ? ai-je demandé à mon ami.

Complètement nul, je sais, mais c'est tout ce que j'ai pu trouver.

– Maintenant oui, a-t-il répondu d'un ton résolu.

Je me suis tourné vers l'oncle Press.

– Tout ça... C'est bien vrai ?

Il a haussé les épaules, comme pour dire : « Oui, bien sûr, pourquoi ? »

Du coin de l'œil, j'ai surpris d'autres mouvements. Il y avait des ombres partout. On était encerclés par des fantômes.

– Salut, Bobby, a dit une femme âgée aux longs cheveux gris. Tu te souviens de moi ?

J'ai vaguement acquiescé. C'était Elli Winter, la mère de Nevva. La Voyageuse de Quillan.

509

– À propos de ma fille, a-t-elle repris tristement, je ne sais pas quoi dire.

– Vous n'avez pas à dire quoi que ce soit, ai-je répondu.

– Tu as une dette envers moi, Pendragon, a fait une autre voix, celle d'un jeune homme qui avait l'air furax.

Siry Remudi, le jeune bandit qui était également le Voyageur d'Ibara, est sorti du brouillard.

– Si je savais que tu allais boucher le flume, je n'aurais jamais quitté cette fichue île !

– Je ne voulais pas t'y emprisonner, ai-je expliqué.

– Ouais, je vois ça, a-t-il déclaré avec un sourire. C'est bon pour cette fois, mais ne me refais jamais un coup pareil.

– J'en conclus que tu as bien reçu mon mot, a lancé encore une autre voix.

C'était Patrick. Bien vivant. Si toutefois nous l'étions tous.

– En effet, ai-je répondu. J'aurais voulu pouvoir mieux utiliser cette information.

– Tu t'en es bien tiré, m'a-t-il rassuré. Personne n'aurait pu faire davantage.

J'ai alors entendu le feulement d'un animal. En temps normal, j'aurais sursauté. Pas là. Une bête a jailli de la brume, puis s'est relevée et a continué sur ses deux pattes. Kasha, la femme-chat klee d'Eelong, a rejoint le cercle.

– Tu m'as fait une promesse, Pendragon, a-t-elle grogné.

– Moi ?

– Tu as juré qu'un jour, tu ramènerais mes cendres sur Eelong. Je n'ai pas oublié.

J'ai acquiescé.

– Salut, demi-portion ! a lancé une voix chaleureuse qui m'a fait à la fois sourire et manquer de fondre à nouveau en larmes.

Celui qui est sorti des brumes était vêtu de ce même costume noir qu'il portait toujours en Première Terre. Oui, c'était Gunny Van Dyke.

– Eh ben dis donc ! a-t-il ajouté en me toisant. Il est temps que je cesse de t'appeler « demi-portion » !

J'ai couru le serrer dans mes bras.

– C'est une sacrée histoire, Pendragon, a-t-il dit. Une sacrée histoire.

– Oui, on peut voir ça comme ça, ai-je répondu en reniflant.

Il m'a tenu à bout de bras et m'a demandé :

– Ça va, fiston ?

Incroyable. Après tout ce qui était arrivé, Gunny s'inquiétait pour *moi* !

– De mieux en mieux à chaque instant.

Il m'a adressé un sourire chaleureux.

– Oui, je n'en attends pas moins de toi.

– Où est-il ? ai-je demandé.

Gunny m'a jeté un regard faussement surpris.

– Qui ça ? De qui veux-tu parler ?

Ses yeux ont brillé et son sourire s'est fait malicieux. Il savait très bien de qui je parlais.

– Hobie ! a fait une voix familière. J'espère que la fête n'a pas commencé sans moi !

Et il est entré dans le cercle, hors d'haleine. Vo Spader, le Voyageur de Cloral. Il avait l'air un peu plus âgé que la dernière fois, mais à part ça, il n'avait pas changé. Ses cheveux noirs étaient toujours aussi longs. Il portait sa combinaison sous-marine d'aquanier. Il y avait toujours une lueur de malice dans ses yeux disant qu'il était prêt à se lancer dans la première aventure qui se présenterait à lui.

– J'espère que je n'ai rien raté ? a-t-il demandé.

– Je n'en sais absolument rien, ai-je répondu. Je n'ai pas la moindre idée de ce qui se passe.

– Ah, ne t'inquiète pas, tu finiras par t'y faire ! (Il m'a pris dans ses bras et m'a serré contre son cœur. D'une voix douce, mais sincère, il a ajouté :) Quand j'ai dit que je serais toujours là pour toi, c'était vrai. Je suis prêt.

Ce n'est qu'à ce moment que j'ai compris à quel point Spader me manquait. Il m'a rendu mon étreinte, puis a reculé pour prendre sa place dans le cercle, aux côtés de Gunny.

Je me retrouvais au centre d'un groupe de Voyageurs. Il serait difficile de décrire ce que je ressentais. C'était trop dur à comprendre.

– Un instant, ai-je dit, ne m'adressant à personne en particulier. On n'est pas tous là.

Tout le monde s'est regardé. Personne n'a répondu. Du moins personne à l'intérieur du cercle.

– Pas encore, en effet, a répondu une voix familière en provenance du brouillard.

Une grande silhouette s'est avancée d'un pas confiant. Elle portait l'armure légère des guerriers batus avec dans son dos le casse-tête de bois dont elle se servait avec aisance. À sa vue, j'ai ressenti une confiance telle que je n'en avais pas connue depuis longtemps.

La Voyageuse de Zadaa venait d'arriver.

Loor s'est dirigée vers moi et m'a regardé droit dans les yeux :

– Pourquoi n'es-tu pas venu quand j'avais besoin de toi ?

– Je voulais te protéger !

Ma réponse a semblé la prendre par surprise. Une surprise qui s'est transformée en incrédulité. Laquelle est devenue de l'intensité.

– *Tu* voulais *me* protéger ? a-t-elle repris, incrédule.

Tout ce que j'ai pu faire, c'est hocher la tête.

Loor s'est penchée vers moi jusqu'à ce qu'on soit nez à nez.

– Ne refais plus jamais la même erreur, a-t-elle ordonné.

Puis elle m'a embrassé… Sur la bouche, comme ça.

Ce n'était pas vraiment ce baiser romantique qu'on avait *failli* échanger lors de cette incroyable soirée de pluie sur Xhaxhu, pendant le festival d'Azhra, mais c'était toujours ça.

Sauf que j'ai bien failli tomber raide.

Loor s'est éloignée à son tour pour entrer dans le cercle, a posé ses mains sur ses hanches et a déclaré :

– *Maintenant*, nous sommes au complet.

C'était vrai. Enfin, presque. L'oncle Press est entré dans le cercle pour me rejoindre en son centre. Je l'ai regardé et j'ai demandé :

– Où sont Mark et Courtney ?

Il a secoué la tête et répondu d'une voix douce :

– Je suis désolé, Bobby. Ce ne sont pas des Voyageurs.

Une explication parfaitement logique, mais qui n'en était pas moins douloureuse.

L'oncle Press m'a tourné le dos et a fait le tour de l'intérieur du cercle. En cours de route, il a regardé dans les yeux chacun des Voyageurs, l'un après l'autre. Personne n'a dit un mot. Personne n'osait parler. Le seul son audible était le hurlement du vent dans le lointain et le martèlement des bottes de l'oncle Press sur la terre friable.

– On a perdu la guerre, a-t-il déclaré. L'avenir de Halla était entre nos mains. Voilà pourtant où nous en sommes. Vaincus. Isolés. Marginalisés.

Une vérité pénible à entendre, mais personne n'a cherché à la nier. Tous ont soutenu son regard sans ciller.

– Personne parmi vous n'a demandé à endosser une telle responsabilité. Personne ne sait pourquoi il a été choisi pour faire ce travail. Pourquoi êtes-vous des Voyageurs ? Il y a une bonne raison à ça. Il est temps que vous la connaissiez.

Mon œil a accroché quelque chose dans le lointain. Une forme cachée par la brume. Un bref instant, le vent a dissipé la poussière assez longtemps pour qu'on puisse voir ce que c'était. Ce n'était qu'une ombre, sans aucun trait distinctif, mais on aurait dit une sorte de bâtiment. Une grande bâtisse qui se terminait en pointe. Elle était légèrement inclinée, comme la tour de Pise. Je n'avais toujours pas assez de perspective pour dire à quelle distance elle se trouvait ni quelle était sa taille exacte, mais elle avait quelque chose de vaguement familier. Un petit rai de lumière s'est reflété sur ce qui devait être des fenêtres. Puis le bâtiment a de nouveau disparu derrière le rideau de brume.

L'oncle Press a continué à faire le tour du cercle de Voyageurs, prenant soin de regarder chacun d'entre nous droit dans les yeux. Personne n'a cillé. Après avoir fini son tour, il est revenu vers moi.

– Bobby, il y a bien longtemps, je t'ai dit que cette histoire ne se terminerait pas avant que Saint Dane pense avoir remporté la victoire. Tu te rappelles ?

– Si je me rappelle ? J'y pense tous les jours !

L'oncle Press a acquiescé d'un air pensif.

– Et, d'après toi, est-ce qu'il se croit victorieux ?

– Oui, c'est sûr.

L'oncle Press a continué de marcher. J'ai vu jouer les muscles de ses mâchoires. Il serrait les dents. Il n'était pas content.

– Je vais vous dire une bonne chose, ici et maintenant. Ce n'est *pas* ce qui est écrit.

Il était furieux. Depuis que je le connaissais, je ne l'avais jamais vu donner libre cours à sa colère. Oh, il n'était pas vraiment fou de rage, mais il dégageait une incroyable intensité.

– Pendragon ! a-t-il aboyé.

J'ai sursauté. Il ne m'avait jamais appelé comme ça.

– Tu as commis des erreurs, a-t-il repris. Comme nous tous. Ma question est : es-tu capable de les surmonter pour aller de l'avant ? Ou est-ce que tout est déjà fini ?

Je n'ai pas répondu tout de suite. C'était une question bien trop importante pour faire preuve de précipitation. C'était même sans doute la plus importante qu'on m'ait jamais posée. Je devais être sûr que ma réponse soit la plus sincère possible. Sûr d'y croire vraiment. Il y avait quelques minutes à peine, je gisais à même le sol, tout seul, à bout de forces et d'espoir. Maintenant, je me retrouvais entouré des gens qui comptaient le plus pour moi. À mon tour, j'ai regardé chacun d'entre eux droit dans les yeux. J'avais besoin d'y puiser des forces. Besoin de savoir que je n'étais pas seul.

J'ai fixé Elli Winter, l'aimable historienne de Quillan qui avait perdu son mari, puis sa fille, qui avait cédé à la tentation de l'avidité et du pouvoir.

Puis Siry Remudi, le jeune hors-la-loi, poussé à découvrir la vérité sur Ibara et à répondre aux attentes de son père.

Puis Patrick Mac, le professeur de Troisième Terre qui avait dû affronter ses propres doutes et avait fini par donner sa vie dans une tentative bien vaine de remettre la Terre sur ses rails.

Puis Kasha, la chasseresse klee qui s'était rebellée contre sa propre tribu afin de lutter pour l'égalité entre les races d'Eelong.

Puis Vo Spader, l'aquanier désinvolte de Cloral qui voulait venger son père et avait contribué à arrêter Saint Dane sur trois territoires.

Puis Gunny Van Dyke, le réceptionniste d'hôtel à la voix douce, dont la sagesse paisible avait aidé les Klees d'Eelong à prospérer, et qui avait fait le choix impossible et courageux de laisser un événement tragique suivre son cours afin de sauver la Première Terre.

Puis Aja Killian, la scientifique de génie qui avait tenté en vain de sauver Veelox, mais n'avait pas vécu assez longtemps pour savoir que le plan qu'elle avait mis en branle avait fini par aboutir des siècles plus tard.

Puis Loor, la guerrière intrépide de Zadaa, dont les dons de combattante soutenaient une volonté farouche de lutter pour ce qu'elle croyait être juste.

Et enfin Alder, le chevalier généreux de Denduron, qui mettait toujours la sécurité et le bien-être d'autrui avant ses propres intérêts. Sa loyauté et sa bonté en faisaient peut-être le meilleur d'entre nous.

Enfin, il restait moi. Bobby Pendragon, le Voyageur de Seconde Terre. Le Voyageur en chef. Je ne voulais pas l'admettre, mais tout au long de cette bataille c'était moi qui, de tous les Voyageurs, avais joué le rôle le plus important. Ce qui ne veut pas dire que les autres n'avaient pas fait les mêmes sacrifices et n'avaient pas lutté aussi dur que moi, voire plus encore, mais si on y réfléchit bien, c'était toujours moi qui me retrouvais en première ligne. Saint Dane m'avait affirmé plus d'une fois que la bataille pour Halla était en réalité un duel entre nous deux. C'était probablement la seule chose qu'il m'ait dite qui ne soit pas un mensonge. C'était bien un affrontement entre lui et moi.

Et je l'avais perdu.

À ce moment précis, alors que mon regard croisait ceux des Voyageurs, il s'est passé quelque chose. À chacun de ces brefs échanges, j'ai renoué mon lien avec un véritable ami. Et même si aucun mot n'a été échangé, tous m'ont dit la même chose. Ils étaient avec moi. J'ai alors cru sincèrement que si j'avais demandé à n'importe lequel d'entre eux de me suivre jusqu'aux portes de l'enfer, ils se seraient bousculés pour passer en premier.

– Pendragon ! a lancé Aja.

Je me suis tourné vers elle.

– Il y a bien longtemps, je t'ai demandé de me laisser une autre occasion d'en découdre avec Saint Dane. Tu m'as répondu que tu verrais ce que tu pouvais faire. Tu t'en souviens ?

– Oui.

– Alors j'en appelle à ta promesse, Pendragon. Maintenant. Vois ce que tu peux faire.

Les autres Voyageurs m'ont regardé, attendant ma réponse.

– Qu'en dis-tu, Bobby ? a renchéri l'oncle Press.

J'ai jeté un dernier regard à mes amis Voyageurs. Chacun d'entre eux m'a donné la même réponse muette. Ils ont acquiescé d'un air confiant.

Je me suis dirigé vers mon oncle.

– Je dis… qu'on est loin d'en avoir terminé !

L'oncle Press a souri. Rien de dramatique, rien de spectaculaire, mais il était sincère. Tout aussi vite, il a cessé de sourire pour se tourner vers les autres.

– Très bien. Maintenant, à notre tour.

Il est sorti du cercle, s'en est éloigné et a disparu dans la brume. Pour aller où ? Je n'en avais pas la moindre idée. Les Voyageurs l'ont regardé partir, puis se sont tournés vers moi comme un seul homme. Ils avaient entendu la réponse que j'avais faite à l'oncle Press. Ils voulaient la leur.

– Il a raison, ai-je déclaré. J'ai commis des erreurs. Plus que je n'aurais dû. J'espère en avoir appris suffisamment pour ne pas les répéter, mais je ne peux rien garantir. Il n'y a qu'une chose que je peux vous promettre. Je compte bien aller jusqu'au bout. Saint Dane croit qu'il a déjà gagné. Pas moi. Je ne sais ni où ni quand cette histoire se terminera, mais je compte bien être là. Et Saint Dane également, qu'il le veuille ou non. Il prétend que tout s'est passé conformément à son plan. C'est peut-être vrai. Mais je dis qu'il est temps de dresser nos propres plans.

Le cercle s'est refermé. Les Voyageurs se sont rassemblés pour se tenir épaule contre épaule. Tous les yeux étaient braqués sur moi. J'ai senti monter une bouffée de fierté.

Je me suis redressé et j'ai affirmé :

– Et c'est reparti.

Je les ai dépassés pour suivre l'oncle Press. Les Voyageurs m'ont emboîté le pas. Alder en premier, puis Loor, puis les autres. Onze en tout. Tous différents les uns des autres, mais rassemblés par un but commun.

Les événements ne se déroulaient pas tels qu'ils étaient écrits.
C'était à nous de remettre de l'ordre dans tout ça.
On était les soldats de Halla.
Il était temps de le reconquérir.

Fin du journal n° 36

À suivre

À PARAÎTRE EN 2010

Ne manquez pas l'affrontement final !

Bobby Pendragon n° 10
Les Guerres de Halla

À PARAÎTRE EN 2010

Avant Bobby Pendragon…
Avant Saint Dane…
Avant la guerre…

BOBBY PENDRAGON
AVANT LA GUERRE

La trilogie des Voyageurs

Impression réalisée par
CPI BRODARD ET TAUPIN
La Flèche
en avril 2009

N° d'édition : 6020
Éditions du Rocher
28, rue Comte-Félix-Gastaldi
Monaco

Imprimé en France
Dépôt légal : mai 2009
N° d'impression : 52608